PETER JAMES

NOT DEAD ENOUGH

A NOVEL

ПИТЕР
ДЖЕЙМС

ПИТЕР ДЖЕЙМС

УБИЙСТВЕННО ЖИВ

РОМАН

Москва
ЦЕНТРПОЛИГРАФ

УДК 820(73)-31
ББК 84(4Вел)
Д40

This edition published by arrangement
with Blake Friedmann Literary, TV and Film Agency Ltd
and Andrew Nurnberg Literary Agency.

*Художественное оформление
И.А. Озерова*

Джеймс П.
Д40   Убийственно жив: роман / Пер. с англ. Е.В. Нетесовой. — М.:
ЗАО Центрполиграф, 2007. — 493 с.

ISBN 978-5-9524-3143-0

В ту ночь, когда миллионер Брайан Бишоп зверски убил свою жену, он находился в 60 милях от места преступления. Мысль абсурдная, однако все улики неумолимо свидетельствуют против него. Вскоре при таких же жутких обстоятельствах убита менеджер кинокомпании Софи Харрингтон. Бишоп дает путаные показания, не в силах ничего объяснить. А в это время брайтонский маньяк, как окрестили убийцу репортеры, охотится за новой жертвой. Суперинтендент Рой Грейс принимает вызов и вступает, по его собственным словам, в поединок с дьяволом...

УДК 820(73)-31
ББК 84(4Вел)

ISBN 978-5-9524-3143-0

УБИЙСТВЕННО ЖИВ

РОМАН

Посвящается Берти, Сути и Фибе

Предисловие

Суссекская полиция вдохновила меня на цикл романов о Рое Грейсе, поэтому я глубоко признателен многим офицерам и вспомогательному персоналу, тепло меня принявшим и оказавшим всяческую поддержку. Список возглавляет главный констебль Джо Эдвардс, любезно выдавший разрешение на знакомство с деятельностью уголовного розыска. Бесценную помощь в работе над книгой оказал мой друг, бывший главный суперинтендент, находящийся ныне в отставке, Дэйв Гейлор, который долгие годы знакомил меня с работой суссекской полиции и во многом послужил прототипом Роя Грейса. Это мой первый наставник, фонтан творческих идей, терпеливый святой, внесший огромный вклад в нынешний и предшествующие романы. Без него их было бы гораздо меньше.

Упомяну среди прочих — простите, пожалуйста, если кого позабыл, — главного суперинтендента Кевина Мура, оказавшего неоценимую помощь, блистательных сотрудников отдела высоких технологий Рея Пэкема и его жену, подбросивших замечательные творческие идеи. Констебль Пол Гжегожек из местной вспомогательной бригады вводил меня в курс преступной жизни Брайтона и действий полиции, которая старается ее обуздать. Благодарю сержанта Джулиана Клаппа, заставившего меня не раз содрогнуться во время процедуры оформления предварительного заключения, и инспектора Марка Пауэллса из отдела идентификации суссекской уголовной полиции.

Хочу поблагодарить инспекторов Роя Эппса и Пола Фарнелла, констебля Мэтта Вебстера, инспектора Энди Парра, главного суперинтендента Питера Колла, начальника отдела высоких технологий сержанта Фила Тейлора и бывшего начальника того же отдела Джона Шоу, ныне возглавляющего экспертно-криминалистическую бригаду; Джулию Пейдж из отдела программного обеспечения; сержанта Кита Халлета, работающего с полицейской информационной программой ХОЛМС; консультанта аналитического отдела Брайана Кука; инспектора уголовной полиции Уильяма Уорнера; старшего следователя по уголовным делам Стюарта Леонарда; старшего аналитика Сьюзи Строан; сержанта Джейсона Тингли; офицеров отдела семейных проблем Аманду Страуд и Луизу Пай; и отдельно старшего следователя отдела тяжких преступлений Тони Кейса, который уделил мне очень много времени, с энтузиазмом оказывая колоссальную помощь.

Большое спасибо фантастической мюнхенской команде моих помощников: комиссару криминальной полиции Вальтеру Дюфтеру, Людвигу Вальдингеру, Детфелю Пухельту, Францу-Йозефу Вильфингу; Энди и Сабине; Анетт Липперт, потрудившейся познакомить меня с Мюнхеном; и, конечно, величайшему из живущих немецких актеров Гансу Юргену Штокери, который с величайшим терпением провел меня как минимум десять раз по всему городу, уточняя места действия.

Мне очень помогли эссекский коронер доктор Питер Дин, патологоанатом доктор Найджел Киркэм, судебно-медицинский эксперт министерства внутренних дел Великобритании доктор Весна Джурович, судебный дантист научно-криминалистической лаборатории и отдела судебной медицины Монреаля доктор Роберт Дорион — автор исчерпывающего труда о зубном прикусе. От всей души благодарю своих чудесных друзей в морге Брайтона и Хоува — Элси Суитмен, Виктора Синдена — за бесконечное внимание, доброту, понимание.

Спасибо Брайану Эллису, доктору Эндрю Дэйви, доктору Джонатану Пашу, технику-патологоанатому Тому Ферреру, Роберту Фрэнкису — одному из немногих, кто догонял меня в автомобильных гонках; Питеру Бейли, обладающему энциклопедическими познаниями о прошлом и настоящем Суссекса и о сети железных дорог графства. Огромная благодарность инспектору по надзору за приемными детьми Крисси Франклин, которая неустанно меня консультировала в своем нелегком и тонком деле.

Как обычно, спасибо Крису Уэббу, который заботился о моем компьютере; неофициальным редакторам Иможен Ллойд-Уэббер, Анне-Лизе Линдеблад и Сью Энселл, читавшим на разных стадиях рукопись и делавшим бесценные замечания. Благодарю за усердную работу группу по связям с общественностью издательства «Мидас», Тони Малликена, Марго Вилал и Амелию Роуленд.

Шлю бесчисленные благословения своему сказочному агенту Кэрол Блейк — гордясь, что позволил ей ходить всего в нескольких туфлях из имевшихся у нее трех триллионов фирменных пар. А также своему киноагенту Джулиану Фридмену. Считаю большой честью публикацию моих книг издательством «Макмиллан». Всех не перечислить, но поблагодарю Ричарда Чаркина, Дэвида Норта, Джеффа Даффилда, Анну Стокбридж, Вивьен Нельсон, Мари Слокомб, Мишель Тейлор, Кейтриону Роу, Клэр Берн, Али Мюиридена, Ричарда Эванса, Хлою Брайтон, Лиз Коуэн, мою машинистку Лесли Левин и в заключение, но отнюдь не в последнюю очередь, Стеф Бирвирт — редактора, которая творит невероятные чудеса. Через Ла-Манш посылаю общее спасибо немецким издателям за щедрую помощь. Особенно Петеру Ломанну, Джулии Шейд, Андреа Энгену, Корделии Борхард, Бруно Бэку, Индре Хайнц и необычайно грозной Андреа Лидрих — величайшему издателю в Германии.

Спасибо моим верным гончим Берти, Сути и Фибе за напоминание, что и за дверью моего рабочего кабинета продолжается жизнь.

Последняя, но самая горячая благодарность моей милой Хелен за веру в мои способности, в то, что другого пути передо мной просто нет.

Наконец, еще раз спасибо всем моим читателям — за письма и добрые слова. Для меня это много значит.

Питер Джеймс

Суссекс, Англия

scary&pavilion.co.uk
www.peterjames.com

1

Ждать темноты было долго, но стоило. Время не проблема. Он давно понял, что времени в жизни полно, когда ее остается еще хоть чуточку. У него куча времени. Почти миллиардный запас.

Вскоре после полуночи женщина, за которой он следовал по пятам, свернула на двухполосную подъездную дорогу и подъехала к освещенной одним фонарем площадке заправочной станции «Бритиш петролеум». Он остановил угнанный фургон на неосвещенной полосе, следя за ее тормозными огнями, которые горели все ярче и ярче. Красный цвет опасности, красный цвет удачи, красный цвет секса. *Семьдесят один процент жертв убивают родные и близкие люди.* Цифры статистики бешено крутились в голове, словно шарик пинбола[1] в поисках лузы. Он собирал статистику, старательно пряча цифры, как белка орешки, храня в долгой памяти до того дня, когда они наверняка понадобятся.

Вопрос в том, *сколько процентов из семидесяти одного знают, что их вот-вот убьют. Вы знаете, леди?*

Мелькали передние фары автомобилей, в шеренгу грузовиков затесался маленький синий «рено», дребезжа в багажнике какими-то слесарными инструментами. У колонок стояли только две машины — готовившаяся отъехать пассажирская «тойота» и большой «ягуар». Его владелец, тучный мужчина в плохо сидевшем смокинге, возвращался от окошечка кассы, засовывая во внутренний карман бумажник. Неподалеку стоял бензовоз «Бри-

---

[1] П и н б о л — настольная игра, в которой игрок, выпустив шарик с помощью поршня, пытается попасть в лузу на игольчатой поверхности. (*Здесь и далее примеч. пер.*)

тиш петролеум», водитель которого в защитном костюме разматывал длинный шланг, готовясь к дозаправке.

Старательно оглядевшись, он заметил всего одну камеру слежения, направленную на заправочную площадку. С этой проблемой вполне можно справиться.

Лучшего места для наблюдения не придумаешь!

Он послал камере воздушный поцелуй.

2

Был теплый летний вечер. Кэти Бишоп откинула с лица растрепанные огненно-рыжие волосы и устало зевнула. Вымоталась — но очень-очень приятно, спасибо! Она настороженно разглядывала бензоколонку, видя в ней, как почти во всех прочих бензоколонках, некое инопланетное существо, прибывшее на Землю, чтобы ее запугать. Муж с огромным трудом разбирается в инструкциях к посудомоечной и стиральной машинам, утверждая, что они написаны на чужом, «женском» языке. А с ее точки зрения, бензоколонки выражаются на чужом языке, инструкции написаны на «мужском» жаргоне.

Она, как обычно, с трудом открутила крышку бензобака своего БМВ, уставилась на таблички «премиум» и «супер», вспоминая, что именно надо залить. Если «премиум», Брайан будет недоволен из-за низкосортного бензина, если «супер» — будет ворчать из-за лишней траты денег. Впрочем, в данный момент это не имеет значения. Держа в одной руке шланг и с силой нажимая на рычаг, она помахала другой, привлекая внимание сонного ночного дежурного в окошечке.

Брайан все больше ее раздражает. Жутко надоели скандалы из-за дурацких мелочей — его зубная паста лежит не на своем месте на полочке в ванной, стулья вокруг кухонного стола расставлены не на одинаковом расстоянии друг от друга... Кроме того, он буквально свихнулся, регулярно таская домой сумки из секс-шопов со всякими дикими приспособлениями, настаивая, что их надо испробовать. Противно до невозможности.

Она так глубоко задумалась, что почти не заметила, как шланг дрогнул, колонка резко щелкнула. Вдыхая пары бензина, запах которых ей очень нравился, Кэти толкнула рычаг вверх, заперла дверцы машины с помощью пульта дистанционного управления — Брайан без конца предупреждает, что автомобили часто угоняют на бензозаправках, — и пошла к будке расплачиваться.

На обратном пути старательно уложила в сумочку кредитную карточку и квитанцию, отперла дверцу, села и снова заперла ее изнутри, защелкнула ремень безопасности, запустила мотор. Включился проигрыватель с лазерным диском. Она на секунду подумала, не поднять ли верх машины. Уже за полночь, опасно в такой час ехать в Брайтон с открытым верхом. Лучше сидеть в безопасности в закрытом автомобиле. Потом решила не поднимать.

Только вырулив с заправки и проехав добрую сотню ярдов по темной и скользкой дороге, она почуяла в машине какой-то посторонний запах. Хорошо знакомый. Потом что-то мелькнуло в зеркале заднего обзора.

В машине кто-то был.

Страх вонзился в горло рыболовным крючком, руки на руле застыли. Она с силой нажала на тормозную педаль, автомобиль с визгом остановился, рука отчаянно нащупывала рычаг, чтобы дать задний ход, вернуться на спасительную заправку, и почувствовала прикосновение к горлу острого холодного металла.

— Поезжай вперед, Кэти, — сказал он. — Ты ведь была не слишком хорошей девочкой, правда?

Стараясь увидеть его в зеркальце, она уловила проблеск серебристого лезвия.

А он уловил в том же зеркальце ужас в ее глазах.

3

Марлон, как всегда, плавал в стеклянном сосуде, кружа в своем мире с неуемной целеустремленностью исследователя, который направляется к очередному еще не нанесенному на карту континенту. Рот его открывался и закрывался, глотая главным образом воду, а порой и микроскопические хлопья, которые обходились Рою Грейсу в ту же сумму, в какую обошелся бы обед золотой рыбки в ресторане «Гордон Рамсей».

Грейс развалился в шезлонге в гостиной своего дома, обставленного давно исчезнувшей женой Сэнди в черно-белом минималистском стиле дзен и до недавнего времени полного воспоминаний о ней. Теперь здесь осталось лишь несколько забавных вещичек 1950-х годов, которые они вместе купили: главная гордость — отреставрированный и отремонтированный музыкальный автомат — и всего одна ее фотография в серебряной рамке, снятая двадцать лет назад на отдыхе на Капри. Прелестное загорелое лицо с широкой и счастливой улыбкой. Она стоит у скалы, длинные светлые волосы развеваются на ветру, вся сплошь залита солнцем, словно посланная ему с небес богиня.

Грейс хлебнул виски со льдом, не сводя глаз с телеэкрана, где крутилось старое кино на DVD, один из десяти тысяч фильмов, которых, по твердому убеждению его коллеги и приятеля Гленна Брэнсона, он просто *не мог* не видеть.

В последнее время вовсе не вопрос об одностороннем преимуществе Брэнсона в этой области вынуждает его стремиться к полноправному соперничеству. Перед ним стоит задача учиться, пополнить образование, ликвидировать обширные культурные пробелы. Он постепенно и медленно осознал, что в мозгу отложились бесчисленные страницы полицейских руководств и инструкций, результаты матчей по регби и крикету, футбольных игр, мотогонок и больше почти ничего. Дело надо поправить. И срочно.

Потому что впервые за долгое время он вновь с кем-то встречается, к кому-то тянется, может быть, даже в кого-то влюблен. Не верится в такую удачу. Но она гораздо образованнее, чем он. Порой кажется, что прочитала каждую книгу, когда-либо написанную, видела каждый фильм, слышала каждую оперу, знакома с творчеством каждого художника, живого и мертвого. Мало того, она заканчивает философский факультет Открытого университета.

Этим объясняется стопка философских книжек на журнальном столике за шезлонгом. Большинство недавно куплено в «Сити-букс» на Вестерн-роуд, остальные выловлены в бесчисленных книжных лавках Брайтона и Хоува.

Сверху лежат две с самыми понятными названиями: «Утешения философии», «Дзен и Черепаха». Книги для простых людей, в которые можно вникнуть. Ну, хотя бы частично, получив возможность для блефа при обсуждении с Клио некоторых занимающих ее вопросов. Причем, как ни странно, он сам искренне заинтересовался. В частности, вполне согласился с Сократом, одиноким, приговоренным к смерти за свое учение и образ мыслей, однажды сказавшим: «Не стоит жить неосмысленной жизнью».

На прошлой неделе она потащила его на Глайндборн[1] послушать «Свадьбу Фигаро» Моцарта. Опера его слегка утомила, но порой музыка и само представление отличались такой красотой, что он чуть не заливался слезами.

И сейчас его захватил черно-белый фильм, снятый в послевоенной Вене. Вот Орсон Уэллс в роли дельца черного рынка Гарри Лайма поднимается в парке отдыха в люльке на колесе обозрения вместе с Джозефом Коттеном[2]. Коттен обвиняет своего старого друга Гарри в коррупции. Уэллс оправдывается, напоминая, что в Италии при Борджа тридцать лет шли войны, убий-

---

[1] Г л а й н д б о р н — ежегодный оперный фестиваль в имении близ города Льюиса в графстве Суссекс.

[2] Имеется в виду фильм «Гражданин Кейн» режиссера Орсона Уэллса, исполнившего в нем главную роль, который признан одним из лучших фильмов всех времен и народов.

ства, кровопролитие и одновременно царствовал Ренессанс, творили Микеланджело, да Винчи. А что вышло из Швейцарии после пятисот мирных лет демократии и всеобщей братской любви? Часы с кукушкой.

Грейс еще раз от души хлебнул виски. Уэллс играет обаятельного человека, но он не испытывает к нему симпатии. Это негодяй и мерзавец. За двадцать лет службы он не встречал ни одного мерзавца и негодяя, который не пытался бы оправдать свои действия. В их извращенном представлении плох мир, а не они сами.

Он зевнул, погромыхал кубиками льда в опустевшем стакане, думая о завтрашнем дне — пятнице — и об обеде с Клио. Не видел ее с прошлой пятницы — она уезжала на выходные на крупное сборище родственников в честь тридцать пятой годовщины свадьбы родителей. Немного обидно, что она его не пригласила поехать, как бы сохраняя дистанцию и давая понять, что, хоть они встречаются, занимаясь любовью, *целого* все же реально не составляют. А в понедельник отправилась на курсы повышения квалификации. Они ежедневно перезваниваются, обмениваются сообщениями по электронной почте, и все-таки он безумно тоскует по ней.

Завтра утром предстоит встреча с непредсказуемой, попеременно кислой и сладкой начальницей Элисон Воспер, заместителем начальника суссекской уголовной полиции. Вдруг устав как собака, он раздумывал, выпить ли еще виски и досмотреть фильм или приберечь все это на завтрашний вечер, когда услышал звонок в дверь.

Кто может нанести визит в полночь?

Вновь прозвонил звонок. Затем послышался настойчивый стук.

Он озадаченно и настороженно выключил видео, не совсем уверенно поднялся и пошел в прихожую. Снова стук и звонок.

Грейс жил в почти тихом пригороде, на застроенной отдельно стоявшими домами улице, сбегавшей к морскому берегу Хоува. Здесь проходила проторенная дорожка наркоманов и ночных хулиганов Брайтона и Хоува, против которых он прочно держал оборону.

Долгие годы службы скрещивал мечи с местными злодеями, вымещал злобу на простых подонках и сильных игроках. Мало кто с ним тут мог потягаться. Но он так и не потрудился врезать дверной глазок и поставить цепочку.

Поэтому, понадеявшись на свою сообразительность, притупленную лишним количеством виски, Грейс широко распахнул дверь. И увидел перед собой самого любимого на свете мужчину — сержанта Гленна Брэнсона ростом шесть футов два дюйма, чернокожего и лысого, как метеорит. Однако сейчас сержант не улыбался, как это было ему свойственно, а морщился и таращил глаза.

4

Лезвие крепче врезалось в горло, распарывало. С каждым ухабом на дороге становилось больней и больней.

— Выброси всякие домыслы из головы, — тихо и добродушно предупредил он.

По горлу текла кровь, или пот, или то и другое — неясно. Объятая страхом и ужасом, Кэти отчаянно старалась мыслить здраво. Открыла рот, хотела что-нибудь сказать, видя приближавшийся свет фар, стискивая скользкими от пота руками рулевое колесо БМВ, но лезвие только сильнее впивалось.

Машина въезжала на вершину холма, слева горели огни Брайтона и Хоува.

— Держись левой полосы, выезжай на вторую развязку.

Она покорно свернула на широкую двухполосную Дайк-роуд, залитую оранжевым фонарным светом. Знала, куда они едут, понимала, что должна что-нибудь сделать, прежде чем доедут. Сердце вдруг подскочило от радости. Через дорогу замелькали голубые звездные вспышки. Патрульная машина! Стоит перед другим автомобилем. Она протянула руку, чтобы выключить указатель поворота, но вместо этого стеклоочистители заскрежетали по сухому стеклу.

Черт возьми!

— Зачем ты включила «дворники», Кэти? Дождя нет, — послышался голос с заднего сиденья.

Проклятье, проклятье, проклятье! Не на то нажала!

Проехали мимо полицейской патрульной машины. Она смотрела на ее фары в зеркале, как на исчезающий оазис, и одновременно ей удалось разглядеть позади бородатую физиономию в низко надвинутой бейсбольной кепке и темных очках, несмотря

18

на ночь. Лицо неузнаваемое и все-таки, вместе с голосом, тревожно знакомое.

— Поворачивай влево, Кэти. Сбрось скорость. По-моему, ты знаешь, куда мы направляемся.

Сенсор автоматически открывает ворота. Через несколько секунд они распахнутся, БМВ в них въедет, они за ним закроются, она очутится в темноте, в одиночестве, никто не будет ее видеть, кроме мужчины на заднем сиденье.

Нет. Этого нельзя допустить.

Можно вывернуть руль, врезаться в фонарный столб или в фары приближающегося автомобиля. Она еще сильней напряглась. Взглянула на спидометр, стараясь сообразить. Если резко затормозить или на что-нибудь натолкнуться, его бросит вперед, нож вылетит из рук. Это было бы умно. Не просто умно — единственный выход.

Помоги мне, Господи Иисусе.

В желудке образовался комок, который жег сильней льда. Во рту возник кислый зловонный запах. Вдруг зазвонил мобильник, лежавший рядом на сиденье. Тринадцатилетняя падчерица Карли выбрала для сигнала глупую надоедливую распроклятую «цыплячью песенку», которая всякий раз ее чертовски бесит.

— Даже не думай отвечать, Кэти, — предупредил он.

И она не ответила. Вместо того покорной овечкой свернула налево в послушно открывшиеся ворота из кованого железа, за которыми лежала короткая темная асфальтированная дорожка, обсаженная немыслимо огромными кустами рододендронов, купленных Брайаном в садовом центре за сумасшедшие деньги. Чтобы они нас ограждали, объяснил он.

Угу. Чтоб ограждали. Большое спасибо.

Передние фары высветили фасад. Несколько часов назад Кэти выехала из своего дома. Теперь, в этот самый момент, он казался совсем другим — чужим и враждебным, от которого надо бежать со всех ног.

Ворота закрылись за ней.

5

Рой Грейс несколько секунд ошеломленно таращился на Гленна Брэнсона. Обычно официально одетый, сержант был теперь в веселенькой синей рубахе, спортивной серой курточке с капюшоном, мешковатых штанах и кроссовках. На лице печать многодневной усталости. Вместо обычного в последнее время модного мужского одеколона от него несло застарелым потом. Он больше смахивал на разыскиваемого преступника, чем на полицейского.

Прежде чем Грейс сумел вымолвить слово, сержант его крепко обнял, прижавшись потной щекой к его лицу.

— Рой, она меня выгнала. Господи боже, старик, она меня вышвырнула!

Грейс кое-как умудрился ввести друга в дом, в гостиную, усадить на диван. Сев рядом и обхватив могучие плечи сержанта, сочувственно спросил:

— Эри?

— Она меня вышвырнула.

— То есть как? Что значит «вышвырнула»?

Гленн Брэнсон подался вперед, уткнулся локтями в стеклянный журнальный столик и закрыл лицо ладонями.

— Я этого не переживу. Рой, ты мне должен помочь. Я не вынесу.

— Чего тебе налить? Виски? Вина? Кофе?

— Мне нужна Эри. И Сэмми. И Рэми. — И Гленн отчаянно зарыдал.

Грейс на секунду оглянулся на золотую рыбку, глядя, как Марлон дрейфует, сделав редкий перерыв в кругосветном путешествии, праздно открывая и закрывая рот, и вдруг понял, что сам открывает и закрывает рот. Потом встал, вышел из комнаты, откупорил годами пылившуюся в буфете бутылку коньяка «Курвуазье», плеснул в стакан, сунул в мясистую руку Гленна:

— Выпей.

Сержант нянчил стакан, молча глядя в него, словно выискивая написанное на поверхности сообщение. Наконец сделал маленький глоточек, за которым последовал очень большой, после чего он поставил стакан, не сводя с него мрачного взгляда.

— Рассказывай, — попросил Грейс, глядя на неподвижно застывшие на телевизионном экране лица Орсона Уэллса и Джозефа Коттена. — Говори, что случилось.

Брэнсон тоже взглянул на экран и пробормотал:

— Знаешь, все дело в верности. Дружба, любовь, измена...

— Что это значит?

— Кино, — выдавил он. — «Третий человек»[1]. Режиссер Кэрол Рид. Музыка. Цитра. Всегда меня заводит. Орсон Уэллс рано прославился, а первого успеха не смог повторить — вот в чем его трагедия. Бедняга. Снял несколько лучших фильмов всех времен и народов. А за что его люди особенно помнят? Помнят толстяка, торгующего шерри.

— Я тебя не совсем понимаю, — признался Грейс.

— По-моему, это был шерри. Возможно. Кому какое дело? — Гленн поднес к губам стакан и осушил его. — Я за рулем. Ну и хрен с ним.

Рой терпеливо ждал, решив ни в коем случае не позволять Гленну вести машину. Он никогда прежде не видел своего друга в таком состоянии.

Гленн почти бессознательно протянул ему пустой стакан.

— Еще хочешь?

Сержант, глядя в стол, промямлил:

— Как скажешь.

Грейс налил ему коньяку на четыре пальца. Два месяца назад Гленна подстрелили во время организованного Роем налета, в чем он до сих пор себя адски винил. Пронзившая сержанта пуля 38-го калибра чудом не причинила большого вреда. Пройди она на полдюйма правее, было бы совсем другое дело.

Пуля с круглой головкой попала в брюшину под грудной клеткой на небольшой скорости, не задев позвоночник, аорту,

---

[1] «Третий человек» — экранизация романа Грэма Грина.

внутреннюю полую вену и мочеточники. Частично повредила мочевой пузырь, который пришлось оперировать, и мягкие ткани, главным образом жировые прослойки и мышцы, что тоже потребовало хирургического вмешательства. Через десять дней его выпустили из больницы домой на долгую реабилитацию.

На протяжении двух следующих месяцев Грейс каждый день и каждую ночь прокручивал в памяти события той операции. Снова, снова и снова. Несмотря на все расчеты и меры предосторожности, все пошло кувырком. Никто из вышестоящего начальства его не винил, но в душе он чувствовал себя ответственным за ранение подчиненного.

Еще хуже — лучшего друга.

Еще хуже — в начале операции другая его подчиненная, на редкость талантливая Эмма Джейн Бутвуд, получила тяжелые травмы, пытаясь остановить фургон, и до сих пор остается в больнице.

Слегка утешали недавно подмеченные и навсегда запомнившиеся слова философа Сёрена Кьеркегора: «Надо дальше проживать жизнь, но понять ее можно только потом».

— Эри, — вдруг простонал Гленн. — Господи Иисусе, я этого не вынесу…

Грейс знал о супружеских проблемах друга. Само собой разумеется, у полицейского безумный, неупорядоченный график работы. Если он не женат на понимающей это коллеге, наверняка возникнут проблемы. У каждого из их братии в некий момент они возникают. Может быть, и Сэнди страдала, только о том не говорила. Может быть, потому и исчезла. Может быть, поняла, что с нее хватит, и просто ушла. Таково одно из множества объяснений случившегося в июльский вечер, когда ему исполнилось тридцать лет.

В прошлую среду с тех пор стукнуло девять лет.

Сержант хлебнул коньяку и жестоко закашлялся. Потом взглянул на Грейса большими, налившимися желчью глазами:

— Что мне делать?

— Объясни, что случилось.

— Эри решила, что с нее довольно.

— Чего?

— Меня. Нашей совместной жизни. Не знаю. Просто не знаю. — Он уставился куда-то вдаль. — Ходила на всякие курсы самосовершенствования. Я же тебе рассказывал, покупала мне книжки «Мужчины с Марса, женщины с Венеры»... «Почему женщины не разбираются в дорожных картах, а мужчины не могут ничего найти в холодильнике», прочую белиберду... Понял? Все сильней злилась, когда я поздно возвращался домой, а ей приходилось сидеть с ребятишками, пропускать курсы. Понял?

Грейс понял, плеснул себе виски, потом вдруг ощутил желание закурить.

— Но я думал, ей самой хотелось, чтобы ты служил в полиции.

— Угу. А теперь наш график довел ее до ручки. Разве женщину можно понять?

— Ты умный, сообразительный, амбициозный, быстро продвигаешься. Разве она этого не понимает? Не знает, как высоко тебя ценит начальство?

— По-моему, ей на это дерьмо глубоко плевать.

— Возьми себя в руки, старик! Ты днем работал охранником, а три ночи в неделю вышибалой. Что тебе светило, черт возьми? Сам же мне говорил, что, когда у тебя сын родился, ты как бы прозрел. Не хотел, чтобы он признавался своим одноклассникам, что его отец — вышибала в ночном клубе. Хотел, чтоб он тобой гордился. Правда?

Брэнсон тупо смотрел в свой стакан, снова опустевший.

— Угу.

— Тогда я не понимаю...

— Я тоже.

Видя, что выпивка несколько угомонила приятеля, Грейс взял его стакан, налил еще на два пальца, снова сунул ему в руку. Вспомнил собственный опыт патрульного, свою долю семейных разборок. Любой полицейский ненавидит вызовы по «семейным проблемам», которые, главным образом, оборачиваются вторжением в дом, где отчаянно скандалят муж с женой. Как правило, один из них или оба пьяные и копу в лицо в ту же минуту врезается кулак или стул летит в голову. Впрочем, этот опыт дал Грейсу рудиментарное представление о семейном праве.

— Ты когда-нибудь плохо вел себя с Эри?

— Шутишь? Никогда. *Никогда.* Не может быть даже речи.

Грейс поверил, хорошо зная, что Брэнсон по натуре не способен жестоко обращаться с любимыми. В могучей туше прячется добрейшая, нежнейшая, деликатнейшая душа.

— Закладная на дом оформлена на тебя?

— На нас обоих. — Брэнсон поставил стакан и снова заплакал. Через несколько минут, когда слезы иссякли, сказал: — Господи Иисусе... Лучше б та самая пуля не промахнулась. Пускай бы попала мне в самое сердце, ко всем чертям.

— Типун тебе на язык.

— Правда. Я серьезно. Ничего не выиграл, чтоб мне провалиться. Она взбесилась из-за того, что я работаю семь дней в неделю по двадцать четыре часа, а в последние полтора месяца вообще не бывал дома. А ты называешь меня подкаблучником.

Грейс минутку подумал.

— Дом твой. Тебе он принадлежит не меньше, чем Эри. Даже если она на тебя разозлилась, из дома не выкинет. У тебя есть свои права.

— Угу. Да ты же знаешь Эри.

Действительно, весьма привлекательная дама под тридцать, с очень сильной волей, всегда твердо дает понять, кто хозяин в доме Брэнсонов. Пусть Гленни носит штаны, но его физиономия выглядывает из ширинки.

Почти в пять утра Грейс вытащил из комода какие-то простыни, одеяло, постелил приятелю постель. Бутылка виски и бутылка коньяку почти опустели, в пепельнице громоздилась куча раздавленных окурков. Он уже почти совсем бросил курить, увидев недавно в морге черные легкие заядлого курильщика, но долгая выпивка лишила его силы воли.

Казалось, будто прошло лишь несколько минут, когда зазвонил мобильник. Грейс взглянул на будильник у кровати и с ужасом понял, что уже десять минут десятого.

Звонят почти наверняка со службы. Он дал телефону еще позвонить, стараясь полностью проснуться, чтоб голос звучал твердо. В голову будто вонзалась проволока для резки сыра. На этой неделе он исполняет обязанности старшего следователя и фактически должен являться в офис к восьми тридцати, всецело готовый к самым серьезным делам. Наконец он нажал кнопку ответа:

— Рой Грейс слушает.

Послышался очень серьезный голос молодого инспектора из диспетчерской по имени Джим Уолтерс, с которым Грейс несколько раз разговаривал, но лично не встречался.

— Суперинтендент, сержант из брайтонского управления просит вас заняться подозрительной смертью на Дайк-роуд-авеню в Хоуве.

— Можете сообщить какие-нибудь подробности? — спросил Грейс, окончательно придя в себя.

Разъединившись, накинул халат, налил в кружку воды, принял две таблетки парацетамола из аптечки в ванной, запил, выдавил из фольги еще две, протопал в другую комнату, крепко пропахшую спиртным и мужским запахом, растормошил Гленна Брэнсона:

— Вставай, вставай, это твой личный врач из преисподней!

Брэнсон приоткрыл один глаз.

— Издеваешься, старик, мать твою? — Он схватился за голову. — Черт возьми, сколько я вчера выпил? Голова как…

Грейс протянул таблетки и кружку:

— Завтрак в постель. У тебя две минуты, чтобы принять душ, одеться, проглотить таблетки и еще чего-нибудь на кухне. Потом отправляемся на службу.

— Забудь. Я еще неделю на больничном.

— Ничего подобного. Заключение врача. Никакого больничного. Приступаешь к работе сегодня. Сию же минуту. Идем труп осматривать.

Брэнсон медленно, словно ежесекундно страдая от боли, поднялся с постели. Грейс увидел круглый бесцветный шрам в нескольких дюймах выше пупка — след от пули. Меньше дюйма в диаметре. Устрашающе маленький.

Сержант сглотнул таблетки, запил водой, встал, затоптался на месте в длинных трусах, как бы потеряв ориентацию, почесывая мошонку.

— Черт побери, старик, у меня ничего нет, кроме этой вонючей одежды. Нельзя же в ней осматривать труп.

— Он возражать не будет, — заверил друга Грейс.

6

Телефон звонил и вибрировал. Пип-пиииип-ззззз-пиииип-пип-ззззз... Дисплей вспыхивал, судорожно трепыхаясь на краю раковины, где Вонючка его оставил, словно крупное, обезумевшее, насмерть подбитое насекомое.

Через тридцать секунд аппарату удалось его разбудить. Он рывком сел в постели, как всегда ударившись головой о низкую крышу фургона.

— Черт возьми!

Телефон упал с раковины на узкую ковровую дорожку, по-прежнему издавая омерзительный звон. Прошлой ночью он взял его в угнанной машине — хозяин не позаботился оставить инструкцию или ПИН-код. Вонючка был в таком вздрюченном состоянии, что не соображал, как заглушить звонок, и не решался выключить аппарат, не зная ПИН-кода, чтоб снова включить. А ему надо было сделать несколько звонков, прежде чем хозяин сообразит, что телефон пропал, и попросит компанию об отключении. Среди прочего позвонил брату Мику, который живет в Сиднее в Австралии с женой и ребятишками. Мик звонку не обрадовался, проворчал, что у них сейчас четыре утра, и разъединился.

Еще раз прозвонив, прогудев, пропищав, телефон замолчал. Классный аппарат в поблескивающем корпусе из нержавеющей стали, одна из последних моделей «моторолы». В магазинах, торгующих без специальной скидки, стоит фунтов триста. Если повезет, то после небольшого торга можно будет его утром сбагрить за двадцать пять.

Он вдруг почувствовал, что его колотит. Непонятная темная жидкость, текущая в венах, пронизывала каждую клетку тела, пока он лежал поверх одеяла в нижнем белье, то обливаясь потом, то трясясь. То же самое повторяется каждое утро, когда мир представляется жуткой пещерой, которая вот-вот обрушится и поглотит его. Навсегда.

Перед глазами мелькнул скорпион.

— Пошел вон, чтоб тебя разразило ко всем чертям!

Он снова сел, снова стукнулся, вскрикнув от боли. Никакого скорпиона, вообще ничего. Просто поехала крыша, из-за чего кажется, что личинки вгрызаются в тело, тысячами копошатся под кожей, образуя плотный кокон.

— Проваливайте ко всем чертям! — проскрипел он, пытаясь их стряхнуть, все громче сыпля проклятиями, соображая, что нет никаких скорпионов. Одно воображение. Каждый день одно и то же. Подсказывает, что надо принять коричневого или белого. Господи Иисусе, хоть чего-нибудь.

Он напомнил себе, что пора выбираться отсюда, уйти от запаха потных ног, зловонной одежды, прокисшего молока, встать и отправиться в офис. Бетани нравится, когда он говорит об *офисе*. Считает, что это забавно. При этом так странно хихикает, кривя маленький ротик, что продетое в верхней губе колечко на секунду совсем исчезает. Только непонятно, потешается ли она вместе с ним или над ним.

Впрочем, она его любит. Это ясно: он никогда раньше ничего такого не чувствовал. Видел в мыльных телесериалах, как люди признаются друг другу в любви, но не имел никакого понятия, что это значит, пока не познакомился с ней, подсадив в машину на второй развязке в пятницу несколько недель назад — или несколько месяцев.

Она его любит, время от времени нянчится, как с любимой куклой. Покупает еду, убирает квартиру, стирает одежду, заклеивает иногда вскакивающие прыщи, неловко занимается сексом днем или ночью, прежде чем торопливо умчаться.

Голова раскалывалась. Он пошарил на полке, вытянув руку с татуировкой во всю длину, нащупал пачку сигарет, пластмассовую зажигалку и пепельницу из фольги, лежавшую за складным ножом, который всегда был наготове, открытый.

Из пепельницы посыпались на пол окурки и пепел. Вонючка вытряхнул из пачки сигарету «Кэмел», закурил и в зубах с ней откинулся на тощую подушку. Одурманенный, глубоко затянулся и медленно выпустил дым из ноздрей. Сладкий вкус, невероятно сладкий! Мрачность на мгновение развеялась. Сердце хорошо застучало. Почувствовался прилив сил. Он ожил.

Что-то происходит. Звучит и замолкает сирена. Громыхает автобус, подняв за собой ветер и тучу пыли. Кто-то нетерпеливо гудит. Тарахтит мотоцикл. Он потянулся к пульту дистанционного управления, несколько раз промахнулся, пока не нащупал нужную кнопку, включил телевизор. Шикарная чернокожая Триша брала интервью у рыдавшей чернокожей женщины, муж которой только что признался, что он гей. На полоске внизу экрана указывалось время — шесть тридцать.

Рано. Еще все спят. В *офисе* пока нет никого из *сотрудников*. Снова мимо промчалась сирена. Вонючка закашлялся от табачного дыма, выполз из постели, осторожно перебравшись через тело спящего ливерпульца, имени которого не запомнил, явившегося сюда среди ночи со своим приятелем, покурив травки, выпив бутылку водки, купленную кем-то в нелегальной лавке. Остается надеяться, что они отвалят, проснувшись и обнаружив, что тут нет ни еды, ни наркоты, ни выпивки.

Он дернул дверцу холодильника и вытащил единственное, что там было, — полбутылки теплой кока-колы. Холодильник не работал с момента приобретения самого фургона. Крышка открутилась со слабым шипением — хороший вкус, сказочный.

Потом он наклонился над кухонной раковиной, полной тарелок, которые надо вымыть, картонок, которые надо выбросить — когда снова придет Бетани, — раздвинул оранжевые занавески в крапинку. Яркий лазерный луч солнца враждебно ударил в лицо, обжигая глаза.

Свет разбудил хомяка Эла. Даже с одной лапой в лубке, зверек подскочил в колесе и забегал. Вонючка посмотрел сквозь решетку, хватит ли воды и корма. Вроде хватит. Потом надо выбрать из клетки какашки. Больше ему ничего практически не приходится делать по дому.

Он вновь задернул занавески, хлебнул еще колы, поднял с пола пепельницу, затянулся сигаретой в последний раз, высосал почти до фильтра, загасил окурок. Снова закашлялся — кашель не унимается уже несколько дней или даже недель. Потом, вдруг почувствовав слабость, осторожно схватился за раковину, добрался до лежанки, цепляясь за спинки стульев вокруг широкого кухонного стола, улегся, слушая вокруг дневные шумы — пульс, звуки, ритмы, голоса его города. Здесь он родился и наверняка однажды умрет.

Городу он нисколько не нужен. Это город магазинов с такими вещами, какие он себе никогда в жизни позволить не сможет, с произведениями искусства, которых он не понимает, с лодками, яхтами, принадлежностями для гольфа и путешествий, с агентами по недвижимости, юристами, однодневными турагентами, представителями торговых ассоциаций, полицейскими. Он везде видит потенциальное посягательство на свою жизнь. Сами люди для него не имеют и никогда не имели значения. *Они* и *я*.

У *них* собственность. Это значит — наличные деньги.

Наличные позволяют прожить еще двадцать четыре часа. За двадцать фунтов, вырученных за украденный телефон, можно купить коричневый или белый пакетик — героин или крэк, что подвернется под руку. Если еще пятерку выгадать — пойдет на еду, выпивку, курево. Вдобавок, может, получится что-то украсть.

7

Предвещалась редчайшая вещь — великолепный летний английский день. Даже в высоких даунских холмах никакого намека на ветер. Без четверти одиннадцать солнце уже высушило росу на густой зелени и дорожках брайтонского гольф-клуба, земля совсем просохла, затвердела, в воздухе сильно пахло свежескошенной травой и деньгами. Жара была столь сильной, что ее хотелось соскрести с кожи.

Автомобильная стоянка сверкала дорогим металлом, кроме писка неисправной противоугонной сигнализации слышалось только жужжание насекомых, рубящие удары титана по выщербленному полимеру, электрический рокот тележек, быстро замолкавшие звонки мобильных телефонов, приглушенные проклятия промахнувшихся игроков.

Отсюда кажется, будто стоишь на вершине мира. На юге открывается полный вид на Брайтон и Хоув в долине — крыши, выше поднимающиеся к побережью, одиноко торчащая труба шорэмской электростанции, дальше серо-голубые воды Ла-Манша.

На юго-западе виднеются очертания города Уортинга, тающие, подобно многим его старым жителям, в дальней дымке. На севере лежат луга и пшеничные поля Даунса. Недавно скошенные квадратные и длинные круглые копны лежат, как фишки в настольной игре; работающие комбайны представляются издали крошечными, как игрушечные машинки.

Впрочем, почти все утренние гольфисты видели это так часто, что почти уже не замечали. В гольф по утрам играет элита Брайтона и Хоува, профессионалы, бизнесмены и те, кто воображает, будто принадлежит к элите, немалое количество дам, для которых гольф служит способом достижения жизненных целей, множество пенсионеров — в основном растерянных мужчин, просто вынужденных здесь жить.

На девятой лунке Бишоп, вспотев, как все прочие, сосредоточился на сияющем белом мяче, который только что поставил на метку. Расслабил колени, развернулся, крепко ухватив клюшку, готовясь к отработанному удару. Практиковался он только в одном — в дисциплине, потому что твердо верил только в нее. Привлеченный шмелиным жужжанием, увидел божью коровку, внезапно взлетевшую справа с земли. Как бы готовясь к долгому полету, она расправила крылья, убрала закрылки.

Бишоп старался припомнить, что мать говорила о божьих коровках. Он не так уж суеверен — не больше любого другого, — чтобы верить в байки, будто они приносят богатство, удачу. Помня, что за ним в очереди три партнера, а следующие игроки уже на лужайке, он упал на колени, схватил рукой в перчатке красное существо в черных крапинах, перенес в безопасное место. Потом снова встал в стойку, сосредоточился, прицелился, не обращая внимания на собственную тень, протянувшуюся прямо перед ним, не обращая внимания на круживпого где-то рядом шмеля, нанес точный удар — вжик! — и про себя воскликнул: «Вот так!»

Придя в клуб утром измотанным как собака, Бишоп играл потрясающе. Ни партнер, ни трое соперников не верили своим глазам. Нынче утром казалось, будто он, обычный член клуба, отвечающий средним стандартам, много лет твердо стоявший на восемнадцатом месте, принял пару волшебных пилюль, которые полностью изменили его неизменное мрачное настроение и отразились на игре. Вместо того чтобы угрюмо и молча бродить по площадке, погрузившись в собственный внутренний мир, он отпустил пару шуточек, даже хлопнул кого-то по спине. Словно некий собственный демон, обычно тихонько сидевший в душе, вдруг вырвался на волю, по крайней мере на нынешнее утро.

Оставалось несколько последних ударов для успешного прохождения всех девяти лунок. Справа была плотная купа деревьев, заросшая густой травой, где мяч без следа затеряется. Слева полный простор. Всегда лучше бить чуть-чуть левей лунки. Но сегодня он был так уверен в себе, что решил послать мяч по лужайке. Шагнул, взмахнул клюшкой, ударил. Мяч с чудесным и нежным шлепком высоко воспарил, мертво замер, пронзил дугой облака на кобальтовом небе и упал, не докатившись до лужайки на пол-ярда.

Близкий друг Гленн Мишон, больше смахивавший со своей длинной гривой темных волос на состарившуюся рок-звезду, чем на самого удачливого в Брайтоне агента по сделкам с недвижимостью, ухмыльнулся, покачав головой.

— Чего бы ты ни добивался, приятель, поделись со мной, — сказал он.

Брайан отступил в сторону, сунул в сумку клюшку, глядя, как партнер готовится к удару. Один из соперников, маленький дантист-ирландец в очках с толстыми стеклами и в шотландском берете, сделал долгий глоток из кожаной набедренной фляжки, которую предлагал всем по кругу, хотя было только без десяти одиннадцать. Другой хороший игрок, Йен Стайл, был в дорогих бермудах и в рубашке поло с эмблемой Хилтон-Хэд-Айленда.

Ни один из них не повторил его достижения.

Схватив свою тележку, он зашагал вперед, держась от остальных подальше, решив полностью сосредоточиться, не отвлекаясь на пустую болтовню. Если удастся успешно пройти девять первых лунок, всего с одной метки забросив мяч в лунку, получится невероятный результат: на четыре меньше пара[1]. *Должно получиться!* Он чертовски близко к лунке.

Сорокадвухлетний Бишоп был чуть больше шести футов ростом, с сухим холодно-симпатичным лицом под аккуратно и гладко зачесанными назад темными волосами. Его часто считали похожим на киноактера Клайва Оуэна, что ему очень нравилось, комплимент питал недокормленное эго. Всегда подобающе, хоть и ярко одетый, он был этим утром в синей рубахе поло с открытым воротом от Армани, брюках из шотландки, безупречно начищенных двухцветных туфлях для гольфа, круглых темных очках от Дольче и Габаны.

У него, как правило, не имелось возможности тратить время по будням на гольф, но его недавно избрали членом комитета этого престижного клуба с перспективой стать председателем, и он поэтому считал необходимым присутствовать на всех клубных мероприятиях. Само по себе председательство не слишком

---

[1] П а р — количество ударов по мячу, необходимое хорошему игроку для проведения мяча в лунку.

много для него значило. Его манила только слава, связанная с титулом. Северный Брайтон — хорошее место для налаживания контактов, а многие инвесторы, связанные с ним делами, были членами гольф-клуба. Не менее важно — а может быть, даже важнее, — что это радовало Кэти, удовлетворяя ее светские амбиции.

Кэти как бы запечатлела в памяти некое руководство по светскому скалолазанию, пункты которого тикают друг за другом: вступление в гольф-клуб — тик; избрание в комитет — тик; членство в «Ротари-клубе»[1] — тик; президентство в местном отделении «Ротари» — тик; членство в Национальном комитете защиты детей от жестокого обращения — тик... А недавно она составила новый список, рассчитанный на десять лет вперед, убеждая его в необходимости заручиться сторонниками, которые однажды его выберут высоким шерифом или лордом-наместником[2] Восточного или Западного Суссекса.

Он остановился на почтительном расстоянии от первого из четырех мячей на дорожке, с некоторым самодовольством отметив, насколько его мяч впереди других. Приблизившись, оценил силу и точность удара. Мяч лежал меньше чем в десяти футах от лунки.

— Знатный удар, — признал ирландец, протягивая фляжку.

Он отмел ее взмахом руки:

— Спасибо, Мэтт. Для меня слишком рано.

— Знаешь, что говорил Фрэнк Синатра? — спросил ирландец.

Бишоп отвлекся, обратив внимание на щеголеватого клубного секретаря, бывшего армейского офицера, который стоял перед зданием клуба вместе с двоими незнакомыми мужчинами и указывал пальцем в их сторону, и через секунду вымолвил:

— Нет... Что?

— Он говорил: «Мне жалко тех, кто не пьет, потому что, когда они по утрам просыпаются, день для них будет потерян».

---

[1] «Р о т а р и - к л у б» — международный клуб бизнесменов и представителей свободных профессий, каждая из которых представлена лишь одним членом.

[2] В ы с о к и й ш е р и ф — главный представитель правительства в графстве, назначающийся королевской жалованной грамотой; л о р д - н а м е с т н и к — почетный титул номинального главы судебной и исполнительной власти в графстве.

— Никогда не был поклонником Фрэнка Синатры, — заявил Бишоп, не сводя глаз с троих мужчин, решительно направлявшихся к ним. — Фривольный и сентиментальный зануда.

— Не надо быть поклонником Синатры, чтобы выпивать с удовольствием!

Проигнорировав снова предложенную ирландцем фляжку, он сосредоточился на выборе клюшки. То ли сделать изящный широкий удар, то ли попросту сразу загнать в лунку мяч. Годы тяжкого опыта говорили, что, когда везет, надо действовать осторожно и методично. На пересохшей августовской земле гораздо безопаснее бить старательно выбранной короткой клюшкой, хоть и стоя поодаль от лунки. Казалось, будто девственную траву вокруг брил парикмахер опасной бритвой, а не газонокосилкой. Она была гладкой, бархатной, как сукно бильярдного стола. Нынче утром вся зелень насмерть пересохла.

Он наблюдал за клубным секретарем в синем блейзере, серых фланелевых брюках, остановившимся на зеленой площадке перед лункой и указывавшим на него. С одной стороны от секретаря стоял высокий лысый чернокожий мужчина в темно-коричневом костюме, с другой — столь же высокий, но очень худой белый человек в плохо сидевшем синем костюме. Оба стояли неподвижно, смотрели, кивали. Интересно, кто это такие?

Ирландец громко выругался. Настала очередь Йена Стайла, который сделал хорошо рассчитанный удар клюшкой номер 9, и мяч остановился в нескольких дюймах от лунки. Гленн Мишон, партнер Бишопа, пустил мяч слишком высоко — он приземлился в добрых двенадцати футах от площадки.

Бишоп повертел в руках короткую клюшку, потом решил разыграть перед секретарем классическую картину, сунул ее в тележку и вытащил длинную клинообразную.

Принял стойку, отбросив на мяч длинную узкую тень, замахнулся, сделал шаг вперед и ударил. Клюшка слишком рано ударила по земле, начисто срезала дерн, он в отчаянии увидел, как мяч, скользнув, почти под прямым углом врезался в естественное препятствие.

Черт возьми.

Подняв тучу песка, он его вытащил, но до лунки все равно осталось добрых тридцать футов. Сильный удар подогнал мяч на три фута.

Партнеры заполнили карточки. Все-таки удалось пройти девять последних лунок на два меньше пара. Но в душе он сыпал проклятиями. Если бы сделал правильный выбор, удалось бы на четыре меньше.

Он потащил тележку к краю лужайки. Навстречу ему шагнул чернокожий мужчина.

— Мистер Бишоп? — уточнил он низким голосом. Тон твердый, уверенный.

— Да? — Он в раздражении остановился. И увидел предъявленное удостоверение офицера полиции.

— Сержант Брэнсон из уголовной полиции Брайтона. Мой коллега, констебль Николл. Можно вас на пару слов?

Чувствуя, как на небо надвинулась огромная туча, он спросил:

— В чем дело?

— Простите, сэр, — кажется, с искренним сожалением проговорил офицер, — лучше поговорить в другом месте.

Бишоп оглянулся на трех партнеров по гольфу, шагнул ближе к сержанту Брэнсону и тихо сказал, надеясь, что никто не услышит:

— Действительно не совсем подходящий момент. У меня турнир по гольфу. Нельзя отложить, пока я доиграю?

— Простите, сэр, — настаивал Брэнсон, — дело важное.

Клубный секретарь мельком бросил на него непонятный взгляд, после чего с большим интересом уставился на иссыхавшую траву у себя под ногами.

— Что такое? — спросил Бишоп.

— Мы должны кое-что сообщить вам о вашей жене, сэр. К сожалению, у нас плохие вести. Буду очень признателен, если вы на минутку пройдете вместе с нами в клуб.

— Что с моей женой?

Сержант кивнул на здание клуба:

— Предлагаю побеседовать наедине, сэр.

8

Софи Харрингтон бегло мысленно подсчитывала трупы. Семь на этой странице. Пролистала назад. Четырьмя страницами раньше одиннадцать. Добавим четыре после взрыва бомбы в машине на первой странице, три уложенные очередью из «узи» на девятой, шесть после крушения частного самолета на девятнадцатой, пятьдесят два в разбомбленном наркопритоне в Уиллсдене на двадцать восьмой. И теперь еще семь наркоманов с угнанной яхты в Карибском море. В целом восемьдесят три, а она дошла только до сорок первой страницы распечатки файла из ста тридцати шести страниц.

Говори после этого о куче дерьма!

Ну, согласно продюсеру, приславшему сценарий по электронной почте два дня назад, его отправили Энтони Хопкинсу, Мэтту Деймону, Лоре Линней, его прочла Кира Найтли, режиссер Саймон Уэст, снявший «Лару Крофт» — ничего себе — и «Воздушную тюрьму», который ей по-настоящему нравится, видно снятый ради чистой забавы.

Конечно.

Поезд подземки влетал на станцию. Здоровенный растафарианец[1], сидевший напротив в подключенных к плееру наушниках, судорожно сжимал колени и мотал головой в такт музыке. Рядом с ним дремал с открытым ртом пожилой мужчина с дымчатой шевелюрой. Сбоку от него молоденькая хорошенькая азиатка сосредоточенно читала журнал.

В дальнем конце вагона под болтавшейся ручкой и объявлением агентства по найму сидел какой-то плотно закутавшийся

---

[1] Растафарианцы — приверженцы ямайской секты, отличающиеся особо пышными прическами с косичками.

чокнутый придурок, в капюшоне и темных очках, длинноволосый и бородатый, уткнувшийся в газету, которые раздают даром в часы пик у входа в подземку. Время от времени он посасывал тыльную сторону правой ладони.

У Софи с недавнего времени вошло в привычку рассматривать всех пассажиров, отыскивая воображаемого смертника с бомбой. Еще одна рутинная автоматическая предосторожность, необходимая для выживания, вроде обычая оглядываться в обе стороны, прежде чем переходить дорогу. Впрочем, в данный момент правила на секунду смешались.

Она опаздывала, потому что надо было кое-что сделать, прежде чем выскакивать в город. Уже половина одиннадцатого, обычно она к этому времени уже час сидит в офисе. Увидела проплывшую мимо надпись «Грин-парк». Рекламные плакаты на стене с картинками и четкой печатью размылись, затуманились. Двери зашипели, открылись. Она вновь вернулась к распечатке, намереваясь за пару секунд просмотреть то, что ей помешали прочесть вчера вечером — но *как* помешали, господи помилуй! Боже мой, даже вспомнив об этом, она заледенела.

Перевернула страницу, стараясь сосредоточиться в жарком, душном вагоне, из которого надо выйти на следующей остановке — «Пикадилли». Явившись в контору, придется печатать отзыв.

До сих пор история развивалась так. Папа-мультимиллиардер, безумно любивший единственного ребенка — дочь двадцати одного года, скончавшуюся от передозировки героина, — нанял бывшего солдата-наемника, ставшего киллером. Киллеру открыт неограниченный счет за поиски и уничтожение каждого звена в цепочке, начиная с того, кто сажает маковые зерна, заканчивая тем, кто сбывал дочке смертельное зелье.

Рекламный слоган: самоубийственная страсть пересеклась со сбытом наркотиков.

Поезд подъезжал к станции «Пикадилли». Софи затолкала распечатку в прозрачную ярко-красную папку, сунула в рюкзачок между ноутбуком, новеньким, наполовину прочитанным справочником о туристических поездках на выходные и августовским номером дорогого журнала «Харперс куин». Журнал не совсем в ее вкусе, но любовник — *приятель*, как она его всем представляет, за исключением двух ближайших подруг, — намного ее старше, гораздо умнее, образованнее, поэтому она изо всех сил старается поспевать за последними писками моды, диеты и прочего, чтобы казаться самой продвинутой девочкой в городе, полностью отвечающей его планетарным претензиям.

Через несколько минут она широко шагала в удушающей жаре по теневой стороне Уордор-стрит. Кто-то ей когда-то рассказывал, что Уордор-стрит — единственная улица в мире, где обе стороны теневые, потому что приютили музыкальную и киноиндустрию. Она в это так до конца не поверила.

В свои двадцать семь лет, с длинными темными волосами до плеч, привлекательным личиком, вздернутым коротким носиком, Софи не была красивой по классическим меркам, но весьма сексуальной. На ней был легкий пиджак цвета хаки, светлая футболка, мешковатые джинсы и кроссовки. Сегодня ей до боли хотелось повидаться с *приятелем*. Когда доведется с ним встретиться? Она с острой ревностью знала, что нынче он дома, в постели с женой.

Понятно, что их отношения не приведут ни к чему, просто не хочется, чтобы он ее бросил, как свою первую жену, от которой у него двое детей. Но она все равно обожает его. И с этим ничего не поделаешь, черт побери.

Она его просто боготворит. Целиком и полностью. Даже двусмысленные отношения ей нравятся. Нравится его опасливая оглядка при входе в ресторан, нравится, что он начал следить, не заметил ли их кто-нибудь из знакомых, за много месяцев до того, как они впервые переспали. Нравятся сообщения по электронной почте. Его запах. Телесные соки. Неожиданные появления среди ночи в последнее время. Например, вчера. Он всегда приходит к ней в крошечную брайтонскую квартирку, что странно — у него квартира в Лондоне, где он живет всю рабочую неделю.

— Ох, проклятье, — тихо высказалась она, подходя к офисной двери. — Проклятье, проклятье, проклятье!..

Остановилась и набрала сообщение: «Скучаю по тебе! Обожаю тебя! Жутко хочу тебя! *XXXX*».

Отперла ключом дверь, наполовину поднялась по узкой лестнице, услышала два резких звонка, взглянула на дисплей мобильника, разочарованно прочитала сообщение своей лучшей подруги Холли: «Пойдем завтра вечером на вечеринку на пристани? Будет клево».

«Нет, — подумала Софи. — Не хочу завтра идти на клевую вечеринку. Вообще никогда. Просто хочется…»

Чего хочется, черт возьми?

На дверях перед глазами висела эмблема: символическое изображение молнии на кинопленке, под которым темнели слова: «Блайндинг лайт продакшнс».

Она вошла в унылый кабинетик. Повсюду мебель из оргстекла, призрачные столы и стулья, аквамариновое ковровое покрытие, на стенах плакаты с кадрами из фильмов, в производстве которых иногда участвовала и компания. «Венецианский купец» с Аль Пачино и Джереми Айронсом; один из первых фильмов Шарлиз Тэрон, сразу переведенный на видео; лента о вампирах с Дугреем Скоттом и Сэффрон Барроуз.

За крошечной приемной, где стоял ее письменный стол и оранжевый диванчик, располагался открытый кабинет руководителя и главного юрисконсульта Адама. Наголо выбритый, веснушчатый, он горбился за компьютером, одетый в самую что ни на есть ужасающую рубашку, не считая той, в которой был вчера. Кроме него там сидел хладнокровный финансовый директор Кристиан, с глубокой сосредоточенностью вглядываясь в какой-то бесцветно-серый график на компьютерном мониторе. На нем, напротив, была рубашка из явно неисчерпаемой шелковой, баснословно дорогой коллекции — на этот раз кремовая — и шикарные замшевые туфли. Рядом с ним стоял черный каркас складного велосипеда.

— Доброе утро, ребята, — поздоровалась Софи.

Они в ответ помахали руками.

Софи была менеджером по развитию, а еще секретаршей: заваривала чай, прибирала в конторе, пока постоянная уборщица-полька сидела с маленьким ребенком. А также принимала посетителей в приемной. И заодно делала все прочее.

— Только что прочитала какую-то белиберду, — сообщила она. — «Рука смерти». Бред полный.

Никто не отреагировал.

— Хочет кто-нибудь кофе? Чаю?

На сей раз реакция последовала незамедлительно. Как обычно. Она вышла на кухоньку, налила чайник, включила, заглянула в банку с печеньем, где, как всегда, завалялось лишь несколько крошек. Сколько ни клади, прожорливые чайки склюют дочиста. Вскрывая пачку легкоусвояемого шоколадного печенья, взглянула на мобильник. Ничего.

Набрала номер.

Через несколько секунд он ответил, и сердце у нее замерло. Сказочный голос.

— Привет, это я, — сказала она.

— Я сейчас не могу говорить. Позже перезвоню. — Холоднее, чем камень.

Телефон замолчал намертво.

Она как будто позвонила кому-то чужому. Совсем не тому, с кем спала в одной постели, которого знала несколько часов назад. Ошеломленно посмотрела на аппарат, чувствуя глубоко в душе какой-то непонятный ужас.

Через дорогу от конторы Софи находилось кафе «Старбекс». Плотно закутанный придурок в капюшоне и темных очках, сидевший раньше в дальнем конце вагона метро, склонился к окошку, сунув под мышку бесплатную свернутую газету, заказывая скудную еду в фольге. Большую упаковку. Он не спешил. Поднес ко рту правую руку, присосался к тыльной стороне ладони, как бы приглушая слабую пульсирующую боль от жалящего укуса.

Словно в ответ на сигнал, заиграл Луи Армстронг. Может, в воображении, может, в кафе. Непонятно. Впрочем, не имеет значения, он просто слушал — Луи играл для него одного, любимую мелодию, мантру: «Все на свете время наше».

Он помычал, забирая свою упаковку и хлеб, расплатился наличными, пошел с едой к стойке, опять бормоча про себя: «Все на свете время наше». И правда. Черт побери, Обладатель Миллиардного Запаса Времени может спокойно ко всем чертям убить целый день, слава богу!

Кроме того, отсюда хорошо виден вход в офис.

По дороге ехал черный «феррари». Последняя модель — «Ф-430-спайдер». Он равнодушно смотрел, как автомобиль останавливается за такси, из которого выходил пассажир. Современные машины не для него. Как и для многих других людей, которые не могут себе их позволить. Хотя ему отлично известны эти машины. Известны практически все модели на планете, он держит в памяти цены и спецификацию. Еще одно преимущество обладания колоссальным капиталом времени. Взглянув на колесные спицы, отметил, что в автомобиле установлена тормозная система «брембо» с 380-миллиметровыми керамическими дисками с восемью осями спереди и с четырьмя сзади. Выигрыш в весе по сравнению со сталью составляет два с половиной килограмма.

«Феррари» исчез из поля зрения. Софи сидит на втором этаже, но точно неизвестно, где ее окно. Ничего — пусть только выйдет в дверь, за которой он наблюдает.

Музыка все играла.

Он радостно мычал про себя.

9

Кабинет секретаря гольф-клуба Северного Брайтона был выдержан в армейском стиле, отражая прошлое майора в отставке, который умудрился пройти действительную службу на Фолклендах и в Боснии, удостоившись немалых наград и, что самое главное, оставшись целым и невредимым.

Там стоял полированный письменный стол из красного дерева с многочисленными аккуратными стопками бумаг и двумя флажками: государственным — «Юнион Джеком» — и спортивным сине-зеленым, с белым логотипом клуба. На стенах висели фотоснимки в рамках; рисунки сепией, изображавшие игроков и лунки; коллекция старых клюшек, скрещенных, как дуэльные шпаги.

Бишоп сидел один на большом кожаном диване, не сводя глаз с сержанта Гленна Брэнсона и констебля Ника Николла, расположившихся перед ним в креслах. На нем был костюм для гольфа и башмаки на толстой подошве. Он обильно вспотел от жары и услышанного.

— Мистер Бишоп, — сказал высокий чернокожий сержант, — я вынужден с прискорбием сообщить, что ваша уборщица, — он заглянул в блокнот, — миссис Айяла, придя в дом на Дайк-роуд-авеню в Хоуве в восемь тридцать, обнаружила вашу жену, миссис Кэтрин Бишоп… — Сержант помолчал, как будто ожидал подтверждения, что правильно назвал имя.

Бишоп тупо смотрел на него.

— Э-э-э… бездыханной. «Скорая» приехала в восемь пятьдесят две, и санитары не обнаружили признаков жизни. Полицейский врач прибыл в девять тридцать и засвидетельствовал смерть. Сэр, примите глубокие соболезнования.

Бишоп открыл рот, лицо задергалось, глаза завращались, словно временно сорвались с места, ничего не видя, ни на чем не останавливаясь. Из горла вырвался слабый хрип.

— Нет. Пожалуйста, скажите, что это неправда. Прошу вас. — Он качнулся вперед, закрыв лицо руками. — Нет... Нет. Не верю. Прошу вас, скажите, что это не так. — Последовало долгое молчание, прерываемое лишь его всхлипами. — Прошу вас... Ведь это неправда? Ведь это не Кэти? Моя девочка... моя любимая Кэти... — Он согнулся со стоном.

Полицейские сидели неподвижно, чувствуя себя очень неловко. Гленн Брэнсон, с трещавшей от тяжкого похмелья головой, в душе проклинал Роя Грейса, которому позволил насильно отправить себя на службу с утра пораньше, да еще в такую ситуацию. Обычно подобные вести сообщают служащие отдела семейных проблем, прошедшие специальную психологическую подготовку, но его начальник не всегда соблюдал это правило. В случае подозрительной смерти, как на сей раз и было, Грейс лично извещал родственников или посылал с известием своих самых профессиональных сотрудников, способных засечь непосредственную реакцию. Специалисты успеют еще поработать.

С минуты пробуждения в доме Роя Грейса день превратился в полный кошмар. Сначала пришлось побывать на месте преступления. Привлекательная рыжеволосая женщина лет за тридцать лежит голая в постели, руки связаны двумя галстуками, рядом валяется противогаз времен Второй мировой войны, на шее тонкая синяя полоса, возможно от удавки. Предположительная причина смерти — удушение, но точно утверждать пока рано. Убийство или плохо закончившиеся сексуальные игры? Только патологоанатом министерства внутренних дел, который уже должен прибыть на место, сможет определенно это установить.

Гнусный негодяй Грейс, бывший для Гленна безусловным идолом, хотя и не по совсем понятной причине, приказал отправиться домой, переодеться, а потом сообщить новость мужу. Можно было бы отказаться, сославшись на плохое самочувствие, и Гленн, может быть, отказался бы, если б приказ отдал другой офицер. Не Грейс. Вдобавок он вдруг почувствовал благодарность, что неприятное дело отвлекает его от собственных горестей.

Поэтому он отправился домой в сопровождении констебля Ника Николла, который без конца рассказывал о своем новорожденном младенце и счастье отцовства, и с облегчением обнаружил, что Эри нет дома. И вот теперь, свежевыбритый, в костюме и туфлях, сидя в престижном гольф-клубе, он выкладывал ужасную весть и, как ястреб, следил за реакцией Бишопа, стараясь делать свое дело без всяких эмоций. То есть беспристрастно оценивать поведение мужчины.

Факт заключался в том, что около семидесяти процентов убийств в Соединенном Королевстве совершается близкими жертвы. В данном случае муж — первый подозреваемый.

— Можно мне поехать домой и увидеть ее? Мою девочку... Мою...

— К сожалению, сэр, невозможно, пока криминалисты не завершат осмотр. Потом вашу жену увезут в морг. Там вы ее и увидите. Боюсь, нам придется просить вас произвести опознание.

Брэнсон с Николлом молча смотрели, как Бишоп, закрыв лицо руками, раскачивается взад-вперед на диване.

— Почему мне нельзя поехать домой? В свой дом? В *наш* дом? — неожиданно выпалил он.

Брэнсон взглянул на Николла, который теперь глядел в широкое окно на поле, где четыре игрока в гольф проходили девятую лунку. Как тактично ответить на такой вопрос, черт возьми? Снова твердо взглянув в лицо Бишопу, прямо в глаза, сержант сказал:

— Мы не можем вдаваться в детали, но думаем, что в вашем доме совершено преступление.

— Преступление? — как бы не понял Бишоп.

— К сожалению, сэр, — подтвердил Брэнсон.

— О каком... преступлении вы говорите?

Брэнсон минутку подумал, по-настоящему сосредоточившись. Не так-то легко сказать.

— Смерть вашей жены произошла при некоторых подозрительных обстоятельствах.

— Подозрительных обстоятельствах? Что имеется в виду? Как именно?

— К сожалению, не смогу объяснить. Надо дождаться заключения патологоанатома.

— Патологоанатома? — Бишоп медленно покачал головой. — Это моя жена. Кэти. Моя жена. Вы не можете мне рассказать, как она умерла? Я... ее муж. — Он снова уронил лицо в ладони. — Намекаете, что ее убили?

— Сэр, пока мы не вправе вдаваться в детали.

— Нет, вправе. Изложите детали. Я ее муж и имею право знать.

Брэнсон снова спокойно и твердо взглянул на него:

— Узнаете, сэр, как только закончится обследование. Будем очень признательны, если вы явитесь в главное управление, где мы с вами и побеседуем о случившемся.

Бишоп взмахнул руками:

— У меня турнир по гольфу... Я половину поля прошел...

На этот раз Брэнсону удалось встретиться взглядом с коллегой, оба подняли и опустили брови. Странноватая ссылка на гольф. Хотя, если честно сказать, в состоянии шока люди часто делают и говорят непонятные вещи. Вовсе не обязательно определенным образом их истолковывать. Вдобавок Брэнсон отчасти отвлекся, стараясь припомнить, когда в последний раз глотал таблетку парацетамола. Когда можно будет без вреда для здоровья принять еще пару. Решив, что уже пришло время, осторожно пошарил в кармане, выдавил из фольги две капсулы, сунул в рот. Попробовал проглотить на одной слюне — капсулы застряли в горле.

— Я объяснил ситуацию вашим друзьям, сэр. Они продолжают игру. — Он опять попытался сглотнуть.

Бишоп замотал головой:

— Я лишил их всяких шансов. Их дисквалифицируют!..

— Мне очень жаль, сэр.

Гленн хотел добавить: «И пошел ты в задницу со своим гольфом», но тактично сдержался.

10

Группа «Блайндинг лайт» готовилась снимать фильм ужасов на Малибу и в Лос-Анджелесе. Компанию молодых богачей пожирают на Малибу враждебные инопланетные микроорганизмы. Свой отзыв об оригинальном сценарии Софи Харрингтон озаглавила «Встреча инопланетян с передовым отрядом».

Глядя в детстве «Волшебника страны Оз»[1], ей хотелось когда-нибудь хоть самую малость поучаствовать в съемках кино. Теперь она добилась желанной работы, о которой мечтала, в компании мужчин, сделавших вместе дюжину фильмов — кое-какие Софи видела либо в кинотеатрах, либо на кассетах и DVD, — причем некоторым светил если не «Оскар», то хотя бы определенный коммерческий успех.

Софи протянула Адаму кружку кофе с молоком, с двумя ложками сахара. Кристиан получил кружку чистого жасминного чая, а сама она уселась за стол с чаем с молоком и двумя ложками сахара и принялась проглядывать кучу сообщений, пришедших в ящик электронной почты.

Только одно, черт возьми, заслуживало первоочередного внимания. Софи поднесла к уху трубку мобильника, набрала номер и сразу попала на голосовую почту.

— Перезвони, как только сумеешь. Очень беспокоюсь, — продиктовала она.

Через час снова попробовала. Снова голосовая почта.

Электронные сообщения продолжали поступать. Нетронутый чай стоял на письменном столе в приемной. Распечатка, кото-

---

[1] «Волшебник страны Оз» — экранизированная серия сказочных повестей Ф.Л. Баума, известных в русском переложении как «Волшебник Изумрудного города».

рую она читала в метро, была открыта на той же странице, на какой она вышла из поезда. Она не успела заказать на завтра ленч в «Каприсе» для другого своего шефа, Люка Мартина, позабыла предупредить Адама об отмене назначенной на вторую половину нынешнего дня встречи с бухгалтером по имени Гарри Хикс... Короче говоря, день полностью пошел кувырком.

Потом зазвонил телефон, и внезапно дела пошли еще хуже.

11

Женское тело еще не издавало трупного запаха, значит, смерть наступила недавно. Впрочем, посодействовал кондиционер в спальне Бишопов, эффективно разгонявший губительную августовскую прибрежную жару.

Трупные мухи пока не слетелись, но ждать их недолго. Чуют мертвое тело за пять миль, почти с того же расстояния, что репортеры, один из них уже топчется у ворот и пристает к констеблю, который стоит на посту, никого не пуская. Судя по жестикуляции, журналист от него ничего не добился.

Рой Грейс, в белом стерильном бумажном костюме с капюшоном, в резиновых перчатках и бахилах, наблюдал за ним в фасадное окно. Кевин Спинелла, молодой человек двадцати с небольшим лет, с острыми чертами лица, в сером костюме с плохо повязанным галстуком, держал в руке блокнот и жевал жвачку. Грейс встречался с ним раньше. Спинелла работал в местной газете «Аргус» и, видимо, выработал сверхъестественную способность прибывать на место преступления задолго до официального вызова полиции. Судя по скорости и точности, с какой сведения о серьезных преступлениях попадают в последнее время в общенациональные средства массовой информации, Грейс догадывался, что утечка идет из уголовного розыска или откуда-то сверху. Впрочем, эта проблема интересовала его сейчас меньше всего.

Он прохаживался по комнате, держась за оградительной лентой, протянутой криминалистами по ковровому покрытию, и названивая по мобильному телефону. Он уже выделил помещение для оперативного штаба, где будет работать сборная бригада детективов из отдела тяжких преступлений и их помощников — регистратора, аналитика и координатора. В данный момент дорога каждая минута — золотое время. От первого часа пребывания на месте подозрительной смерти во многом зависит возможный успешный арест.

В комнате, пропахшей дорогими духами, Грейс между каждым звонком гадал: случайная ли это смерть? Несчастный случай во время извращенного секса?

Или убийство?

Совершивший убийство преступник почти всегда находится в ненормально возбужденном состоянии. За долгие годы Рой Грейс повидал многих убийц, лишь некоторым из которых удавалось сохранять спокойствие, хладнокровие, сдержанность — по крайней мере, сразу после убийства. Почти все пребывают в каком-то багровом тумане. Адреналин бушует, мысли путаются, потенциальные действия и планы нарушены цепной реакцией, вызванной элементарными химическими процессами в мозгу.

Недавно он видел документальный телевизионный фильм о человеческой эволюции, которая не поспевает за развитием общества. При встрече с налоговым инспектором требуется самообладание, но верх берет примитивное побуждение «либо дерись, либо беги», как при столкновении в саванне с саблезубым тигром. Человека захлестывает мощная волна адреналина, вызывающая дрожь и слабость.

Со временем приступ проходит. Поэтому, чтоб добиться результата, необходимо захватить преступника в момент максимального возбуждения.

Спальня тянулась по всей длине дома, какого, без малейшей зависти понял Грейс, он никогда себе позволить не сможет. Даже если когда-нибудь выиграет в лотерею, что маловероятно, поскольку каждую неделю забывает купить билет. Возможно, это будет средненькая георгианская усадьба с прудом и лужайкой в несколько акров. Более или менее стильная, более или менее классная. Вот именно. *Помещик Грейс.* Такое можно себе представить. В самой глубине души.

Но не вульгарный псевдотюдоровский особняк с белеными стенами и электрическими коваными воротами в Брайтоне и Хоуве на шикарной Дайк-роуд-авеню. Ни в коем случае. В данный момент одно хорошо — под навесом гаража стоит отлично отреставрированный белый «ягуар МК-2», что свидетельствует о неплохом вкусе Брайана Бишопа.

Два других автомобиля на подъездной дорожке не производят особого впечатления. Темно-синий кабриолет БМВ третьей серии и черная «тойота». За ними на круглой гравийной площадке перед домом теснились квадратная машина отдела тяжких преступлений, полицейский автомобиль с опознавательными знаками, несколько машин криминалистической бригады. Скоро к ним добавится желтый «сааб» с откидным верхом, принадлежащий Надюшке Де Санча, патологоанатому из министерства внутренних дел, которая уже едет на место преступления.

В другом конце спальни из окон справа и слева от кровати открывается вид на городские крыши и море, находящееся примерно за милю, и вниз на террасные лужайки сада, посреди которого стоит еще более впечатляющий, чем бассейн позади, скульптурный фонтан, копирующий «Маннекен-Пис» в Амстердаме — каменную фигурку писающего мальчика-херувима, — по вечерам наверняка красиво подсвеченный, думал Грейс, делая очередной звонок.

На этот раз он звонил старому трудолюбивому детективу Норману Поттингу, который особой любовью в бригаде не пользовался, но которому после успешного расследования предыдущего дела Грейс вполне доверял, как надежной рабочей лошадке. Посвятив Поттинга в текущие обстоятельства, Грейс поручил ему раздобыть записи камер наружного наблюдения в радиусе двух миль от места преступления, со всех дорог на въезде и на выезде из Брайтона. Потом отправил полицейских в форме по соседним домам для опроса.

И снова переключился на страшную картину: на широкой кровати с пологом на двух столбиках лежит неподвижное женское тело с раскинутыми руками, привязанными за запястья к балясинам мужскими галстуками, с открытыми свежевыбритыми подмышками. На теле ничего, кроме тонкой золотой цепочки с крошечной красной божьей коровкой и двух обручальных колец — гладкого золотого и другого, с крупным бриллиантом. Привлекательное лицо в обрамлении длинных рыжих волос и темные круги под глазами, предположительно от маски лежавшего рядом противогаза времен Второй мировой войны. Грейс мысленно повторил вопрос, который много лет в ходе следствия твердил про себя, словно мантру: «О чем говорит тебе труп, обнаруженный на месте преступления?»

Пальцы ног короткие, крепкие, ногти покрыты розовым облупившимся лаком. Одежда валяется на полу, как бы поспешно сброшенная. На одежде лежит старый плюшевый медвежонок. За исключением белой полоски от бикини, тело сплошь загорело — либо в нынешнее жаркое английское лето, либо на заграничном приморском курорте. На горле прямо над золотой цепочкой багровая полоса, почти наверняка от удавки, что указывает на предположительную причину смерти, хотя Грейс давно научился не делать поспешных выводов.

Глядя на мертвую женщину, он старался не думать о Сэнди — о своей пропавшей жене.

Не случилось ли с тобой такое, моя дорогая?

Хорошо, что бившуюся в истерике уборщицу выпроводили из дома. Одному Богу известно, что она натворила на месте преступления, сорвав с мертвой женщины противогаз и бегая по комнате, как обезглавленная курица.

Когда удалось хоть немного ее успокоить, она кое-что сообщила. Муж погибшей, Брайан Бишоп, почти всю неделю живет в Лондоне. Нынче утром он участвует в турнире по гольфу в своем клубе в Северном Брайтоне, слишком дорогом для полицейских, хотя Грейс в любом случае в гольф не играет.

Прибывшая бригада криминалистов усердно взялась за работу. Один на четвереньках ползал по ковру в поисках волокон, другой посыпал порошком стены и все остальное, отыскивая отпечатки пальцев, третий — судебный эксперт Джо Тиндалл — методично осматривал каждую комнату.

Тиндалл, имеющий право в случае необходимости одновременно осматривать разные помещения, в данный момент вышел из смежной со спальней ванной. Он только что ушел от жены к молодой девушке, и Грейс не переставал удивляться его полному преображению.

Всего несколько месяцев назад он смахивал на чокнутого ученого с лохматой копной курчавых волос, в очках со стеклами толстыми, как донышко бутылки. Теперь голова аккуратно подстрижена, от нижней губы к подбородку тянется полоска волос шириной в четверть дюйма, на носу прямоугольные очки с голубоватыми стеклами. Впервые за долгие годы вступив в любовную связь, Грейс тоже пытался сменить имидж и сейчас с завистью понял, что с Тиндаллом ему никогда не сравняться.

Мертвое женское тело каждую пару секунд оживляла на миг фотовспышка. Неудержимо веселый фотограф, седовласый мужчина около пятидесяти по имени Дерек Гэвин, держал в Хоуве портретную студию, пока цифровые домашние камеры полностью не лишили его дохода. Он мрачно шутил, что предпочитает работать на месте преступления, потому что трупы не приходится уговаривать сидеть спокойно или улыбаться.

Пока лучшее полученное за утро известие заключалось в том, что дело поручено любимому патологоанатому Грейса — испанке с русскими аристократическими корнями Надюшке Де Санча, насмешливой и порой непочтительной, но блистательной в своем деле.

Он осторожно обошел тело, на секунду почуяв удавку на собственной шее и спазмы в желудке. Весь напрягся и сжался. Что за чертов садист это сделал? На глаза попалось крошечное пятнышко на белой простыне прямо под вагиной. Семенная жидкость?

Господи, боже мой.

Сэнди...

Эта мысль всегда мучит его при виде каждой убитой молодой женщины. Пусть бы сегодня лучше дежурил кто-нибудь другой.

Возле кровати на позолоченной тумбочке в стиле Людовика XIV лежал мобильный телефон. Грейс чуть его не схватил — трудно избавляться от старых привычек. В недавно изданных новых инструкциях офицерам полиции напоминали, что потенциальную информацию с телефонов нужно снимать с помощью специалистов, а не с помощью звонка по номеру 1471. Он вызвал криминалиста из соседней комнаты и попросил проверить все телефоны.

Потом, как обычно, зашагал по дому, погрузившись в раздумья, мельком замечая броские модернистские картины на стенах. Прочел подпись художницы — Элен Стайл, призадумался, знаменитая ли, снова понял, что практически незнаком с миром искусства. Вошел в просторную ванную, открыл стеклянную дверь душевой кабины, в которой вполне можно было бы жить. Осмотрел куски мыла, висевшие на крючках гели, шампуни, пузырьки с таблетками в распахнутой дверце аптечного шкафчика. В памяти постоянно звучали слова уборщицы:

— Мистера Бишопа тут давно не было. Вчера вечером не было. Точно знаю — я миссис Бишоп ужин готовила. Один салат. Когда мистер Бишоп дома, он ест мясо, рыбу. Тогда мне приходится готовить много еды.

Если Брайана Бишопа вчера не было дома и кто-то другой занимался с его женой извращенным сексом, то кто он?

Если тот другой убил ее, то почему?

Случайно, нечаянно?

Багровая полоска на шее решительно говорит — нет.

Инстинкт Грейса тоже.

12

Подобно многим порождениям послевоенного строительного бума, Суссекс-Хаус — хилое двухэтажное прямоугольное здание — болезненно устаревал с годами. Архитектор под явным влиянием стиля модерн видел в нем надпалубную постройку небольшого дряхлого круизного парохода.

Здание, предназначавшееся для инфекционной больницы, было построено в начале 1950-х годов на высоких дальних уединенных холмистых окраинах Брайтона, сразу за пригородом Холлингбери — архитектор несомненно считал это одиноко стоявшее сооружение великолепным и гордым, к своей вящей славе. Но прошедшие годы немилосердно с ним обошлись. Город расползался во все стороны, площадь вокруг больницы отвели под промышленную зону. По непонятным причинам больницу закрыли, строение выкупила финансовая компания, через несколько лет продала его фирме, торгующей холодильниками, та в свою очередь «Америкэн экспресс», а та в середине 1990-х годов главному полицейскому управлению Суссекса. Подновленное и приведенное в соответствие современным стандартам здание служило передовой образцовой высокотехнологичной штаб-квартирой суссекской полиции, оснащенной лучшими местными силами. Впоследствии было решено пристроить к нему корпуса предварительного и постоянного заключения. Хотя Суссекс-Хаус трещал по всем швам, там размещали все новые полицейские подразделения. Всего в девяноста рабочих кабинетах размещались четыреста тридцать человек, причем далеко не каждый имел обещанное рабочее место.

По мнению Гленна Брэнсона, помещение для снятия свидетельских показаний — слишком громкое наименование для двух комнатушек. Меньшая, где помещался лишь монитор и пара стульев, использовалась для наблюдения. Большая, где он сейчас сидел вместе с констеблем Ником Николлом и бесконечно расстроенным Брайаном Бишопом, была обставлена так, чтоб свидетели и потенциальные подозреваемые чувствовали себя непринужденно, невзирая на две направленные прямо на них видеокамеры, вмонтированные в стену.

Яркий свет заливал жесткий серый ковер и кремовые стены; сквозь большое южное окно открывался частичный вид на Брайтон и Хоув за шиферной крышей супермаркета; в комнатке стояли три круглых стула с вишнево-красной обивкой, ничем не примечательный кофейный столик с черными ножками и столешницей под сосну, словно купленный на распродаже в последний момент.

Комната пахла как новенькая, будто ковровое покрытие только что настелили, а краска на стенах еще не просохла, хотя на памяти Брэнсона в ней всегда стоял такой запах. Пробыв здесь несколько минут, он вспотел наравне с констеблем Николлом и Брайаном Бишопом. Проблема в том, что система кондиционирования в здании никуда не годится, а половина окон не открывается.

Обозначив дату и время, Брэнсон включил диктофон, объяснив Бишопу, что это стандартная процедура. Тот согласно кивнул.

Он был совсем убит. Сидел в дорогом коричневом пиджаке с серебряными пуговицами, небрежно накинутом на синюю рубашку поло от Армани с открытым воротом, с торчавшими из нагрудного кармана темными очками, поникнув, сломавшись. Вне поля для гольфа штаны из шотландки и двухцветные туфли смотрелись довольно нелепо.

Брэнсон не мог не испытывать к нему жалости и сочувствия. Как ни старался, он не мог выбросить из головы Клайва Оуэна в фильме «Крупье». В других обстоятельствах он спросил бы у Бишопа, не родня ли они. Хотя к делу это не относилось, ему не давала покоя мысль, почему членам гольф-клуба, где строго соблюдаются излишние, на его взгляд, формальности и устаревшие правила моды — скажем, непременный выход на поле в галстуке, — дозволяется смахивать на участников пантомимы.

— Когда вы в последний раз видели свою жену? — спросил Брэнсон и отметил легкое замешательство Бишопа перед ответом.

— В воскресенье вечером, часов в восемь. — Бишоп отвечал покорно и вежливо, но голос его звучал бесстрастно, невыразительно, ничего не говоря о его общественном положении, словно он специально старался избавиться от каких-либо примет. Невозможно сказать, то ли он выходец из привилегированной семьи, то ли самостоятельно добился успеха. Сверхскоростной темно-красный «бентли», оставшийся на стоянке у клуба, больше ассоциировался в представлении Брэнсона с футболистами, чем с классовой принадлежностью.

Дверь открылась, вошла нервная, аккуратная, подтянутая любимая помощница Роя Грейса Элинор Ходжсон с круглым подносом, на котором стояли три чашки кофе и стакан воды. Бишоп выпил воду, прежде чем она успела выйти из комнаты.

— Не видели ее с воскресенья? — с некоторым удивлением переспросил Брэнсон.

— Не видел. Я всю неделю живу в Лондоне в собственной квартире. Уезжаю из Брайтона вечером в воскресенье, обычно возвращаюсь в пятницу к концу дня. — Бишоп уставился в чашку с кофе, осторожно помешивая его ложечкой, принесенной Элинор Ходжсон.

— Значит, вы с ней виделись только по выходным?

— Если не встречались в Лондоне. Кэти иногда приезжала обедать или за покупками… или по другим делам.

— По каким?

— Театры… подруги… подопечные… Она бывала там с удовольствием, но…

Он надолго умолк.

В ожидании продолжения Брэнсон оглянулся на Николла, но ничего не добился от младшего коллеги.

— Но — что?.. — настойчиво переспросил он.

— У нее были свои дела. Бридж, гольф, благотворительность…

— Уточните.

— Ну… она сотрудничала со многими организациями. Особенно с Национальным комитетом защиты детей от жестокого обращения. И с прочими фондами. Финансировала местное общество помощи избиваемым женам. Очень добрая, щедрая женщина... — Брайан Бишоп закрыл лицо ладонями. — Черт побери... О боже... Что произошло? Пожалуйста, расскажите!

— У вас есть дети, сэр? — неожиданно спросил Ник Николл.

— Общих нет. У меня двое от первого брака. Сыну Максу пятнадцать, дочке Карли тринадцать... Макс сейчас с приятелем на юге Франции, а Карли у кузенов в Канаде.

— Кого следует оповестить о случившемся? — продолжал Николл.

Бишоп недоуменно тряхнул головой.

— Мы пришлем офицера из отдела семейных проблем, и она вам поможет уладить дела. Боюсь, вы сможете вернуться домой только через несколько дней. Вам есть где остановиться?

— У меня квартира в Лондоне.

— Нам еще надо будет с вами поговорить. Лучше в ближайшие дни не уезжайте из Брайтона. Может, устроитесь у друзей или в гостинице...

— А вещи, одежда? Мне много чего нужно... туалетные принадлежности...

— Сообщите сотруднику отдела семейных проблем, и получите необходимое.

— Пожалуйста, расскажите, что произошло?

— Мистер Бишоп, вы давно женаты?

— Пять лет... В апреле была годовщина.

— Можете назвать удачным свой брак?

Бишоп распрямился:

— Вы меня допрашиваете?

— Сэр, мы вас не допрашиваем. Просто задаем общие вопросы. Стараемся составить более полное представление о вашей семейной жизни. Это часто приносит следствию реальную пользу, стандартная процедура, сэр.

— По-моему, я вам уже все сказал. Хочу увидеть... свою девочку. Увидеть Кэти. Прошу вас...

Дверь открылась, и Бишоп увидел подходившего к нему плохо выбритого симпатичного доброжелательного мужчину ростом около пяти футов десяти дюймов, с внимательным и проницательным взглядом голубых глаз, светлыми короткими волосами, загорелыми и обветренными руками с аккуратно подстриженными ногтями, одетого в мятый синий костюм и белую рубашку с галстуком в синюю и белую полосу.

— Суперинтендент Грейс, — представился он. — Старший следователь по делу. Сочувствую вам всей душой, мистер Бишоп.

Бишоп крепко пожал ему руку костлявыми длинными пальцами, на одном из которых было кольцо с гербовой печаткой.

— Пожалуйста, расскажите, что случилось.

Рой Грейс взглянул на Брэнсона, на Николла. Он какое-то время следил за беседой из комнаты наблюдения, но не собирался этого выдавать.

— Вы нынче утром играли в гольф, сэр?

Глаза Бишопа на миг сверкнули.

— Да... Играл.

— А когда играли в прошлый раз, разрешите спросить?

Вопрос его озадачил. Грейс отметил, как взгляд Бишопа метнулся вправо-влево, потом решительно остановился на нем.

— В прошлое воскресенье.

Грейс мог точно сказать, врет допрашиваемый или говорит правду, прибегая к искусному эффективному способу наблюдения за глазами. Он обучился ему, интересуясь нейролингвистическим программированием. Мозг человека состоит из двух полушарий. В одном сохраняется истинная память, другое — творческое, *сочинительское* — питает воображение... и производит ложь. У каждого человека два этих мозговых полушария развиты по-разному. Выяснить степень развития можно с помощью контрольных вопросов, на которые собеседник, скорее всего, не станет давать ложный ответ, вроде того невинного с виду вопроса, который он только что задал Бишопу. Теперь если Бишоп при очередном вопросе скосит глаза влево, значит, скажет правду, если вправо, на сочинительскую сторону, — то соврет.

— Где вы провели вчерашнюю ночь?

Решительно глядя прямо перед собой и тем самым абсолютно ничего не выдав, ни сознательно, ни бессознательно, Бишоп ответил:

— В своей лондонской квартире.

— Кто-нибудь может это подтвердить?

Глаза взволнованно метнулись влево — в область памяти.

— По-моему, консьерж Оливер.

— Когда вы с ним виделись?

— Вчера вечером, часов в семь, когда я вернулся из офиса. А потом утром.

— Во сколько вы нынче утром пили чай в гольф-клубе?

— В девять с небольшим.

— Выехали на машине из Лондона?

— Да.

— В котором часу?

— Около половины шестого. Оливер грузил в машину вещи — мою сумку с клюшками.

Грейс на секунду задумался.

— Может кто-нибудь засвидетельствовать, где вы были с семи часов вечера прошлого дня и до нынешнего утра?

Бишоп вновь взглянул влево, в сторону памяти, — стало быть, собирался сказать правду.

— Ужинал со своим финансовым консультантом в ресторане на Пикадилли... в «Уолсли».

— Консьерж видел, как вы ушли и пришли?

— Нет. Обычно он после семи не выглядывает до самого утра.

— Когда ужин закончился?

— Около половины одиннадцатого. А что вообще происходит? Охота на ведьм?

— Нет, сэр. Простите за некоторый педантизм, но мы сможем снять с вас все подозрения, если вы нам поможете. Не расскажете ли, что было после ужина?

— Я приехал к себе на квартиру и полностью отключился.

Грейс кивнул.

Бишоп, нахмурившись, твердо взглянул на него, потом на Брэнсона и Николла.

— А что? Думаете, будто я в полночь в Брайтон поехал?

— Маловероятно, сэр, — подтвердил Грейс. — Не дадите ли нам телефоны консьержа и вашего финансового консультанта? И, пожалуйста, повторите название ресторана.

Бишоп покорно продиктовал, а Брэнсон записал.

— Еще мне хотелось бы получить номер вашего мобильного телефона, сэр. И несколько последних фотографий вашей жены.

— Конечно, пожалуйста.

— Не возражаете против очень деликатного личного вопроса? — спросил Грейс. — Отвечать не обязаны, но если ответите, то весьма нам поможете.

Бишоп беспомощно пожал плечами.

— Вы с женой занимались какими-то... необычными видами секса?

Бишоп резко вскочил:

— Что это за чертовщина? Моя жена убита! Я хочу знать, как это произошло, детектив... супер... супер... как вас там...

— Суперинтендент Грейс.

— Почему вы не можете ответить на простой вопрос, суперинтендент Грейс? Разве нельзя ответить на один простой вопрос? — Впадая в истерику, Бишоп расходился все сильнее: — Разве нельзя? Сначала сообщаете, что моя жена мертва, а теперь намекаете, что я ее убил? Это вы мне хотите сказать?

Глаза бегали во все стороны. Грейс понимал, что надо его успокоить, и пристально оглядел Бишопа сверху вниз, вплоть до смешных штанов и ботинок, напоминающих обувь гангстеров тридцатых годов. Горе на каждом сказывается по-разному. За время службы и в личной жизни Грейс вполне это усвоил.

Тот факт, что этот мужчина живет в омерзительно шикарном доме и ездит в гоночном автомобиле, не делает его убийцей или безответственным гражданином. Надо отбросить всякие предубеждения. Владелец дома стоимостью в пару миллионов вполне может оставаться достойным и законопослушным субъектом. Даже если тумбочка у кровати битком набита сексуальными причиндалами, а в рабочем кабинете лежит каталог фетишей, это вовсе не означает, будто он силой надел на жену противогаз, а потом ее задушил.

С другой стороны, это также не означает, что он этого не сделал.

— К сожалению, мы обязаны вас расспросить, мистер Бишоп. Понимаю, как вам тяжело, как хочется узнать о случившемся. Поверьте, в свое время мы все объясним. Немного потерпите, пожалуйста. Я действительно хорошо представляю себе, что вы сейчас чувствуете.

— Правда? Действительно представляете, суперинтендент? Имеете хоть какое-то представление, что чувствует мужчина, слыша, что его жена убита?

Грейс едва не ответил: «Действительно представляю», однако сдержался, мысленно отметив, что Бишоп не требует адвоката. Это требование часто и верно свидетельствует о вине. И все-таки что-то тут было не так. Просто не удается нащупать.

Он вышел из комнаты для допросов, прошел в свой кабинет и вызвал в высшей степени компетентную Линду Бакли, одну из двух приставленных к Бишопу сотрудниц отдела семейных проблем, с которой нередко в последнее время сотрудничал.

— Пожалуйста, не спускайте глаз с Бишопа. О любом его странном и непонятном поступке немедленно докладывайте лично мне. Если понадобится, я прикажу установить за ним наблюдение, — кратко проинструктировал он Линду.

13

Клайд Уивелс, высокий и гибкий, с торчащими прядями черных волос, стоял за прилавком и, время от времени облизывая губы, оглядывал свои владения, в данный момент пустые. Его розничный магазинчик на Бродвик-стрит рядом с Уордор-стрит в Сохо носил то же самое безымянное название «частной лавки», как и десяток подобных заведений на соседних и дальних улицах квартала.

Скупо освещенный торговый зал был завален искусственными членами, вибраторами, смазочными маслами и гелями, ароматизированными презервативами, садомазохистскими инструментами, надувными манекенами, ремнями, струбцинами, наручниками, грудами порнографических журналов, лазерными дисками, а в чулане лежал самый крутой товар для хорошо знакомых клиентов. Вполне достаточно на хорошую ночь для нормальных и геев, для одиночных старичков-садистов, каким был он сам, в чем даже себе не признавался, а тем более никому прочему, особенно Хосе. Просто ждал, когда сложатся подходящие отношения.

Только здесь ничего не получится.

Она где-то далеко, ждет его на веб-сайте для одиноких сердец. Задыхается от желания. Жаждет высокого поджарого мужчину, прекрасного танцора и одновременно боксера с убийственным ударом, который он сейчас отрабатывал за прилавком, за выставленными в магазинной витрине телевизионными мониторами. Удар наотмашь, прямой удар, боковой удар.

У него член длиной в десять дюймов.

Он может удовлетворить любые желания и потребности. Только скажи, я тебе говорю, только *скажи*, что нужно: порно, причиндалы, игрушки, наркотики — пожалуйста.

Особенно хороша видеокамера номер четыре, направленная на улицу за дверью. Приятно смотреть на забегающих в магазинчик мужчин, особенно в деловых костюмах. Как бы небрежно пробегают мимо, будто бы направляясь совсем в другое место, и вдруг разворачиваются на каблуках, шмыгают в дверь, словно притянутые только что приведенным в действие невидимым магнитом.

Вот так влетел один с булавкой в полосатом розовом галстуке. Войдут и делают вид, будто это совсем не они, и глупо ухмыляются, выбирая искусственный член, кружевные трусики или наручники, словно секса еще никто не придумал.

Подошел еще один. Ну, понятно, обеденное время. Только не совсем обычный. Полностью закамуфлированный придурок в капюшоне и темных очках. Клайд оторвал глаза от монитора, глядя, как он входит в лавку. По виду классический магазинный воришка, прячущий под капюшоном лицо от камер наблюдения, но ведет себя как-то ненормально. На несколько секунд остановился перед дверью, вглядываясь в матовое стекло и посасывая ладонь, потом подошел к прилавку и спросил, не глядя в глаза:

— Противогазы есть?

— Резиновые и кожаные, — сообщил Клайд, ткнув пальцем в глубь магазинчика на стеллажи с масками и капюшонами среди врачебных халатов, униформ стюардесс, костюмчиков «зайчишек Плейбоя»[1] и прочего.

Однако посетитель не пошел к полкам с товарами, а вернулся к двери и снова вгляделся в стекло.

Молодая женщина по имени Софи Харрингтон, за которой он следил от самого ее офиса, стояла на другой стороне дороги у окошечка итальянской деликатесной лавки с журналом под мышкой, ожидая пирожок из микроволновки и взволнованно разговаривая по мобильному телефону.

Он не мог дождаться, когда натянет на нее противогаз.

---

[1] «З а й ч и ш к и П л е й б о я» — девушки, выступающие в роли хозяек элитарных клубов, одетые в купальник с заячьим хвостиком, с наколкой на голове в виде ушек.

14

— Всегда омерзительно здесь себя чувствую, — объявил Гленн Брэнсон, пытаясь прогнать мрачные мысли, которые навалились еще сильнее от открывшейся перед глазами картины.

Рой Грейс свернул влево, притормозил старенький красно-коричневый «альфа-ромео», проезжая мимо таблички, где на черном фоне золотыми буквами было написано: «Городской морг Брайтона и Хоува».

— Пожертвуй им свою коллекцию дохлой музыки.

— Очень остроумно.

Как бы из уважения к месту, Брэнсон наклонился, убавив звук стоявшего в проигрывателе диска Кати Мелуа.

— Все равно, — решительно заявил Грейс, — мне *нравится* Кати Мелуа.

Брэнсон пожал плечами. Потом вновь передернулся.

— Что? — спросил Грейс.

— Давай я буду поставлять тебе музыку.

— Моя меня вполне устраивает.

— Тебя и твоя одежда устраивала, пока я не растолковал, каким старым и жалким придурком ты выглядишь. И стрижка устраивала. Теперь, когда ты меня начал слушать, стал с виду лет на десять моложе и завел себе женщину, правда? Классную — скажешь, нет?

Впереди за железными коваными воротами на кирпичных столбах виднелось длинное одноэтажное здание типа бунгало, облицованное серой штукатуркой с каменной крошкой, которая как бы развеивала жаркий воздух даже в этот солнечный летний день. С одной стороны тянулась крытая подъездная дорожка достаточной ширины для проезда «скорой» или, как чаще бывает, темно-зеленого коронерского фургона. С другой стороны вдоль стены выстроились автомобили, в том числе желтый «сааб» с опущенным верхом, принадлежавший Надюшке Де Санча, и, что было еще важнее для Грейса, маленький синий спортивный «эм-джи», свидетельствовавший о присутствии Клио Мори на службе.

Несмотря на поджидавшие кошмары, его охватило восторженное волнение — абсолютно неуместное, но неудержимое.

Долгие годы он заходил сюда с ужасом и отвращением. На первых этапах подготовки офицер полиции обязательно должен присутствовать на вскрытиях. А теперь морг смотрится совсем иначе. Он с улыбкой повернулся к Брэнсону:

— То, что гусеница считает концом света, творец называет рождением бабочки.

— Чего? — равнодушно переспросил тот.

— Чжуан-цзы, — радостно объяснил Грейс, стараясь поделиться радостью с собеседником, развеселить беднягу.

— Кто?

— Китайский философ. Умер в двести семьдесят пятом году до Рождества Христова. — Он не стал уточнять, кто об этом ему рассказал.

— И тут в морге лежит?

— Обыватель проклятый, невежда. — Грейс поставил автомобиль на свободное место и заглушил мотор.

Брэнсон снова окрысился:

Неужели? Давно ли ты, старый болван, познакомился с философией?

Упоминания о его возрасте всегда больно жалили Грейса. Он только что отпраздновал, если можно так выразиться, тридцать девятую годовщину и не желал даже думать, что через год стукнет ровно сорок.

— Очень смешно.

— Видел когда-нибудь фильм «Последний император»?

— Не помню.

— Еще бы ты помнил, — саркастически бросил Брэнсон. — Он получил всего-навсего девять «Оскаров». Блестящий фильм. Тебе надо бы купить диск, посмотреть, оторвавшись от последних эпизодов «Отчаянных домохозяек». И, — добавил он, кивая на морг, — думаешь, будто она до сих пор дергает тебя за цепочку?

— Не твое собачье дело.

Впрочем, дело реально касалось Брэнсона, ибо в данный момент отвлекало внимание Грейса — он пребывал совсем не там, где следовало. Подавляя желание выскочить из машины и броситься в морг, чтобы увидеть Клио, он быстро перевел беседу в деловое русло:

— Ну, как думаешь, он убил?

— Не потребовал адвоката, — заметил Брэнсон.

— Учишься, — с искренним одобрением сказал Грейс.

Дело заключалось в том, что почти все преступники при первом допросе держатся спокойно, покорно. А громко протестующие оказываются невиновными — по крайней мере, в такого рода расследованиях.

— Хотя не могу сказать, — добавил Брэнсон, — убил он свою жену или не убивал.

— Я тоже.

— А по глазам что выяснил?

— Мне надо было его успокоить. Как он сразу отреагировал на твое сообщение?

— Обалдел. Кажется, по-настоящему.

— Преуспевающий бизнесмен?

Они теперь стояли в тени под стеной и густыми лавровыми кустами. Дышали свежим воздухом через открытые окна и поднятую крышу машины. По зеркалу заднего обзора на собственной ниточке начал спускаться крошечный паучок.

— Ну да. Дело в везении, можно сказать, — согласился Брэнсон.

— Знаешь, каким надо обладать характером, чтобы стать преуспевающим бизнесменом?

— Я с ним в любом случае не родился.

— Такой человек почти всегда опасен для общества. В обычном понимании лишен всякой совести.

Брэнсон нажал на кнопку, ниже опуская стекло.

— Человек опасный для общества обязательно психопат, да? — Он накрыл паучка мясистой ладонью и осторожно выпустил в окно.

— Характеристики в обоих случаях одинаковые, за одним существенным исключением: социопаты могут держать себя в руках, а психопаты не могут.

— Хорошо, — подытожил Брэнсон, — Бишоп преуспевающий бизнесмен, поэтому опасен для общества, значит, убил жену. Здорово! Дело закрыто. Пойдем арестовывать?

Грейс ухмыльнулся:

— Бывают высокие чернокожие бритоголовые наркоторговцы. Ты высокий, чернокожий, бритоголовый. Значит, вполне можешь быть наркоторговцем.

Брэнсон нахмурился, потом кивнул:

— Конечно. Как скажешь.

Грейс протянул руку:

— Отлично. Верни парочку доз, которые я тебе дал нынче утром, если что-то осталось.

Брэнсон отдал две таблетки парацетамола. Грейс выдавил их из фольги, проглотил, запив минералкой, вылез из машины, быстро и целенаправленно прошел к маленькой голубой двери с матовым стеклом, нажал кнопку звонка.

Брэнсон громоздился рядом — на мгновение ему захотелось, чтобы сержант куда-нибудь делся, оставив его в одиночестве. Почти неделю не видев Клио, он всей душой жаждал побыть с ней наедине хоть несколько секунд, удостовериться, что она к нему относится точно так же, как неделю назад.

Клио быстро открыла дверь, и Грейс, как обычно при виде ее, обмяк и растаял от радости. Согласно новоязу[1], разработанному неким презренным политбюро, ее должность называлась старший технический специалист-патологоанатом. На старом разговорном и всем понятном языке она была прозектором, о чем никто сроду бы не догадался, увидев ее на улице.

Ростом в пять футов десять дюймов, приближаясь к тридцати годам, излучая полную уверенность в себе, она по любому определению — абсолютно не соответствующему месту ее работы — выглядела великолепно и горделиво. Стоя в крошечном вестибюле морга с гладко зачесанными волосами, в зеленоватом хирургическом халате, рабочем прорезиненном фартуке и белых высоких бахилах, Клио больше напоминала не реальную женщину, а актрису в какой-то фантастической роли.

Хотя рядом стоял Гленн Брэнсон — подозрительный инквизитор, — Грейс не смог удержаться. Их взгляды встретились, и во-

---

[1] Н о в о я з — официальный язык тоталитарного государства, описанного английским писателем Дж. Оруэллом в пророческой утопии «1984».

все не на краткий момент. Потрясающие и чудесные, большие небесно-голубые глаза смотрели ему прямо в душу, в самое сердце, полностью им овладевая.

Хорошо бы Брэнсон испарился, улетучился, только гад торчит рядом, смотрит на них по очереди с идиотской ухмылкой.

— Привет, — с некоторым запозданием вымолвил Грейс.

— Очень рада видеть вас обоих, суперинтендент и сержант Брэнсон.

Отчаянно хотелось обнять ее, поцеловать, но он удержался, вернулся к профессиональному тону и только улыбнулся в ответ. Потом, почти не замечая тошнотворно-сладкого запаха дезинфекции, пропитавшего помещение, проследовал в знакомый кабинетик, служивший заодно приемной. Ему нравилась абсолютно безличная комната, потому что там обитала Клио.

На полу с розоватым ковровым покрытием жужжал вентилятор, стены тоже были выкрашены в розовый цвет, углом расставлены стулья для посетителей, на металлическом столике три телефонных аппарата, стопка коричневых конвертов с надписью «Лично. Следственные материалы» и большая красно-зеленая папка с надписью золочеными буквами: «Регистр морга».

К одной стене прикреплен светильник, вывешены в ряд взятые в рамки дипломы министерства здравоохранения и гигиены, среди них крупный сертификат Британского института бальзамирования на имя Клио Мори. На кабельном мониторе на другой стене мелькали, дергаясь, то фасад здания, то его вид сзади, то с обеих сторон, после чего появлялся крупный план входных дверей.

— Джентльмены, выпьете чаю или сразу приступите к делу?

— Надюшка готова?

Чистые, яркие глаза Клио задержались на нем дольше, чем требовалось для ответа на столь простой вопрос. Улыбчивые, невероятно теплые.

— Только что взялась за сандвич. Будет готова минут через десять.

У Грейса больно засосало в желудке — он вспомнил, что они с Брэнсоном сегодня ничего не ели. Уже двадцать минут третьего.

— Я бы не отказался от чашечки чаю. Какое-нибудь печенье найдется?

Клио вытащила из-под стола жестянку и открыла крышку.

— Высококалорийное? «Кит-кат»? Кукурузные палочки? Из горького или молочного шоколада? Рулетики? — Клио протянула банку Грейсу и Брэнсону. — Какого желаете чаю? Английский к завтраку, бергамотовый «Эрл Грей», «Дарджилинг», китайский, ромашковый, мятный, зеленый?

— Вечно забываю, — усмехнулся Грейс. — Может, найдется пакетик «Старбека»?

Но его встревожило, что Гленн Брэнсон не улыбнулся, а закрыл лицо руками, внезапно опять погрузившись в депрессию. Клио молча послала Грейсу воздушный поцелуй. Он взял «Кит-кат» и разорвал обертку.

Наконец Брэнсон, к его облегчению, вымолвил:

— Пойду переоденусь, — и вышел из комнаты.

Они остались наедине.

Клио закрыла дверь, обняла его, крепко поцеловала. Оторвав губы, не разжимая объятий, спросила:

— Как ты?

— Скучаю по тебе, — прошептал он.

— Правда?

— Да.

— Сильно?

Он фута на два развел руки.

— Только-то? — притворно возмутилась она.

— А ты по мне соскучилась?

— Очень, очень, очень.

— Хорошо. Как успехи?

— Не пожелаешь слушать.

— Попробуй. — Он снова поцеловал ее.

— Расскажу все сегодня за ужином.

Это ему понравилось. Приятно, что она берет на себя инициативу. Замечательно, когда показывает, что он ей *нужен*.

У него никогда не бывало так с женщинами. Никогда. Они с Сэнди долго были женаты и сильно друг друга любили, но он никогда не чувствовал, что ей *нужен*. Настолько.

Возникла лишь одна проблема. Сегодня он собирался устроить ужин дома. Ну, купить что-нибудь в деликатесной лавке — не мастер готовить. Однако Гленн Брэнсон положил конец надеждам. Романтического вечера не выйдет, когда он болтается рядом, тараща глаза каждые десять секунд. Но нельзя отказать другу в ночлеге.

— Куда хочешь пойти? — спросил Грейс.

— В постель. С какой-нибудь готовой китайской едой. Годится такой план?

— Замечательно. У тебя?

— А у тебя нельзя?

— Не в том дело. Потом объясню.

Она еще раз поцеловала его.

— Не уходи. — На минуточку вышла, вернулась с зеленым халатом, синими бахилами, маской, белыми латексными перчатками, протягивая ему все это. — Последний писк моды.

— Я думал, мы попозже оденемся.

— Мы попозже разденемся... или ты за неделю забыл? — Она опять его поцеловала. — Что стряслось с твоим другом Гленном? У него жуткий вид.

— Правда. Семейные неприятности.

— Ну, иди развесели его.

— Постараюсь. — Зазвонил мобильный телефон. Он раздраженно ответил: — Рой Грейс слушает.

— Рой, — сказала Линда Бакли из отдела семейных проблем, — я час назад взяла Бишопа под наблюдение в «Отеле дю Вен». А теперь он исчез.

15

Мать Софи, итальянка, всегда внушала дочери, что еда — лучшее средство от любого расстройства. И в данный момент Софи стояла у прилавка в итальянской деликатесной лавке, абсолютно не подозревая, что с улицы за ней наблюдает через молочное стекло мужчина в капюшоне и темных очках, и в полном отчаянии прижимала к уху мобильный телефон.

Она твердо придерживалась выработанных привычек, но привычки меняются вместе с настроением. На протяжении нескольких месяцев она каждый день приносила в контору на полдник упаковку суши, потом прочитала в газете, что от сырой рыбы можно заразиться глистами, и стала покупать в этой лавке батон с сыром моцарелла, томатной пастой и пармской ветчиной. Конечно, не так полезно, как суши, но вкусно. Последний месяц или даже дольше она покупает сандвич почти ежедневно, а сегодня особенно хочется, чтобы все было как всегда.

— Дорогой, — умоляла она, — скажи мне… расскажи, что случилось!

В ответ слышалось неразборчивое бормотание:

— Гольф… Она умерла… Меня не пускают домой… Полиция… Умерла… Ох, Господи Иисусе…

Она вдруг увидела перед собой горячий дымившийся сандвич, протянутый в окошечко лысым итальянцем, взяла его и, по-прежнему слушая, вышла на улицу.

— Меня подозревают… Я хочу сказать… Ох, боже, боже…

— Милый, я чем-нибудь могу помочь? Хочешь, чтобы я приехала?

Последовало долгое молчание.

— Меня расспрашивали... допрашивали... — захлебывался Бишоп. — Подозревают... Думают, будто я ее убил... Без конца спрашивают, где я был прошлой ночью...

— Ничего страшного, — заверила она. — Ты же был у меня.

— Нет. Спасибо, не нужно. Не стоит врать.

— Врать? — озадаченно переспросила она.

— Господи боже... Ничего не соображаю.

— Что значит «не стоит врать», дорогой?

По улице промчался полицейский автомобиль с включенной сиреной, заглушив его голос.

— Извини, не расслышала, — проговорила она, когда машина проехала. — Что ты сказал?

— Я им правду сказал. Поужинал с Филом Тейлором, своим финансовым консультантом, а потом лег спать.

После долгого молчания послышались рыдания.

— Милый, по-моему, ты кое-что позабыл. Что ты делал после ужина с финансовым консультантом?

— Ничего, — с некоторым удивлением ответил он.

— Эй! Понятно, ты в шоке. Приехал ко мне. Сразу после полуночи. Ночевал у меня, около пяти утра умчался, чтобы захватить из квартиры костюм и принадлежности для гольфа.

— Очень мило с твоей стороны, — сказал он, — только я не хочу заставлять тебя лгать.

Она застыла на месте. Мимо прогромыхал грузовик, следом за ним такси.

— Лгать? Что ты хочешь сказать? Это правда.

— Милая, мне не надо придумывать алиби. Лучше говорить правду.

— Прости... — Она вдруг растерялась. — Я тебя не совсем понимаю. Это и есть правда. Ты пришел пьяненький, мы вместе спали, потом ты в спешке убежал. Разумеется, лучше правду сказать.

— Да. Конечно.

— Так что же?

— Так что же? — повторил он.

— Ты пришел ко мне сразу после полуночи, мы занимались любовью, почти как сумасшедшие, а в пять часов ты ушел.

— Только этого не было, — сказал он.

— Чего не было?

— Я к тебе не приходил.

Она на секунду оторвала трубку от уха, взглянула на нее, потом снова прислушалась, на секунду подумав, то ли сама сошла с ума, то ли он.

— Ничего не пойму…

— Ну, мне надо бежать, — сказал он.

16

На открыточке с соблазнительным фото привлекательной восточной девушки было напечатано «Транссексуалы» и номер телефона. Рядом изображение длинноволосой женщины, затянутой в кожу, с хлыстом в руках. От темного пятна на полу, куда Бишоп старался не ступать, несло мочой. Он впервые за многие годы зашел в будку телефона-автомата, и это не пробудило у него ностальгических воспоминаний. Кроме вони, там было жарко, как в сауне.

Трубка аппарата разбита, стекла в трещинах, на цепочке висят клочки бумаги — предположительно, остатки справочника. Снаружи стоял грузовик, мотор гудел, как тысяча мужчин, мычащих в жестяной банке. Он взглянул на часы. Два тридцать одна. Кажется, что это самый долгий день в его жизни.

Что сказать детям, черт побери? Максу и Карли. Интересно ли им знать, что они лишились мачехи? Что она убита? Бывшая жена так настроила их против него и Кэти, что им, скорее всего, безразлично. И как, собственно, преподнести известие? По телефону? Слетать к Максу во Францию и в Канаду к Карли? Они должны будут скоро вернуться — на похороны… О боже. Приедут ли? Надо ли? Пожелают ли? Он вдруг понял, как мало их знает.

Господи, сколько всего надо обдумать.

Что произошло? Боже мой, что случилось?

Милая Кэти, что с тобой стряслось?

Кто это сделал? Кто? Почему?

Почему проклятая полиция ничего не рассказывает? Длинный черный коп, настоящая задница, и инспектор, суперинтендент, или кто он такой, смотрел на него как на единственного подозреваемого, словно *зная*, что он убил.

Голова шла кругом. Он вышел на залитую солнцем Принц-Альберт-стрит напротив муниципалитета, полностью сбитый с толку состоявшимся разговором и не зная, что делать дальше. Читал в одной книге, что по звонку с мобильника можно очень много узнать о звонящем: где он находится, кому звонит, а при желании и содержание разговора. Именно поэтому, выскользнув из «Отеля дю Вен» через кухню, он выключил свой телефон и направился к будке.

Что за странную фразу сказала Софи: «Ты пришел пьяненький, мы вместе спали, потом ты в спешке убежал...»

Только этого не было. Выйдя из ресторана, он расстался с Филом Тейлором, швейцар кликнул для него такси, в котором он вернулся в свою квартиру в Ноттинг-Хилле, устало свалился прямо в постель, желая как следует выспаться перед игрой в гольф. Абсолютно точно никуда не ходил.

Память подводит? От потрясения?

Что это?

Огромная невидимая волна горя взметнулась в душе, затопила, погрузила его в темную пучину, словно внезапно произошло полное солнечное затмение, заглушив вокруг все городские шумы.

17

Рою Грейсу казалось, что на свете нет ничего подобного залу для вскрытия в морге. Страшное место. Ему представлялось, что людские тела здесь разлагают на первичные элементы. Как бы тут ни было чисто, в воздухе витает запах смерти, пропитывает кожу, одежду, вновь и вновь напоминая о себе через много часов в любом другом месте.

Кругом все серое, словно смерть стерла краски с окружающего и самих трупов. Непрозрачные серые окна скрывают от любопытных глаз то, что происходит внутри, стены выложены серыми плитками, кафель на полу тоже серый в крапинку, со сточным желобом по периметру. Когда Грейс бывал здесь один и имел время подумать, ему даже казалось, будто сам свет в комнате вечно серый, омраченный сотнями жертв внезапной или необъяснимой смерти, чьи души пережили в этих стенах последнее жестокое унижение.

В центре помещения стояли два стальных стола: один привинченный к полу, другой на колесиках. На нем лежала Кэти Бишоп с уже побелевшим лицом по сравнению с тем, когда он раньше ее видел. В сторонке синий гидравлический подъемник, дальше ряд стальных холодильных камер с дверцами от пола до потолка. На одной стене раковины, желтый свернутый кольцами шланг. Вдоль другой широкая рабочая полка, металлическая доска, жуткий «трофейный» шкафчик с выставленными напоказ кардиостимуляторами и искусственными суставами, извлеченными из тел. Рядом на стене разграфленный лист, куда заносится имя умершего, а в колонках указывается вес мозга, легких, сердца, печени, почек, селезенки. Пока на нем было только написано «Кэтрин Бишоп». Словно она — счастливая победительница соревнования, угрюмо подумал Грейс.

Здесь, как в операционной, не было никаких прикрас, ничего легкомысленного и фривольного, ничто не заставляло забыть о творящемся тут тяжком деле. Только в операционной люди хотя бы имеют надежду. В этом зале нет надежды, только чисто клиническое любопытство. Работа, которую необходимо выполнить. Бездушная машина закона в действии.

С момента смерти лежащий на столе уже не принадлежит супругу, возлюбленному, родителям, братьям и сестрам. Он теряет все права, становится собственностью местного коронера, который его опекает, пока точно не удостоверится, что умер именно *он*, и не выяснит, что его погубило. Не имеет значения, что любимые возражают против расчленения тела. Не имеет значения, что семья вынуждена неделями, иногда месяцами ждать похорон или кремации. Он больше не *он*. Биологический образец. Масса разнообразных жидкостей, белков, клеток, волокон и тканей, любой микроскопический фрагмент которых может рассказать или не рассказать о его смерти.

Несмотря на отвращение, Грейс восхищался. Обязанный присутствовать при вскрытии, он с восторгом наблюдал потрясающую, даже болезненную пунктуальность патологоанатомов, их бесконечный и неустанный профессионализм. Будет точно установлена не только причина смерти. Многочисленные подсказки позволят приблизительно определить время; будет исследовано содержимое желудка; выяснится, сопротивлялась ли жертва; совершилось ли сексуальное насилие. Если повезет, то в содранной коже или семенной жидкости останется ДНК убийцы. При вскрытии часто фактически раскрывается преступление.

Поэтому Грейс — руководитель следственной бригады и обязан присутствовать при вскрытии в сопровождении другого детектива, в данном случае Гленна Брэнсона, на случай если суперинтенденту придется по какой-то причине уйти. Дерек Гэвин фиксирует каждый шаг; представительница коронера, седовласая женщина сорока с лишним лет, служившая раньше в полиции, тихо, спокойно, почти незаметно стоит позади. Здесь же и Клио Мори со своим коллегой Дарреном, помощником прозектора, проворным симпатичным молодым человеком лет двадцати, с торчавшими черными волосами, который, вполне естественно, по мнению Грейса, начинал жизнь подручным мясника.

Питер Джеймс

Надюшка Де Санча с двумя лаборантами были в плотных зеленых рабочих фартуках поверх зеленых пижам, в резиновых перчатках и белых сапогах. Остальные в защитных зеленых халатах и бахилах. Тело Кэти Бишоп завернуто в белый пластик, скрепленный резинками на руках и ногах для сохранности вещественных доказательств, которые могут обнаружиться под ногтями. В данный момент патологоанатом разворачивала пластик, пристально его оглядывая в поисках волос, волокон, клеток кожи, любой другой частички, даже самой мелкой, которая может принадлежать убийце и которую она могла пропустить при осмотре тела в спальне.

Потом Надюшка повернулась к диктофону. Она лет на двадцать старше Клио, но в своем роде не менее яркая. Величественная, миловидная, с высокими скулами, светло-зелеными глазами, то смертельно серьезными, то озорными, смешливыми; с огненно-рыжими волосами, сейчас аккуратно и гладко зачесанными. Аристократическая осанка, вполне подобающая внучке русского князя, очки в массивной оправе, которые так любят выступающие по телевидению интеллектуалы. Поставив диктофон на полку у раковины, она вернулась к телу и медленно выпростала из обертки правую руку Кэти.

Полностью открыв тело и тщательно вычистив под ногтями, Надюшка занялась отметинами на шее мертвой женщины. Исследовала их в лупу, заглянула в глаза и обратилась к Грейсу с едва заметным гортанным среднеевропейским акцентом:

— Рой, тут поверхностное ножевое ранение и на том же месте след от лигатуры. Посмотрите поближе на склеру — на белки глаз, — очевидное кровоизлияние.

Суперинтендент, в шуршащем зеленом халате и неуклюжих бахилах, шагнул к Кэти Бишоп, вгляделся сквозь лупу сперва в правый глаз, потом левый. Надюшка права. На обоих белках хорошо видны крошечные кровавые пятнышки размером с булавочный укол. Разглядев их, он сразу же сделал два шага назад.

Вперед выскочил Дерек Гэвин, сфотографировал оба глаза объективом с сильным увеличением.

— Сдавливание достаточное для перекрытия шейных вен, но не артерий, — объясняла Надюшка погромче, не только Рою, но и остальным присутствующим. — Кровоизлияние почти наверняка свидетельствует об удушении — удавкой или руками.

78

Странно, что следов насилия на теле нет. Если бы она сопротивлялась, что вполне естественно, были бы синяки и царапины.

Действительно. Грейс думал точно так же.

— Может, она его знала? Плохо кончились любовные игры? — предположил он.

— А ножевое ранение? — с сомнением вставил Гленн Брэнсон.

— Верно, — кивнула Надюшка. — Не сходится.

— Хорошее замечание, — признал Грейс, расстроенный упущением столь очевидного факта, и запечатлел его в уставших мозгах.

Наконец патологоанатом приступила к вскрытию. Держа скальпель в одной руке, затянутой в перчатку, забрала в другую спутанные волосы Кэти, сделала круговой надрез по скальпу, сняла кожу вместе с волосами, упавшими на лицо мертвой женщины безобразной безжизненной маской. Помощник прозектора Даррен принес электрическую хирургическую пилу.

Грейс взял себя в руки, поймав взгляд Гленна Брэнсона. Наступал один из самых неприятных моментов наряду со вскрытием желудка, когда неизбежно разносится тошнотворный запах. Даррен нажал кнопку, инструмент взвыл, заработали острые зубы. Пила вонзилась в череп, раздался хруст и скрежет, отзываясь в каждом нерве.

Тут Грейсу с пустым желудком и в тяжком похмелье стало так плохо, что захотелось броситься в угол, заткнуть уши. Недопустимо, конечно. Надо выдержать, дождаться, пока молодой лаборант не проведет пилу по кругу до конца, пуская в воздух костную пыль, как опилки. Наконец Даррен поднял крышку черепа, обнажив сверкающий мозг.

Принято говорить о «сером веществе». Однако, с точки зрения Грейса, который всего сполна навидался, мозг серым никогда не бывает: он скорее молочно-коричневый. А сереет со временем. Надюшка шагнула вперед, разглядывая мозг. Даррен протянул ей тонкий обвалочный нож, какой можно найти в любом кухонном шкафчике. Она погрузила нож в черепную полость, перерезала связки, зрительные нервы, вытащила мозг и торжественно вручила Клио, как трофей.

Та понесла его к весам и вписала в лист на стене: «1,6 кг».

Надюшка, взглянув, заключила:

— Нормально для ее веса, роста и возраста.

Даррен установил над лодыжками Кэти металлический поднос на ножках. Патологоанатом вооружилась длинным мясницким ножом, ощупала в нескольких местах мозг, пристально всматриваясь. Потом с одного края сделала тонкий срез, словно с праздничной бараньей ноги.

У Грейса зазвонил телефон. Он отошел в сторонку.

— Рой Грейс слушает.

Опять Линда Бакли.

— Привет, Рой, — сказала она. — Брайан Бишоп только что вернулся. Я позвонила, отменила розыск.

— Где он был, черт возьми?

— Говорит, просто пошел подышать воздухом.

Грейс шагнул из зала в коридор.

— Черта с два. Пусть видеотехники просмотрят записи вокруг отеля за несколько последних часов.

— Прямо сейчас займусь. Когда мне его доставить в управление?

— Часа через три-четыре, не раньше. Я перезвоню.

Только он разъединился, как телефон опять зазвонил. Грейс не узнал номер, высветившийся на дисплее, — длинный ряд цифр начинался с 49, значит, международный.

— Рой! — послышался голос, который он сразу узнал.

Старый друг и коллега Дик Поуп. Некогда Дик и его жена Лесли были лучшими его друзьями. Потом Дика перевели в Гастингс, и с тех пор они редко общаются.

— Дик! Рад тебя слышать! Где ты?

Голос друга неуверенно дрогнул:

— Мы с Лесли в Мюнхене. Приехали на автобусную экскурсию. Пробуем баварское пиво.

— Неплохо звучит, — сказал Грейс, озадаченный замешательством Дика, словно тот чего-то недоговаривал.

— Слушай, Рой… Может быть, это полная ерунда… Не хочу волновать тебя, доставлять огорчения… Только нам с Лесли кажется, что мы только что видели Сэнди.

18

Телефон опять запищал. Вонючка очнулся, одновременно дрожа и потея. Господи боже, какая жара. Все промокло: одежда — драная футболка и трусы, в которых он спал, постельное белье. Вода из него льет ливмя.

Би-ип... би-и-ип... би-и-и-ип...

Откуда-то из зловонной тьмы, из конца фургона, проорал голос скауса[1]:

— Заткни долбаный телефон, пока я его не раздолбал, не выкинул в окошко к чертовой матери!

Вонючка вдруг сообразил, что пищит не украденный вчера мобильник, а личный, *деловой*, с повременной оплатой. Где же эта хреновина?

Он поспешно вскочил и рявкнул в ответ:

— Если тебе не нравится, проваливай из моего фургона!

Взглянул на пол, нашел нейлоновые штаны, обыскал карманы, выхватил маленький зеленый мобильник:

— Да? — и сразу начал озираться в поисках ручки и клочка бумаги. То и другое в куртке, а где она — черт знает. Потом вспомнил, что спал на ней, сунув под голову вместо подушки. Нащупал тоненькую поцарапанную и треснувшую шариковую ручку, отсыревший обрывок бумаги в линейку, уложил на фанерку. Едва водя трясущейся рукой, еле-еле сумел записать указания неровными каракулями и разъединился.

Хорошо. Деньги. *Большие*. Много.

Кишки ведут себя хорошо. Никаких смертельных схваток — по крайней мере, в эту минуту, — за которыми следует приступ

---

[1] С к а у с — прозвище уроженца или жителя Ливерпуля.

поноса, терзавшего его не один уже день. Во рту совсем пересохло, надо глотнуть воды. С пустой кружившейся головой он добрался до раковины, вцепился в нее, крутанул кран. Кран уже был открыт, вода в баке кончилась. Проклятье.

— Кто оставил чертов кран открытым на всю ночь? А? Кто?! — завопил он.

— Охолони, старик, — отозвался голос.

— Я тебя самого сейчас охолону, твою мать!

Вонючка рывком раздвинул занавески, заморгал от неожиданно ворвавшегося ослепительного утреннего света. Увидел за окном в парке женщину, державшую за руку малыша, ехавшего на трехколесном велосипеде. Рядом бегал какой-то шелудивый пес, нюхая выжженную траву на том месте, где пару дней назад высился большой купол цирка. Потом оглядел трейлер. Зашевелилось третье распластанное тело, которого он раньше не замечал. С ними сейчас ничего не поделаешь, одна надежда, что к его возвращению оба выметутся с концами. Как всегда.

Послышался почти ритмичный скрип — хомяк Эл со сломанной лапой в наложенном ветеринаром лубке снова бегал в сверкавшем стальном колесе, распушив усы.

— Ты когда-нибудь устаешь, старина? — спросил он, наклоняясь, однако не слишком. Эл однажды его укусил. Сказать по правде, дважды.

Вонючка нашел хомяка в клетке, которую какой-то жестокий сукин сын выбросил на обочину дороги, увидел сломанную лапу, попытался вытащить зверька и в благодарность за заботу был укушен. В другой раз попробовал его погладить через прутья клетки и снова получил укус. Впрочем, теперь уже можно открывать дверцу, хомячок прыгает на ладошку, с удовольствием сидит час и больше, только иногда в нее гадит.

Он натянул серый нейлоновый костюм «Адидас» с капюшоном, украденный в приморском супермаркете, новенькие сине-белые кроссовки, которые примерил и прямо в них удрал из магазина в Кемптауне, взял багажную сумку с инструментами, куда бросил украденный вчера из машины мобильник. Открыл дверцу фургона, крикнул:

— К моему возвращению чтоб никого тут не было! — и вышел в парящую солнечную жару на Левел, в длинную узкую полоску парка в центре Брайтона — города, который в шутку — хоть не так уж и в шутку — называл своим *офисом*.

На отсыревшей бумажке, старательно сложенной и надежно закрытой на «молнию» в верхнем кармане, записан заказ, адрес доставки и договорная плата. Его вдруг охватила дрожь, показалось, что жизнь просветлела. Заработанных нынче денег на неделю хватит.

Можно даже назначить твердую цену за краденый мобильник.

19

Сегодня отец плачет. Никогда не видел его плачущим. Видел пьяным и злобным — он почти всегда пьяный и злобный, хлещет мать и меня, бьет в лицо кулаком или одновременно то и другое. Иногда пинает собаку, потому что собака моя, а он собак не любит. Единственная, кого он не хлещет, не бьет, не пинает, — моя десятилетняя сестра Энни. Вместо этого он с ней делает что-то другое. Мы слышим, как она кричит изо всех сил, когда он заходит к ней в комнату. Иногда плачет, когда он оттуда уходит.

Сегодня он сам плачет. Отец. Все двадцать два голубя умерли. Включая двух, которых он держал пятнадцать лет. И четырех бирмингемских турманов, кувыркавшихся в воздухе и выделывавших другие трюки воздушной акробатики.

Я ввел каждому большую дозу инсулина из его диабетических запасов. В голубях вся его жизнь. Странно, что он так сильно любит шумных вонючих птиц, а всех нас ненавидит. Я никогда не мог понять, почему он променял на них нас, своих детей, и тем более мать. Иногда нас бывало здесь восемь. Другие появлялись и исчезали. Остались только мы с сестрой. Страдая вместе с матерью.

Сегодня он впервые страдает. По-настоящему.

20

Софи сидела за письменным столом, лежавший перед ней итальянский сандвич остывал, бумажная обертка промокала. У нее не было аппетита. Рядом валялся нераскрытый журнал «Харперс куин».

Она всегда влюбленно рассматривала сказочные наряды безумно красивых моделей; изображения обалденных курортов, иногда мечтая поехать туда с Брайаном; обожала фоторепортажи о повседневной жизни богачей, знаменитостей, кое-кого из них она знала по фильмам, просмотренным на премьерных показах, на которых бывала от своей компании, или видела издали, прохаживаясь по набережной Круазетт, толкаясь в толпах на Каннском кинофестивале. Скромной провинциалке недоступен такой образ жизни.

Не особенно стремясь к блеску и роскоши, она приехала в Лондон, закончила секретарские курсы и решительно ничего не добилась, впервые получив место в бейлифской[1] фирме, которая занималась оценкой домов должников. Дело жестокое, почти всякий раз разрывавшее сердце. Решив сменить работу, она стала давать объявления в газете «Ивнинг стандард», даже не думая оказаться в том мире, где нынче живет.

Хотя в данный момент этот мир неожиданно полностью переменился. Софи изо всех сил старалась осмыслить недавний абсолютно дикий разговор с Брайаном по мобильнику возле кафе. Он сообщил ей о смерти жены, утверждая, будто не был у нее прошлой ночью, скорее, ранним утром, отрицая, что они занимались любовью...

В офисе зазвонил телефон.

---

[1] Бейлифы — судебные приставы.

— «Блайндинг лайт продакшнс», — ответила она, отчасти надеясь, что звонит Брайан, но не проявляя обычного энтузиазма. Однако звонивший хотел поговорить с руководителем производственного и юридического отдела Адамом Дэвисом. Она их соединила и вновь погрузилась в раздумья.

Хорошо. Брайан вел себя странно и непонятно. Они познакомились полгода назад, сидя рядом на совещании по налоговым льготам для инвесторов, финансирующих кинопроизводство, куда она отправилась по просьбе начальства, а ей до сих пор кажется, что она его почти не знает. Он такой скрытный, почти невозможно заставить его говорить о себе. Фактически неясно, чем он занимается и, главное, чего хочет от жизни, в частности от нее.

С ним очень хорошо — ласковый, щедрый, занимательный собеседник. И, как недавно выяснилось, потрясающий любовник. Но в какую-то сферу его души доступ ей запрещен.

Поэтому он категорически отрицает, что был у нее нынче ночью.

Страшно хочется знать, что случилось с его женой. Бедный, милый, он наверняка в отчаянии. Убит горем. Не может смириться. Может, это и есть самый простой ответ?

Хочется его поддержать, утешить, дать возможность излить и облегчить душу. В мыслях складывался план. Смутный — в такой растерянности невозможно продумать все как следует, — хотя это лучше, чем беспомощно сидеть в неизвестности.

Оба владельца компании, Тони Уоттс и Джеймс Сэмсон, в летнем отпуске. В офисе тихо, спокойно, ничего страшного не случится, если она сегодня пораньше уйдет. В три часа Софи пожаловалась Кристиану и Адаму на неважное самочувствие, и оба посоветовали идти домой.

Поблагодарив, она вышла из здания, доехала в подземке до вокзала Виктории и направилась прямо к брайтонской платформе.

Войдя в поезд, устроилась в душном, жарком купе и не обратила внимания на вошедшего следом за нею мужчину в нейлоновом спортивном костюме с капюшоном и в темных очках. Он держал в руках красный пластиковый пакет из частного магазина и безмолвно шевелил губами, повторяя слова старой песни Луи Армстронга «Все на свете время наше», которую слышал в наушниках плеера.

21

Разъединившись, Рой Грейс вернулся в зал для вскрытия. Голова его шла кругом. Клио взглянула ему в глаза, словно почуяв, что что-то случилось. Он не совсем убедительно просигналил в ответ — все в порядке.

• В желудке ворочался сырой бетон. Взгляд с большим трудом сосредоточивался на разворачивавшейся перед ним сцене, когда Надюшка Де Санча препарировала скальпелем горло Кэти Бишоп, вскрывая слой за слоем, отыскивая признаки внутренних повреждений.

Не хотелось бы сейчас при этом присутствовать. Лучше сидеть в одиночестве в тихой комнате, где можно думать.

О Сэнди.

В Мюнхене.

Разве это возможно?

Его жена Сэнди исчезла с лица земли чуть больше девяти лет назад в тот самый день, когда ему исполнилось тридцать лет. Помнится живо, словно это было вчера.

Оба они всегда по-особому относились к дням рождения. Она его разбудила и протянула поднос с крошечным тортиком с единственной свечкой, бокалом шампанского и безобразной аляповатой поздравительной открыткой. Он распаковал преподнесенные подарки, а потом они занимались любовью.

Он ушел из дому позже обычного, в четверть десятого, обещая пораньше вернуться, поужинать в честь праздника с Диком и Лесли Поуп. Но, придя почти на два часа позже обещанного из-за проблем, возникших в расследовании дела об убийстве, не нашел в доме Сэнди.

Сначала он думал, что она рассердилась из-за опоздания и таким образом выражает протест. В доме было аккуратно прибрано, никаких следов борьбы или насилия, только ее машина и дорожный саквояж исчезли.

Много лет он разыскивал ее повсюду, где только можно, рассылал фотографии, действовал через Интерпол по всему миру, ходил к медиумам — до сих пор ходит, едва услышит о каком-нибудь новом, заслуживающем доверия. Никому ничего не удалось узнать. Сэнди как бы улетела с планеты. Никто не обнаружил ни одного следа.

До сегодняшнего звонка Дика Поупа.

Дик сообщил, что они с Лесли плыли в лодке по озеру в пивном саду в Мюнхене. В Английском саду. И оба могут поклясться, что Сэнди сидела за столиком, от души распевая под баварский оркестр.

Дик сказал, что они сразу же погребли прямо к берегу, окликая ее. Он выпрыгнул из лодки, побежал, но она исчезла, затерялась в толпе. Оговорился, конечно, что точно утверждать не может. Лесли тоже не совсем уверена.

В конце концов, они в последний раз видели Сэнди девять лет назад. Летом в Мюнхене, как и повсюду, не счесть привлекательных женщин с длинными светлыми волосами. Хотя Дик заверил, что они с Лесли нашли сходство ошеломляющим. И та самая женщина посмотрела на них, как бы точно узнав. Почему тогда выскочила из-за столика и убежала?

Оставив на три четверти полную кружку пива.

А сидевшие рядом единодушно подтвердили, что никогда ее раньше не видели.

Сэнди любила выпить в жаркий день кружку пива. Одним из миллиона, миллиарда, триллиона ее свойств, обожаемых Грейсом, был неутолимый аппетит к жизни — к еде, к вину, к пиву, к сексу. Сэнди сильно отличалась от женщин, с которыми он раньше встречался. Она была готова испробовать все. Он всегда связывал это с тем, что она не стопроцентная британка. Ее бабушка — выдающаяся личность, с которой он не раз с истинным удовольствием виделся до ее смерти, — была еврейкой, бежавшей из Германии в 1938 году. Их семейный дом находился в маленькой деревушке под Мюнхеном.

Господи Иисусе... Он впервые с потрясением об этом вспомнил.

Неужели Сэнди вернулась к своим корням?

Она частенько поговаривала, что туда надо бы съездить. Даже пыталась упросить бабушку поехать вместе, показать семейное гнездо, но для старушки воспоминания были слишком тяжелыми и болезненными. Грейс однажды пообещал Сэнди, что поедет с ней.

Резкий треск и хруст вернули его к действительности.

Груди Кэт Бишоп вывернулись наружу над содранными лоскутами кожи, обнаженными ребрами, мышцами, внутренними органами. Поблескивало сердце, легкие, почки, печень. Поскольку сердце больше не билось, на углубленный стальной стол, где лежало тело, стекла лишь ленивая, вялая струйка крови.

Держа в руках нечто вроде садовых ножниц, Надюшка перерезала ребра мертвой женщины. Грейс, как и остальные присутствовавшие, отзывался на хруст взрезаемых ребер каким-то сосредоточенным молчанием. Сколько бы Грейс ни наблюдал вскрытие, он не мог привыкнуть к такому реально жуткому звуку. Некогда живой, дышащий, любящий и любимый человек превращался на глазах в простую тушу на мясницком крюке.

Он этого не выносил с самых первых дней службы. Теперь же в его голове метались вразброс мысли о Сэнди. Он отступил как можно дальше от стола.

Постарался сосредоточиться. Женщину кто-то убил. Она достойна большего внимания, чем рассеянный взгляд копа, погруженного в размышления о возможной встрече со своей давно пропавшей женой. Надо отложить подальше телефонный звонок Дика Поупа и сконцентрироваться на насущной проблеме.

Он вспомнил о ее муже, Брайане, о его поведении в комнате для допросов. Что-то было не так. И вдруг сообразил, что совсем позабыл сделать из-за усталости и расстройства.

Вспомнил свой способ точной проверки, когда Брайан Бишоп лжет, а когда говорит правду.

22

Софи вышла из поезда в Брайтоне. Предъявив у барьера сезонный проездной билет, проследовала в сверкающий облицовкой главный вестибюль вокзала. Высоко вверху, под стеклянной крышей, парил одинокий голубь. В зале звучали назойливые сообщения, скучный мужской голос повторял остановки поездов.

Разгорячившись в давке, она обессилела, задержалась у киоска, купила банку коки, открыла, дернув колечко на крышке, и сделала пару глотков, отчаянно — просто отчаянно — стремясь встретиться с Брайаном.

Справа, прямо у себя перед носом, увидела крупный черный заголовок на белой передовой странице «Аргуса»:

«В доме миллионера обнаружена мертвая женщина».

Бросила в урну пустую банку, выхватила из стопки экземпляр газеты.

Под заголовком располагался цветной снимок импозантного особняка в псевдотюдоровском стиле, с подъездной дорожкой и частью улицы, затянутой оградительной лентой и забитой машинами, среди которых были два полицейских автомобиля с опознавательными знаками, несколько фургонов и большой квадратный автомобиль отдела тяжких преступлений. Рядом маленькая офсетная черно-белая фотография Брайана Бишопа в галстуке-бабочке и привлекательной женщины с элегантной прической.

Ниже шел текст:

«Сегодня ранним утром в особняке на Дайк-роуд-авеню, принадлежащем богатому бизнесмену Брайану Бишопу 41 года и его жене Кэти 35 лет, был обнаружен труп женщины. После прибытия патологоанатома тело увезли. Расследование ведет суссекская полиция во главе с суперинтендентом Роем Грейсом.

Бишоп, уроженец Брайтона, руководитель компании с ограниченной ответственностью «Интернэшнл ростеринг солушнс», которую «Санди таймс» причислила в этом году к сотне самых преуспевающих предприятий Соединенного Королевства, не дал никаких объяснений. Его жена, член брайтонского благотворительного комитета помощи детям, жертвовала деньги на многие местные нужды.

Нынче днем будет проведено вскрытие».

Софи с тошнотой в желудке смотрела на страницу. Никогда раньше она не видела Кэти Бишоп даже на снимках, не имела понятия, как та выглядит. Господи боже, какая красавица. Гораздо красивей ее, даже нечего сравнивать. Такая стильная, классная, такая...

Софи в отчаянии бросила газету обратно в стопку. Как трудно было заставить Брайана говорить о жене. Она одновременно испытывала жгучее любопытство насчет этой женщины и пыталась отрицать само ее существование. Раньше у нее никогда не бывало романа с женатым мужчиной, да и не хотелось его заводить: Софи старалась придерживаться простого морального принципа — не делай другим того, чего себе от других не желаешь.

Правило рухнуло после знакомства с Брайаном. Он просто-напросто сбил ее с ног. Загипнотизировал. Впрочем, сначала возникла невинная дружба. И вот теперь она впервые увидела свою соперницу. Кэти оказалась совсем другой женщиной, чем она ожидала. Хотя неизвестно, чего следовало ожидать. Брайан о жене практически не рассказывал. Она мысленно представляла себе кислую грымзу с забранными в пучок волосами, противную старую овцу, принудившую Брайана к браку без любви. Но не столь потрясающую, уверенную в себе, радостную красавицу.

Софи внезапно совсем растерялась, спрашивая себя, зачем вообще сюда приехала, о чем думала. Не совсем охотно вытащила мобильник из дешевой матерчатой сумки лимонного цвета, купленной в начале лета, когда они вошли в моду, — теперь сумка показалась на редкость вульгарной и грубой. Как и она сама, мельком отразившаяся в витрине фотоателье в дрянной, некрасивой рабочей одежде.

Надо вернуться домой, переодеться, привести себя в порядок. Брайан предпочитает, чтобы она хорошо выглядела. Помнится, как он был недоволен, когда она однажды, допоздна засидевшись в офисе, встретилась с ним в роскошном ресторане, не успев переодеться.

Немного поколебавшись, Софи набрала номер, прижала трубку к уху, изо всех сил сосредоточившись и по-прежнему не замечая мужчину в куртке с капюшоном, который стоял всего в нескольких футах, перебирая на стенде киоска книжки в бумажных обложках.

Когда прогремело и разнеслось вокруг очередное нудное объявление, она взглянула на массивные часы со стрелками и римскими цифрами.

Четыре пятьдесят одна.

— Да, — сказал Брайан, и она даже вздрогнула, поскольку он ответил еще до гудка.

— Бедненький мой, — пробормотала она. — Я тебе так сочувствую…

— Да. — Ровный пористый голос как бы впитывал ее собственный голос, словно промокательная бумага.

Последовало долгое неловкое молчание. Наконец она его прервала:

— Где ты?

— В отеле. Чертова полиция домой не пускает. Меня не пускают в мой собственный дом. Не желают объяснить, что случилось, можешь себе представить? Говорят, нельзя на место преступления… О боже, Софи, что мне делать? — Он заплакал.

— Я в Брайтоне, — тихо проговорила она. — Ушла с работы пораньше.

— Зачем?

— Я… подумала… не знаю… извини… Подумала, может быть, чем-то сумею помочь. Понимаешь… помочь. — Голос ее прервался. Она смотрела на затейливо украшенные часы. На голубя, который вдруг уселся на них сверху.

— Не могу с тобой встретиться, — отрезал он. — Это невозможно.

Тут Софи поняла, как глупо предлагать свою помощь. Что за чертовщина взбрела ей в голову?

— Конечно, — согласилась она, уязвленная неожиданной резкостью его тона. — Понятно. Только хочу сказать: если могу хоть что-нибудь для тебя сделать…

— Ничего. Спасибо за звонок. Я… должен опознать тело. Даже детям не сообщил еще…

Он умолк. Она терпеливо ждала, стараясь понять его чувства и переживания, сознавая, как плохо его знает, как чужда его жизни.

Потом он глухо вымолвил:

— Позвоню тебе позже, ладно?

— В любое время. В любое… — встрепенулась она.

— Спасибо. Прости… Извини меня.

Потом Софи звякнула Холли, страстно желая с кем-нибудь поговорить. Но услышала только новую запись на голосовой почте с веселым приветствием, раздражившим больше прежнего.

Оставив сообщение, она бесцельно побрела по вокзалу, прежде чем выйти на яркий солнечный свет. Домой идти не хотелось, вообще неизвестно, что делать, чем заняться. По улице к вокзалу непрерывным потоком двигались загорелые люди в футболках, майках, цветных юбках, шортах, с пляжными сумками, похожие на экскурсантов, которые провели здесь день и теперь направлялись домой. Долговязый тощий мужчина с лицом и руками цвета вареного рака, в отрезанных по колено джинсах размахивал большим приемником, откуда гремел рэп. В городе царило праздное, курортное настроение, далекое от ее собственного, как Юпитер.

Неожиданно звякнул мобильник. Софи на секунду воспряла духом, понадеявшись, что это Брайан. Увидела на дисплее номер Холли и нажала на кнопку ответа.

— Привет.

Голос Холли почти заглушал неумолкающий зловещий вой привидения, предвещающего беду. Она проинформировала подругу, что сидит в парикмахерской под колпаком сушилки. Попытавшись объяснить, что случилось, Софи сдалась и предложила созвониться позже. Холли обещала перезвонить, как только выйдет из салона.

Мужчина в куртке с капюшоном следовал за ней на безопасном расстоянии, держа в одной руке красный пластиковый пакет и посасывая тыльную сторону ладони другой руки. Приятно очутиться здесь, на побережье, подальше от грязного, душного Лондона. Он надеялся, что Софи идет к пляжу. Хорошо будет там посидеть, может быть, съесть мороженое. Вполне можно потратить немножечко из миллионов часов, лежащих на банковском депозите.

На ходу он припоминал покупки, которые сделал сегодня в обеденный перерыв и уложил в сумку. В застегнутых на «молнии» карманах куртки, кроме бумажника и мобильника, лежит рулон липкой ленты, нож, хлороформ, пузырек с таблетками, которые отключают напрочь. «Рогипнол». И еще кое-что. Никогда не знаешь, что может понадобиться...

Сегодня будет очень хорошая ночь. Опять.

23

Клио по-настоящему продемонстрировала свое мастерство, когда Надюшка Де Санча вскоре после пяти закончила вскрытие Кэти Бишоп. Большим половником она принялась вычерпывать кровь из полости тела, сливая ложку за ложкой в сточный желоб. Кровь уйдет в цистерну под зданием, где ее медленно разложат химикаты, прежде чем она просочится в городскую канализационную систему.

Пока Надюшка диктовала резюме, склонившись над рабочей полкой, поочередно заполняла протокол аутопсии, гистологическое заключение и заключение о причине смерти, Даррен протянул Клио белый пластиковый мешок с извлеченными из тела и взвешенными внутренними органами. Грейс наблюдал, как всегда с жутким восторгом, как она вкладывает мешок в открытую брюшину, словно потрошки в курицу.

Смотрел, серьезно озадаченный звонком насчет Сэнди, и думал. Надо перезвонить Дику Поупу, расспросить поподробней, где именно они с Лесли видели Сэнди, за каким столиком она сидела, опрашивал ли он обслуживающий персонал, одна она была или с кем-то...

Мюнхен. Этот город неизменно вызывал в душе отклик, отчасти из-за семейных связей Сэнди, отчасти потому, что он так или иначе постоянно присутствует в мировой истории. Октоберфест[1]; футбольный стадион, где проходил чемпионат мира; завод, выпускающий БМВ; кажется, в Мюнхене до Берлина жил Адольф Гитлер... В данный момент Грейс испытывал одно желание — вскочить в самолет и полететь туда. Можно предста-

---

[1] О к т о б е р ф е с т — традиционные народные октябрьские гулянья в Мюнхене.

вить, как это понравится его непосредственной начальнице Элисон Воспер, которая только и ждет любой, даже самой малейшей возможности повернуть уже воткнутый нож и окончательно избавиться от нежелательного подчиненного.

Даррен вышел из зала и вернулся с черным пластиковым мешком для мусора, набитым скомканными налоговыми квитанциями из муниципалитета Брайтона и Хоува, вытащил пригоршню, начал засовывать бумагу в пустой череп мертвой женщины. А Клио старательно и ловко зашивала толстой парусной иглой с крепкой ниткой распоротую брюшину.

Закончив, обмыла Кэти из шланга, удалив следы крови, и принялась за самое тонкое дело процедуры. С величайшей осторожностью подкрасила лицо, подрумянила щеки, привела в порядок волосы, и Кэти обрела такой вид, словно лишь ненадолго заснула.

Одновременно Даррен приступил к уборке помещения. Сбрызнул пол дезинфицирующим раствором с лимонным запахом, протер шваброй, полил отбеливателем, «тригеном» и, наконец, стерилизатором.

Через час он выкатил Кэти Бишоп на каталке под лиловым покрывалом, со сложенными на груди руками и маленьким букетиком живых розовых и белых роз, в смотровую — маленькую узкую комнатку с длинным окном, где хватало места только для родственников, которые могли постоять вокруг тела. Помещение несколько напоминало капеллу с невзрачными синими занавесами и маленькой вазой с искусственными цветами вместо алтаря.

Грейс с Брэнсоном стояли снаружи, глядя сквозь стекло, как Брайана Бишопа вводит в комнату для опознания констебль Линда Бакли, приятная на вид женщина лет тридцати пяти, с короткими светлыми волосами, в строгом синем костюме с белой блузкой.

Они видели, как он смотрит застывшим взглядом в мертвое лицо, сдергивает с рук покрывало, целует их, крепко стискивает, заливается слезами, падает на колени, обезумев от горя.

В такие моменты, которых Грейсу за долгие годы службы выпадало более чем достаточно, ему хотелось быть кем угодно, только не офицером полиции. Один его школьный приятель занялся банковским делом и теперь возглавляет филиал строительной компании в Уортинге, приморском городе неподалеку от Брайтона, получая хорошее жалованье, живя спокойной и приятной жизнью. Другой устраивает рыболовецкие рейсы из брайтонской гавани и вообще горя не знает.

Но он должен наблюдать, хоть и не в силах подавить эмоции, каждой клеткой собственного тела чувствуя переживания этого человека, сам еле сдерживая слезы.

— Черт возьми, ему плохо, — тихо сказал Гленн.

— Возможно. — Грейс пожал плечами, следуя не велению сердца, а служебному долгу.

— Бессердечный сукин сын.

— Раньше не был, — ответил Грейс. — Не был, пока не сел в машину, которую ты вел. Это может пережить только бессердечный сукин сын.

— Очень смешно.

— Так ты сдал экзамен на полицейских спецкурсах вождения?

— Провалился.

— Правда?

— Угу. Потому что ехал слишком медленно. Можешь поверить?

— Я?

— Слушай, ты меня достал. Вечно одно и то же. На каждый вопрос отвечаешь вопросом. Никак не отделаешься от проклятых полицейских привычек?

Грейс усмехнулся.

— Ничего смешного! Я тебе задал простой вопрос: можешь поверить, что я провалился из-за медленной езды?

— Не могу.

И действительно. Грейс хорошо помнил, как в последний раз ехал с Гленном, который практиковался перед экзаменом в скоростной езде. Когда он вылез из машины целый и невредимый — скорее по счастливой случайности, чем благодаря мастерству друга, — то решил, что лучше даст себе вырезать без анестезии желчный пузырь, чем снова сядет в автомобиль, за рулем которого будет Гленн Брэнсон.

— Вот именно, старик, — кивнул Брэнсон.

— Приятно слышать, что на свете еще остаются здравомыслящие люди.

— Знаешь, в чем твоя проблема, суперинтендент Рой Грейс?

— Ты какую из многих имеешь в виду?

— Насчет моего вождения.

— Расскажи.

— Неверие.

— В тебя или в Бога?

— Бог отвел пулю, которая не причинила мне серьезного вреда.

— В самом деле так думаешь?

— У тебя есть теория лучше?

Грейс замолчал, задумавшись, обычно предпочитая откладывать вопрос о Боге в какой-нибудь надежный долгий ящик и вытаскивая лишь в подходящий момент. Он не атеист и даже не агностик. Верит во что-то — по крайней мере, *хочет* во что-то верить, — но никогда не может с точностью определить, во что именно. Не раз готовился открыто принять концепцию Бога и сразу же чувствовал себя виноватым. После исчезновения Сэнди, когда все его молитвы остались без ответа, вера почти испарилась.

Черт возьми.

Он полицейский, его обязанности сводятся к установлению истины. *Фактов.* Как и у всех коллег, вера его заключается в деле. Он наблюдал сквозь стекло за Брайаном Бишопом. Совсем убит горем.

Или отлично разыгрывает грандиозное представление.

Скоро выяснится.

Плохо, что тут замешано личное дело — в данный момент его в первую очередь занимают мысли о Сэнди.

24

Вонючка поборол нестерпимое побуждение позвонить дилеру по украденному мобильнику — на его телефоне только что кончились деньги, — боясь разозлить сукиного сына или, хуже того, вообще вылететь из списка поставщиков крутого гада. Работодателю не понравится, если его номер останется в памяти «жареного» мобильника, особенно пошедшего на продажу.

Поэтому он зашел в автомат на углу закопченной Риджерси-Террас и захлопнул за собой дверцу, отрезавшую его от гари, которую пускал густой пятничный поток машин. Все равно что в духовке закрыться. Почти нестерпимо. Приоткрыв ногой дверцу, набрал номер. После второго гудка голос кратко ответил:

— Да.

— Уэйн Руни, — произнес Вонючка пароль, назначенный в прошлый раз. Пароль при каждой встрече менялся.

— Ну ладно, — сказал мужчина с восточным лондонским акцентом. — Как обычно? Коричневую? На десять? На двадцать?

— На двадцать.

— Что у тебя? Наличные?

— Мобильник. И бритва «Моторола».

— У меня их уже выше крыши. Могу дать на десять.

— Мать твою! Я рассчитывал на тридцать.

— Тогда ничем помочь не могу, приятель. Извини. Пока.

Внезапно охваченный паникой, Вонючка настойчиво крикнул:

— Нет-нет! Не разъединяйся!

Последовало краткое молчание. Потом снова послышался голос:

— Я занят. Время некогда тратить. На улицах цены взлетели, а товару мало. Через две недели будет дефицит.

Вонючка оценил информацию.

— Возьму на двадцать.

— На десять — самое большее.

Есть и другие дилеры, но последнего повязали во время облавы, он исчез с улиц, сидит где-то в тюрьме. Другой наверняка всучит какое-нибудь дерьмо. Есть пара покупателей, которым можно втюхать телефон за хорошую цену, но он чувствовал нараставшее напряжение: надо что-то *сейчас* получить, чтоб мозги встали на место. Сегодня у него дело, которое принесет кучу денег. Потом можно будет прикупить.

— Ну ладно. Где встретимся?

Дилер, которого он знал лишь по имени — Джо, — дал указания.

Вонючка вышел, чувствуя, как солнце печет голову, и затрусил по забитым машинами полосам на Мальборо-Плейс ко входу в паб, где иногда по ночам покупал экстези в мужском туалете. Если все выйдет удачно, может быть, нынче вечером даже на экстези хватит.

Он свернул на Норт-роуд, длинную оживленную улицу с односторонним движением, круто бегущую в горку. Нижний конец убогий, а с середины подъема сразу за «Старбексом» начинается самый модный современный район Брайтона.

Квартал Норт-Лейн состоит из перенаселенных узких улочек, растянувшихся почти по всему холму, и сбегает вниз к востоку от вокзала. Сверни за любой угол, и увидишь перед собой ряд старых мраморных каминов, классную одежду на вешалках, викторианские террасные коттеджи, выстроенные в девятнадцатом веке для железнодорожных рабочих, а теперь превратившиеся в модные особняки; пескоструйный фасад старой фабрики, перестроенный в шикарный жилой дом с мансардами.

Поднимаясь в горку, Вонючка совсем выдохся. Бывали времена, когда он носился ветром, уверенно подхватывал в магазине пакеты или товары, а теперь физических сил хватает на очень короткое время, не считая часов сразу после дозы или стимуляторов. Никто не обращал на него никакого внимания, кроме двух полицейских в штатском, сидевших за столиком в битком набитом «Старбексе», из окна которого хорошо было видно прохожих.

Неряшливо одетые, они смахивали на студентов, не спеша потягивавших кофе. Один, пониже, здоровый, с выбритой головой и козлиной бородкой, был в черной футболке и мягких джинсах; другой, повыше, с длинными волосами, — в мешковатой рубахе навыпуск над солдатскими нестроевыми штанами. Оба засекли Вонючку, зная в лицо почти каждого брайтонского подонка, а его фото практически с начала их службы в полиции висело на самом видном месте на стене брайтонского управления вместе с физиономиями сорока с лишним рецидивистов.

Для большинства населения Брайтона и Хоува Вонючка практически был невидимкой. Одевался с мальчишеских лет одинаково — в мятую нейлоновую куртку с капюшоном поверх обтрепанной оранжевой футболки, в спортивные штаны и кроссовки, — ходил сутулясь, сунув руки в карманы, сливался с городом, как хамелеон. Такой была униформа членов его банды ЗК — «здоровая команда», — которая соперничала со старой БК — «большой командой». Они не отличались такой жестокостью, как БК, которые, по слухам, участвовали в каждом случившемся в городе нападении на полицейского, изнасиловании, убийстве ни в чем не повинного незнакомца, но и ЗК хотели произвести угрожающее впечатление. Они болтались вокруг магазинов, сбросив капюшоны, таскали что под руку попадется, набрасывались на каждого, кто по глупости оказывался в уединенном месте, деньги тратили главным образом на наркотики и на выпивку. Теперь он уже слишком взрослый для шайки, которая состоит в основном из тинейджеров, но все равно носит такую одежду, как бы подчеркивая свою принадлежность к своим.

Голову бреет — Бетани бреет, когда появляется, — а от нижней губы к подбородку тянется неровная узенькая бородка. Бетани нравится, — по ее мнению, она придает ему загадочный вид, особенно вместе с фиолетовыми солнечными очками.

Впрочем, в зеркале он ничего такого не видит. Мальчишкой часами смотрел на себя, не желая быть некрасивым, стараясь убедиться, что вовсе не так безобразен, как утверждали мать с братом. Теперь ему на это плевать. С девчонками дела идут неплохо. Собственное лицо теперь порой пугает — изнуренное, высохшее, сплошь в волдырях, щеки под скулами напоминают рожки для обуви.

Тело разваливается — не обязательно быть ученым-ракетчиком, чтоб заметить. Дело не в наркотиках, а во всякой дряни, подмешанной толкачами. Голова постоянно плывет, как при гриппе, жаркую дымку сменяет зимний холод. Память ни к черту, невозможно сосредоточиться, досмотреть до конца кино или шоу по телевизору. Без конца возникают какие-то язвы, еда в желудке не держится, исчезло представление о времени, иногда даже не вспоминается, сколько ему лет.

Кажется, двадцать четыре или вроде того. Хотел спросить брата, когда звонил в Австралию вчера вечером, да забыл.

Именно брат, который на три года старше и на фут выше, впервые назвал его Вонючкой, и ему как бы даже понравилось. Вонючки — скунсы — злобные дикие животные, повсюду тайком пробираются, эффективно защищаются. Со скунсом не станешь связываться.

В подростковом возрасте он помешался на машинах. Выяснил, даже реально об этом не думая, что тачки легко угонять. А когда прошел слух, что он доставит любую, какую пожелаешь, у него неожиданно нашлись друзья. Его дважды арестовывали, в первый раз дали условный срок и лишили водительских прав, хотя он до их получения не дорос; во второй, отягощенный насилием, отправили на год в исправительное заведение для несовершеннолетних. А сегодня на лежащем в кармане пропотевшем листке бумаги заказ на очередную машину. На новую модель «ауди А-4» с откидным верхом, автоматикой, малым пробегом, цвета металлик — голубого, серебристого или черного.

Вонючка остановился отдышаться, и вдруг на него накатил черный необъяснимый страх, высосав весь дневной жар, словно он шагнул в глубь морозильника. По коже опять миллионом термитов забегали мурашки.

Впереди телефонная будка. Как раз то, что нужно. Нужна жара, чтобы сосредоточиться, обрести равновесие. Он шагнул к ней, тяжело задохнулся от усилия, открывая тяжелую дверь. Вот дерьмо! Прислонился к стенке в безвоздушной жаре, чувствуя головокружение и нетвердо держась на ногах. Сдернул трубку, придерживаясь другой рукой, вытащил из кармана монету, бросил в щелку, набрал номер Джо, тихо пробормотал, опасаясь, чтоб кто-нибудь не услышал:

— Уэйн Руни… На месте.

— Дай номер. Сейчас перезвоню.

Вонючка ждал, нервничал. Через несколько минут автомат наконец зазвонил. Поступили новые указания. Черт возьми, Джо с каждым днем превращается в полного параноика. Или без конца смотрит кино про Джеймса Бонда.

Выйдя из будки, он прошел вверх по улице ярдов пятьдесят, остановился, как было указано, перед витриной стекольно-зеркальной мастерской.

Офицеры полиции пили остывший кофе. Пол Пакер, поменьше и поплотнее, держал чашку, сунув в ручку средний палец. Восемь лет назад верхнюю фалангу указательного пальца на правой руке ему откусил в стычке Вонючка.

За последний час они стали свидетелями третьей сделки, хорошо зная, что в тот самый момент такие же договоренности заключаются еще в полудюжине горячих точек Брайтона. В каждый час дня и ночи. Пытаться пресечь в городе наркоторговлю все равно что останавливать сползающий ледник, кидая в него камешки.

Чтобы приобрести зелье на десять фунтов в день, наркоман должен за месяц заработать на кражах от трех до пяти тысяч. Причем очень многие тратят в день не десять фунтов, а двадцать, пятьдесят, сотню и больше. И еще куча мелких любителей по пути покупают понюшку. Существует прочная цепочка богатых дельцов. Берешь кого-то с поличным во время облавы, убираешь с улицы, а через несколько дней появляются новые лица, идут новые поставки. Ливерпульцы, болгары, русские… Все получают жирный кусок с жалких подонков вроде Вонючки.

Впрочем, Пол Пакер и его коллега Тревор Сэллис платят информатору пятьдесят фунтов из бюджета полиции вовсе не для того, чтоб отловить и посадить Вонючку за употребление наркотиков. Подобная мелочь не стоит труда. Есть надежда выйти по его следу на другого игрока, действующего на другом поле.

Через несколько минут к Вонючке подскочил стриженный ежиком жирный мальчишка лет двенадцати, с круглой веснушчатой физиономией, сильно вспотевший, в грязной футболке, шортах и расшнурованных баскетбольных ботинках.

— Уэйн Руни? — уточнил он писклявым скрипучим голосом.

— Угу.

Мальчишка выплюнул изо рта целлофановый пакетик, сунул Вонючке, который в свою очередь сразу взял его в рот, передав посыльному «моторолу». Через секунду тот уже мчался, как спринтер, вверх по холму.

Вонючка направился к своему фургону.

А Пол Пакер и Тревор Сэллис, покинув «Старбекс», пошли за ним следом.

25

Отдел тяжких преступлений занимает в Суссекс-Хаус почти весь первый этаж, располагаясь за дверью с противоударной прокладкой в конце просторного, почти со всех сторон открытого помещения, приютившего старших офицеров и рядовых сотрудников уголовного розыска.

Рой Грейс всегда чувствовал себя в этой части здания совсем иначе, чем во всех других отделах управления и участках Брайтона и Хоува. Везде коридоры и кабинеты обжитые, казенные, обветшалые, а тут все новенькое с иголочки.

Слишком новенькое, чересчур современное, чистенькое и чертовски опрятное. Слишком *бездушное*, вроде каких-нибудь офисов общественной бухгалтерии, административных отделов банка или страховых компаний.

К большим красным щитам, развешанным на стенах на равно отмеренном расстоянии, пришпилены тоже новенькие диаграммы и схемы на белых листах, содержащие оперативную информацию, которую каждый детектив обязан знать наизусть. Но Грейс, приступая к расследованию, не жалел времени, снова все перечитывая.

Хорошо известно, как легко впасть в самоуверенность и о многом забыть. Недавно прочитанная газетная статья укрепила это убеждение. В ней говорилось, что большая часть крупнейших в мире авиакатастроф за последние пятьдесят лет происходит из-за ошибки пилота. И в большинстве случаев их совершают не молодые неопытные летчики, а старшие пилоты авиакомпаний. В статье даже рекомендовалось немедленно покинуть самолет, услышав, что им управляет именно такой пилот.

Самоуверенность. В медицине то же самое. Недавно хирург-ортопед в Суссексе ампутировал пациенту не ту ногу. По ошибке, почти наверняка вызванной излишней самоуверенностью.

Именно поэтому в начале шестого Грейс в прилипшей к груди пропотевшей от жары рубашке остановился в душном коридоре у входа в отдел тяжких преступлений, мысленно видя Сэнди в Мюнхене. Кивком указал Брэнсону на первую схему на стенке рядом с кабинетом управляющего системой ХОЛМС под заголовком «Возможные общие мотивы».

— Что, собственно, значит «поддержание активного образа жизни»? — спросил Брэнсон, читая лист.

В центральном овале стояло одно слово: *мотив*. От него шли стрелки: *ревность, расизм, гнев/страх, грабеж, власть/контроль, страсть, выгода, нажива, возмездие, человеконенавистничество, ненависть, месть, психоз, секс, поддержание активного образа жизни*.

— Убийство с целью унаследовать чьи-нибудь деньги, — пояснил Грейс.

Сержант зевнул.

— Одно упущено. — Он мрачно нахмурился. — Собственно, два.

— Назови.

— Кайф. И слава.

— Кайф?

— Конечно. Ребята, которые в прошлом году облили бензином и подожгли спавшую старушку, дежурившую в камере хранения на автобусной станции, ненависти к ней никакой не питали, просто им нечем было заняться. Кайф.

Грейс кивнул. Голова действительно не варит. По-прежнему одолевают мысли о Сэнди. О Мюнхене. Господи боже, как со всем этим справиться? Одно желание в данный момент — сесть в самолет и лететь.

— И шумиха, да? — продолжал Гленн. — Вступил в банду: улица трясется от страха.

Грейс перешел к следующей доске, озаглавленной: «Криминалистические доказательства». Слова расплывались, сливались. Оценка потенциальной информации, сбор сведений, свидетельства, переоценка, подготовка доказательств, выработка стратегии… Краем глаза он заметил элегантного энергичного мужчину лет пятидесяти, в красивом светло-коричневом брючном костюме, бежевой рубашке с коричневым галстуком, который направлялся к ним быстрым шагом. Тони Кейс, старший офицер службы видеонаблюдения.

— Привет, Рой! — радостно поздоровался он. — Аппаратура приготовлена, кассеты доставлены, можно крутить. — Повернулся к сержанту и крепко пожал ему руку. — С возвращением, Гленн! Я думал, что вы еще не работаете.

— Я и не работаю.

— Выпивать осторожней придется, чтобы не пробуравить дырку в желудке?

— Угу, что-то вроде того, — пробормотал Гленн, пропустив шутку мимо ушей то ли сознательно, то ли потому, что отвлекся, Грейс так и не понял.

— Я еще тут побуду какое-то время, — весело объявил Кейс. — Если понадоблюсь, дайте знать. — Он постучал по мобильному телефону в нагрудном кармане рубашки.

— Бачок с водой понадобится в такую жару, — сказал Грейс.

— Доставлен.

— Молодец. — Грейс взглянул на часы. Двадцать с лишним минут до брифинга в шесть тридцать. Времени хватит. И он повел Брэнсона к комнате для допросов, где они уже сегодня были.

Они вошли в узкое маленькое помещение для наблюдения, смежное с главной комнатой. У рабочего стола, тянувшегося во всю ширину, стояли два разномастных стула, на них приземистый металлический корпус записывающей аппаратуры и цветной монитор с неподвижной картинкой, изображавшей кофейный столик и три красных стула в пустой комнате.

Грейс сморщил нос. Такое впечатление, будто кто-то ел тут карри, возможно из индийской деликатесной в супермаркете через дорогу. Заглянув в мусорную корзинку, он обнаружил вещественные доказательства — пустые картонки. По окончании вскрытия ему всегда требуется какое-то время, прежде чем можно будет подумать о еде, а после увиденных в содержимом желудка Кэти Бишоп остатков, вероятно, тушеных креветок острый запах карри решительно не содействовал таким мыслям.

Грейс наклонился, схватил корзинку, выставил за дверь. Аромат не ослаб, но стало хоть немножечко легче. Он уселся перед монитором, вновь ознакомился с кнопками управления аппаратом, нажал на «пуск».

Пахнет. Все равно пахнет. Сэнди любила карри. Курица «корма» — любимое блюдо.

На экране пошла запись первой встречи с Бишопом. Грейс, подавшись вперед, рассматривал темноволосого мужчину в коричневой, сшитой на заказ куртке со сверкавшими серебряными пуговицами, в двухцветных, коричневых с белым, туфлях для гольфа.

— Эти туфли похожи на устриц, — заметил Брэнсон, сидевший рядом с ним. — Знаешь, как в гангстерских фильмах тридцатых годов? Видел когда-нибудь «Некоторые любят погорячее»? — Голос вялый, без обычного энтузиазма, но, похоже, он делает сверхчеловеческие усилия, чтоб немного взбодриться.

Грейс понял, что для друга настал тяжелый момент — начало вечера. В такой час он обычно укладывает своих детей в постель.

— С Мэрилин Монро?

— Угу, а еще с Тони Кертисом, Джеком Леммоном, Джорджем Рафтом. Блестящая сцена, где ввозят торт, а оттуда вылезает мужик с автоматом, косит всех наповал, а Джордж Рафт говорит: «Что-то там в этом торте пришлось ему не по вкусу!»

— Современный вариант троянского коня, — заметил Грейс.

— Хочешь сказать, будто это ремейк? — озадаченно спросил Брэнсон. — «Троянский конь»? Не помню.

Грейс тряхнул головой:

— Это не фильм, Гленн, а то, что греки сделали в Трое.

— А что они там сделали?

Грейс с упреком уставился на друга:

— Ты все свои знания получил из кино? Историю никогда не учил?

Брэнсон воинственно пожал плечами:

— Еще как!

Грейс замедлил запись. Гленн Брэнсон на экране спросил, когда Бишоп в последний раз видел свою жену.

Грейс остановил кадр.

— Теперь сосредоточься, пожалуйста, на его глазах. Сосчитай, сколько раз он моргнул. Сосчитай, сколько раз он моргает в минуту. У тебя на наручных часах есть секундная стрелка, как на контрольной панели в НАСА?

Брэнсон взглянул на свои часы, озадаченный вопросом. Это был потрясающий большой хронометр с таким количеством циферблатов и кнопок, что Грейс иногда гадал, имеет ли приятель понятие о назначении хотя бы половины из них.

— Где-то тут есть, — пробормотал он.

— Хорошо, так начинай считать.

Гленн немного повозился с часами. Потом на экране в комнату вошел Рой Грейс и начал расспрашивать Бишопа:

«— Где вы сегодня ночевали, мистер Бишоп?

— В своей лондонской квартире.

— Это может кто-нибудь подтвердить?»

— Двадцать четыре! — объявил Гленн Брэнсон, переводя глаза с монитора на часы и обратно.

— Точно?

— Да.

— Хорошо. Считай дальше.

Грейс на экране спросил:

«— Во сколько вы нынче утром пили чай в клубе?

— В девять с небольшим.

— Ехали сюда в машине из Лондона?

— Да.

— В котором часу выехали?

— Около половины шестого».

— Снова двадцать четыре!

Грейс остановил запись.

— Интересно.

— Что именно? — уточнил Брэнсон.

— Это эксперимент. Я вычитал однажды в журнале по психологии, на который подписываюсь, что, по данным, полученным в одной университетской лаборатории, кажется в Эдинбурге, люди, говоря правду, чаще моргают, чем когда лгут.

— Да?

— Когда говорят правду, моргают 23,6 раза в минуту, а когда врут — 18,5. Фактически установлено, что лжецы сидят очень спокойно — им приходится напряженнее думать, чем тем, кто говорит правду, — а когда мы напряженно думаем, то замираем.

Грейс снова пустил картинку.

Брайан Бишоп вскочил, замахал руками.

— Все время двадцать четыре, — сообщил Брэнсон.

— И все время в движении, — добавил Грейс. — Похоже, говорит правду.

Впрочем, ему отлично известно, что это лишь косвенный признак. Он уже ошибся однажды, истолковывая телодвижения, и был жестоко наказан.

26

Пресса называет август мертвым сезоном. Когда парламент на летних каникулах, а полмира в отпусках, новостей практически нет. Газеты нередко раздувают мелочи, которые в другое время вообще не попали бы на их страницы, и страстно жаждут серьезного преступления — чем страшней и ужасней, тем лучше. Только преступники не берут отпусков и не придерживаются общепринятого рабочего графика.

Не считая меня самого, пожаловался Грейс самому себе.

Последний полноценный отпуск был у него девять с лишним лет назад, когда они с Сэнди летали в Испанию, жили под Малагой в снятой квартире. Квартирка была тесная, из окон открывался вид не на море, как обещалось в объявлении, а на многоярусную автостоянку. И почти неделю шел дождь.

В отличие от нынешнего августа, когда Брайтон захлестывают волны жары и приехало больше обычного отдыхающих и туристов. Пляжи, бары и кафе битком набиты. В Брайтоне и Хоуве сто тысяч стоячих питейных заведений, и, по расчетам Грейса, каждое место там в данный момент занято. Рай для уличных преступников. Скорее «живой» сезон, чем мертвый.

Понятно, что в отсутствие новостей расследование такого убийства, как то, что сейчас у него на руках, станет объектом особенно пристального внимания газетчиков. Богатая женщина найдена мертвой в роскошном доме после, возможно, извращенного секса, притом что ее муж преуспевающий бизнесмен с привлекательной внешностью... Потрясающий козырь для любого редактора, выискивающего материал, чтоб заполнить колонки!

Для начала надо разработать план крайне осторожного общения с представителями средств массовой информации, а потом,

111

как всегда, постараться, чтоб они помогали, а не мешали следствию. Завтра утром предстоит очередная пресс-конференция. А перед ней два инструктажа со следственной бригадой.

Тем не менее, несмотря ни на что, надо улучить момент и слетать в Мюнхен. *Надо.*

Абсолютно необходимо.

В голове вертятся мысли о Сэнди. В пивном ресторане... С любовником? Потеряла память? Или все же друзья обознались? Услышав сообщение от кого-то другого, он, возможно, и отмахнулся бы. Но Дик Поуп отличный детектив, внимательный, с прекрасной памятью на лица.

За несколько минут до половины седьмого Грейс в сопровождении Гленна Брэнсона вышел из комнаты наблюдения, оба налили себе по чашке кофе из автомата в крошечной кухонной секции, потом пошли по коридору к оперативному штабу, устроенному Тони Кейсом для следственной бригады в отделе технической поддержки. Прошли мимо большой красной доски с надписью «Операция «Лиссабон», где висела фотография мужчины, похожего на китайца с жидкой бородкой, окруженная снимками разнообразных камней под высокими утесами в необычайно красивом здешнем местечке Бичи-Хэд. Каждый камень обведен красным кружком.

Бичи-Хэд — прекрасный и трагический меловой мыс — приобрел в Англии нехорошую репутацию самого популярного места самоубийств. Предоставляя безграничные возможности для прыжков, он мрачно манит нырнуть в бездну глубиной 570 футов на английском берегу Ла-Манша. Перечень тех, кто шагнул, нырнул, скатился, съехал с поросшего травой откоса в автомобиле и остался в живых, невелик.

Несчастного неопознанного мужчину с фотографии на доске нашли мертвым в мае. Сначала приняли за очередного прыгуна, пока вскрытие не показало, что ему наверняка помогли, учитывая тот факт, что он умер существенно раньше падения. Следствие продолжается, однако надежд остается все меньше — любая более или менее верная ниточка обрывается.

Компьютер полиции Суссекса произвольно выбирает название для каждого серьезного происшествия. Если эти названия хоть как-нибудь соотносятся с делом, то чисто случайно. И очень редко.

В отличие от остальных подразделений в Суссекс-Хаус и других полицейских управлениях графства на столах отдела технической поддержки не было ничего личного: ни семейных фотографий, ни снимков футболистов, ни записных книжек с памятками, ни комиксов. Все, кроме мебели и оргтехники, нацелено исключительно на расследование. Не слышится задиристых шуток — сплошная и полная сосредоточенность, треск телефонов, стук клавиатуры, шорох бумаги, вылезающей из лазерных принтеров, и временами напряженная тишина.

Проходя по комнате, Грейс со смешанными чувствами разглядывал свою команду. С радостью видел знакомые лица. Сержант Белла Мой, симпатичная женщина, выглядит, благодаря крашенным хной волосам, на тридцать пять, перед ней, как обычно, открытая коробка леденцов «Молтиз», к которым она пристрастилась. Ник Николл, коротко стриженный, длинный как жердь, в рубашке без ворота и с короткими рукавами, с бледным одутловатым лицом, утомленный отец шестимесячного младенца. Координатор Сьюзен Грэдли — молодая пухлая женщина с длинными темными волосами, необычайно трудолюбивая и способная. Старослужащий Норман Поттинг, за которым необходимо присматривать.

Сержанту Поттингу пятьдесят три. Под старательно зачесанными на лысину прядями узкая каучуковая физиономия, испещренная лопнувшими сосудами, выпяченные губы, прокуренные зубы. Мятый желтовато-коричневый полотняный костюм, поношенная желтая рубашка с короткими рукавами, в которой он, видно, почти постоянно обедает. Сейчас Поттинг выглядел гораздо лучше из-за приобретенного где-то необычайно красивого, глубокого загара. Грейс вынужден был это признать. Из-за полной политической некорректности служащие в полиции женщины считают его наглым грубияном. Им частенько затыкают дыры, посылая в подмогу подразделениям, отчаянно нуждающимся в живой силе.

Больше всего Грейсу не нравился констебль Альфонсо Дзафероне, угрюмый высокомерный молодой человек лет под тридцать, красавец латинского типа, с волосами намазанными всякими гелями, муссами, щеголевато одетый в черный костюм с черной рубашкой и кремовым галстуком. Когда он работал с ним в прошлый раз, Дзафероне проявил сообразительность и остроту ума, но держался и вел себя невыносимо. Сейчас Грейс взял его в следственную бригаду отчасти потому, что в отпускной период нет особого выбора, отчасти из желания вышколить наглеца.

Приветствуя каждого поочередно, он вспоминал Кэти Бишоп — сначала утром в постели в собственном доме на Дайкроуд-авеню, потом днем на стальном столе в морге. Он чувствовал ее присутствие, будто ее душа жила в его сердце. Тяжкий груз ответственности. На присутствующих в этой комнате и на тех, кто вскоре присоединится к ним в конференц-зале, лежит огромная ответственность.

Поэтому он спрятал мысли о Сэнди в отдельном подвальчике памяти и запер там, пока для них не придет время.

Когда-нибудь.

Через несколько ближайших часов и дней он будет знать о Кэти Бишоп больше любого другого человека на свете. Больше, чем муж, родители, братья и сестры, лучшие друзья. Даже думая, что они ее *знают*, они знали лишь то, что она позволяла узнать. Что-то всегда скрывается. Как у каждого человека.

Для Роя Грейса это дело неизбежно окажется личным.

Только в данный момент он не догадывался, до какой степени личным. Как всегда.

27

Вонючка почувствовал прилив сил. Мир сразу показался не таким плохим местом. Героин делает свое дело — тепло, туман, все хорошо, в теле плещутся эндорфины[1]. Вот какой должна быть жизнь, так хотелось бы чувствовать себя до самого ее конца.

Явилась Бетани с курицей, картофельным салатом, трубочкой сливочной карамели, позаимствованными из материнского холодильника; тупоголовые стервецы убрались из фургона; он наехал на нее сзади — как она любит, ему тоже приятно прижимать к своему животу пышный зад.

Теперь она везет его вдоль берега в маленьком «пежо» своей матери; он развалился на пассажирском сиденье, откинувшись на спинку, разглядывая сквозь фиолетовые линзы свой *офис*. И стоящие повсюду машины. На любой вкус. Запыленные, раскалившиеся на солнце. Хозяева на пляже. Надо отыскать ту, которую легко свистнуть и которая вдобавок отвечает запросам, записанным на смятом отсыревшем клочке линованной бумаги, куда при дерьмовой памяти приходится постоянно заглядывать.

— Мне домой скоро надо. Маме машина нужна. К мосту вечером едет, — пропищала Бетани.

Черт побери, нынче вечером вдоль берега будут стоять все на свете машины. Новая модель «ауди А-4» с откидной крышей, автоматикой, малым пробегом, цвет металлик — голубой, серебристый или черный.

— Давай к Ширли-Драйв, — велел он.

Часы на приборной доске показывали 18.15.

---

[1] Э н д о р ф и н ы — группа естественных белков, обладающих успокаивающим и обезболивающим эффектом, которые вырабатывает человеческий мозг.

— Мне правда к семи надо быть дома, — повторила Бетани. — Ей машина нужна! Убьет, если я задержусь.

Вонючка бросил на нее быстрый оценивающий взгляд. Короткие черные волосы, полные руки, груди выпирают из выреза мешковатой футболки, загорелые бедра едва прикрыты синей джинсовой мини-юбкой. Его рука сунулась под эластичные трусики, угнездилась на мягком влажном лобке, два пальца глубоко погрузились внутрь.

— Сверни вправо, — приказал он.

— Ты меня снова заводишь!

Он сунул пальцы еще глубже.

Она охнула:

— Прекрати!

Вонючка сам завелся. «Пежо» свернул направо у светофора, проехал мимо статуи королевы Виктории, и вдруг он заорал:

— Стой!

— Что?

— Есть! Вот! Вот! — Он схватился за руль, вывернул машину за бровку тротуара, не обращая внимания на скрип тормозов и яростный автомобильный гудок позади.

Когда Бетани справилась с управлением, разжал пальцы, выпустил руль.

— Потрясающе, мать твою! Пока!

Открыл дверцу, вылез и ушел, даже не оглянувшись на прощание.

На другой стороне дороги перед светофором стояла «ауди А-4» синего цвета металлик, с откидным верхом. Вонючка вытащил из кармана шариковую ручку, записал на бумажке номер, вытащил из кармана штанов мобильник.

— GU 55 OAG, — продиктовал он. — Можете через час расплатиться?

Он так радовался, что не видел отъезжавшего «пежо», откуда Бетани махала рукой, не слышал короткого гудка.

Потрясающе! Есть!

Не видел и маленького серого «форда», притаившегося у тротуара в паре сотен ярдов позади. Это была одна из пяти машин группы слежения, которая сидела у него на хвосте последние полчаса с той минуты, как он вышел из фургона.

28

Брайан Бишоп сидел на краю широкой кровати в номере отеля, уткнувшись в кулаки подбородком, уставившись в телевизор. Чашка чаю на подносе рядом давно остыла, два бисквита в целлофановых обертках оставались нетронутыми. Он выключил слишком холодный кондиционер, и теперь пот лил с него ручьями, поскольку под курткой на нем был костюм для гольфа.

Несмотря на двойное остекление, снаружи слышался вой сирены, слабый рокот мотора грузовика, прерывистый сигнал тревоги. Он чувствовал себя совсем отрезанным от внешнего мира. По «Скай ньюс», будь она проклята, показывали его особняк — его *дом*. Абсолютно нереально. Словно он вдруг стал чужим своей собственной жизни. Не просто чужим — парией.

Нечто подобное происходило во время разрыва, а потом и развода с Зои. Дети, Карли и Макс, приняли ее сторону. Она успешно настроила их против него, и они с ним не разговаривали почти два года.

Телегеничный репортер с роскошными волосами и идеальными зубами стоял возле его дома перед оградительной лентой с синими и белыми надписями «Полиция. Место преступления. Вход запрещен», размахивая микрофоном.

«Сегодня производится вскрытие. Мы вернемся к этому событию в семичасовых новостях. С вами был Ричард Уоллес, «Скай ньюс».

Брайан находился в полном замешательстве.

Зазвонил мобильный телефон. Не узнав номер, он не стал отвечать. Почти каждый звонок был от газетчиков и репортеров, видимо отыскавших номер на веб-сайте компании. Интересно, что, кроме Софи, позвонили лишь двое друзей — однокашники

Гленн Мишон и Йен Стайл — и деловой партнер Саймон Уолтон. Саймон, кажется, искренне переживал, расспрашивал, чем может помочь, просил не беспокоиться о делах, обещал обо всем позаботиться.

Брайан несколько раз разговаривал с родителями Кэти, находившимися в Аликанте в Испании, где ее отец затеял очередное почти наверняка безнадежное предприятие. Они прилетят утром.

Подумывал позвонить своему адвокату, но с какой стати? Он ни в чем не виноват. Просто не знает, что делать, поэтому сидит неподвижно, как загипнотизированный, глядя на экран, где множество полицейских автомобилей сгрудились на его подъездной дорожке и вокруг дома. Мимо ползет нескончаемый поток машин, водители и пассажиры — каждый без исключения — выворачивают шею. Надо заняться делами. Звонить, отвечать на сообщения по электронной почте, составлять и отсылать свои собственные. Чертовская куча дел, только в данный момент он недееспособен.

Брайан вскочил в беспокойстве, покружил по номеру, зашел в сиявшую чистотой ванную, взглянул на полотенца, поднял крышку унитаза, желая помочиться. Ничего не вышло. Опустил крышку, посмотрел на себя в зеркало над раковиной. В глаза бросились туалетные принадлежности. Выстроившиеся в ряд бутылочки из пластмассы под мрамор с шампунем, кондиционером, гелем для душа, лосьоном для тела. Он принялся переставлять их, пока не добился идеально точного расстояния, потом ему не понравилась расстановка на полочке. Сдвинул ряд пузырьков вправо на несколько дюймов, снова старательно выверяя расстояние между ними.

После этого чуть полегчало.

А ведь в десять утра отлично себя чувствовал, был доволен, радовался невероятной летней погоде. Сыграл одну из лучших в жизни партию в гольф в прекраснейшее время года. И на тебе — через восемь с половиной часов жизнь рухнула. Кэти мертва.

Милая, милая, милая Кэти.

Полиция явно подозревает его в причастности.

Господи Иисусе.

Почти весь день прошел в обществе двух женщин-полицейских, представившихся офицерами из отдела семейных проблем.

Милые дамы старались изо всех сил его поддержать, но совсем доконали расспросами, и поэтому он попросил перерыв.

А еще дорогая Софи — о чем она говорила? Что имела в виду, черт возьми, утверждая, будто они вместе спали той ночью? Не было этого. Не могло быть. Никоим образом.

Правда, она ему нравится. Но любовная связь невозможна. У бывшей жены Зои были любовники. Узнав, что она изменяет ему на протяжении трех лет, он испытал почти нестерпимую боль и потому просто не способен причинить такую же боль другому человеку. Недавно почуяв что-то неладное с Кэти, он изо всех сил старался наладить их взаимоотношения.

Брайан с удовольствием флиртовал и общался с Софи. Очень лестно, черт возьми, когда двадцатилетняя девушка по тебе с ума сходит. Хотя, может быть, он ее чересчур поощрял. Непонятно, зачем вообще предложил вместе пообедать, сидя рядом на совещании по налоговым льготам для инвесторов киноиндустрии, на которое его пригласили. Все сигналило об опасности, а он шел вперед. Они снова встретились, продолжали встречаться, обменивались электронными сообщениями, иногда по два-три раза в день, и в последнее время она стала высказываться все прозрачней. По правде сказать, и он думал о ней пару раз, занимаясь с Кэти любовью, что случалось в последнее время реже и реже.

Но он никогда не спал с Софи. Черт побери, никогда даже в губы не целовал!

Или все-таки целовал?

Разве можно забыть, что делал? Некоторые люди действуют бессознательно. При стрессе возникают психические проблемы, нарушается деятельность мозга, а у него хватало неприятностей из-за бизнеса и неладов с Кэти.

Дела компании «Интернэшнл ростеринг солушнс», основанной им девять лет назад, идут хорошо — даже можно сказать, чересчур хорошо. Приходится являться в офис каждым утром все раньше, чтобы просмотреть вчерашнюю электронную почту — до двухсот сообщений, — за которыми следует новый поток. С открытием филиалов по всему миру — последних в Нью-Йорке, Лос-Анджелесе, Токио, Сиднее, Дубае, Куала-Лумпуре — связь не прекращается двадцать четыре часа семь дней в неделю. Конечно, штат существенно расширился, но он никогда не умел перекладывать дела на других. Поэтому все чаще допоздна засиживался в офисе; отправляясь домой, работал после ужина и — к неудовольствию Кэти — по выходным.

Чувствовалось, что семейная жизнь трещит по швам. Несмотря на увлечение благотворительностью, общественной деятельностью и светской жизнью, Кэти не хотела постоянно оставаться одна. Он пытался объяснить, что не вечно будет работать в таком темпе — через пару лет дело пойдет само собой или его можно будет продать за такие деньги, что больше вообще никогда не придется работать. А она напоминала, что он говорил то же самое два года назад. И четыре.

Недавно рассерженно назвала его трудоголиком, которого фактически ничто, кроме дела, не интересует. В ответ он неудачно напомнил, что интересуется своим малышом, любовно отреставрированным «ягуаром» 1968 года. Она язвительно заметила, что даже не припомнит, когда машина в последний раз выходила из гаража. И он в душе признал ее правоту.

Вспомнил, как после едва пережитого разрыва с Зои его личный врач предложил лечь на пару недель в психиатрическую лечебницу. Он отказался, сумел как-то справиться. Но до сих пор накатывают приступы мрачности, возникают прежние смутные ощущения, какие-то вибрации, вроде тех, что исходили от Зои, прежде чем точно выяснилось, что у нее есть любовник. Только теперь они исходили от Кэти.

Может быть, это просто игра воображения.

Может быть, в данный момент попросту помутился рассудок.

29

Камера медленно, слегка дергаясь, снимала панораму спальни в особняке Бишопов на Дайк-роуд-авеню. На несколько секунд задержалась на обнаженном теле Кэти Бишоп с раскинутыми в позе орла ногами и руками, привязанными к причудливым деревянным балясинам, со следом удавки на шее, с лежавшим рядом противогазом.

— В момент обнаружения тела он был надет, — сообщил Рой Грейс следственной бригаде, которая, увеличившись теперь до двадцати человек, собралась в конференц-зале отдела тяжких преступлений и просматривала видеозапись с места преступления.

Вокруг прямоугольного стола были расставлены двадцать пять жестких красных стульев; в крайнем случае в зале могло находиться еще человек тридцать. Среди прочего здесь проводились пресс-конференции о ходе расследования тяжких преступлений, поэтому у дальней стены напротив видсоэкрана стояла овальная сине-белая трибуна с адресом веб-сайта уголовной полиции Суссекса, гербом и номером телефона, откуда офицеры делали официальные заявления перед представителями средств массовой информации.

— Кто ее обнаружил, Рой? — дружелюбно, но четко спросила инспектор Ким Мерфи.

Грейс недавно работал с ней над успешно завершившимся делом по обвинению брайтонского землевладельца в заговоре с целью убийства и был очень доволен. Поэтому привлек ее к нынешнему расследованию, назначив своим заместителем. Ему очень нравилась эта энергичная, необычайно умная женщина тридцати с лишним лет, привлекательная, с красивыми волосами до плеч, пронизанными светлыми прядями, с широким открытым улыбчивым лицом. Почти не сходившая с ее губ манящая улыбка эффективно маскировала — к изумлению и огорчению многих преступников — на редкость сильную личность, с которой лучше не сталкиваться. Несмотря на высокий чин, Ким Мерфи отчасти оставалась озорной девчонкой, что только подчеркивал мужской спортивный холщовый пиджак с эполетами поверх белой рубашки и брюки. Она почти всегда приезжала на службу на мотоцикле «Харлей-Дэвидсон», который самостоятельно поддерживала в рабочем состоянии.

— Уборщица, — ответил он. — Одному Богу известно, сколько еще она там наследила.

Тяжелый вечер. Поистине тяжелый.

И все-таки как ни старался Рой Грейс сосредоточиться, отчасти он находился совсем в другом месте, в другом городе, занимался другим расследованием. *Сэнди.* Он вдруг вспомнил, что позабыл позвонить Клио, сообщить, когда предполагает освободиться. Можно попытаться украдкой послать электронное сообщение в ходе инструктажа.

Что будет с Клио, если Сэнди действительно в Мюнхене? Если он ее в самом деле найдет?

Слишком много неопределенностей. Только в данный момент он сидит за рабочим столом в реальном мире, и на него устремлены вопросительные, даже странные взгляды.

Возьми себя в руки!

— Восемнадцать тридцать, четвертое августа, пятница, — объявил он, заглядывая в свои краткие записи. Сбросил пиджак, ослабил галстук, расстегнул в удушающей жаре две верхние пуговицы рубашки. — Первый инструктаж по операции «Хамелеон». Расследуется убийство тридцатипятилетней женщины, в которой опознана миссис Кэтрин Маргарет Бишоп, или Кэти, совершившееся в доме номер девяносто семь на Дайк-роуд-авеню в Хоуве, Восточный Суссекс. Инструктаж проводится в тот же день, когда в восемь тридцать утра был обнаружен труп. Кратко суммирую произошедшее.

В течение нескольких минут Грейс излагал события, приведшие к обнаружению тела Кэти. Когда дошел до противогаза, его перебил Норман Поттинг:

— Может, у него хроническое недержание газов, Рой. Из любезности натянул на нее маску.

Сержант с ухмылкой огляделся. Никто не улыбнулся.

Грейс в душе застонал.

— Спасибо, Норман. У нас еще много дел. Обойдемся без шуток.

А Поттинг все оглядывался, неудержимо усмехаясь аудитории, ничуть не смущенный всеобщим равнодушием.

— И обойдемся без утечек насчет противогаза, — добавил Рой. — По этому поводу всем хранить полнейшее молчание. Ясно?

Обычно принято утаивать от общественности важнейшую информацию, полученную на месте преступления. Если позвонит какой-нибудь свидетель и упомянет о противогазе, следственная бригада сразу поймет, что сообщенные сведения почти наверняка настоящие.

Грейс принялся выслушивать отчеты о проделанной работе и давать поручения. Офицеры отдела семейных проблем должны выяснить семейные и родственные связи Кэти Бишоп, установить знакомых, собрать о них сведения. Руководство этим делом он еще раньше возложил на Беллу Мой.

Белла прочла лежавшие перед ней распечатки.

— Сведений пока еще немного. Кэти Бишоп — урожденная Кэтрин Мэри Дентон, единственный ребенок в семье. Родители жили в Брайтоне. Вышла замуж за Брайана Бишопа пять лет назад. Для нее это был третий брак, а для него второй. Детей нет.

— Известно, почему? — спросил Грейс.

— Нет. — Вопрос слегка озадачил Беллу. — У Бишопа двое от первого брака.

Грейс сделал пометку в блокноте.

— Хорошо.

— Она всю неделю жила в Брайтоне и только на одну ночь ездила в Лондон. У Бишопа там квартира, где он живет с понедельника до пятницы.

— Там и трахается с кем попало? — вставил Норман Поттинг.

Грейс не ответил, хотя Поттинг попал в точку. Отсутствие детей после пяти лет брака и почти раздельный образ жизни не свидетельствуют о слишком близких отношениях. С другой стороны, они с Сэнди прожили девять лет, а детей так и не завели. Впрочем, на то есть причины. Медицинские. Он снова чиркнул в блокноте.

Альфонсо Дзаффероне, с обычным презрительным выражением жевавшему жвачку, было поручено вместе с аналитиком системы ХОЛМС детально выстроить по времени последовательность событий и составить список подозреваемых, куда пока включен только муж. Полная хронологическая схема передвижений и местонахождения Брайана Бишопа позволит установить, мог ли он присутствовать на месте убийства во время его совершения. Случались ли в последнее время в Суссексе и каком-либо другом графстве аналогичные убийства? Не фигурировал ли где-нибудь противогаз? Дзаффероне откинулся на спинку стула — глядя на его широченные плечи, Грейс подумал, что наверняка накачанные, — и, подобно остальным мужчинам, сбросил пиджак. На черной рубашке сверкнули запонки с фальшивыми бриллиантами и золотые манжеты.

Норману Поттингу Грейс велел раздобыть план дома Бишопов, аэрофотосъемку его и соседних участков, тщательно установить возможные способы проникновения в дом. Попросил также, независимо от судебных органов, детально описать место преступления и собрать отчеты об осмотре соседних домов.

Поттинг доложил, что два домашних компьютера доставлены для исследования в отдел высоких технологий; из «Бритиш телеком» получены архивные данные о переговорах по двум линиям наземной связи за прошедший год и о звонках по мобильным телефонам обоих супругов.

— У меня мобильник, который ребята из «Телекома» нашли в ее машине, — добавил он. — Там одно сообщение в одиннадцать десять вчерашнего утра. — Поттинг заглянул в блокнот. — Мужской голос сказал: «Перезвоню позже».

— И все? — уточнил Грейс.

— Пробовали выяснить, да номер заблокирован.

— Надо узнать, кто звонил.

— Я обращался в телефонную компанию, но сведения будут только в понедельник.

Известно, что пятница, суббота, воскресенье — наихудшие дни для начала расследования убийства. Лаборатории, конторы, административные учреждения закрыты. Как раз в тот момент, когда срочно нужна информация, теряешь в ожидании два-три жизненно важных дня.

— Сделай для меня запись звонка. Спросим Брайана Бишопа, не узнает ли голос. Может быть, это он сам звонил.

— Нет, я уже проверял, — сказал Поттинг. — Садовник подвернулся, я ему прокрутил.

— Садовник входит в твой список подозреваемых?

— Ему под восемьдесят, и он чуточку придурковатый. Я бы поместил его в самый конец.

На этот раз все улыбнулись.

— По-моему, — заключил Грейс, — это второй из двух. — Он помолчал, хлебнул кофе, запив водой. — Теперь насчет ресурсов. В данный момент в других отделах относительно тихо. Поэтому можно требовать любую необходимую помощь. В отсутствие прочих громких новостей мы наверняка привлечем к себе внимание прессы, а значит, должны достойно выглядеть и быстро получить результаты. Устроить полноценное представление с собаками и пони.

Грейс понимал, но не сказал, что хочет не просто произвести впечатление на публику, но и продемонстрировать свои способности кисло-сладкому боссу, заместителю начальника управления Элисон Воспер, которая только и ждет от него очередной промашки.

Со дня на день слизняк суперинтендент Кэссиан Пью, ее новый *золотой мальчик*, которого она переманила из Столичной полиции, закончит лечение после автомобильной аварии и возглавит отдел в Суссскс Хаус. Ее тайная цель — лишить Роя Грейса куска хлеба и спровадить его на край света.

Грейс вернулся к результатам судебно-медицинской экспертизы, и все снова сосредоточились. Пропуская надиктованные Надюшкой Де Санча страницы сложных технических деталей, он сразу перешел к сути:

— Кэти Бишоп задушена накинутой на шею удавкой — либо тонким шнуром, либо проволокой. Ткани с шеи отправлены для исследования в лабораторию, после чего можно будет определить орудие убийства. — Он вновь хлебнул кофе. — Во влагалище обнаружена семенная жидкость, что указывает на половое соитие в момент близкий к смерти.

— И после смерти неплохой кусок мяса, — пробормотал Норман Поттинг.

— Какая гадость! — оглянулась на него Белла Мой.

Грейс вскипел от негодования:

— Хватит, Норман! Потом поговорим. Мы здесь совсем не настроены слушать твои дурацкие шутки. Понял?

Поттинг потупил глаза, как получивший выговор школьник:

— Я ничего такого не имел в виду, Рой.

Пронзив его кинжальным взглядом, Грейс продолжил:

— Семенная жидкость послана в лабораторию для экспресс-анализа.

— Когда ожидаются результаты? — поинтересовался Ник Николл.

— В понедельник, в лучшем случае.

— Надо взять мазок у Бишопа, — подсказал Дзаффероне.

— Уже взяли, — ответил Грейс, довольный, что опередил в этом вопросе выскочку.

Оглянулся на Гленна Брэнсона за подтверждением. Сержант хмуро кивнул, и у Грейса вдруг сжалось сердце. Бедный Гленн чуть не плачет. Может, не следовало вытаскивать его сюда после жуткого семейного скандала и к тому же не в самой лучшей физической форме, с похмелья, которое до сих пор не совсем выветрилось... Только что уж теперь сожалеть о содеянном.

Поттинг поднял руку:

— Гм... Рой... насчет семенной жидкости... Можно предположить убийство на сексуальной почве? Изнасилование?

— Предположение — мать и отец всех дурацких ошибок. Ясно? — Грейс выпил воды. — Офицерам отдела семейных проблем констеблю Линде Бакли и констеблю Мэгги Кемпбелл было поручено...

Тут громко зазвонил мобильник Ника Николла. Бросив на Грейса виноватый взгляд, он вскочил, почти вдвое согнулся, как будто уменьшение в росте уменьшало и громкость звонка, отошел на несколько шагов от рабочего стола и сказал:

— Констебль Николл...

Воспользовавшись паузой, Дзаффероне пристально оглядел Поттинга:

— Куда ездили, Норман?

— В Таиланд. — Сержант улыбнулся дамам, надеясь поразить их своим экзотическим путешествием.

— Вернулись с чудесным загаром.

— И еще кое с чем. — Поттинг просиял, поднял руку, выставил безымянный палец с круглым золотым обручальным кольцом.

— Черт возьми! — воскликнул Дзаффероне. — Неужели с женой?

Хотя порой казалось, будто Белла Мой, укрытая своей копной волос, пребывает в каких-то других мирах, память и сообразительность у нее были очень острые. Она никогда ничего не забывала и не пропускала. Сунув в рот полурастаявший леденец, она сказала тем тоном, который особенно нравился Грейсу, — мягким и в то же время определенным и четким:

— Стало быть, это четвертая ваша жена?

— Точно, — кивнул сержант, по-прежнему сияя, словно совершил великое достижение, которым вполне можно гордиться.

— Ты же больше не собирался жениться, Норман, — напомнил Грейс.

— Ну, знаешь, Рой, как говорится: дело женщины — изменить намерения мужчины.

Белла улыбнулась ему скорее сочувственно, чем одобрительно, как интересному, но слегка необычному экспонату зоопарка.

— Где вы с ней познакомились? — расспрашивал Дзаффероне. — В баре? В клубе? В массажном салоне?

Поттинг, внезапно смутившись, ответил:

— Через агентство, по правде сказать.

Грейс на мгновение увидел в его глазах редкую вспышку смирения, тень печали, одиночества.

— Слушайте, — сказал Ник Николл, усаживаясь на свое место за рабочим столом и засовывая телефон в карман, — возникло кое-что интересное. — Он положил перед собой блокнот.

Все напряженно взглянули на него.

— Возле аэропорта Гатуик установлена система наблюдения. Сканеры на развязках с обеих сторон шоссе М-23. Вчера вечером в одиннадцать тридцать семь один засек автомобиль «бентли-континенталь», зарегистрированный на имя Брайана Бишопа, направлявшийся к югу в сторону Брайтона. Со сканером на северном направлении были технические проблемы, поэтому возвращение автомобиля в Лондон не зафиксировано — если он туда вернулся.

Подобные сканеры обеспечивают автоматическую систему распознавания номеров, которой все чаще пользуется полиция и службы безопасности, регистрируя приближающиеся к определенному месту машины.

Гленн Брэнсон посмотрел на Грейса:

— Кажется, он опроверг твой тест на моргание, Рой. Втюхал нам липу. Сказал, что в то время дрых в Лондоне.

Впрочем, Грейс не расстроился, а воспрянул духом. Если нынче вечером удастся выжать признание из Брайана Бишопа, то расследование завершится, почти не начавшись. Можно будет тут же отправиться в Мюнхен — практически завтра. Другой вариант: передоверить следствие Ким Мерфи, чего он никогда не делает, предпочитая держать в руках все ниточки. Ошибки допускаются именно при совместной работе, когда сотрудник действует почти на одном с тобой уровне. Важные детали легко проваливаются в трещины.

— Пойдем поговорим с офицерами по семейным проблемам, — сказал он. — Посмотрим, можно ли еще что-то выяснить насчет той машины. Посмотрим, не удастся ли освежить память Бишопа на этот счет.

30

В четверть восьмого солнце стало наконец уходить с побережья Суссекса. Обладатель Миллиардного Запаса Времени сидел за столиком в переполненном открытом кафе, потягивая третью бескалорийную коку, зачерпывая ложечкой остатки орехового мороженого из стоявшего перед ним стаканчика, чтобы потратить то самое время. Выделил несколько долларов, фунтов, евро. Почему не потратить — с собой все равно не возьмешь.

Поднес правую руку к губам, пососал. По-прежнему чувствуется жгучая боль, и то ли действительно, то ли кажется — крошечные красные пятнышки вокруг легкой припухлости никотинового цвета становятся ярче.

Неподалеку духовой оркестр играл «Остров под солнцем».

Однажды он сам собирался на остров под солнцем. Совсем уже приготовился, когда произошло *событие*. Жизнь его оплевала с большой высоты. Ну, не собственно жизнь, нет-нет-нет.

Одно из ее творений.

Воздух на вкус соленый, пахнет канатами, ржавчиной, лодочной смолой. Через каждую минуту-другую внезапно доносится слабый, но отчетливый запах мочи. Вскоре после захода солнца начнет вставать луна. И на это людям наплевать.

Оплаченный счет под пепельницей трепетал умирающей бабочкой на морском легком бризе. Он всегда готов сделать следующий шаг. Никогда не знаешь, куда дальше двинешься. В отличие от солнца.

Интересно, куда в данный момент направляется охряный диск молча кипящих газов. Он попробовал мысленно рассчитать по часовым поясам. Багровый шар медленно поднимается над горизонтом в Сиднее за тринадцать с половиной тысяч миль и по-прежнему ослепительно светит в дневном небе над Риоде-Жанейро. Где б он ни был, его власть — его власть над людьми — не имеет никакого смысла. В отличие от той, которой он сам обладает над ними.

Властвуя над жизнью и смертью.

Точка зрения. Все дело в точке зрения. Для одного темнота, для другого дневной свет. Почему этого почти никто не понимает?

Понимает ли глупая девка, сидящая перед ним на песке всего в нескольких ярдах, глядя на распластавшиеся на пляже тела, на ровную вздымающуюся океанскую массу, на обвисшие паруса шлюпок и досок для виндсерфинга, на далекие серые танкеры и грузовые суда, неподвижно сидящие на горизонте, как игрушки на полке, наконец, на придурков купальщиков, плещущихся в вонючем дерьме, которое им кажется чистой морской водой?

Знает ли Софи Харрингтон, что видит все это в последний раз?

Что в последний раз чует запах просмоленных канатов, лодочной краски, чужой мочи?

Чертов пляж — сточная яма обнаженной плоти, едва прикрытой, белой, красной, коричневой, черной, выставленной напоказ. Пляжные шлюхи без лифчиков. Одна разгуливает с рыжими космами до плеч, сиськи свисают на живот, а живот на лобок, размахивает бутылкой пива — темного или светлого, на таком расстоянии не разберешь, жирная задница выпирает из голубого нейлона, бедра губчатые от целлюлита. Интересно, как бы она выглядела в противогазе, прижавшись к его лицу рыжим курчавым лобком? Чем бы пахла? Устрицами?

Он снова переключил внимание на глупую девку, сидевшую на пляже уже два часа. Наконец-то она встала, потопала по гальке, держа в руке туфли, морщась на каждом шагу. Почему не обуется, удивлялся он. Неужто в самом деле *такая* тупая?

Можно будет спросить потом, в спальне, оставшись наедине. Ответ прозвучит глухо и неразборчиво из-под противогаза.

Хотя ответ не так уж и важен.

Важна запись на пустой страничке для заметок в конце синего школьного дневника, которую он сделал в двенадцать лет. Дневник — одна из немногих сохранившихся с детства вещей. Сентиментальные памятки лежат в металлическом ящичке. Ящичек лежит в запертом гараже, снятом неподалеку отсюда на месяц. Он еще ребенком понял, как важно найти в мире место, пусть даже самое маленькое, которое будет принадлежать одному тебе. Где можно держать вещи, сидеть, думать.

Так в приватном месте в двенадцать лет ему пришли на ум слова, которые он записал в дневнике.

Если хочешь кому-нибудь причинить настоящую боль, не убивай его — больно будет недолго. Лучше убей тех, кого он любит. Это причинит ему вечную боль.

Он твердил и твердил эту фразу, как мантру, следуя на безопасном расстоянии за Софи Харрингтон. Она остановилась, обулась, пошла дальше по прибрежному променаду мимо магазинов в красно-кирпичных аркадах, галереи местных художников, ресторана морепродуктов, духового оркестра, старой мины времен Второй мировой войны, которая была вынесена на берег и теперь установлена на постаменте, мимо магазинчика, где продавались пляжные шляпы, сумки, лопатки, вертящиеся ветряные мельницы на палочках.

Он шел за ней сквозь беспечные загорелые толпы к оживленной Кингс-роуд, где она повернула налево, направившись к западу, мимо отелей «Ройял Альбион», «Олд Шип», «Одеон Кингсвест», «Тисл», «Гранд», «Метрополь», с каждой минутой все сильней возбуждаясь.

Ветер задувал под капюшон, который в один тревожный момент чуть не слетел. Он крепко прихватил его на лбу и вытащил из кармана мобильник. Надо сделать важный деловой звонок.

Прежде чем набрать номер, дождался, пока мимо проедет полицейская машина с включенной сиреной, по-прежнему шагая за Софи в пятидесяти ярдах. Интересно, она всю дорогу до дому пройдет пешком или сядет в автобус, возьмет такси? Ему известно, где она живет. У него даже есть ключ.

И миллиардный запас времени.

Тут он в болезненном приступе паники понял, что забыл в кафе пластиковую сумку с противогазом.

31

Линда Бакли расположилась в кожаном кресле в большом красивом комфортабельном вестибюле «Отеля дю Вен».

Очень умно, оценил Грейс, войдя в отель вместе с Гленном Брэнсоном — близко к администраторской стойке, где слышно, не спросит ли кто Брайана Бишопа, и хорошо видно входящих и выходящих.

Линда Бакли неохотно отложила книгу «Путешествие на Плимсол-Лайн»[1] Николетт Джонс, по которой был сделан радиосериал, и встала.

— Привет, Линда, — кивнул ей Грейс. — Хорошая книжка?

— Потрясающая, — ответила она. — Мой муж Стивен служил на торговом флоте, так что я немножко знаю об этих судах.

— Наш гость у себя?

— Да. Я с ним говорила с полчаса назад, узнавала, как он себя чувствует. Мэгги пошла позвонить. Мы дали ему отдохнуть — слишком уж был тяжелый день, особенно в морге, когда он опознавал жену.

Грейс оглядел оживленный вестибюль. Все табуреты у стойки бара из нержавеющей стали в дальнем конце заняты, равно как все диваны и кресла. Невдалеке стояла компания мужчин в смокингах и дам в вечерних платьях, собиравшихся, видно, на бал. Ни одного журналиста не видно.

— Прессы пока нет?

— Пока нет, и то хорошо. Я его зарегистрировала под другим именем — мистер Стивен Браун.

— Умница! — улыбнулся Грейс.

— Может, день выиграем, — сказала она. — Но скоро нагрянут.

---

[1] Плимсол-Лайн — грузовая марка британских судов.

К тому времени Брайан Бишоп будет в камере, если повезет, подумал Грейс.

Он направился к лестнице и остановился. Брэнсон мечтательно уставился на четырех очень хорошеньких девушек чуть младше двадцати, которые пили коктейли, устроившись на огромном диване. Грейс помахал, отвлекая друга. Гленн задумчиво пошел к нему.

— Просто думал... — начал сержант.

— О длинных ногах?

— О каких длинных ногах?

По его озадаченному виду Рой понял, что приятель смотрел не на девушек, может, вообще их не заметил. Просто глядел в пространство. Сильной рукой он обнял Брэнсона за плечи. Худой, крепкий, как камень, благодаря занятиям тяжелой атлетикой, с торсом, который под пиджаком кажется не человеческой плотью, а молодым стройным деревом.

— Все будет хорошо, дружище, — пообещал Грейс.

— Я как будто очутился в чьей-то чужой жизни... Понимаешь, что имею в виду? — сказал Брэнсон, когда они поднимались по первому пролету лестницы. — Из своей как бы вышел и по ошибке шагнул в чужую.

Бишоп был в 214-м номере на втором этаже. Грейс постучал в дверь. Никто не ответил. Он снова стукнул, погромче. Потом оставил Брэнсона ждать в коридоре, а сам сошел вниз и вернулся с дежурным администратором, модно одетым мужчиной лет тридцати, который открыл дверь служебным ключом.

В номере было пусто. Удушливо жарко и пусто. Грейс с Брэнсоном бросились к ванной, толкнули дверь. Девственная, нетронутая чистота, не считая поднятой крышки унитаза.

— Это тот номер? — спросил Грейс.

— Номер мистера Стивена Брауна, абсолютно точно, сэр, — ответил администратор.

Единственными признаками, что некоторое время назад здесь кто-то был, оставались глубокая вмятина на лиловом покрывале в ногах постели и серебряный поднос с чашкой холодного чая, чайничком, кувшинчиком с молоком и двумя бисквитами в упаковке, стоявший посреди кровати.

32

Шагая по забитому людьми широкому тротуару Кингс-роуд, Софи пыталась вспомнить, что у нее имеется в холодильнике или в морозильнике пригодное для ужина. Какие консервные банки в кухонном буфете. Аппетита особого не было, но она понимала, что надо поесть. Мимо промчался велосипедист в костюме из лайкры и в шлеме. С грохотом прокатились два подростка на скейтбордах.

Давно в каком-то романе она прочла фразу, застрявшую в памяти: «Плохое случается в прекрасные дни».

Одиннадцатого сентября был прекрасный день. Глядя на произошедшее по телевизору, она ошеломленно думала, что, возможно, вид врезающихся в башни самолетов не имел бы такого эмоционального резонанса, если бы небо было серым, дождливым. В непогожие дни так и ждешь всяких гадостей.

Сегодня вдвойне или даже втройне дерьмовый день. Сначала известие о смерти жены Брайана, потом его холодный тон, когда она звонила, чтоб его утешить… И наконец очевидность того, что планы на выходные ко всем чертям рухнули.

Она остановилась, прошла между рядами шезлонгов, облокотилась на металлические бирюзовые поручни, глядя на пляж. Прямо под ней дети на песчаной игровой площадке перебрасывались яркими красочными мячами. Родители болтали, стоя в нескольких ярдах, присматривая за ними. Ей тоже хочется быть матерью, смотреть, как ее дети играют с друзьями. Она всегда считала, что будет хорошей матерью. Собственные родители очень о ней заботились.

Это милые, порядочные люди, до сих пор, после тридцати лет совместной жизни, любящие друг друга; по-прежнему держатся за руки, идя рядом. Ведут небольшой бизнес, импортируя из

Франции и Китая салфетки и скатерти из кружев ручного плетения, которые поставляют на ярмарки. Занимаются своим делом в собственном коттедже в Орфорде в Суффолке, используя амбар под товарный склад. Можно завтра поехать к ним поездом. Они всегда рады видеть ее в выходные, только ей хотелось провести субботу и воскресенье иначе.

Вообще непонятно, чего сейчас хочется. Как ни странно, вовсе не встречи с Брайаном — впервые за время их знакомства. Сегодня он никак не может с ней свидеться. А она не может парить на крыльях вроде грифа в ожидании похорон и окончания приличного срока траура. Правда, он ей нравится. По-настоящему. Фактически она его *обожает*. Он ее возбуждает — ну ладно, отчасти ей лестно внимание старшего, необычайно привлекательного и преуспевающего мужчины, — но вдобавок он невероятный любовник, пусть даже слегка извращенный. Самый лучший при ее довольно ограниченном сексуальном опыте.

Одно в голове не укладывалось — почему он отрицал, что они вместе спали прошлой ночью. Боялся, что телефон прослушивается? Сильно горевал? С возрастом она усвоила, что мужчины иногда бывают очень странными. А может, и всегда.

Софи взглянула за игровую площадку на пляж. Сплошь усеян телами. Влюбленные целуются, обнимаются, идут рука об руку, держатся за руки, смеются, отдыхают, предвкушают выходные. В море полно лодок. В двадцать минут восьмого еще светло. Остается несколько недель со светлыми вечерами, потом неизбежно нахлынет зимняя тьма.

Софи почему-то вдруг содрогнулась.

И пошла дальше мимо остатков Западного причала. Она долго считала его безобразной соринкой в городском глазу, а теперь он ей начал нравиться. Уже не похож на рухнувшее сооружение. Обуглившийся каркас напоминает скелет поднявшегося из глубин морского чудовища. Она на секунду представила, как в один прекрасный день люди изумленно охнут, когда море перед Брайтоном заполонят подобные существа.

В голову иногда приходят дикие мысли. Может, из-за бесконечного чтения сценариев фильмов ужасов. Может быть, совесть ее наказывает за дурные поступки. За связь с женатым мужчиной. Да, это и впрямь в высшей степени дурно.

Когда Софи призналась лучшей подруге Холли, та сначала пришла в восторг. Заговорщицки усмехалась. Чудеснейшая на свете тайна… А теперь, как всегда практичная, Холли, обдумав каждую мелочь, постоянно приводит доводы против такой связи.

В какой-то момент между покупкой спелого авокадо, свежих помидоров и банки коктейля из атлантических креветок Софи вполне определенно решила разорвать отношения с Брайаном Бишопом.

Надо просто дождаться момента, когда это можно будет сделать тактично. Тут кстати вспомнилось сообщение, полученное утром от Холли, с приглашением на завтрашнюю вечеринку. Замечательно побыть в компании, пообщаться с ровесниками.

Ее квартира располагалась на третьем этаже довольно старого викторианского террасного дома к северу от оживленной торговой улицы Черч-роуд. Замок в парадном так разболтался в прогнивших створках, что любой может его открыть, хорошенько толкнув и вывернув болты из дерева. Хозяин дома, доброжелательный маленький иранец, без конца обещает починить дверь и замок, точно так же, как протекающий бачок в туалете, и никогда не выполняет обещаний.

Она открыла парадное и сразу почуяла запах отсыревших ковров, слабый аромат готовой китайской еды и специфический дух наркотиков. Из-за двери квартиры на первом этаже доносилось яростное ритмичное биение контрабаса. Почта разбросана на ковре в прихожей, так и не тронутая никем с самого утра. Опустившись на колени, она ее перебрала. Обычные листовки с предложением разнообразной пиццы и домашнего страхования, объявления о летних распродажах и концертах, целая тонна хлама, а заодно несколько затесавшихся личных писем и счетов.

Аккуратная от природы Софи разложила почту на две кучки — в одной рекламный мусор, в другой настоящая корреспонденция — и положила на полку. Протиснулась мимо двух велосипедов, загораживавших почти весь коридор, начала подниматься по лысеющим ступеням лестницы. На площадке второго этажа услышала включенный телевизор миссис Харсент. Притворный хохот в студии. Миссис Харсент, милая старушка восьмидесяти пяти лет, на свое счастье глухая как пень, жила над шумными студентами.

Убийственно жив

Софи нравилась ее квартирка на верхнем этаже, хоть и маленькая, но светлая, полная воздуха, симпатично обновленная хозяином — бежевое ковровое покрытие гармонирует со сливочно-белыми стенами, красивыми бежевыми полотняными шторами и жалюзи. Она ее приукрасила взятыми в рамки афишами кое-каких фильмов «Блайндинг лайт продакшнс» и крупными унылыми черно-белыми эскизными портретами некоторых любимых кинозвезд — Джонни Депп, Джордж Клуни, Брэд Питт и обожаемая Хит Леджер на почетном месте напротив кровати.

Включила телевизор, запрыгала по каналам, отыскала шоу «Американский идол», которое ей по-настоящему нравилось. Прибавив звук, отчасти чтобы заглушить телевизор миссис Харсент, отчасти чтобы слышать свой на кухоньке, вытащила из холодильника бутылку новозеландского «Совиньона», откупорила, налила в стакан. Разрезала авокадо, вытащила ядрышко, выбросила в мусорное ведро, выжала на половинки лимон.

Через полчаса после освежающей ванны села на кровать в одной широкой белой футболке, скрестив ноги, держа на коленях поднос с авокадо, салатом из креветок и третьим стаканом вина, глядя на ненормального с виду мужчину в огромных очках, который дошел до шестидесяти четырех тысяч фунтов в шоу «Кто хочет стать миллионером?», записанном в начале недели на видео. За окном постепенно сгущалась тьма, день в конце концов начинал казаться более или менее сносным.

Она не услышала, как в дверях повернулся ключ.

33

Рой Грейс стоял в пустом гостиничном номере, набирая номер мобильника Бишопа. Попал сразу на голосовую почту.

— Мистер Бишоп, это суперинтендент Грейс. Перезвоните, пожалуйста, как только получите сообщение. — Он продиктовал свой номер, позвонил вниз в вестибюль Линде Бакли. — У нашего приятеля был какой-то багаж?

— Да, Рой. Саквояж и кейс... с ноутбуком.

Грейс с Брэндоном заглянули в шкафы и комоды. Пусто. Что бы Бишоп сюда ни принес, он все забрал с собой. Грейс повернулся к дежурному администратору:

— Где тут ближайший пожарный выход?

Мужчина, на именной табличке которого значилось «Роланд Райт — дежурный администратор», повел их по коридору к пожарному выходу. Грейс открыл дверь, прищурился вниз на металлические ступеньки, ведущие во внутренний дворик, заполненный главным образом мусорными баками на колесиках. Снизу доносились густые кухонные запахи. Закрыл дверь, усиленно размышляя. Зачем, черт возьми, Бишоп снова ушел? Куда направился?

— Мистер Райт, я должен узнать, звонил ли куда-то отсюда наш гость, мистер Стивен Браун, и не звонил ли ему сюда кто-нибудь.

— Без проблем... Только надо спуститься ко мне в кабинет.

Через десять минут Грейс и Брэнсон сидели в вестибюле отеля с Линдой Бакли.

— Хорошо, — начал Грейс. — Брайану Бишопу звонили в пять двадцать. — Он взглянул на свои часы. — Приблизительно два с половиной часа назад. Кто звонил, неизвестно. Сам он по гостиничному телефону ни с кем не связывался. Может быть,

138

по мобильнику, но это можно будет узнать только по данным телефонной компании, которые, судя по нашему прошлому опыту, поступят в лучшем случае в понедельник. Смылся с вещами, вероятно по пожарной лестнице, не желая попасться вам на глаза. Зачем и почему?

— Ни в чем не повинный человек так не делает, — заметил Гленн Брэнсон.

Грейс едва кивнул в ответ на вполне очевидное замечание.

— У него с собой сумка и кейс. Пошел пешком или сел в такси?

— Смотря куда направлялся, — ответил Брэнсон.

Грейс бросил на него такой взгляд, какой обычно приберегал для слабоумных:

— Так куда ж он направился, Гленн?

— Домой? — с готовностью подсказала Линда Бакли.

— Линда, свяжитесь, пожалуйста, с местными таксистскими конторами. Все обзвоните. Спросите, не подсаживал ли кто мужчину, отвечающего описанию Бишопа, неподалеку от этого отеля около семнадцати двадцати—семнадцати тридцати. Узнайте, не вызывал ли кто такси сюда. Гленн, опроси персонал. Не видел ли кто-то, как Бишоп садится в такси.

Потом он позвонил Нику Николлу.

— Чем ты занят?

Судя по голосу, молодой констебль явно был не в себе.

— Э-э-э... меняю сыну пеленки...

Потрясающе, черт побери! — подумал, но не сказал Грейс.

— Не хочется отрывать тебя от домашних дел...

— Уверяю вас, Рой, оторвусь с большой радостью!

— Смотри, чтоб жена не услышала, — посоветовал Грейс. — Мне надо, чтобы ты поехал на Брайтонский вокзал. От нас снова ушел Брайан Бишоп. Просмотри там записи с камер наблюдения, не засекли ли его в вестибюле или на платформах.

— Бегу!

Похоже, Ник Николл существенно меньше обрадовался бы лотерейному выигрышу.

Через десять минут перепуганный до потери сознания Рой Грейс сидел, пристегнутый ремнем, на пассажирском сиденье полицейского «форда-мондео» без опознавательных знаков.

Недавно провалившись на экзаменах на полицейских курсах скоростного вождения, что дало б ему право участвовать в погонях, Гленн готовился к пересдаче. И хотя голова его была полна мудрых слов, услышанных от инструктора, Грейс сомневался, что они проникли в его мозги. Когда стрелка спидометра дошла до отметки сто миль в час поблизости от поворота к гольф-клубу Северного Брайтона, он сокрушенно подумал: «Что я наделал, снова сев в машину с маньяком? Измотанным, терзаемым похмельем и глубокой депрессией сумасшедшим, лишившимся семейной жизни и склонным к самоубийству?..»

О ветровое стекло кровавыми снежинками расплющивались мошки. Встречные автомобили, каждый из которых, по твердому убеждению Грейса, должен был их смести, превратив в огненном взрыве в груду искореженного железа и человеческой плоти, каким-то чудом проносились мимо. Живая изгородь по обеим сторонам дороги раскручивалась непрерывной лентой со скоростью света. Смутно, самым краешком глаза Грейс различал людей, махавших клюшками для гольфа.

Наконец, вопреки законам физики, которые он знал и понимал, «форд-мондео» все-таки прибыл на стоянку в Северном Брайтоне целым и невредимым.

Среди машин по-прежнему стоял темно-красный «бентли» Брайана Бишопа.

Грейс выбрался из полицейского автомобиля, вонявшего горелым маслом и гудевшего, как плохо настроенное пианино, и позвонил по мобильнику инспектору Уильяму Уорнеру в аэропорт Гатуик.

Билл Уорнер ответил после второго гудка и сообщил, что на ночь уходит домой, но немедленно предупредит все службы, чтобы искали в аэропорту Брайана Бишопа.

Потом Грейс позвонил в полицейский участок Истборна, патрулировавший Бичи-Хэд, подозревая, что Брайан Бишоп может решиться на самоубийство. И наконец, звякнул Клио Мори, извинившись за пропущенное вечернее свидание, которого ждал всю неделю. Она все поняла и пригласила выпить попозже, когда он освободится, если только не слишком устанет.

После этого суперинтендент поручил одному из своих помощников в офисе обзвонить членов следственной бригады, передать, что в связи с исчезновением Бишопа просит их снова собраться на инструктаж в 23.00. Затем набрал CG99, связался с дежурным инспектором и, посвятив его в текущие события, попросил добавочных ресурсов, чтобы взять под неусыпное наблюдение место преступления на Дайк-роуд-авеню, на случай если Бишоп попытается туда проникнуть.

Возвращаясь к «мондео», Грейс планировал следующим делом обзвонить всех, с кем Брайан Бишоп играл в гольф нынче утром, выяснить, не связывался ли с ним кто-нибудь. Но в тот самый момент у него зазвонил телефон.

Звонила контролерша одного из местных агентств такси. Она сообщила, что их водитель посадил в свою машину Брайана Бишопа на улице рядом с «Отелем дю Вен» полтора часа назад.

34

Крис Тэррант подпер кулаком подбородок. В аудитории воцарилось молчание. Резкий свет телестудии играл в больших, не по моде, очках сидевшего в кресле интеллектуала. Ставки росли быстро. Он собирался потратить выигранные деньги — если удастся их выиграть — на покупку бунгало для больной жены, и на его высоком лбу выскакивали капельки пота.

Крис Тэррант повторил вопрос.

«Джон, у вас шестьдесят четыре тысячи фунтов. — Он сделал паузу, поднял чек в воздухе на всеобщее обозрение, потом вновь положил. — За сто двадцать пять тысяч фунтов скажите, где находится курорт Монастырь: а) в Тунисе; б) в Кении; в) в Египте; г) в Марокко?»

Камера поймала жену претендента, сидевшую в инвалидной коляске среди публики с таким видом, словно кто-то вот-вот стукнет ее по голове крикетной битой.

«Ну, — пробормотал мужчина. — По-моему, не в Кении».

Глядя с кровати в телевизор, Софи хлебнула «Совиньона».

— И не в Марокко, — вслух проговорила она. Ее познания в географии невелики, но однажды она ездила отдыхать в Марракеш на неделю и позаботилась перед отъездом побольше узнать о стране. Там не звонят монастырские колокола.

Окно в комнате было открыто настежь. Вечерний воздух оставался по-прежнему теплым и липким, но, по крайней мере, веял устойчивый бриз. Она устроила сквозняк, открыв дверь спальни, окна в гостиной и на кухне. Слабый раздражающий грохот танцевальной музыки — бум-бум-бум — сотрясал тишину ночи. Может быть, это у соседей внизу или где-то еще.

«— У вас еще есть две подсказки, — напомнил Крис Тэррант.

— Пожалуй, позвоню другу».

Показалось, или в дверях спальни только что мелькнула тень? Софи выждала секунду, одним ухом прислушиваясь к телевизору, глядя на дверь, чувствуя пробежавшие по спине тревожные мурашки. Друга, которому решил позвонить претендент, звали Рон. Раздался телефонный звонок.

Ничего. Померещилось. Она поставила стакан, взяла вилку, подцепила креветку, кусочек авокадо, отправила в рот.

«— Привет, Рон! Это Крис Тэррант.

— Привет, Крис! Как дела?»

Глотая, Софи снова увидела тень. На этот раз настоящую, не воображаемую. Фигура двинулась к двери. Слышался какой-то целлофановый шорох одежды. По улице протарахтел мотоцикл.

— Кто там? — сдавленно пискнула она сорвавшимся от страха голосом.

Молчание.

«— Рон, у меня здесь ваш друг Джон. Он уже выиграл шестьдесят четыре тысячи фунтов и хочет получить сто двадцать пять. Как у вас с географией?

— М-м-м... более или менее...

— Хорошо, Рон, у вас тридцать секунд, время пошло. За сто двадцать пять тысяч фунтов скажите, где находится курорт Монастырь: а)...»

У Софи скрутило желудок. Она схватила пульт, выключила звук. Взгляд метнулся к двери, к сумке с мобильником, недосягаемой на туалетном столике.

Тень шевелилась, колыхалась. Кто-то стоит, стараясь не двигаться, и не может сдержаться.

Она схватила поднос — единственное орудие, кроме маленькой вилки.

— Кто там? Кто это?

Тень шагнула в комнату, и страх мгновенно испарился.

— *Ты?* — охнула она. — Господи боже мой, как ты меня напугал!

— Не знал, будешь ли ты мне рада.

— Конечно рада! Действительно рада... Страшно хотела поговорить с тобой, увидеть... Как ты? Я... не думала...

— А я тебе подарок принес.

35

Во времена его детства Брайтон и Хоув были двумя отдельными городами, убогими каждый на свой собственный лад. Потом слились по виртуальной, неопределенной и нелогичной границе, словно протоптанной пьяным козлом. Или, скорее, по мнению Грейса, проложенной комитетом трезвых городских планировщиков, у которых, вместе взятых, соображения гораздо меньше, чем у любого козла.

Теперь оба города навсегда поглотили друг друга, превратившись в сити Брайтон и Хоув. Окончательно исковеркав за последние пятьдесят лет дорожную систему Брайтона и лишив побережье легендарного изящества эпохи Регентства, слабоумные градостроители взялись теперь за Хоув. Каждый раз, проезжая вдоль побережья мимо безобразного здания отеля «Тисл», «Одеона» с омерзительной крышей из позолоченной жести, Брайтонского Центра, обладающего всеми архитектурными достоинствами тюрьмы строгого режима, Грейс с трудом подавлял желание завернуть в муниципалитет, чтобы прихватить там парочку планировщиков и выпотрошить их начисто.

Назвать его противником современной архитектуры было бы неправильно. Ему нравятся многие сооружения, в том числе так называемый «Корнишон» в Лондоне. Но он с негодованием видит, как посредственность, окопавшаяся в стенах градостроительного департамента, упорно уничтожает родной, любимый город.

Для заезжего наблюдателя Брайтон соединяется с Хоувом лишь в одном пограничном месте, реально отмеченном довольно красивой, установленной на променаде статуей крылатого ангела с шаром в одной руке и оливковой ветвью в другой — статуей Мира.

С пассажирского места «форда-мондео» Грейс смотрел в окно на ангела, вырисовывавшегося на неуклонно темневшем небе. На другой стороне дороги машины по двум полосам текли в Брайтон. Сквозь опущенные стекла и поднятую крышу их было отлично слышно. Выхлопы, радиоприемники, тарахтевшие мотоциклы с колясками. Вечер пятницы в центре Брайтона — истинный ад. В предстоящие часы в городе закипит жизнь, и полиция, как в любую ночь с пятницы на субботу, бросит все силы на улицы, особенно на Уэст-стрит — ответ Брайтона Лас-Вегасу, — стараясь не допустить ее превращения в военную зону, подогреваемую наркотиками.

Вспоминая то время, когда сам был патрульным, Грейс нисколько не завидовал нынешним уличным бригадам.

Загорелся зеленый, Брэнсон тронул машину, медленно двигаясь в трафике. Слева пошла самая любимая часть города — Хоув-Лаунс, обширное пространство аккуратно подстриженной травы за прибрежным променадом с зелеными беседками и пляжными кабинками чуть дальше.

Днем здесь расхаживают чудаковатые старикашки во всей красе. Мужчины в синих блейзерах с галстуками, в замшевых туфлях совершают утреннюю прогулку, опираясь на трости или на ходунки. Матроны с подсиненными волосами, с набеленными лицами и рубиновыми губами выгуливают пекинесов, держа поводки руками в белых перчатках. Согбенные фигуры в белой фланели медленно движутся вокруг лужаек для игры в боулинг. А поблизости, игнорируя их, словно они давно уже умерли, подростки из состоятельных семей, завладевшие променадом по ту сторону ограждения, катаются на роликовых коньках и скейтбордах, играют в волейбол, упиваясь беззаботной юностью.

Справа бежит Риджэнси-сквер. Грейс вгляделся через плечи Брэнсона в красивую площадь с кремовыми фасадами восемнадцатого века, отделенными друг от друга садами, оскверненную знаком подземной стоянки, вывесками разнообразных жилищных агентств. Жилье здесь дешевое. Студенты, мигранты, проститутки, обедневшие старики…

Он иногда гадает, доживет ли до старости. Как ее проживет. Невозможно представить, что выйдет в отставку и будет бродить, прихрамывая, сожалея о прошлом, удивляясь настоящему, не зная будущего. И уж совсем худо, если его будут возить в инвалидной коляске с закутанными покрывалом ногами.

Иногда они с Сэнди шутили по этому поводу. «Обещай, Грейс, никогда слюни не распускать, несмотря ни на какое старческое слабоумие», — говорила она. Милая успокоительная шутка, принятая между двоими согласно живущими людьми, намекала на радостную перспективу состариться не разлучаясь. Что тоже не позволяло понять ее исчезновение.

Мюнхен.

Надо ехать. Надо как-то добраться туда, и как можно скорее. Отчаянно хочется завтра же сесть в самолет, но нельзя. Он ведет расследование, а первые двадцать четыре часа имеют критическое значение. Да еще Элисон Воспер дышит в затылок... Может быть, если дело пойдет хорошо, в воскресенье удастся слетать. Туда и в тот же день обратно. Пожалуй, удастся устроить.

Однако проблема: что сказать Клио?

Гленн Брэнсон прижал к уху мобильный телефон, несмотря на то что сидел за рулем. Потом мрачно выключил, сунул обратно в верхний карман.

— Не отвечает. — Он повысил голос, стараясь перекричать стерео. — Хотел пожелать ребятишкам спокойной ночи. Как считаешь, что делать?

Сержант поймал в радиоприемнике местную поп-станцию по собственному вкусу. Богомерзкий рэп в исполнении какой-то группы, о которой Грейс никогда в жизни не слышал, громыхал нестерпимо.

— Для начала выключи чертову музыку.

Брэнсон сделал потише.

— Думаешь, надо вернуться? Я хочу сказать, после скандала?

— Господи боже, — вздохнул Грейс, — я последний человек на свете, с которым можно советоваться по поводу супружеской жизни. Посмотри на меня.

— Тут совсем другое дело. Я хочу сказать, можно мне домой пойти?

— Это твое законное право.

— Не хочу устраивать сцен на глазах у детей.

— По-моему, лучше дать ей какое-то время. На пару дней исчезни, увидишь — сама позвонит.

— Действительно не возражаешь, если я у тебя поживу? Ничем не помешаю?

— Нисколько, — заверил Грейс, хотя мысленно заскрежетал зубами.

Брэнсон заметил отсутствие энтузиазма.

— Если помешаю, то могу в отеле устроиться или еще где-нибудь.

— Ты мой друг, — сказал Грейс. — А друзья друг о друге заботятся.

Гленн повернул направо на широкую красивую улицу, обрамленную с обеих сторон некогда великолепными террасными домами эпохи Регентства, замедлил ход, подкатил к тройному порталу отеля «Лансдаун-Плейс», заглушил мотор, милосердно выключил музыку, а потом фары.

Недавно здесь была обшарпанная двухзвездная гостиница, больше похожая на трущобу, где ютилась горстка постоянных престарелых постояльцев и расселялись убогие туристы, приехавшие на групповую экскурсию. Теперь она превратилась в шикарный городской отель.

Детективы выбрались из машины, вошли внутрь и очутились среди сплошного красного бархата, хрома и золоченого китча. Они направились к администраторской стойке. Дежурная, высокая, статная, в черной тунике с черной бахромой, приветствовала их радостной улыбкой. На ее груди на золотом жетоне было написано «Берта».

Грейс предъявил удостоверение:

— Суперинтендент Грейс, уголовный розыск Суссекса. Нам с коллегой хотелось бы поговорить с недавно зарегистрировавшимся у вас мистером Брайаном Бишопом.

Улыбка на женском лице увяла, словно проткнули воздушный шарик. Она опустила глаза на монитор компьютера, постучала по клавиатуре.

— С мистером Брайаном Бишопом?

— Совершенно верно.

— Минуточку, джентльмены. — Женщина подняла телефонную трубку, нажала пару кнопок. Приблизительно через минуту разъединилась. — Прошу прощения, видимо, он не желает отвечать.

— Он нам нужен. Можно пройти к нему в номер?

Женщина совсем расстроилась.

— Я должна посоветоваться с управляющим.

— Пожалуйста, — согласился Грейс.

И через пять минут во второй раз за последний час вошел в пустой номер отеля.

36

Вонючка обязательно пребывал в своем *офисе* по вечерам в пятницу, где его ждала богатейшая за неделю добыча. Люди, желающие приятно провести время, всегда беззаботны, беспечны. К восьми часам вечера парковки в центре города забиты до отказа. Местные и приезжие толпятся на старинных узких улочках Брайтона, заполняют пивные, бары, рестораны, клубы, возле которых чуть позже скапливаются молодые ребята, накачанные и пьяные.

Помахивая большой хозяйственной сумкой, он медленно шагал в толпе, виляя время от времени меж столиками на тротуарах. В теплом городском воздухе кружатся тысячи запахов. Одеколоны, парфюм, сигаретный дым, выхлопные газы, оливковое масло, специи из кастрюль и жаровен с вечным привкусом морской соли. Погрузившись в свои мысли, он не слышал болтовни, смеха, клацанья высоких каблучков по мощеному тротуару, гремевшей из открытых окон и дверей музыки. Лишь смутно подмечал «ролексы» на загорелых запястьях, бриллиантовые броши, кольца, ожерелья, красноречиво раздутые карманы мужских пиджаков, где лежат пухлые бумажники в ожидании своей очереди.

Сегодня поджарим крупную рыбку.

Вниз по Ист-стрит его как будто бы несла приливная волна. Он шмыгнул влево мимо ресторана за отелем «Тисл», потом направо вдоль берега, обошел стороной визжавшую девчонку, насмерть ругавшуюся с лохматым парнем, миновал «Олд Шип», красивые отели «Гранд», «Метрополь», ни в одном из которых никогда не бывал. Наконец, липкий от пота, добрался до Риджженси-сквер.

Избегая входа на стоянку с сидевшим контролером, прошел к верху площади, спустился по бетонным ступенькам, пропахшим мочой, в центральную часть второго уровня подземной парковки. На деньги, полученные за нынешнюю работу, можно будет купить пакет пороха и еще чего-нибудь, что попадется под руку ночью в каком-нибудь клубе. Надо только подыскать машину, отвечающую описаниям на листке в кармане.

В хозяйственной сумке номера замеченной раньше модели. Когда найдется подходящая — новая модель «ауди А-4» с откидным верхом, автоматикой, малым пробегом, цвета металлик, голубого, серебристого или черного, — он просто переставит табличку. Если владелец заявит об угоне, полиция будет искать машину с другими номерами.

Подходящая под описание обязательно найдется. Или поищем на другой парковке. В худшем случае — на улице. Такие машины принадлежат богатеньким сучкам, — в городе полным-полно крашеных блондинок, которые носятся на них во весь опор. Он и сам бы не возражал против «ауди» с откидным верхом. Воображение рисовало картину, как в некой параллельной вселенной теплым августовским вечером он везет Бетани вдоль побережья под громкую музыку, а вокруг пахнет новенькой кожей.

Когда-нибудь.

Когда-нибудь все пойдет по-другому.

Нужная машина отыскалась через пару минут в дальней части третьего уровня. Темный тускло-голубой или синий оттенок — трудно сказать при скупом освещении, черный откидной верх, кожаные кремовые сиденья. Судя по номерам, куплена меньше полугода назад, но, подойдя ближе, чуя ее запах, он с радостью понял, — новенькая, с иголочки. Без единого пятнышка.

Хозяин очень кстати поставил ее носом к пилону.

Старательно осмотревшись, нет ли кого поблизости, Вонючка обошел машину, коснулся ладонью капота. Горячий. Хорошо. Значит, недавно въехала. Если повезет, то до возвращения хозяина не один час пройдет. Впрочем, ради предосторожности он вытащил из хозяйственной сумки номерные таблички, прикрепил липкой лентой поверх настоящих.

Достал и еще одну штуку, которую любой патрульный полицейский принял бы за пульт дистанционного управления. Нацелил в окно водительской дверцы на приборную доску, набрал предварительно продиктованный код и нажал на зеленую кнопку.

Никакого эффекта.

Попробовал снова. На пульте загорелся красный огонек, и больше ничего.

Черт возьми. Он еще раз оглянулся, теперь нервно, пошел к носу машины, опустился на колени у правой фары. Загороженный машиной и пилоном, немножко расслабился. Легко, просто. Проделывал раньше как минимум с десятком «ауди». Самое большее пять минут работы.

Вытащил из пластикового пакета отвертку, начал откручивать ободок правой передней фары. Открутив, вытащил герметичную лампу, которая повисла на проводах. Взял кусачки, сунул руку в отверстие, нашарил провод сигнализации, перерезал. В поисках автоматического запирающего устройства выругался, случайно наткнувшись на горячий двигатель, который обжег костяшки пальцев.

Нашел, перекусил провода, отключил устройство, поставил на место фару, открыл водительскую дверцу, отключил мигалки — последнее, на что была способна поврежденная система сигнализации. Поднял капот, присоединил к стартеру катушку зажигания. Мотор мигом сладко взревел.

Вонючка скользнул на водительское сиденье, сильно выкрутил руль, сорвав стопор, и тут с радостью увидел, что заработал небольшую премию — водитель любезно оставил на сиденье квитанцию на парковку. Жлоб Барри Спайкер, на которого он работает, выдавший ему двадцать семь фунтов на оплату штрафа, чтобы провести машину мимо контролера, сроду не поумнеет.

Через две минуты, сунув контролеру всего две фунтовые бумажки, он уже весело вел машину вверх по эстакаде. В отличном настроении остановился наверху, включил громкую музыку, опустил верх.

Это был глупый поступок.

37

— Ну, как ты? — настойчиво расспрашивала Софи. — Что стряслось? Как…

— Смотри, — оборвал он, выкладывая пакет на поднос, не обращая внимания на вопросы.

Удивленная и несколько обеспокоенная таким поведением, она покорно развязала ленточку, заглянула в подарочную коробку. Пока видна только оберточная бумага.

Краем глаза она видела на телеэкране, как Крис Тэррант шевелит губами:

«Это окончательный ответ?»

Интеллектуал в огромных очках кивнул.

Желтый мигающий свет окружил ответ: «Марокко».

Через пару секунд зеленый замигал вокруг слова «Тунис».

Брови Криса Тэрранта подскочили на несколько дюймов. Дама в инвалидном кресле, недавно ожидавшая удара крикетной битой, выглядела теперь так, будто ее ударили кузнечным молотом.

Софи читала по губам Тэрранта:

«Джон, у вас было шестьдесят четыре тысячи фунтов…»

— Будешь телевизор смотреть или вскроешь подарок? — спросил он.

Она поставила поднос на тумбочку у кровати.

— Конечно подарок! Только хочу спросить, как ты себя чувствуешь. Хочу знать…

— Не желаю говорить об этом. Открывай! — выпалил он с неожиданной агрессивностью.

— Сейчас…

— Зачем такую дрянь смотришь? — Он покосился на экран.

— Мне нравится, — объяснила она, стараясь успокоить его. — Бедняга. Жена прикована к инвалидной коляске. Только что завалил вопрос за сто двадцать пять тысяч фунтов.

— Это шоу — сплошной обман, — заявил он.

— Нет!

— Вся жизнь обман. Ты еще этого не поняла?

— То есть как обман?

Он, в свою очередь, указал на экран:

— Я понятия не имею, кто это такой, и его никто в мире не знает. Несколько минут назад сидел в кресле, ничего у него не было. А теперь унесет с собой тридцать две тысячи фунтов, и еще недоволен, хотя должен вопить от радости. Скажешь, он не обманщик?

— Все дело в точке зрения. Я имею в виду...

— Выключи чертов телевизор!

По-прежнему ошарашенная его тоном, Софи из упрямства ответила:

— А мне нравится!

— Хочешь, чтоб я ушел, не мешал смотреть идиотскую белиберду?

Софи уже жалела о своих словах. Несмотря на принятое раньше решение порвать с Брайаном, она, видя его во плоти, понимала, что ей в миллион раз сильней хочется быть с ним, чем смотреть это самое шоу, как, впрочем, и любое другое. Господи боже, бедняге сегодня здорово досталось! Она выключила телевизор, робко пробормотала:

— Прости...

Он смотрел на нее таким взглядом, какого она раньше никогда не видела. Глаза словно закрыты ставнями.

— Я действительно виновата, прошу прощения. Только удивилась твоему появлению.

— Не рада меня видеть?

Она вскинулась, обняла его за шею, поцеловала в губы. Дыхание зловонное, от него несло потом, но ей было на это плевать. Мужские запахи, опьяняющие больше всего на свете, *его* запахи...

— Не просто рада, — прошептала Софи. — Но... — она взглянула в обожаемые ореховые глаза, — знаешь, очень удивлена...

после нашего телефонного разговора. Рассказывай. Пожалуйста, расскажи, что случилось. Пожалуйста, объясни...

— Открывай! — повысил он голос.

Она сняла слой бумаги, под которым, как в китайской шкатулке, оказался еще один, и еще. Надо как-нибудь успокоить его необычное раздражение.

— Ну, попробую угадать. По-моему...

— Открывай! — завопил он. — Открывай, сука, мать твою!

38

Ведя машину во тьме, окрашенной фиолетовым оттенком, Вонючка снова заметил в зеркале яркие фары. Они возникли неизвестно откуда через пару секунд после выезда с парковки на Риджеси-сквер, а теперь прибавили ходу, выехали на встречную полосу, вильнули назад, пристроились за черным БМВ, сидевшим прямо у него на хвосте.

Беспокоиться не обязательно, думал он. Однако, доехав до двух плотных шеренг автомобилей у кольцевой развязки перед Дворцовым пирсом, мельком разглядел в неоновом уличном свете в зеркале лицо мужчины на пассажирском сиденье и запаниковал.

Точно не скажешь, но чертовски похож на того самого копа в штатском, Пола Пакера, которому он откусил палец, когда его брали в угнанной машине, за что потом отправили в исправительное заведение для малолетних преступников.

Из включенного на полную громкость радиоприемника Линдсей Лоэн пела «Исповедь разбитого сердца», но он почти не слышал слов, глядя на транспортные потоки на перекрестке, стараясь сообразить, как лучше выехать. Машина позади негодующе загудела. Вонючка проигнорировал. Один из четырех вариантов ведет в центр города в сплошные пробки — слишком рискованно, там его легко прижмут. Второй на Приморский парад, широкую улицу с многочисленными переулками, откуда можно выехать на открытое скоростное шоссе. Третий, вдоль побережья, опасен тем, что в обоих концах один выезд, перекрыть который ничего не стоит. По четвертому пути можно вернуться обратно, однако там идут дорожные работы, движение затруднено.

Приняв решение, он нажал на педаль до отказа. «Ауди» рванулся вперед, проскочив прямо под носом белого фургона. Лихорадочно сосредоточившись, Вонючка продолжал разгоняться на Приморский парад, пролетая мимо магазинов. Взглянул в зеркало — никаких признаков «вектры». Видно, застряла на развязке.

Впереди горел красный свет. Он притормозил, выругался, снова увидев «вектру», рванул по встречной полосе, понесся как сумасшедший, отчаянно крутя руль. Машина шла следом, почти в дюйме от заднего бампера. Сияющая чистотой. С антенной на крыше. Двое на передних сиденьях. Теперь, в свете собственных подфарников, не осталось никаких сомнений.

Проклятье.

В зеркале виднелись глаза Пакера, запомнившиеся с прежних времен, большие, спокойные, неотступные, пронзительные, как лазер. Помнится, даже когда он откусывал палец, глаза смотрели на него, причем боли в них, как ни странно, совсем не было. Какие-то ненормальные улыбающиеся глаза. Они как будто насмехались над ним… Но хотя его теперь снова застукали за тем же самым делом, копы не собирались выходить из машины.

Какого хрена вы меня не арестовываете?

Нервы дергались, в желудке какое-то дикое животное прыгало на трамплине. Вонючка мотал головой под музыку, но все равно весь дрожал, трясясь. Надо что-то делать. Принять еще дозу. Предыдущая скудная быстро выветрилась. Надо постараться найти верный путь.

Постараться понять, почему копы не выходят из машины.

Загорелся зеленый свет. Он нажал на педаль, разогнался на полпути до перекрестка, резко выкрутил руль влево, нырнул на Нижние Рок-Гарденз, едва не столкнувшись со встречным такси. С облегчением увидел в зеркало, что «вектра» проскочила через перекресток.

Набрав скорость на улице с викторианскими террасными домами и дешевыми пансионами, Вонючка снова остановился перед светофором и заметил быстро приближавшуюся «вектру». Не осталось ни тени сомнения, что она преследует именно его.

Глянув в обе стороны, он увидел слева два автобуса, шедшие вплотную друг за другом, носом к хвосту, и, дождавшись последней возможности, дал газ, пролетел перед первым, как ветер. Понесся к Эгремонт-Плейс, сделал резкий разворот, обогнал с непо- ложенной стороны тихоходный «ниссан» на глухом углу, но удача была на его стороне — никто не выехал навстречу.

Потом он с нетерпением ждал просвета в транспортном потоке на перекрестке с оживленной Элм-Гроув. Вдруг далеко позади тьму прорезали фары. Позабыв о просвете, он свернул направо поперек движения, невзирая на скрип тормозов, гудки и мигалки, перевалил через разделительную полосу, рванул вверх мимо брайтонского ипподрома и помчался вниз через пригород Вудингдин.

Поразмыслил, не остановиться ли, чтобы снять прикрепленные номерные таблички, вернувшись к настоящим, поскольку хозяин машины наверняка еще не заявлял об угоне, однако решил не рисковать, не дожидаться догоняющей «вектры» и потому помчался дальше, с кривой ухмылкой игнорируя вспышку камеры слежения, которая зафиксировала превышение скорости.

Через десять минут на загородной дороге в двух милях от ньюхейвенского порта, видя в зеркале пустоту, черноту, разбившихся на ветровом стекле мошек, он сбросил скорость и свернул направо возле указателя «Мидс-фарм».

Сквозь проем в высокой густой живой изгороди выбрался на одноколейную дорогу в кукурузных полях, давно ждущих уборки, через которую туда-сюда шмыгали кролики-камикадзе. Приблизительно через полмили подъехал к большим крепким сараям, служившим когда-то курятниками; справа в открытом с одной стороны амбаре чернели заржавевшие детали давно заброшенной сельскохозяйственной техники. Фары высветили впереди стену огромного, обитого железом склада.

Вонючка остановил машину. Изнутри не пробивалось ни лучика света, машин рядом не было, ничто не намекало на кипевшую в данный момент внутри активную деятельность.

Вытащив из кармана мобильчик, набрал номер, заученный наизусть, и, услышав ответ на звонок, сказал:

— На месте.

Электронные двери отворились ровно настолько, чтоб машина проехала в глубокое, как пещера, ярко освещенное пространство, и немедленно начали закрываться. Внутри стояло штук двадцать автомобилей последних моделей, роскошные, самого высшего класса. Два «феррари», «астон-мартин», «бентли-континенталь», два «ренджровера», «кайенн» и несколько не столь редких: «гольф джи-ти-ай», «мазда экс-ар-2», классический желтый «триумф-стаг», новенький «эм-джи». Одни целенькие, другие на разных стадиях разборки. Несмотря на позднее время, над машинами трудились четыре механика — двое склонились над открытыми капотами, третий лежал под спортивным «лексусом», четвертый прилаживал кузовную панель к «ренджроверу».

Вонючка заглушил мотор, и одновременно смолкла музыка. Вместо того откуда-то из дешевого радио послышалась слезливая старая песня Джина Питни и завыла электродрель.

Барри Спайкер вышел из застекленного кабинета, расположенного наверху в дальнем конце, и направился к нему, разговаривая по мобильнику. Маленький, жилистый, бывший боксер легкого веса, региональный чемпион, с коротко стриженными волосами, твердой физиономией, которой вполне можно было бы лед колоть, в синем рабочем комбинезоне поверх пиджака. От него несло тошнотворно-сладким лосьоном после бритья, на золотой цепочке на шее висел медальон. Не обращая внимания на Вонючку, Спайкер подошел к машине, по-прежнему разговаривая по телефону, споря и, судя по виду, пребывая в поганом расположении духа.

Когда Вонючка вылез из машины, Спайкер завершил разговор и замахнулся на него телефоном, как кинжалом:

— Что еще за дерьмо, мать твою? Мне нужен трехлитровый мотор V-6! А тут детский горшок двухлитровый! Такого не требуется. Надеюсь, не рассчитываешь на плату?

Сердце упало.

— Ты… ты же не говорил… — Вонючка выудил из кармана смятый листок бумаги, на котором записывал утром инструкции, и предъявил Спайкеру. На нем дрожащей рукой было написано: «Новая модель «ауди А-4», откидной верх, автоматика, малый пробег, цвет металлик, голубой, серебристый, черный». — Ничего не сказано про мотор…

— Ты что, с дуба рухнул, черт подери? Если человек покупает хорошую машину, ему нужен и хороший мотор.

— Да и этот работал как зверь, будь я проклят, — воинственно заявил Вонючка.

— Нет. Мне такого не надо. — Телефон опять зазвонил. — Цвет тоже не особенно нравится. — Он взглянул на дисплей, поднес трубку к уху, рявкнул: — Я занят, перезвоню, — и разъединился. — Шестьдесят.

— Сколько? — Вонючка рассчитывал на двести.

— Бери или проваливай.

Вонючка бросил на Спайкера пылающий взгляд. Сукин сын вечно умудряется его кинуть. То краска поцарапана, то покрышки старые, то надо менять выхлопную трубу, то еще что-нибудь. Ладно. По крайней мере, он поимел на парковке тайную прибыль, отплатив гаду пусть маленькой, но приятной для самолюбия платой.

— Где ты ее взял?

— На Риджен-сквер.

Спайкер кивнул, внимательно осмотрел машину внутри. Понятно, зачем он это делает. Ищет пятнышко или царапину, чтобы еще сбавить цену. Глаза Спайкера жадно сверкнули, уставились под пассажирское сиденье. Он открыл дверцу, нырнул внутрь, выпрямился, держа в руке, как трофей, маленькую бумажку.

— Потрясающе! — хмыкнул он. — Очень мило.

— Что?

— Квитанция на парковку с Риджен-сквер. Двадцать минут назад. Два фунта. Молодец! Значит, ты должен мне четвертак из заранее выданной суммы.

Вонючка проклял себя за идиотизм.

39

Грубый окрик потряс ее. Испугал. Глаза его остекленели, налились кровью. Напился? Накачался наркотиками?

— Открывай! — повторил он. — Давай, сука!

Она собиралась послать его к черту — как он смеет с ней так разговаривать? Но, понимая его состояние, постаралась успокоить, утешить, вернуть из кошмарного мира. И сняла еще слой бумаги. Безумная игра. Сначала орем и плюемся, потом дарим подарок…

Сняла еще лист, скомкала, бросила на кровать, однако он ничуть не смягчился. Напротив, еще больше взбесился, затрясся от злости.

— Шевелись, сука! Не копайся!

Ее прохватила тревожная жаркая дрожь. Она вдруг испугалась оставаться с ним здесь наедине, как в ловушке. Непонятно, что обнаружится в подарочной коробке. Раньше он никогда не дарил подарков, только цветы в последнее время, когда приходил к ней домой. Впрочем, в любом случае происходит что-то нехорошее, словно мир вдруг сорвался с оси.

С каждым снимаемым слоем бумаги Софи все сильнее боялась увидеть в коробке что-нибудь ужасное.

Наконец дошла до последнего. Под ним чувствовалось что-то наполовину жесткое, наполовину мягкое и податливое, как бы сделанное из кожи. Она догадалась, успокоилась, улыбнулась. Дурачок ее попросту дразнит, блефует.

— Сумочка! — радостно взвизгнула Софи. — Сумочка, да? Милый! Как ты догадался, что мне страшно хочется новую сумочку? Разве я об этом говорила?

Не улыбнувшись в ответ, он холодно приказал:

— Открывай.

В ту же секунду хорошее настроение испарилось, мир опять пошатнулся. Никакого тепла ни в выражении его лица, ни в словах. Страх усилился. До чего странно, что он принес подарок в тот день, когда его жену нашли мертвой... Наконец Софи сняла последний слой оберточной бумаги.

И недоуменно уставилась на лежавший в коробке предмет.

Это была вовсе не сумочка, а что-то незнакомое и зловещее, вроде шлема с большими стеклянными линзами, каким-то ремешком и длинной резиновой трубкой с фильтром на конце. Противогаз, с отвращением сообразила она, вроде тех, что носят солдаты в Ираке, только, кажется, старый. От него шел запах заплесневелой резины.

— На нас собирается кто-то напасть, или что? — изумленно спросила она.

— Надевай.

— Ты хочешь, чтобы я его *надела*?

— Надевай.

Софи поднесла к лицу маску и сразу отдернула, сморщив нос.

— В самом деле хочешь, чтобы я с тобой занималась любовью в противогазе? — Она туповато усмехнулась, страх слегка отступил. — Это тебя возбуждает?

Вместо ответа, он схватил противогаз, прижал к ее лицу, накинул через голову ремешок, больно прихватив волосы. Ремешок оказался чересчур тугим.

Она на секунду совсем растерялась. Линзы были грязные, в разводах, а стекла чересчур затемненные. Можно было лишь частично видеть его и комнату в зеленой дымке. Софи чуть повернулась, и он на мгновение исчез, пришлось снова вертеть головой, чтобы увидеть. Она слышала свое глухое дыхание, отзывавшееся в ушах морским рокотом.

— Я дышать не могу, — глухо вымолвила она в панике, в тисках клаустрофобии.

— Ничего, сука трахнутая, — проговорил незнакомый искаженный голос.

Она в ужасе попыталась сорвать маску, но он схватил ее за руки, больно стиснул.

— Кончай дурить, сука.

Софи всхлипнула.

— Брайан, мне эта игра не нравится. — И тут же рухнула на спину. Перед глазами промелькнули стены, потолок, ее захлестнула паника. — Не-е-ет!

Она взбрыкнула ногами, ударила правой во что-то твердое. Послышался болезненный вой. Софи вывернулась из мужских рук, перевернулась, упала, больно ударившись об пол.

— Сука, мать твою!

Пытаясь подняться на колени, она ухватилась руками за маску, дернула ремешок и получила смертельный, сокрушительный удар в живот, который полностью вышиб из нее дух. Согнувшись пополам от боли, она с ужасом осознавала, что он ее ударил.

Внезапно стало ясно, что ставки изменились. Он сошел с ума.

Он повалил ее на кровать, ноги больно ударились о спинку. Она закричала, но голоса из-под маски практически не было слышно.

Надо от него избавиться, выбраться отсюда.

Футболка разорвалась. На секунду Софи перестала сопротивляться, стремительно думая, составляя план действий. Дыхание стало оглушительным. Надо сорвать проклятый чертов противогаз. Сердце болезненно колотилось. Добраться до дверей, бежать вниз, к студентам, за помощью, за спасением.

Она повертела головой вправо, влево — нет ли чего на тумбочке, что могло бы послужить орудием.

— Брайан, пожалуйста, прошу тебя…

Крепкий кулак врезался сбоку в маску, угодив в шею.

Книга. Толстый научный том Билла Брайсона в твердой обложке, подаренный на Рождество, куда она заглядывает время от времени. Софи быстро перевернулась, схватила книжку, замахнулась, целясь в голову, ударила плашмя. Он упал с кровати, захрипев от боли и неожиданности.

Она мигом вскочила, выбежала из спальни по короткому коридору, не сняв противогаза, не тратя драгоценного времени. Добежала до двери, повернула ручку, дернула.

Створка открылась на несколько дюймов и резко, с металлическим щелчком захлопнулась.

Он накинул цепочку.

В душе всплеснулась волна ледяного ужаса. Софи схватилась за цепочку, снова захлопнула дверь, стараясь выдернуть из гнезда звенья, которые заело, черт возьми, заело! Как они могли застрять? Она тряслась, визжала, глухо кричала:

— Помогите! Помогите! Ох, пожалуйста, помогите!..

За спиной послышался металлический скрежет.

Она оглянулась, увидела, что он держит в руках.

Рот открылся, на сей раз безмолвно — от страха перехватило горло. Она просто стояла и скулила от ужаса. Тело как будто проваливалось само в себя. Не сдержавшись, Софи обмочилась.

40

Я читал, что потрясающие известия оказывают странное влияние на человеческий мозг. Время и место смерзаются воедино, нераздельно. Возможно, отчасти поэтому мы, люди, связаны проводами, получая предупредительный сигнал, отмечающий опасное место в жизни и в мире.

Я тогда еще не родился, поэтому не поклянусь, но люди говорят, что точно помнят, где были и что делали 22 ноября 1963 года, когда услышали новость об убийстве снайпером в Далласе президента Джона Ф. Кеннеди.

Помню, где я был и что делал 8 декабря 1980 года, услышав об убийстве Джона Леннона. Вдобавок очень четко помню, что утром в воскресенье 31 августа 1997 года сидел у себя в комнате за письменным столом, разыскивая в Интернете сведения о «ягуаре МК-2» 1962 года выпуска, когда узнал о гибели принцессы Уэльской Дианы в автомобильной катастрофе в парижском туннеле.

И превосходно помню, где был и что именно делал в июльское утро одиннадцать месяцев назад, когда пришло письмо, погубившее мою жизнь.

41

Рой Грейс сидел за столом в своем маленьком душном кабинете в Суссекс-Хаус, ожидая известий о Брайане Бишопе и собираясь с мыслями перед одиннадцатичасовым инструктажем. Мрачно смотрел на столь же мрачную голову коричневой форели весом в семь фунтов шесть унций, которая в виде чучела в стеклянном ящике висела на стене. Она располагалась прямо под круглыми деревянными часами, которые фигурировали в качестве реквизита в фильме «Тот самый Билл». В счастливые времена Сэнди купила их для него на аукционе.

Рыбу он приобрел по собственной прихоти несколько лет назад в лавочке на Портобелло-роуд. Работая с молодыми детективами-новичками, иногда ссылался на нее, повторяя банальную мудрость — без труда не вытащишь рыбку из пруда.

На письменном столе перед ним лежала груда документов, которые надо было тщательно просмотреть. Часть из них относилась к подготовке судебного процесса некоего Карла Веннера, одного из самых жутких мерзавцев, какие ему попадались за все годы службы. Будем надеяться, если не напортачить с подготовительными материалами, Веннера ожидает несколько пожизненных сроков. Хотя при таком количестве идиотов судей никогда точно не скажешь.

Лежал на столе и ужин, купленный несколько минут назад в супермаркете. Сандвич с тунцом в прозрачной пластиковой коробочке, поперек которой желтыми буквами написано «Скидка!», яблоко, шоколадный батончик «Твикс» и банка диетической коки.

Он потратил несколько минут на просмотр водопада электронных сообщений, на некоторые ответил, остальные уничтожил. С какой оперативностью с ними ни разбирайся, их поток не иссякает, а число оставшихся без ответа уже приближается к двум сотням. К счастью, Элинор с большей частью сама разбирается. Дневник наконец-то вычищен — это делается автоматически всякий раз перед началом расследования тяжкого преступления.

Осталась только запись о воскресном ленче с Джоди, которую Грейс не видел больше месяца, и напоминание купить поздравительную открытку и подарок к дню рождения его крестной дочери Джей Сомерс, которой на будущей неделе исполнится девять лет. Задумавшись о подарке, он решил, что лучше посоветоваться с сестрой Джоди, матерью троих детей старше и младше девяти лет. Сделал мысленную пометку отменить встречу, если поедет в Мюнхен.

Больше пятнадцати сообщений касались полицейской команды по регби, президентом которой его выбрали на приближавшуюся осень. В них содержались строгие напоминания, что, хотя сейчас очень тепло, меньше чем через четыре недели наступит сентябрь. Лето кончается. Дни уже стали заметно короче.

Он постучал по клавиатуре компьютера, вошел во внутреннюю поисковую систему «вэнтэдж», просмотрел отчеты о происшествиях за последнюю пару часов. Из сообщений, набранных оранжевыми буквами, ничто не бросилось в глаза. Еще слишком рано — позже не будет недостатка в драках, насилии, кражах. Украдена сумка. На Баундри-роуд ограблен магазин «Теско». На бензоколонке обнаружен угнанный автомобиль. Убежавшая лошадь замечена на шоссе A-27.

Позвонил сержант Гай Батчелор, новичок в следственной бригаде, которого Грейс отправил побеседовать с утренними партнерами Брайана Бишопа по гольфу.

Батчелор ему нравился. Казалось, если бы агентство по подбору актеров попросило подыскать для съемок в кино полицейского офицера средних лет, то кандидат был бы похож на Батчелора. Высокий, крепкий, с лысеющей головой в форме мяча для регби, с естественными деловыми манерами. Не слишком огромный, он напоминал доброго великана — больше по характеру, чем по физическим данным.

— Рой, я повидался со всеми троими мужчинами, с которыми Бишоп сегодня играл в гольф. По-моему, есть кое-что интересное — все говорят, что он был в необычайно хорошем настроении, играл замечательно, такой удачной игры никто еще не видел.

— Сам Бишоп как-то партнерам это объяснил?

— Нет. Человек он явно замкнутый, в отличие от жены, о которой все говорят, что она общительная. По-настоящему близких друзей у него нет, говорит, как правило, мало. Сегодня отпускал шутки. Один из гольфистов, мистер Мишон, который, кажется, довольно хорошо его знает, даже подумал, не принял ли Бишоп какую-нибудь «веселящую таблетку».

Грейс усиленно думал.

Жена мертва — тяжкий груз с плеч долой?

— Не похоже на поведение человека, который только что убил жену, а, Рой?

— В зависимости от того, хороший ли он артист.

Батчелор закончил доклад. Грейс поблагодарил его и напомнил об инструктаже в одиннадцать. Напряженно размышляя о сообщенных сержантом сведениях, вытащил сандвич из упаковки, откусил, сморщился из-за непривычного вкуса хлеба, которого прежде не пробовал, и пожалел, что попробовал, — с сильным привкусом тмина. С удовольствием обошелся бы сандвичем с яичницей и беконом, но Клио его уговаривает перейти на здоровую пищу, заставляет есть больше рыбы, хотя он подробно пересказал ей прочитанную в этом году статью в «Дейли мейл» об опасном содержании в рыбе ртути.

Он вышел из «вэнтэдж» и начал искать сведения о воскресных рейсах на Мюнхен, интересуясь, можно ли за один день обернуться. *Надо* ехать, сколь бы скудной ни была информация, полученная от Дика Поупа. *Надо* ехать, самому посмотреть.

Больше невозможно сдерживать желание сесть в первый же отправляющийся самолет. Грейс взглянул на часы. Девять пятьдесят. В Германии без десяти одиннадцать. Черт возьми, Дик Поуп наверняка еще не спит. Сидит где-нибудь в кафе или баре с кружкой пива. Он набрал номер мобильника и попал на голосовую почту.

— Дик, это снова Рой. Извини за беспокойство, просто хочу поподробнее расспросить насчет пивного ресторана, где вы, кажется, видели Сэнди. Перезвони, когда сможешь.

Разъединившись, какое-то время рассматривал замечательную коллекцию из тридцати старых зажигалок, сгрудившихся на полочке между столом и окном, которое выходило на автостоянку и на блок предварительного заключения. Коллекция напоминала о любимой привычке Сэнди бродить по антикварным рынкам, сувенирным лавкам, распродажам «с колес». Когда выдается свободное время, он и сам до сих пор туда ходит, хотя это совсем уже не то. Половину удовольствия он всегда получал от реакции Сэнди на подмеченную им вещицу. Если ей понравится, можно начинать торговаться, а если она скорчит неодобрительную гримасу…

Почти весь кабинет занимали телевизор с видеоплеером, круглый стол, четыре стула, груды папок и бумаг, кожаный саквояж с набором инструментов для работы на месте преступления, стоявшие повсюду картотечные шкафчики, которых неуклонно становится больше и больше. Иногда казалось, что они размножаются самостоятельно по ночам в его отсутствие.

В каждом напольном шкафчике хранятся материалы нераскрытых преступлений. Дела об убийстве не закрываются до вынесения приговора. В расследовании каждого убийства наступает момент, когда рвутся все нити, все пути ведут в тупик. Но это вовсе не означает, что полиция отступилась. Через много лет после расформирования следственной бригады дело вновь может открыться. Вещественные доказательства хранятся в коробках, пока есть шанс, что причастные к делу люди еще живы.

Грейс хлебнул коки. Как-то он прочитал на веб-сайте, что в напитках с низким содержанием углеводов полно всевозможных вредных для организма химикатов, хотя в данный момент его это не волновало. Неужели все, что ешь и пьешь, скорее убивает тебя, чем питает? Возможно, и так, рассуждал он, на следующем цивилизованном этапе появится заранее переваренная пища. Купишь и сразу выбросишь в унитаз, избавившись от необходимости есть.

Он застучал по клавишам. В семь утра в воскресенье есть рейс «Бритиш эруэйз» из Хитроу, прибывающий в Мюнхен в девять пятьдесят. Грейс решил позвонить знакомому офицеру мюнхенской уголовной полиции Марселю Куллену и спросить, будет ли тот свободен.

Несколько лет назад Марсель на полгода приезжал в Суссекс по обмену, и за это время они подружились. Куллен приглашал приехать, остановиться у них с женой в любое время. Грейс опять посмотрел на часы: девять пятьдесят пять. В Мюнхене на час больше. Нормальным людям звонить действительно поздно, но детективу в самый раз — есть шанс его застать.

Но только он протянул руку к трубке, как раздался звонок.

От Брайана Бишопа.

42

Грейс отметил, что Бишоп сменил костюм для гольфа на дорогую легкую черную куртку, синие брюки и коричневые мокасины на босу ногу, больше смахивая на ночного плейбоя, чем на скорбящего мужа.

Неловко сидя в красном кресле в тесной комнате для допросов, он, как будто прочтя его мысли, сказал:

— Одежду выбрала из моего гардероба ваша сотрудница Линда Бакли. В данных обстоятельствах я предпочел бы что-нибудь другое. Скажите, пожалуйста, когда мне позволят вернуться домой?

— При первой возможности, мистер Бишоп. Надеюсь, через пару дней, — ответил Грейс.

Бишоп вскинулся в бешенстве:

— То есть как?.. Это просто смешно!

Грейс взглянул на воспаленную ранку на правой кисти Бишопа. Вошел Брэнсон с тремя стаканами воды, поставил на стол, закрыл дверь и остался стоять.

— В доме совершено преступление, — мягко объяснил Грейс. — По принятым нынче правилам полиция охраняет место. Пожалуйста, поймите — это поможет отыскать преступника.

— Есть уже подозреваемый? — спросил Бишоп.

— Прежде чем я отвечу на этот вопрос, скажите, не возражаете ли против записи нашей беседы? Это гораздо быстрей, чем писать от руки.

Бишоп сухо и холодно улыбнулся:

— Стало быть, подозреваемый — я?

— Ничего подобного, — заверил Грейс.

Бишоп махнул рукой в знак согласия.

Гленн Брэнсон включил аудио- и видеозапись и отчетливо продиктовал:

— Двадцать два двадцать, пятница, четвертое августа. Суперинтендент Грейс и сержант Брэнсон опрашивают мистера Брайана Бишопа.

— И все-таки вы кого-нибудь подозреваете? — переспросил Бишоп.

— Пока нет, — ответил Грейс. — А сами вы никого не подозреваете?

Бишоп коротко рассмеялся, словно услышал очень смешной вопрос. Глаза стрельнули влево.

— Нет. Никого. Даже не представляю.

Грейс следил за его взглядом, припоминая: влево — значит, правда. Только ответ прозвучал слишком скоро и как-то добродушно для убитого горем мужчины. Преступники и раньше на памяти суперинтендента давали хладнокровные быстрые отрепетированные ответы при полном отсутствии эмоций. Бишоп демонстрирует классическое поведение убийцы. Что, впрочем, вовсе не означает, будто он убийца. Смех вполне может быть просто нервным.

Грейс снова взглянул на ссадину возле большого пальца. С виду свежая.

— Что у вас с рукой? — спросил он.

Бишоп взглянул, равнодушно пожав плечами:

— Оцарапался... э-э-э... когда садился в такси.

— В котором ехали из «Отеля дю Вен» к отелю «Лансдаун-Плейс»?

— Да... Укладывал вещи в багажник.

— Неприятно. — Грейс кивнул, мысленно отметив, что надо получить подтверждение от водителя. И также отметив, что Бишоп отвел глаза вправо. Значит, лжет.

— Похоже, серьезная травма. Что сделал водитель? — Грейс покосился на Брэнсона.

Сержант понял, кивнул и спросил:

— Оказал первую помощь?

Бишоп оглядел их по очереди.

— Что тут вообще происходит? Кровавая инквизиция? Я хочу вам помочь. Какое отношение к делу имеет ничтожная ссадина у меня на руке?

— Мистер Бишоп, в ходе расследования мы вынуждены задавать многочисленные вопросы. К сожалению, это наша обязанность. У нас с сержантом Брэнсоном был тяжелый день, да и вы, вероятно, выбились из сил. Пожалуйста, потерпите, ответьте на вопросы, чтоб скорей со всем этим покончить. Чем больше вы нам поможете, тем быстрей мы задержим убийцу вашей жены. — Грейс глотнул воды и продолжил, уже помягче: — Нас заинтересовало, почему вы оставили «Отель дю Вен» и переехали в «Лансдаун-Плейс». Можете изложить ваши соображения?

Глаза Бишопа забегали, будто он следил за скачущим по ковру насекомым. Грейс проследил за его взглядом, но ничего не увидел.

— Почему переехал? — Бишоп вдруг пристально взглянул на него. — Что вы имеете в виду? Мне было сказано переехать.

Грейс в свой черед нахмурился:

— Кто вам это сказал?

— Ну… полиция. Я думал, вы.

— Не понимаю.

Бишоп экспансивно всплеснул руками, как бы в полном и искреннем изумлении:

— В номер позвонили. Кто-то из ваших сказал, что «Отель дю Вен» осаждают репортеры и поэтому вы меня переводите.

— Как его фамилия?

— М-м-м… не помню. Может быть, Каннинг? Сержант Каннинг…

Грейс взглянул на Брэнсона:

— Знаешь что-нибудь об этом?

— Ничего, — качнул тот головой.

— Вы уверены? Сержант Каннинг?

— Да. По-моему, сержант. Определенно Каннинг.

— Что именно он вам сказал? Постарайтесь точно вспомнить. — Грейс отследил взгляд, вновь метнувшийся влево.

— Что для меня забронирован номер в отеле «Лансдаун-Плейс». Такси будет стоять у служебного входа за кухней. И что я должен спуститься по пожарной лестнице.

Грейс записал в блокнот: «Сержант Каннинг».

— Он звонил на мобильный или в номер?

— В номер, — ответил Бишоп, немного подумав.

Грейс выругался про себя. Трудно проверить и тем более проследить звонок. Коммутатор отеля может засечь время входящего звонка, но не номер.

— В котором часу это было?

— Около половины шестого.

— Вы зарегистрировались в «Лансдаун-Плейс» и ушли. Куда?

— Прогулялся по набережной. — Бишоп вытащил платок, промокнул глаза. — Мы с Кэти любили там гулять. Она часто ходила на пляж. Хорошо плавала. — Он помолчал, выпил воды. — Я должен позвонить детям... Они за границей на каникулах... Я... — Он замкнулся в молчании.

Грейс тоже. В его команде нет сержанта по фамилии Каннинг.

Извинившись, суперинтендент вышел из комнаты и направился по коридору в отдел технической поддержки. Достаточно было пару раз стукнуть по клавишам, чтобы выяснить, что такого офицера нет и во всей суссекской полиции.

43

Вскоре после полуночи Клио в черной шелковой широкой рубашке открыла ему дверь. Рубашка прикрывала ее стройные ноги дюйма на два, не больше. В протянутой руке был высокий стакан с виски «Гленфиддиш» со льдом, наполненный почти до краев. Кроме того, от нее пахло дразнящими мускусными духами, а на губах играла самая пакостная улыбка, какую Рой Грейс когда-нибудь видел на женском лице.

— Ух! Я бы сказал… — начал он, когда она захлопнула дверь и распахнула рубашку, обнажив полные крепкие груди. Больше он ничего сказать не успел.

Не выпуская стакан, она обеими руками обняла его за шею, прижалась влажными губами к губам. Он сразу ощутил во рту кубик льда, пропитанный виски. Перед его глазами плясали ее затуманенные улыбающиеся глаза. Она чуть запрокинула голову — он по-прежнему видел ее не в фокусе — и заметила:

— По-моему, на тебе слишком много одежды!

Сунув ему стакан, Клио принялась жадно расстегивать рубашку, поцеловала в грудь, еще крепче в пупок, с очередным ледяным кубиком во рту. Подняла пылавшие счастьем глаза цвета льда, освещенного солнцем.

— Как ты прекрасен, Рой! Боже мой, как прекрасен…

Он выдохнул, хрустя остатками льда:

— Да ведь и ты сама ничего.

— Только-то? — откликнулась Клио, сосредоточенно расстегивая пряжку ремня, словно от этого зависело спасение мира, резко сдернула брюки.

— Ты одна из самых удивительных, невероятных и потрясающих женщин на этой планете, — уточнил Грейс.

— Значит, на этой планете есть женщины лучше меня?

Одним негодующим движением Клио опустила пальцы в стакан, сунула в рот ледышку, выудила другую и прижала к мошонке.

В ответ из горла Грейса вырвался хриплый выдох. В желудке пылало болезненное наслаждение. Он сбросил с ее плеч шелковую рубашку, впился губами в мягкую шею, а она целиком взяла в рот его член, уткнувшись лицом в курчавые волосы.

Грейс стоял, опьяненный жаркой ночью, духами, прикосновением к ее коже, в глубине души желая остановить это мгновение, немыслимое мгновение чистой беспредельной радости и блаженства, остановить навеки, остаться здесь, смотреть в улыбающиеся глаза, когда душа поет от счастья.

Но где-то рядом находилась тень. Мюнхен. Он отогнал ее. Просто призрак, и все. Просто призрак.

Ему отчаянно нужна эта женщина. Клио. Не только сейчас — на всю жизнь. Он ее обожает. Никогда даже не думал, что может испытывать такую любовь, какую сейчас чувствует. Не смел даже надеяться, что ему выпадет такое чувство после долгих девяти лет одиночества.

Запустив руки в длинные шелковистые волосы, он беззвучно шептал, задыхаясь:

— Клио, Клио, ты такая… немыслимая… изумительная… такая… — и, все еще в пиджаке, в расстегнутой рубашке, с болтавшимися на щиколотках брюками, прижался к ней на пушистом белом ковре, на дубовом полированном полу, вошел глубоко-глубоко, не выпуская из объятий, целуя это неукротимое, вольное существо, состоящее из сплошных контрастов.

Она крепко обхватила его голову, впилась в губы. Он всей своей кожей чувствовал ее шелковистую кожу, невозможно гладкое тело. Иногда она напоминала прекрасную породистую беговую лошадь. А иногда, как сейчас, когда она вдруг оторвала губы и внимательно, напряженно взглянула, — ранимую, беззащитную девочку.

— Ты никогда не причинишь мне боли, Рой? — неожиданно жалобно спросила Клио.

— Никогда.

— Знаешь, что ты потрясающий?

— Мне с тобой не сравняться. — Он снова поцеловал ее.

Она впилась ему в затылок пальцами, сильно, до боли. И настойчиво прошептала:

— Мне хочется, чтобы ты, наконец, посмотрел мне в глаза.

Через какое-то время Грейс проснулся с адской болью в правой руке, заморгал, сбитый с толку, не соображая, где находится. Играет музыка. Знакомая песня Дайдо. Он поднял глаза на прямоугольный стеклянный сосуд, где плавала одинокая золотая рыбка среди руин затонувшего греческого храма.

Марлон?

Нет, аквариум другой. Попробовал шевельнуть рукой, которая омертвела и казалась большим куском студня. Встряхнул — рука затряслась, задрожала. В поле зрения появились светлые лобковые волосы, а потом стакан с виски.

— Хочешь подкрепиться? — Над ним стояла обнаженная Клио.

Он взял стакан здоровой рукой, отхлебнул. Боже, как вкусно. Отставил выпивку, поцеловал голую щиколотку. Она легла, прижалась к нему.

— Ну как, соня?

Рука отчасти ожила. Настолько, чтобы обнять Клио. Они поцеловались.

— Сколько времени? — спросил он.

— Четверть третьего.

— Извини… Я… не думал на тебе засыпать…

Она медленно поцеловала его в оба глаза.

— Ты и не засыпал.

Он видел в слабом фокусе прекрасное лицо, светлые волосы, вдыхал сладкие запахи пота и секса. Снова увидел золотую рыбку, плававшую кругами, не ведая об их присутствии. Увидел горевшие свечи, растения, дикие абстрактные картины на стенах, забитые книгами полки до потолка…

— Хочешь лечь в постель?

— Хорошо бы, — кивнул он.

Попытался встать и только тут сообразил, что по-прежнему полуодет.

Сбросив с себя одежду, одной рукой держа за руку Клио, со стаканом в другой, он с трудом преодолел два пролета узкой крутой деревянной лестницы и под песню Дайдо рухнул на огромную кровать с мягчайшими простынями.

Клио обвилась вокруг него, рука скользнула вниз по животу.

— Большой мальчик спит?

— Почти.

— Ну, как у тебя день прошел? Или тебе хочется спать?

Грейс старался собраться с мыслями. Хороший вопрос. Как прошел день, черт возьми?

Какой день?

День возвращался. По крохам. Экстренный инструктаж в одиннадцать. Никто, кроме него, ничего существенного не сообщил. Брайан Бишоп переехал из «Отеля дю Вен» в «Лансдаун-Плейс», дав очень странное объяснение.

— Возникли осложнения, — сказал он, потираясь носом о правую грудь Клио и целуя сосок. — Ты самая прекрасная женщина в мире. Тебе это кто-нибудь говорил?

— Ты, — усмехнулась она. — Только ты.

— Больше ни у одного мужчины на планете нет вкуса.

Клио поцеловала его в лоб.

— Фактически, как это ни странно звучит из уст потаскушки, я не всех опросила.

Он усмехнулся в ответ:

— Теперь необходимость отпала.

Она вопросительно взглянула на него, перевернулась, подперла кулаком подбородок.

— Да?

— Я скучал по тебе всю неделю.

— Я тоже.

— Сильно?

— Не скажу, чтобы не возомнил о себе.

— Сучка!

Подняв свободную руку, Клио согнула указательный палец, изображая поникший член.

— Не надолго, — предупредил он.

— Отлично.

— Ты совсем испорченная.

— Ты меня заставляешь чувствовать себя испорченной. — Она его поцеловала, чуть-чуть отодвинулась, внимательно вгляделась в лицо. — Мне твоя стрижка нравится.

— Правда?

— Угу. Идет. Действительно хорошо!

Он вдруг покраснел от комплимента.

— Спасибо.

Гленн Брэнсон не уставал глумиться над его стрижкой, твердя, что давно пора выбрать другую, и в конце концов записал друга к какому-то чрезвычайно меланхоличному типу по имени Йен Хэббин, работавшему в самом крутом салоне в самом фешенебельном квартале Брайтона. Много лет Грейса стриг ежиком угрюмый пожилой итальянец в старомодной парикмахерской. Он испытал незнакомые ощущения, когда разговорчивая девушка мыла ему шампунем голову в зале, где стены украшали произведения искусства и громыхала рок-музыка.

— Значит, в воскресенье завтракаем с твоей сестрой — Джоди, верно? — уточнила Клио.

— Угу.

— Расскажи мне о ней что-нибудь. Она о тебе заботится? Мне предстоит допрос третьей степени? Скажем, достойна ли эта старая шлюха моего брата? — Клио усмехнулась.

Грейс сделал большой глоток виски, стараясь выиграть время, собраться с мыслями, сформулировать ответ. Еще глоток.

— Возникла проблема, — наконец сказал он.

— Рассказывай.

— Я должен в воскресенье слетать в Мюнхен.

— В Мюнхен? Мне всегда хотелось там побывать. Моя подруга Анна-Лиза, стюардесса, говорит, что там продаются лучшие в мире шмотки. Слушай, можно я тоже с тобой полечу? Возьмем билеты на какой-нибудь дешевый рейс...

Грейс вертел в руках стакан. Сделал еще глоток, не зная, то ли просто соврать, то ли правду сказать. Врать не хотелось, хотя в данный момент ложь выглядела бы не столь жестокой, как правда.

— Это официальный полицейский визит... Я с коллегой лечу.

— Да? С кем именно? — Клио пристально посмотрела на него.

— С одним инспектором. Встреча по вопросу обмена сотрудниками на полгода. По инициативе Евросоюза.

Клио тряхнула головой:

— Я думала, что мы договорились никогда не лгать друг другу, Рой.

Он взглянул на нее и потупил глаза, чувствуя, что краснеет.

— Я тебя насквозь вижу. Умею читать твои мысли — по глазам. Ты меня сам учил, помнишь? Влево, вправо... Память и воображение.

В душе что-то оборвалось, и после секундного колебания Грейс рассказал, что Дик Поуп с его женой Лесли считают, будто видели Сэнди.

Клио резко отпрянула. Грейс вдруг увидел разверзшееся между ними пространство, сравнимое с тем, что отделяет Землю от Луны.

— Очень хорошо, — проговорила Клио таким тоном, словно только что прикусила лимон.

— Пойми, я должен ехать.

— Конечно.

— Я ничего подобного даже не предполагал.

— В самом деле?

— Пожалуйста, перестань!

— А что будет, если ты ее найдешь?

Он безнадежно поднял брови.

— Вряд ли.

— А вдруг? — не унималась она.

— Не знаю. Хотя бы узнаю, что произошло.

— А если она пожелает вернуться к тебе? Ты мне из-за этого врал?

— Вернуться? Через девять лет?

Клио отвернулась к стенке.

Грейс погладил ее по спине, она отстранилась.

— Клио, прошу тебя...

— Кто я такая? Временная заместительница исчезнувшей жены?

— Ничего подобного...

— Уверен?

— Решительно и полностью.

— Не верю.

44

В компьютере Обладателя Миллиардного Запаса Времени стояла собственноручно написанная программа, отображавшая циферблаты часов во всех крупных городах каждого часового пояса на планете. Он ее запустил, объявив вслух:

— Плановая инвентаризация, — и ухмыльнулся собственной шутке.

За окном виднелось предрассветное небо, медленно светлевшее над Брайтоном и Хоувом. Здесь почти пять. В Париже шесть. В Санкт-Петербурге восемь. В Бангладеш одиннадцать. Час дня в Куала-Лумпуре. Три часа в Сиднее.

В Англии люди скоро будут вставать, а в Перу ложиться. Кроме него, все в мире подчиняется солнцу. Он освободился от зависимости. Для него уже не имеет значения, день стоит или ночь, открыты или закрыты мировые фондовые биржи, банки и прочее.

За что надо поблагодарить одного человека.

Впрочем, ему больше не больно. Страдания и обиды легли в другой ящик — в прошлую жизнь. К жизни надо относиться положительно, иметь цель. В Интернете нашелся сайт с исчерпывающими инструкциями для максимального продолжения жизни. Очень просто — дольше живут те, у кого есть цель. А достигшие своих жизненных целей взяли джекпот. Двух целей он уже добился. Приобрел больше времени, которое можно тратить по собственному усмотрению.

От стоявшей рядом чашки шел пар. Чай «Инглиш брекфаст» с небольшим количеством молока. Он взял ложечку и семь раз помешал. Обязательно надо помешать семь раз.

Снова сосредоточился на компьютере, запустил другую собственную программу. Поисковые программы Интернета никуда не годятся, не обладают необходимой точностью, выдают информацию в той последовательности, которую сами предпочитают. Своя программа, связывая и отлавливая основные поисковые системы, быстро предоставляет все, что нужно *ему*.

В данный момент требуется оригинальная техническая инструкция к «фольксвагену-карманн-гиа» 1966 года.

Он пососал правую руку у большого пальца. Жгучая боль усилилась, разбудила, не дает заснуть. Ну и ладно, не так уж он много спит. Заметна легкая припухлость вокруг ранки, которая, видно, лишает большой палец подвижности, хотя, может быть, просто воображение разыгралось. Грудь до сих пор саднит.

— Сука, — пробормотал он вслух.

Пошел в ванную, включил свет, расстегнул и распахнул рубашку, отодрал полоску пластыря. Свежая царапина длиной больше дюйма, нанесенная несколько часов назад длинным ногтем, покрылась коркой запекшейся крови.

45

В начале шестого Рой Грейс вышел из дома Клио в стильном огороженном комплексе в центре Брайтона, как можно тише закрыв за собой парадную дверь. Чувствовал он себя ужасно. Темное предрассветное небо с серыми мраморными прожилками, прошитое грязно-алыми венами, напоминало по цвету замороженный человеческий труп. Несколько птичек, готовясь к утреннему хору, издавали одиночные пробные трели, на мгновение пронзавшие утреннюю тишину. Сигналы для других птиц, вроде радиосигналов, летящих в космическом пространстве.

Он дрожал, нажимая красную кнопку на кованых железных воротах и выходя из двора на улицу. Воздух уже нагревался, обещая очередной ослепительный летний день. Только в душе шел дождь.

Всю ночь глаз не сомкнул.

За прошедшие два месяца их отношений они ни разу не ссорились. Сегодня фактически тоже. Но, ворочаясь под утро в постели, Грейс чувствовал произошедшую перемену.

Фонари еще горели, испуская оранжевое свечение, бесполезное в быстро разливавшемся дневном свете. Полосатая кошка перебежала ему дорогу. Он шел мимо выстроившихся в ряд автомобилей, механически фиксируя валявшуюся в сточной канаве банку коки, лужицу рвоты, картонку из-под китайской еды. Миновал синий, покрытый росой «эм-джи» Клио, добрался до своей не так сильно запотевшей «альфы», которая стояла на уже привычном месте, на желтой линии рядом с лавкой антиквара, специализирующегося на мебели двадцатого века в стиле ретро.

Сел в машину, запустил мотор, двигатель чихнул, потарахтел неровно и вяло, как будто еще не проснулся, стеклоочистители смахнули капли со стекол. В радиоприемнике потрескивало, кто-то что-то говорил, он не слушал, оглянулся на закрытые ворота, раздумывая, не надо ли вернуться и поговорить.

О чем?

Клио видит в возвращении Сэнди непреодолимую угрозу. Разумеется, это можно понять, поставив себя на ее место, представив, что она в воскресенье летит в Мюнхен на поиски исчезнувшего мужа. Как бы он себя при этом чувствовал?

Честно сказать, неизвестно. Отчасти потому, что устал как собака, не способен здраво мыслить, отчасти потому, что не знает, как сам относится к перспективе встречи с Сэнди, пусть даже ничтожной.

Минут через десять он проехал мимо стоячего красного почтового ящика на Нью-Черч-роуд, который двенадцать лет служил вехой, повернул налево. На улице пусто, только в нескольких футах от мостовой стоит тележка молочника. Тихая симпатичная улица застроена с обеих сторон примыкающими друг к другу жилыми домами в псевдотюдоровском стиле с тремя спальнями и гаражами. К некоторым пристроены чудовищные мансарды, в других, кроме его собственного, установлены безобразные стеклопакеты.

Они купили дом за два с лишним года до исчезновения Сэнди, и Грейс порой думал, не сыграл ли роковую роль переезд — вдруг она здесь не была уже так счастлива... Им было очень хорошо в маленькой квартирке в Хэнглтоне, в свитом в первые годы семейной жизни гнездышке, но оба влюбились в этот дом, особенно Сэнди, потому что за ним большой сад, а ей всегда хотелось копаться в собственном саду.

Покупка, отделка, обстановка обошлись дорого. Будучи тогда сержантом, он работал сверхурочно, используя каждый час. Сэнди служила секретарем в счетоводческой фирме, тоже прихватывая лишнее время.

С виду она была вполне счастлива, переделывая и модернизируя интерьер. Прежние владельцы прожили в доме сорок лет с лишним, и в момент покупки он был серым, мрачным. Сэнди превратила его в светлый и современный, используя принципы дзен, откровенно гордясь плодами своих трудов. Сад был ее гордостью и радостью, а теперь, по вине Грейса, пребывает в удручающем запустении. Каждые выходные он обещает себе выкроить время и немножко его разгрести, расчистить. Но времени — или желания — никогда не находится. Хотя траву он косит, уверяя себя, что сорняки, в конце концов, тоже цветут.

На миг отключившись от своих мыслей, он услышал по радио серьезный мужской голос, разъясняющий сельскохозяйственную политику Евросоюза. Свернул на свою подъездную дорожку, остановился у одноместного гаража и заглушил мотор. Радиоприемник тоже умолк.

Грейс вошел в дом, и мрачное настроение тут же сменилось приступом злости. В прихожей и на лестнице ярко горят лампы, гремит старинный музыкальный автомат, где вертится редкая виниловая пластинка «Апачи» группы «Шэдоус», — завязшая в бороздке игла без конца щелкает и скрежещет. Стерео включено, диски разбросаны по полу, из конвертов вынуты драгоценные записи «Пинк флойд»; стоит открытая банка пива, валяются проспекты «Харлей-Дэвидсон», гантели и прочие тяжелоатлетические снаряды.

Он вихрем взлетел вверх по лестнице, готовый наброситься на Гленна Брэнсона, но остановился на верхней площадке, одернув себя. Бедняге тошно. Видно, зашел домой после инструктажа, забрал вещи — отсюда гантели. Пускай спит.

Грейс взглянул на часы. Двадцать минут шестого. Несмотря на усталость, в таком взвинченном состоянии заснуть не получится. Он решил пробежаться, прочистить мозги, зарядиться перед тяжелым днем, который начнется в восемь тридцать с инструктажа, за которым в одиннадцать последует пресс-конференция. А потом его ждет очередная встреча с Брайаном Бишопом. Кажется, от этого парня идет нехороший душок.

Он зашел в ванную и сразу заметил открученный колпачок тюбика зубной пасты. Посередине тюбика глубокая вмятина, немного пасты вылезло на полку. Это почему-то разозлило сильнее, чем бардак внизу.

Войдя в дом пару минут назад, он словно перенесся сквозь дыру во времени в старый телесериал под названием «Эти скверные мужчины» с Мартином Клунсом и Нилом Моррисси, которые изображали живущих под одной крышей придурков-холостяков. И вдруг понял, в чем дело, — такова была одна из немногочисленных привычек Сэнди, которые его раздражали. Она нажимала на тюбик не с конца, а посередине и забывала закрутить колпачок, из-за чего паста вылезала наружу.

Еще действовала на нервы никогда не пустевшая мусорная корзинка на переднем сиденье проржавевшего маленького помятого коричневого «рено», вечно заваленного чеками на покупки, обертками от сластей, пустыми пакетами, лотерейными билетами и прочим хламом. По его мнению, в нем лучше было бы держать кур.

Он до сих пор стоит в гараже. Грейс давно его вычистил, перебрав все клочки в поисках разгадки, но так ничего и не нашел.

— Рано поднялся.

Он оглянулся на Брэнсона, который стоял у него за спиной в белых трусах, с тонкой золотой цепочкой на шее, с массивными часами «Рашн дайверс» на руке. Хотя плечи его сутулились, физическая форма по-прежнему устрашала, мышцы перекатывались под лоснившейся кожей. Однако лицо оставалось страдальческим.

— Пришлось, чтоб прибрать за тобой.

Не поняв или сознательно проигнорировав замечание, Брэнсон продолжал:

— Она хочет лошадь.

Грейс затряс головой, не уверенный, что не ослышался.

— Что?

— Эри хочет лошадь, — пожал плечами Брэнсон. — Веришь — на мою зарплату?

— С точки зрения экологии лошадь чище, чем машина, — рассудил Грейс. — Может быть, и содержать дешевле.

— Очень остроумно.

— Что, собственно, значит: лошадь?

— Она любит ездить верхом, в детстве на конюшнях работала. Хочет снова заняться. Говорит, если я соглашусь купить лошадь, то смогу вернуться.

— Где бы мне купить лошадь? — спросил Грейс.

— Я серьезно.

— Я тоже.

46

Рой Грейс был прав. При том что парламент давно ушел на летние каникулы и самым значительным мировым событием последних суток оставалось крушение поезда в Пакистане, на первые страницы газет, особенно таблоидов, выходили такие истории, как шокирующие откровения известного футболиста, застигнутого в компании с двумя геями; пантера, якобы терроризирующая деревушки Дорсета; принц Гарри, скачущий по пляжу с завидно хорошенькой девушкой. Все редакторы страны жаждали крупной сенсации, а что может быть лучше убийства богатой красивой женщины?

Конференц-зал на созванном Грейсом утреннем брифинге для прессы был набит так, что некоторым репортерам пришлось остаться в коридоре. Он говорил кратко, скупо, потому что на данном этапе мало что можно было сказать. За ночь не поступило новой информации, и на состоявшемся раньше инструктаже главным образом уточнялись и распределялись задачи.

Одно Грейс четко и ясно донес до собравшихся в зале сорока с лишним репортеров, тележурналистов, фотографов: полиции необходимо установить, где бывала миссис Бишоп в последние дни, поэтому убедительная просьба ко всем, кто ее видел, сообщить об этом. Прессе были предложены для публикации снимки, которые Грейс отобрал в доме Бишопов. Они изображали убитую в бикини на моторной лодке, за рулем БМВ, в длинном платье и шляпке на крупнейших скачках — в Эпсоме или в Аскоте.

Грейс очень тщательно подбирал фотографии, зная, что они понравятся редакторам новостей, порадуют глаз читателя и зрителя — красивая женщина, светский образ жизни — и, безусловно, заполнят пустые колонки. Широкая огласка может расшевелить память какого-нибудь важного свидетеля.

Не дожидаясь конца брифинга, Грейс смылся, спеша позвонить Клио перед беседой с Брайаном Бишопом, назначенной на полдень, предоставив старшему офицеру по связям с общественностью распространять фотоматериалы. Но у самой двери в кабинет его окликнули. Оглянувшись, он с раздражением увидел спешившего следом за ним молодого криминального репортера из «Аргуса» Кевина Спинеллу.

— Что вы тут делаете?

Спинелла, жуя жвачку, прислонился к стене рядом со щитом, к которому была прикреплена таблица, озаглавленная: «Схема расследования убийства». На плутовской физиономии с острыми чертами дерзкое выражение, в одной руке открытый блокнот, а в другой — авторучка. Сегодня он был в дешевом черном костюме, до которого явно не дорос, в белой рубашке, которая тоже была ему велика, с фиолетовым галстуком, неумело завязанным крупным узлом. Короткие, смазанные муссом волосы подстрижены по моде.

— Хочу лично кое о чем вас спросить, суперинтендент.

Грейс поднес к электронному замку магнитную карточку, услышал щелчок, открыл дверь.

— Я только что сообщил все, что должен был сообщить прессе. На данном этапе больше никаких комментариев.

— А по-моему, вы сообщили не все, — возразил Спинелла, окончательно разозлив Грейса самодовольным видом. — По-моему, вы кое-что упустили.

— Тогда побеседуйте с Дэннисом Пондсом.

— Я хотел задать вопрос прямо на пресс-конференции, — продолжал Спинелла, — только вы меня не поблагодарили бы. Насчет противогаза.

Ошеломленный Грейс круто развернулся, шагнул к репортеру, дверь за ним захлопнулась.

— Что вы сказали?

— Я слышал, на месте преступления обнаружен противогаз... который, возможно, использовал убийца... Для какого-нибудь извращенного ритуала?

Грейс лихорадочно соображал. Пожалуй, не стоит выпускать закипевшую злость. Пару месяцев назад при расследовании другого дела скрытая от прессы важнейшая информация о находке на месте преступления жука скарабея просочилась в «Аргус». Теперь, похоже, то же самое. Кто обеспечивает утечку? В том-то и дело, что любой мог проболтаться. Хотя сведения о противогазе не разглашались, половине полиции Суссекса уже о нем известно.

Вместо того чтобы рявкнуть на Спинеллу, Грейс окинул его пристальным взглядом с головы до ног. Смазливый парень, явно интересуется криминалистикой. Вполне вероятно, через год-другой переберется из местной газеты в какую-нибудь посолидней, может быть в общенациональную, поэтому невыгодно наживать в нем врага.

— Ладно, ценю, что удержались на пресс-конференции.

— Так это правда?

— Наш разговор обязательно фиксировать?

Сообразительный Спинелла захлопнул блокнот:

— Нет.

Грейс поколебался, пока не решив, насколько можно открыться.

— Действительно, на месте преступления найден противогаз времен Второй мировой войны, но для чего он использовался, нам еще неизвестно.

— И вы держите это в секрете, потому что о противогазе знает лишь преступник?

— Да. Вы нам очень поможете, если не станете о нем упоминать в своих репортажах… до поры до времени.

— А что мне за это будет? — тут же спросил Спинелла.

Грейс невольно усмехнулся такой предприимчивости:

— Хотите сторговаться?

— Если я вам сейчас уступлю, значит, и вы мне должны уступить. Когда-нибудь в будущем. Положу на депозит. Идет?

Грейс покачал головой и опять усмехнулся:

— Мартышка нахальная!

— Рад, что мы друг друга поняли.

Грейс снова повернулся к двери.

— И еще одно, — сказал ему в спину Спинелла. — Правда, что вы не встречаетесь с глазу на глаз с вашей шефиней Элисон Воспер?

— Разговор по-прежнему конфиденциальный? — уточнил Грейс.

Спинелла кивнул, повторно взмахнув закрытым блокнотом.

— Без комментариев! — ответил Грейс самым язвительным тоном и на этот раз шагнул в дверь, плотно захлопнув ее за собой.

Через десять минут он вместе с Брэнсоном сидел в комнате для допросов напротив совершенно убитого Брайана Бишопа, которого привезла из отеля констебль Мэгги Кемпбелл, оставшаяся снаружи.

Грейс без пиджака, в рубашке с короткими рукавами положил блокнот на кофейный столик, вытер платком пот со лба. Брэнсон в свежей белой футболке, облегавшей торс плотно, как кожа, в синих джинсах и кроссовках выглядел в данный момент не так безнадежно.

— Не возражаете, если мы и сегодня будем записывать для экономии времени, сэр? — обратился Грейс к Бишопу.

— Как угодно.

Брэнсон включил аппаратуру.

— Двенадцать часов три минуты, суббота, пятое августа. Суперинтендент Грейс и сержант Брэнсон опрашивают мистера Брайана Бишопа.

Грейс выпил воды. Бишоп сегодня был одет точно так же, как вчера, только сменил куртку на желтовато-зеленую рубашку поло. Выглядит мрачнее, угрюмее, словно до конца осознал реальность утраты. Возможно, вчера после шока он действовал на адреналине, как порой бывает. Горе отражается на каждом по-разному, но почти все проходят через известные стадии: потрясение, недоверие, злоба, печаль, чувство вины, одиночество, отчаяние и постепенное смирение. Некоторые хладнокровные убийцы, с которыми Грейс сталкивался, заслужили бы «Оскара» за последовательное изображение всех этих этапов.

— Как ваша рука? — спросил он.

Бишоп поднял правую руку. Грейс увидел, что ранка затягивается.

— Хорошо, — сказал Бишоп. — Лучше. Спасибо.

— С вами часто бывают несчастные случаи? — продолжал Грейс.

— Не сказал бы.

Грейс кивнул и умолк. Брэнсон бросил на него вопросительный взгляд, который он проигнорировал.

Убивая жену, Бишоп мог поранить руку. Мог, конечно, и пораниться по неосторожности, но уж больно он не похож на неуклюжего растяпу. С другой стороны, абсолютно понятно — расстроенный горем, плохо рассчитывал свои действия. Существуют, однако, и другие возможные объяснения. Сразу после преступления почти все преступники превращаются в клубок нервов. Погружаются, как говорится, в «багровый туман».

Вы в багровом тумане, мистер Бишоп?

— Далеко продвинулись? — неожиданно прохрипел Бишоп, оглядывая обоих детективов. — Вышли хоть на какой-нибудь след?

«Да, и мне кажется, что он сейчас перед моими глазами», — думал Грейс, но, разумеется, не собирался этого показывать.

— К сожалению, не дальше, чем прошлым вечером, сэр. А вам ничего не пришло в голову? Может, у вас с миссис Бишоп были недоброжелатели? Не припомните каких-то врагов?

— Нет... Нет. Никого. Завистники, наверное, были...

— Подумайте.

— Ну... мы с Кэти... были... знаете... одной из *золотых* пар в городе. Я говорю не в вульгарном смысле, не хвастаюсь, просто факт констатирую. Я имею в виду наш образ жизни...

— Он вам не нравился? — не удержался Грейс от вопроса, поймав усмешку Брэнсона.

Бишоп невесело улыбнулся:

— Нет. Собственно, мы его сами выбрали. Ну... главным образом Кэти... ей как раз нравилось быть на виду. У нее всегда были серьезные общественные амбиции.

Муха беспорядочно летала по комнате. Грейс несколько секунд следил за ее полетом, а потом спросил:

— Вы сами выбрали такой приметный «бентли», в котором приехали, или ваша жена?

Бишоп пожал плечами:

— Автомобиль выбрал я, но, по-моему, Кэти высказала какие-то пожелания насчет цвета... Он ей очень нравился.

Грейс улыбнулся, стараясь обезоружить его:

— Весьма дипломатично с вашей стороны. Женщины иногда возражают против мальчишеских игрушек, если они куплены без их участия. — Он бросил многозначительный взгляд на Гленна. — А иногда и наоборот.

Сержант в ответ скорчил гримасу.

Бишоп почесал в затылке.

— Послушайте… мне нужна ваша помощь… надо готовиться к похоронам… Что я должен для этого сделать?

Грейс сочувственно кивнул:

— К сожалению, выдача тела зависит от коронера. Лучше поручить дело посреднику. Линда Бакли вам поможет.

Бишоп уставился в чашку с кофе, вдруг напомнив потерявшегося мальчика, словно мысль о посреднике сделала произошедшее невыносимо реальным.

— Я хочу вновь уточнить вместе с вами время событий, — сказал Грейс, — удостовериться, что все правильно понял.

— Пожалуйста. — Бишоп поднял на него почти умоляющий взгляд.

Грейс склонился к столу, перелистал страницы блокнота.

— Ночь с четверга на пятницу вы провели в Лондоне, а рано утром в пятницу поехали в Брайтон играть в гольф. — Он перевернул страницу. — По вашим словам, прошлым утром в половине седьмого консьерж Оливер помог вам погрузить в машину багаж и клюшки для гольфа. Верно?

— Да.

— Вы ночевали в Лондоне после ужина со своим финансовым консультантом мистером Филом Тейлором?

— Да. Он может это подтвердить.

— Уже подтвердил, мистер Бишоп.

— Хорошо.

— И консьерж подтвердил, что помогал при вашем отъезде около половины седьмого утра.

— Это правда.

— Конечно, — кивнул Грейс и снова поглядел в блокнот. — Вы уверены, что никуда не ездили между ужином с мистером Тейлором и утренним отъездом?

Брайан Бишоп замешкался, вспоминая странный разговор с Софи, которая настойчиво утверждала, будто он с ней спал после ужина с Филом Тейлором. Какая-то бессмыслица. Не мог же он полтора часа ехать к ней в Брайтон, а потом обратно в Лондон и ничего не помнить.

— Так ездили?

Бишоп снова оглядел детективов:

— Нет. Не ездил. Абсолютно точно.

Грейс заметил его замешательство. Еще не время выкладывать, что в одиннадцать сорок семь в четверг вечером камера наблюдения засекла «бентли» Бишопа на дороге в Брайтон.

В его распоряжении немало детективов, специально обученных ведению допроса и способных умело надавить на Бишопа. Он решил придержать информацию, выстрелив в подходящий момент.

Этот момент наступит с принятием решения об официальном признании Бишопа подозреваемым. Грейс уже был практически готов к такому решению.

47

Убийство Кэти Бишоп оставалось главной темой двухчасовых радионовостей, равно как и всех прочих выпусков, которые он слышал в последние двадцать четыре часа. С каждым разом история все сильнее приперчивается старательно подобранными фразами, все больше приукрашивается. Начинает смахивать на мыльную оперу.

Брайтонская *светская дама* Кэти Бишоп.

Муж, *богатый бизнесмен*, Брайан.

Улица *миллионеров* Дайк-роуд-авеню.

У ведущего новостей по имени Дик Диксон молодой голос, хотя на фотографии на сайте Би-би-си он выглядит старше, грубее, совсем не похожий на собственный голос. Сейчас на экране было его изображение — вид довольно зловещий, как у актера Стива Бусеми в «Бешеных псах». Не пожелаешь связываться, хоть никогда о том не догадаешься по дружелюбному голосу.

С помощью редакторской команды Дик Диксон изо всех сил старался, чтобы выпуск, где не сообщалось никаких новых сведений о ходе следствия, произвел впечатление близящегося и неизбежного прорыва. Ощущение значительности происходящего усиливал фрагмент записи выступления на сегодняшней утренней пресс-конференции суперинтендента Роя Грейса.

«Преступление особо жестокое, — говорил суперинтендент. — Проникновение в частный дом, снабженный надежной охранной системой, трагическое и жестокое уничтожение человеческой жизни. Миссис Бишоп неустанно работала в местных благотворительных организациях, пользовалась огромной популярностью в городе. Мы выражаем глубочайшее соболезнование ее мужу и родственникам и будем трудиться круглые сутки, чтобы совершивший чудовищное злодеяние дьявол предстал перед правосудием».

Дьявол.

Слушая офицера, он посасывал руку. Боль усиливается.

Дьявол.

Опухоль стала заметной — хорошо видно, если сложить руки вместе. И еще один дурной признак: тонкие красные линии расползаются от ранки к запястью. Он продолжал усиленно сосать, стараясь удалить попавший в рану яд. На столе стояла чашка свежезаваренного чая. Он помешал его, старательно считая: *раз, два, три, четыре, пять, шесть, семь.*

Снова заговорил Дик Диксон. Теперь он рассказывал о нарастающем движении протеста против предполагаемого строительства третьего терминала аэропорта Гатуик. Голос местного члена парламента начал яростную атаку.

Дьявол.

Он раздраженно вскочил, отошел от компьютера, запетлял в подвале между горами коробок с компьютерным оборудованием, кипами автомобильных журналов и руководств, к грязному эркерному окну, затянутому сеткой. Снаружи ничего не видно, а изнутри все. Глядя из своего логова, как он любит говорить, увидел на уровне глаз пару стройных ног, шагавших мимо по тротуару вдоль поручней. Длинные голые загорелые ноги, крепкие и мускулистые, едва прикрытые мини-юбкой.

Ощутил прилив желания и сразу же плохо себя почувствовал.

Ужасно.

Дьявол.

Упал на колени, на тонкий выцветший ковер, пахнувший пылью, закрыл лицо ладонями и произнес Господню молитву. Дочитав до конца, начал другую:

— Милостивый Боже, прости мне, пожалуйста, сладострастные мысли. Пожалуйста, не позволяй им вставать у меня на пути. Пожалуйста, не позволяй растрачивать на них милостиво дарованное Тобой время…

Еще несколько минут помолился и встал, освеженный, полный сил, радуясь, что Господь был с ним в этой комнате. Вернулся к компьютеру, выпил чаю. Кто-то объяснял по радио, как запускать воздушного змея. Он никогда в жизни не запускал воздушного змея, никогда раньше в голову даже не приходило попробовать.

Может быть, стоит. Может быть, змей отвлечет от другого. Может быть, это хороший способ потратить немного накопившегося на счету времени.

Да, надо купить воздушного змея.

Хорошо.

Где их покупают? В спортивных магазинах? В отделах игрушек? По Интернету? Конечно!

Змей нужен не слишком большой, так как в квартире тесно. Ему нравится — идеальное место с тремя входами, или, что еще важнее, *выходами*.

Идеально для *дьявола*.

Квартира на деловой оживленной Саквилл-роуд неподалеку от пересечения с Портленд-роуд, поэтому мимо постоянно проезжают машины, днем и ночью. Дешевый квартал невысокого качества. В четверти мили к югу, ближе к морю, город быстро хорошеет. А здесь, рядом с промышленной зоной, с протянувшимся над головами железнодорожным мостом, немногочисленными магазинами с грязными витринами, располагается скопище нелюбимых викторианских и эдвардианских террасных домов средних размеров, разбитых на недорогие, сдающиеся в аренду квартиры и офисы.

Кругом толкутся люди. В основном студенты, а еще мигранты, бродяги, время от времени попадается пара розничных торговцев и дилеров. В редких случаях при дневном свете можно увидеть немногочисленных в Хоуве старых благородных леди с подсиненными волосами, ожидающих на автобусных остановках или ковыляющих в магазин. Отсюда можно уходить, приходить, не привлекая внимания, двадцать четыре часа в сутки, семь дней в неделю.

Идеально для его целей. Не считая сырости, плохого отопления, текущего бачка, который он ремонтирует снова и снова. Приходится самому заниматься всевозможным ремонтом. Не следует пускать сюда рабочих. Неудачная мысль.

Совсем неудачная мысль.

Один выход — семь ступенек вверх. Другой сзади, через сад, принадлежащий квартире на первом этаже над подвальным помещением. Ее владелец — изможденный тип с всклокоченными волосами — успешно разводит там ржавчину и сорняки. Третий выход — для Судного дня, когда тот наконец настанет, — замаскирован фальшивой фанерной стеной, старательно и без зазоров оклеенной теми же дешевыми обоями в цветочек, что и остальные. На ней, как и на всех стенах, газетные вырезки, снимки, фрагменты генеалогического древа.

Одна фотография, новенькая, только что сделанная, добавлена четверть часа назад. Черно-белое зернистое изображение головы и плеч суперинтендента Роя Грейса из сегодняшнего номера «Аргуса», отсканированное, увеличенное, распечатанное.

Он пристально смотрел на полицейского. Смотрел в проницательные глаза, в лицо, полное спокойной решимости. *Вы поставили передо мной проблему, суперинтендент Грейс. Оскорбили меня. С вами надо что-то делать. Преподать урок. Никто еще не называл меня дьяволом.*

И вдруг он прокричал очень громко:

— Никто не называл меня дьяволом, суперинтендент Рой Грейс из суссекской уголовной полиции. Понятно? Я заставлю вас пожалеть о том, что вы это сделали. Я знаю, кого вы любите.

Он стоял, тяжело дыша, сжимая и разжимая левый кулак. Потом пару раз прошелся по комнате, старательно огибая журналы, технические руководства, детали компьютеров, расставленные на полу, вновь вернулся к фотографии, понимая, что обстоятельства изменились. В банке прозвучал звонок, нельзя больше купаться в роскоши, обладая миллиардным запасом времени. Деньги утекают.

48

Около четырех Холли Ричардсон стояла у кассы самого обалденного нового брайтонского бутика, расплачиваясь за безумно дорогое и безумно короткое черное платье, расшитое стразами, без которого, по ее твердому убеждению, попросту невозможно явиться на вечеринку. Она покупала его по кредитной карточке «Верджин», очень удачно брошенной несколько дней назад на коврик под ее дверью вместе с ПИН-кодом. Кредит по карточке «Баркли» исчерпан, а, по расчетам, при нынешних тратах заработок в фитнес-центре «Эспорта», где она служит в приемной, позволит покрыть его полностью, когда ей приблизительно стукнет девяносто пять лет.

Выйти за богатого не вариант, а насущная необходимость.

Может, именно сегодня на вечеринке, куда они с Софи собираются, объявится эффектный, серьезный и очень богатенький мистер, которому нравятся девушки с кудрявыми темными волосами и чуточку великоватыми носами. Вечеринку устраивает преуспевающий музыкальный продюсер. В потрясающем мавританском жилище на пляже, совсем рядом с тем, которое Пол Маккартни приобрел для своей бывшей возлюбленной Хизер.

Черт возьми! Холли вспомнила, как вчера обещала перезвонить Софи, выйдя из парикмахерской, — совсем из головы вылетело.

Неся немыслимо дорогую покупку в фантастической фирменной сумке с веревочными ручками, она вышла на суетливую Ист-стрит, вытащила крошечную «Нокию» последней модели, набрала номер, попала на голосовую почту. Принесла извинения, предложила где-нибудь встретиться в половине восьмого, выпить, потом вместе ехать в такси. Договорив, позвонила на домашний телефон. Снова услышала автоответчик, снова оставила сообщение.

49

Рой Грейс не оставлял никаких сообщений. Уже наговорил на домашний телефон, на мобильный, на автоответчик в морге. Теперь в третий раз за день услышал веселый записанный голос Клио и разъединился. Она явно его избегает, по-прежнему бесится из-за Сэнди.

Черт, черт, черт…

Он проклинал себя за то, что чертовски неуклюже преподнес такое важное известие. Соврал, подорвал доверие. Допустим, что это была ложь во спасение. Но она задала один простой вопрос, на который у него нет ответа ни для нее, ни для себя.

Что будет, если он найдет Сэнди?

И правда заключается в том, что он в самом деле не знает. Слишком много неопределенностей. Люди исчезают по многим и разным причинам, почти все из них ему известны. Не раз обсуждал их со специалистами по розыску пропавших, с психиатром, к которому уже не один год захаживал время от времени. Цеплялся в душе за слабую надежду, что Сэнди жива, но потеряла память. Такая возможность была реальной в первые дни и недели после ее исчезновения, а теперь прошло столько лет, что соломинка стала совсем тонкой.

Перед глазами болтались наручные часики на белом ремешке, с розовым циферблатом и белыми цифрами.

— Такие я подарил девятилетней дочке. Она была на седьмом небе, с ума сошла от радости, понимаете, что я имею в виду? — говорил услужливый продавец, светлый карибский африканец лет тридцати, дружелюбный, хорошо одетый, с волосами напоминавшими кучу сломанных пружин от часов.

Грейс снова сосредоточился на стоявшей перед ним задаче. Сестра предложила купить часы его крестной дочери к завтрашнему дню рождения. Он позвонил ее матери, выяснил, не собираются ли они сделать такой же подарок. На стеклянном прилавке выложен целый десяток. Только неизвестно, что девятилетние дети считают классным, а что просто жутким. Помнится разочарование, с которым он сам распаковывал скучные подарки собственных крестных, сделанные из самых лучших побуждений. Носки, махровый халат, джемпер, деревянная модель доставочного фургона «Хэрродс» двадцатых годов, у которой даже колеса не крутились...

Часы самые разные. Розовые с белыми цифрами наиболее симпатичные и изящные.

— Не знаю, какие сейчас в моде... Говорите, эти понравятся девятилетней девочке?

— Железно. Абсолютно. Все сейчас такие носят. Смотрите по субботам шоу на четвертом канале?

Грейс покачал головой.

— На прошлой неделе в них была одна девчушка. Моя дочка чуть не рехнулась.

— Сколько?

— Тридцать фунтов. В красивом футляре.

Он кивнул, полез за бумажником. По крайней мере, одна проблема решена. Пусть даже самая маленькая из накопившейся кучи.

Несколько гораздо более крупных проблем встали перед ним вечером на инструктаже в половине седьмого. Последней из них была удушливая жара в помещении. Присутствовавшие двадцать два члена команды сидели без пиджаков; почти все мужчины, включая Грейса, в рубашках с короткими рукавами; дверь оставалась открытой, создавая иллюзию, будто из коридора тянет прохладой; два электрических вентилятора шумно вертелись без всякого толка. Пот тек ручьями. Как только уселся последний, в потемневшем небе зарокотал гром.

— Ну, приехали, — проворчал Норман Поттинг в кремовой рубашке, пятнистой от пота. — Вот вам традиционное английское лето. Два приличных дня, а потом гроза.

Кое-кто улыбнулся, но Грейс его почти не слышал, захваченный беспорядочным вихрем мыслей. Клио не отвечает и не перезванивает. Заказан билет на завтрашний семичасовой рейс до Мюнхена и обратный на вечерний в двадцать один пятнадцать. Хотя бы там он заручился помощью. Они не общались с Марселем Кулленом больше четырех лет, но тот перезвонил в течение часа и, насколько Грейс понял из торопливой ломаной английской речи, решительно собирался лично встретить его в аэропорту. Он не забыл отменить воскресный ленч с сестрой, к ее огромному огорчению и молчаливому негодованию Клио.

— Восемнадцать тридцать, суббота, пятое августа, — официально объявил суперинтендент своей бригаде, заглядывая в подготовленные Элинор Ходжсон записки. — Четвертый совместный инструктаж по операции «Хамелеон». Ведется следствие по факту смерти миссис Кэтрин Маргарет Бишоп — Кэти. Совещание проводится на второй день после обнаружения тела утром прошлого дня в восемь тридцать. Сейчас я кратко изложу последующие события.

Грейс действительно был краток, пропустив некоторые детали и закончив рассерженным объявлением об утечке критически важной информации насчет противогаза, которая стала известна репортеру «Аргуса» Кевину Спинелле.

— Кто-нибудь знает, как он получил эти сведения?

Все недоуменно переглянулись.

Разозленный жарой, молчанием Клио и прочей чертовщиной, Грейс хватил по столу кулаком.

— Второй случай за последние месяцы! — Он бросил суровый взгляд на свою заместительницу инспектора Ким Мерфи, которая кивнула, как бы в подтверждение. — Никого из присутствующих не обвиняю, — добавил он, — но, чтоб мне провалиться, разрази меня гром, я найду виновника, а всем прочим приказываю впредь ушки держать на макушке, а язык за зубами. Понятно?

Сотрудники согласно кивнули. Краткий миг тяжелого молчания прервала вспышка молнии, от которой вдруг замигали все лампы. Через несколько секунд прозвучал очередной раскат грома.

— Теперь организационный вопрос. Меня завтра не будет на инструктажах, их проведет инспектор Мерфи.

Ким Мерфи снова кивнула.

— Я на несколько часов выеду за границу, — продолжал Грейс, — но с мобильным телефоном и ноутбуком, так что со мной в любой момент можно будет связаться. Ну а теперь послушаем личные доклады. — Он заглянул в блокнот, уточняя, кому какие задания были поручены, хотя почти все и так помнил. — Норман?

Голос у Поттинга был низкий, грубый, с деревенской картавостью, порой сержант хрипел, мямлил.

— Кое-что есть. Даже, может быть, важное, Рой.

Суперинтендент жестом велел продолжать.

Поттинг, страстный любитель деталей, подавал информацию в тяжеловесной официальной терминологии, к которой прибегал, давая свидетельские показания в суде.

— Мне было поручено проверить в округе все камеры наблюдения. Просмотрев в «вэнтэдж» сообщения о происшествиях в ночь на пятницу, я обнаружил, что фургон водопроводчика, об угоне которого было заявлено днем в четверг в Льюисе, прошлым утром найден на въезде на бензозаправку «Бритиш петролеум» на восточной ветке шоссе А-27 в двух милях к востоку от Льюиса. — Он умолк, перевернул лист блокнота в липейку. Я решил расследовать данное происшествие, поскольку оно показалось мне странным.

— Почему? — удивилась Белла Мой.

Грейс знал, что она терпеть не может Поттинга и хватается за любую возможность его осадить.

— Потому, Белла, что любители покататься редко выбирают для прогулки фургон, забитый слесарными инструментами, — объяснил Поттинг.

На лицах замелькали улыбки, даже суперинтендент позволил себе скупую усмешку.

— Может, его угнали по заказу преступного водопроводчика, — с каменным лицом парировала Белла.

— Не на такую зарплату — водопроводчики ездят на мотороллерах.

На этот раз прозвучал громкий смех. Грейс махнул рукой, призывая к молчанию:

— Прошу вернуться к делу. Оно у нас очень серьезное.

— Просто мне показалось, тут что-то не то. Фургон водопроводчика брошен примерно в то время, когда была убита миссис Бишоп... Какая связь, не могу объяснить — просто нюхом чую.

Поттинг взглянул на кивнувшего Грейса, который хорошо понимал, о чем речь. У лучших полицейских есть инстинкт, интуиция, умение видеть — чуять — порядок или непорядок, что не объяснить никакими разумными соображениями.

Белла нарочито презрительно посмотрела на Поттинга, стараясь испепелить его взглядом. Грейс сделал мысленную пометку позже поговорить с ней по этому поводу.

— Сегодня утром я съездил на заправку, попросил разрешения просмотреть записи камеры наблюдения за прошлую ночь. Работники легко согласились, отчасти потому, что у них двое клиентов уехали, не расплатившись. — Поттинг самодовольно оглянулся на Беллу. — Камера делает снимки каждые тридцать секунд. Просматривая картинки, я увидел БМВ с откидным верхом, заехавший за несколько минут до полуночи, в котором позже опознал машину миссис Бишоп. А также опознал саму ее в женщине, подошедшей к окошку дежурного.

— Возможно, это важная информация, — в очередной раз кивнул Грейс.

— Дальше будет еще лучше. — Ветеран-детектив был абсолютно доволен собой. — Потом я осмотрел салон машины в доме Бишопов на Дайк-роуд-авеню и нашел оплаченную квитанцию на парковку, выданную в четверг в семнадцать пятнадцать автоматом на Саутовер-роуд в Льюисе. Фургон угнан с парковки рядом с Клифф-Хай-стрит, приблизительно в пяти минутах ходьбы. — Поттинг замолчал.

— Ну и что? — подстегнул его Грейс.

— Больше пока ничего добавить не могу, Рой. Только чувствую, что тут есть связь.

Суперинтендент пристально посмотрел на Поттинга. Несмотря на катастрофическую личную жизнь и политическую некорректность, способную возмутить половину Соединенного Королевства, сержант и раньше добивался впечатляющих результатов.

— Продолжай разрабатывать, — приказал он и перешел к констеблю Дзаффероне.

Альфонсо Дзаффероне поручена важная, но муторная задача сверки и сопоставления времени. Нагло жуя жвачку, он доложил о совместной работе с бригадой, обслуживающей компьютерную систему ХОЛМС, в ходе которой выстраивалась последовательность событий, близких по времени к обнаружению трупа Кэти Бишоп.

Молодой констебль сообщил, что последний день жизни Кэти Бишоп начался дома с часовых занятий с личным тренером. Грейс пометил, что с тренером следует побеседовать.

Потом она посетила салон красоты в Брайтоне, где сделала маникюр. Грейс пометил, что надо опросить персонал. Потом завтракала в брайтонском ресторане «Гавана» с дамой по имени Кэролайн Эш, которая собирает пожертвования для местной детской благотворительной организации. За ленчем женщины обсуждали запланированное мероприятие по увеличению фондов. Миссис Эш с мужем собирались провести его в сентябре в своем доме на Дайк-роуд-авеню. Грейс пометил, что надо поговорить с миссис Эш.

Напряженный деловой день миссис Бишоп, с откровенным сарказмом докладывал Дзаффероне, был продолжен визитом к парикмахеру в три часа. Дальше след исчезает. Пробел, очевидно, заполнит информация, предоставленная Норманом Поттингом.

Следующей выступала только что присоединившаяся к команде Памела Бакли — констебль лет тридцати, которую многие постоянно путали с Линдой Бакли из отдела семейных проблем, тем более что благодаря редкому сходству их вполне можно было принять за сестер. Обе блондинки, хотя Линда Бакли стрижется по-мальчишески коротко, а у Памелы стрижка длиннее и строже.

— Я нашла водителя такси, который вез Брайана Бишопа от «Отеля дю Вен» до «Лансдаун-Плейс», — начала Памела Бакли, заглянув в блокнот. — Его зовут Марк Такуэл, работает в компании «Хоув стримлайн». Он не помнит, чтобы Бишоп поранил руку.

— Не мог он пораниться незаметно для шофера?

— Мог, сэр, но не похоже. Я расспросила. Бишоп молчал всю дорогу. По мнению водителя, если бы он поранился, то что-нибудь обязательно сказал бы.

Грейс кивнул, делая пометки, не уверенный, что это ценная ниточка.

Затем Белла Мой подробно описала Кэти и Брайана Бишоп. Кэти производила не слишком хорошее впечатление. До Бишопа она была замужем дважды. В первый раз в восемнадцать лет выскочила за неудачливого рок-певца, развелась в двадцать два года, потом вышла за богатого брайтонского застройщика, с которым тоже рассталась через шесть лет, уже в двадцать восемь. Белла поговорила с обоими, и оба нелицеприятно заявили, что дамочка помешана на деньгах. Два года назад Кэти стала женой Бишопа.

— Почему у нее нет детей? — спросил Грейс.

— Когда жила с рок-певцом, сделала два аборта. У застройщика своих уже четверо было, он больше не хотел.

— Из-за этого она с ним развелась?

— По его утверждению, — кивнула Памела.

— Большое возмещение получила?

— Около двух миллионов.

Грейс сделал очередную пометку.

— С Брайаном прожили пять лет. Без детей. Почему — неизвестно. Надо у него спросить. Возможно, из-за этого у них возникли проблемы.

Следующим в списке значился сержант Гай Батчелор. Среди прочего ему было поручено тщательно обыскать брайтонский дом Бишопов после того, как закончат работу судебные следователи, и одновременно координировать действия.

— У меня есть кое-что существенное, — объявил Батчелор, подняв красную папку с пришпиленной сверху карточкой. Открыл, вытащил скрепленные листы с логотипом банка. — Криминалисты обнаружили в картотеке в кабинете Бишопа. Страховка жизни миссис Бишоп, оформленная полгода назад. На три миллиона фунтов.

50

В определенный момент жизни почти у каждого возникает ИДЕЯ. Эврика! Она приходит по-разному, часто случайно или по интуитивной догадке. Александр Флеминг оставил в лаборатории на ночь бактерии и в результате получил пенициллин. Стив Джобс взглянул однажды на часы «Суоч» и понял, что выпуск разноцветных компьютеров — верный путь к продвижению продукции «Эппл» на рынке. Наверно, у Билла Гейтса тоже бывали такие моменты.

Иногда идеи приходят, когда вообще их не ждешь: лежишь в ванне, думаешь о том о сем, или не спишь среди ночи в постели, или просто сидишь за рабочим столом. И вдруг рождается идея, которой ни у кого никогда еще не было. Идея, которая приносит богатство, избавляет от повседневной рутины и дряни. Идея, которая изменяет жизнь и дает свободу.

Ко мне она пришла в субботу 25 мая 1996 года в 23.25. Я ненавидел свою работу инженера-программиста в одной компании в Ковентри, разрабатывающей коробки передач для гоночных автомобилей, и старался придумать, как склеить жизнь, а теперь, когда мне скоро стукнет тридцать три, понимаю, что все уже и так было склеено.

В этот день я возвращался после гнусного недельного отдыха в Испании в чартерном самолете, который неожиданно приземлился в связи с забастовкой, объявленной персоналом аэропорта в Малаге.

Служащие пытались устроить нас на ночь в отели, но ничего не вышло. Одна девушка из чартерной компании старалась найти комнаты для 280 человек. Служащие других компаний пытались сделать то же самое для своих пассажиров. В целом набралось, пожалуй, три-четыре тысячи застрявших, и не было ни малейшей возможности всех разместить.

Я лежал на скамейке в зале ожидания, когда настал момент. Единственная компьютерная программа, установленная во всех отелях и на всех авиалиниях, решит все проблемы. Отели мгновенно получат огромную прибыль, авиакомпании мигом избавятся от кошмаров. Потом я задумался о других ее применениях, кроме задержанных рейсов. Она подойдет любой организации, которой необходимо найти место для большого числа людей, и любой организации, способной его предоставить. Туристические агентства, тюрьмы, больницы, службы спасения при катастрофах и стихийных бедствиях, вооруженные силы — вот лишь некоторые из потенциальных клиентов.

Я нашел свою золотую жилу.

51

Прилив накатывался на побережье Брайтона и Хоува, но между галечным пляжем и пенистыми бурунами прибоя еще оставалась широкая полоса, обнажившаяся при отливе. Почти в половине девятого солнце быстро спускалось к горизонту, однако на берегу было полно людей.

Сладкий дымок мяса, готовившегося на жаровнях, смешивался с запахом соли, водорослей, смолы. В неподвижном теплом воздухе плыли звуки окаменевшего духового оркестра, игравшего на променаде. Двое голеньких детишек копали грязь пластмассовыми лопатками с помощью плотного, сильно обгоревшего на солнце мужчины в кричащих шортах и бейсбольной кепке, который добавлял очередной слой песка к уже великолепному песочному замку.

Двое юных влюбленных в шортах и футболках брели босиком по прохладной сырой полосе отлива, наступая на спиральные следы пескожилов, перевернутые ракушки, плети водорослей, старательно обходя ржавые банки, бутылки, пустые пластиковые упаковки, крепко держась за руки, останавливаясь на каждом шагу для поцелуя, держа в свободной руке сандалии.

Беспечно улыбаясь, миновали пожилого мужчину в мятой белой, низко нахлобученной шляпе, который широко водил перед собой металлоискателем, держа его в дюйме над поверхностью песка. Прошли мимо юнца в расстегнутой рубахе, резиновых сапогах и штанах цвета хаки, копавшего червей для наживки садовой лопаткой и стряхивая их в каучуковое ведерко. Рядом стоял садок для рыбы.

Недалеко впереди чернели руины Западного причала, фантастической скульптурой вздымавшегося из бездны в меркнувшем свете. Вода прибывала быстрее, настойчивей с каждой минутой, прибой становился все выше и громче.

207

Волна вдруг всплеснулась, окатив голые девичьи ноги; девушка взвизгнула, пытаясь оттащить друга к берегу.

— Бен, я вся вымокла!

— Какая ты рохля, Тамара, — пробурчал он, крепко держась на ногах под ударом второй волны, которая накатила еще выше, и третьей, поднявшейся почти до колен. Махнул на горизонт с багровым солнечным диском: — Смотри, какой закат. Когда солнце опустится за горизонт, появится зеленая вспышка. Никогда не видела?

Она смотрела не на солнце, а на бревно, вертевшееся в прибое. На бревно с длинными светлыми прядями водорослей на одном конце. С ревом плеснулась большая волна, затягивая бревно назад. И когда оно перевернулось, девушка мельком, на долю секунды увидела лицо… руки, ноги… Вдруг сообразила, что за бревном тянутся вовсе не водоросли — человеческие волосы.

И закричала во весь голос.

Бен выпустил ее руку, бросился в воду. Волна ударила в колени, окатила с ног до головы, забрызгала стекла очков. Тело снова перевернулось — обнаженное женское тело с наполовину съеденным лицом, с восковой кожей. Его уносило, свои права на него предъявлял океан, как бы ненадолго выставив на обозрение.

Юноша рванулся вперед, вошел в воду по бедра, сплошь мокрый после очередной волны, схватил тело за руку, дернул. Кожа на ощупь холодная, скользкая, как у рептилии. Содрогаясь, он продолжал решительно тянуть. Сложение хрупкое, но под тягой океана тело словно наливалось свинцом. Пошло какое-то жуткое перетягивание каната.

— Тамара! — крикнул он. — Зови на помощь! Набери на мобильнике три девятки!

И внезапно упал, не выпуская запястья. Рухнул на спину в грязь, очередная волна прибоя с ревом залила лицо, забурлила вокруг. А потом он услышал другой звук — глухой дикий вой, который становился все громче, настойчивее и пронзительнее.

Замершая на месте Тамара, в ужасе вытаращив глаза, широко открыв рот, вопила. Крик, казалось, рвался из самой глубины ее души.

Бен не понял, что рука, которую он держит, начисто оторвалась от тела.

52

Зазвонил телефон. Клио приподнялась на диване, взглянула на дисплей, высветивший номер мобильника Грейса.

Пусть звонит. Обождем. Четыре, пять, шесть... Включился автоответчик, звонки прекратились. Четвертый или пятый вызов по этому телефону. Не считая мобильника.

Конечно, оставлять звонки без ответа — ребячество, рано или поздно придется ответить, только по-прежнему остается неясным, что ему сказать.

Она с тяжелым сердцем поднесла к губам стакан с вином, изумленно увидела, что он пуст. Опять. Взяла бутылку белого чилийского «Совиньона» и изумилась еще больше — осталось дюйма два на донышке. Чертыхнулась, налила в стакан. Вино едва покрыло широкое донце.

В эти выходные у нее дежурство, поэтому нельзя много пить, наверно, вообще нельзя — могут вызвать в любое время дня и ночи. Только сегодня выпивка необходима. Дерьмовый день. По-настоящему. После ссоры с Роем и бессонной ночи ее утром в десять вызвали в морг принимать тело шестилетней девочки, сбитой автомобилем.

За восемь лет работы она почти ко всему привыкла, кроме детских трупов. Каждый раз выходит из себя. Люди горюют по детям иначе, глубже, чем даже по самым любимым взрослым, словно не способны представить, что из их жизни вырван ребенок. Не хотелось смотреть на доставленный подъемником маленький гробик, не хотелось его открывать. Девочка ляжет на стол в понедельник — хорошенькое предстоит утро.

Днем пришлось побывать в грязной квартирке в захудалом доме неподалеку от железнодорожного вокзала в Хоуве, где обнаружили тело старухи, пролежавшее как минимум месяц, по мнению ее коллеги, доктора Уолтера Хорденса, сделавшего такое заключение по состоянию трупа, количеству мух и личинок.

Уолтер ездил с ней вместе, ведя коронерский фургон. Щеголеватый любезный мужчина лет сорока пяти, всегда в аккуратном деловом костюме служащего официального учреждения. Формально он директор кладбищ Брайтона и Хоува, но в его обязанности входит также доставка тел с места смерти и бумажная волокита.

В последнее время Уолтер и Даррен соперничают друг с другом в определении времени смерти. Наука не точная — много зависит от погодных условий и целой кучи других факторов. Чем дольше пролежало тело, тем трудней задача. Один в высшей степени неприятный способ, который дает очень грубые результаты, основан на стадиях жизненного цикла некоторых насекомых. Уолтер вычитал о нем на каком-то судебно-медицинском сайте в Интернете.

Пару часов назад раздался горестный звонок от горячо любимой сестры Чарли — ее только что бросил бойфренд, с которым она связалась полгода назад. Двадцатисемилетняя Чарли, на два с половиной года младше Клио, хорошенькая и неуемная, вечно нарывается на ненадежных мужчин.

«Как и я», — подумала Клио, больше грустно, чем сердито. В октябре стукнет тридцать. Лучшая подруга Милли — безумная Милли, как ее называли в их буйном детстве в Роудин-скул[1], — остепенилась, выйдя замуж за бывшего морского офицера, сколотившего состояние на фрахтовом бизнесе, и сейчас ждет второго ребенка. Клио стала крестной матерью ее первой девочки Джессики и двоих других детей старых школьных подруг. Странная и непонятная роль крестной матери не позволяет сделать ни одного *естественного* шага, даже не допускает *естественных* отношений.

Она без памяти влюбилась в Ричарда, барристера[2], пришедшего в морг осматривать тело по делу об убийстве, в котором он выступал со стороны защиты. Через два года после обручения Ричард преподнес ей большой сюрприз — обрел Бога. А у нее с этим делом проблемы.

---

[1] Р о у д и н - с к у л — одна из крупнейших в Англии частных привилегированных женских средних школ близ Брайтона.

[2] Б а р р и с т е р — адвокат, имеющий право выступать в высших судах.

Сначала была надежда как-нибудь справиться. Однако, побывав на службах харизматической церкви, где люди простираются на полу, на земле, общаясь со Святым Духом, выяснилось, что это не для нее. Она видит слишком много несправедливых смертей. Слишком много погибших детей. Слишком много трупов молодых красивых людей, раздавленных или, того хуже, сгоревших в автомобильных авариях. Или умерших от передозировки наркотиков, сознательной или случайной. Или достойных мужчин и женщин среднего возраста, погибших на собственной кухне, свалившись со стула или получив удар током от какого-нибудь прибора. Или милых стариков, сбитых на дороге автобусом, пораженных инфарктом, инсультом.

Клио всегда внимательно и напряженно смотрела по телевизору новости. Видела молодых африканских женщин, похищенных бандой насильников, которым втыкают в вагину кинжал или револьверный ствол, а потом стреляют. В общем, она с извинениями сообщила Ричарду, что не может поверить в доброго и милосердного Бога, который допускает подобное.

В ответ он взял ее за руку и попросил молиться, чтобы Бог ей помог понять Его волю.

Видя, что номер не проходит, Ричард принялся яростно и неустанно ее преследовать, одновременно с любовью и с ненавистью.

Неожиданно этим летом в ее жизнь вошел Рой Грейс, которого она давно считала поистине порядочным и необычайно привлекательным мужчиной, и она поверила — возможно, наивно — в подлинное родство душ. До нынешнего утра, когда выяснилось, что лишь временно замещает призрак. И больше ничего.

Нынешние выпуски «Таймс» и «Гардиан» лежат рядом на диване почти непрочитанные. Клио пробовала заняться работой, которую готовила для Открытого университета, но не сумела сосредоточиться. Не пошла и новая книга Маргарет Атвуд «Рассказ служанки», которую она давно хотела прочесть и наконец сегодня купила в любимой книжной лавке в Хоуве. Четыре раза читала и перечитывала первую страницу, не поняв ни единого слова.

Неохотно — терпеть не могла понапрасну тратить время, а значит, смотреть телевизор — взяла пульт, перебирая каналы. Отыскала «Дискавери», надеясь отвлечься на фильм о дикой природе, а там какой-то окаменелый профессор толковал о земных пластах. Интересно, но не сегодня вечером.

Вновь зазвонил телефон. Клио взглянула на дисплей. Номер не высветился. Почти наверняка по делу. Она ответила.

Звонил диспетчер полицейского телефонного центра в Брайтоне. Волны вынесли на берег труп у Западного причала. Ее просят присутствовать при доставке тела в морг.

Положив трубку, Клио быстренько подсчитала. Когда была откупорена бутылка вина? Около шести. Четыре с половиной часа назад. В среднем женщине позволяется вести машину при двух единицах алкоголя. В среднем в бутылке вина содержится шесть единиц. В организме одна единица сгорает за час. Вполне можно садиться за руль. Через пять минут она вышла из дома, поднялась по улице, открыла дверцу синего спортивного «эмджи», села за руль и принялась застегивать ремень.

И в тот момент от соседнего магазинчика чуть ниже по улице отделилась тень, подскочила к стоявшей поблизости машине. Маленькая черная «тойота-приус» с электрическим двигателем беззвучно поплыла в темноте следом за ней.

53

Пока никто ни словом не отозвался о платье. Ни Сьюзен-Мэри, ни Мэнди, ни Кэт, с которыми Холли столкнулась на нынешней вечеринке. Даже глазом не моргнули. Очень необычно. Четыреста пятьдесят фунтов, и ни одна не прокомментировала. Может, просто завидуют.

А может быть, ей грозит катастрофа.

Да пошли они в задницу, суки! Бредя по комнате, где пульсировали разноцветные огни, толпились люди, гремела музыка, стоял острый тяжелый резиновый запах гашиша, Холли допила последние капли третьего бокала персикового мартини и только тут сообразила, что решительно пьянеет.

По крайней мере, мужчины ее замечают.

Черное платье, расшитое стразами, оказалось даже короче, чем в магазине. При таком вырезе спереди нельзя надеть лифчик, ну и черт с ним, почему бы не продемонстрировать обалденные груди? Кроме того, платье, вернее, его отсутствие открывает ноги почти до критической черты. Замечательно, дьявольски здорово!

— Клевый прикид. Т-ты откуда?

Выдавливая слова сквозь острые зубки пираньи, мужчина вывернул поперек дороги, пуская витую струйку сигаретного дыма. В черных кожаных брюках с ремнем, украшенным искусственными бриллиантами, в плотно облегавшей черной футболке, с большим золотым кольцом в ухе. Такой идиотской стрижки Холли в жизни не видела.

— С Марса, — буркнула она, посторонившись, и принялась оглядываться, с нарастающим беспокойством отыскивая Софи.

— С севера или с юга? — проборматал парень, но Холли его не слушала.

Софи не перезвонила на два оставленных сообщения, насчет выпивки и поездки на вечеринку в такси. Уже половина одиннадцатого. По любому расчету пора прийти.

Протолкнувшись через толпу в поисках подруги, Холли вышла из застекленной двери на относительно тихую террасу. На скамейке серьезно обнималась какая-то пара, объемистый мужчина с длинными светлыми волосами смотрел на пляж, непрерывно чихая. Она вытащила мобильный телефон, просмотрела письменные сообщения, ничего не нашла, набрала номер Софи.

Снова голосовая почта.

Попробовала позвонить домой. Снова автоответчик.

— Вот ты где! А то я тебя потерял. — Острые клыки демонически сверкали под вспышками стробоскопа. — Вышла подышать воздухом?

— А теперь захожу.

Холли вернулась в толчею. Нехорошо — Софи всегда пунктуальна. Это просто на нее не похоже.

Ну и ладно. Продолжим любоваться собой, раз ничего другого не остается.

54

Из-за проблем с дверью багажного отсека самолет вылетел на полчаса позже. Рой Грейс просидел всю дорогу, выпрямившись в кресле, даже не догадываясь, что спинка откидывается, глядя в иллюминатор на круглый серый металлический кожух правого двигателя.

На протяжении двух бесконечных часов в воздухе он ни на чем пе мог сосредоточиться, кроме карты центральной части Мюнхена. Пустая упаковка из-под противного сырного рулета, который пришлось съесть просто от голода, и остатки второй порции горького кофе затряслись на подносе, когда самолет сквозь тучи пошел наконец на посадку.

До ужаса огорчительно потерять тридцать драгоценных минут из очень малого запаса времени, которое у него остается сегодня. Он даже не взглянул на стюардессу, убиравшую остатки завтрака, все внимание обратив на широко открывшийся ландшафт.

Коричневые, желтые, зеленые прямоугольники сельских полей расстилались на бесконечной равнине без горизонта, перемежаясь с кучками белых домиков под красными и коричневыми крышами и рощами. Изумрудная зелень деревьев казалась ненатуральной.

В душе нарастала тяжелая паника. Узнает ли он Сэнди? В иные дни невозможно припомнить ее лицо, не глядя на фотографию, словно время, хочет он того или нет, постепенно стирает его из памяти.

Неужели она здесь, внизу, где-то в этом прекрасном ландшафте? В городе, которого еще не видно? В какой-то дальней деревушке, над которой пролетает самолет? Живет своей собственной жизнью? Безымянная немецкая домохозяйка, прошлым которой никто никогда не поинтересуется?

Перед ним вновь мелькнула рука стюардессы, подняла откидной серый столик и закрепила. Земля приближалась, строения вырастали на глазах, по дорогам бежали автомобили.

Капитан по интеркому приказал членам экипажа занять места перед посадкой, поблагодарил их за то, что они выбрали рейс компании «Бритиш эруэйз», пожелал приятно провести время в Мюнхене. До последних дней этот город был для Грейса лишь названием на картах, в газетных заголовках, звучавшим в телевизионных документальных фильмах и на уроках истории в школе. В этом городе до сих пор живут дальние родственники Сэнди, с которыми та никогда не встречалась, оторванная от них в далеком прошлом.

В молодости Адольф Гитлер жил в Мюнхене и был там арестован за попытку устроить путч. В 1958 году половина футбольной команды «Манчестер Юнайтед» погибла при крушении самолета на заснеженной взлетной полосе. В Мюнхене проходили Олимпийские игры 1972 года, которые арабские террористы вписали в историю черными буквами, убив одиннадцать израильских спортсменов.

Через несколько секунд самолет, тяжело коснувшись земли, начал тормозить, ремень безопасности врезался в живот, двигатели взревели. Потом самолет покатил мягко, как такси. Из интеркома послышалось объявление для пассажиров, пересаживающихся на другие рейсы. Рою Грейсу казалось, что скопившиеся в желудке бабочки вот-вот выпорхнут из горла.

Сидевший рядом с ним мужчина, на которого до этого он не обратил внимания, включил мобильник. Грейс вытащил свой из кремового полотняного пиджака, тоже включил и вгляделся в дисплей в надежде увидеть сообщение от Клио. Кругом слышался писк телефонов. Его мобильник тоже запищал. Сердце подскочило... и упало. Сервисный сигнал немецкой компании «Телеком».

В прошлую беспокойную ночь он много раз просыпался, лежал, размышляя, что надеть. Смешно, потому что в душе не надеялся встретиться сегодня с Сэнди, даже если она действительно где-то здесь. Но на всякий случай хотелось выглядеть получше. Выглядеть и пахнуть так, чтоб она его узнала. Она всегда покупала для него одеколон «Булгари», флакон еще остался. Им он и опрыскался утром с головы до ног, надел белую футболку под кремовый пиджак, легкие джинсы — температура в Мюнхене тридцать два градуса, удобные мокасины для долгой ходьбы.

При спуске по трапу и на пути к автобусу его окутала липкая, клубящаяся, пропахшая керосином жара. Но уже через несколько минут — приблизительно в десять пятнадцать по местному времени — он вышел в тихий уютный зал ожидания с кондиционерами и сразу заметил высокого улыбавшегося Марселя Куллена.

Немецкий детектив с волнистыми черными короткими волосами и широкой искренней улыбкой был одет по-воскресному небрежно — в легкую коричневую куртку поверх желтой рубашки поло, мешковатые джинсы и кожаные коричневые мокасины. Он обеими руками крепко пожал Грейсу руку и воскликнул с сильным акцентом:

— Рой, я едва вас узнал, вы так молодо выглядите!

— Вы тоже.

Грейса растрогал столь теплый прием со стороны фактически незнакомого человека. В приливе чувств он даже побоялся заплакать, что ему вовсе не было свойственно.

Обмениваясь любезностями, они шагали по почти пустому зданию аэровокзала, пол которого был выложен в шахматном порядке черными и белыми плитками. Куллен хорошо говорил по-английски, но Грейс не сразу приспособился к акценту. Следуя за одинокой фигурой, тащившей за собой чемодан на колесиках, мимо богатых сувенирных киосков, они снова вышли в жару, прошли мимо длинного ряда кремовых такси, в основном «мерседесов». На коротком пути к парковке Грейс сравнивал почти пригородную тишину мюнхенского аэропорта с кипучими котлами Хитроу и Гатуика. Призрачный город.

Куллен, широко улыбаясь, проинформировал, что у него недавно родился третий ребенок, мальчик, и предупредил, что, если выдастся время, он очень надеется привезти Грейса к себе домой, познакомить с семьей. Сидя на хрустевшем кожаном сиденье старого, но сверкающего БМВ пятой серии, суперинтендент ответил ему, что этого очень бы хотелось, но в глубине души не испытывал подобного желания, приехав сюда не общаться с людьми, а искать Сэнди.

Питер Джеймс

По дороге из аэропорта по сельской местности, которую Грейс совсем недавно разглядывал сверху, в лицо ему веял приятный прохладный воздух из кондиционера. Ошарашенный колоссальными пустыми пространствами, проносившимися мимо, Грейс понимал, что далеко не все продумал. Господи помилуй, что можно сделать за один день?

На одном из мелькавших синих дорожных знаков с белыми буквами красовалось название аэропорта Франца Йозефа Штрауса, откуда они только что выехали, на другом показалось слово «Мюнхен». Куллен болтал без умолку, упоминая офицеров, с которыми работал в Суссексе. Грейс почти автоматически рассказал о каждом. В голове кружились мысли об убийстве Кэти Бишоп, об отношениях с Клио, о стоящей перед ним на сегодня задаче. Параллельно дороге промчался серебристый поезд.

Куллен заговорил еще оживленнее. Грейс уловил слово «футбол» и увидел справа массивный новый белый стадион в форме автомобильной покрышки с надписью огромными синими буквами: «Allianz Arena». За ним на высокой искусственной насыпи торчал одинокий белый пилон ветровой электростанции с пропеллером наверху.

— Я немножечко вас покатаю, чтобы вы уловили дух Мюнхена, а потом заедем в контору, а оттуда в Английский сад, хорошо?

— Отличный план.

— Список составили?

— Да.

Лейтенант предложил заранее записать все, чем интересовалась Сэнди, чтобы ехать по наиболее вероятным местам, которые ее могут привлечь. Грейс заглянул в блокнот. Список вышел длинный. Книги, джаз, танцы, еда, антиквариат, садоводство, кино, особенно с Брэдом Питтом, Брюсом Уиллисом, Джеком Николсоном, Вуди Алленом…

У него вдруг зазвонил телефон. Он выхватил его из кармана, с надеждой поглядел на дисплей.

Номер не высветился.

55

В воскресенье утром в десять пятнадцать молодой полицейский констебль, служивший второй день в Брайтопс на испытательном сроке, уже отбыл часть смены. Серьезный, высокий, девятнадцатилетний, с аккуратными темными волосами, подстриженными коротко, но отчасти по моде, он сидел на пассажирском сиденье патрульного автомобиля, где пахло вчерашней жареной французской картошкой.

За рулем был сержант Билл Норрис, мужчина лет пятидесяти, с вьющимися волосами и пухлыми щеками, который умел находиться одновременно повсюду, все видел, все делал, однако не так хорошо, чтобы подняться выше сержанта. Теперь, за несколько месяцев до выхода на пенсию, он с удовольствием учил молокососа уму-разуму. Точнее сказать, с удовольствием пользовал слушателя своих боевых рассказов, которые никто не хотел больше слушать.

Патрульная машина курсировала по замусоренной Уэст-стрит; все клубы уже были закрыты, тротуары усеяны битым стеклом, недоеденными бургерами, обертками от кебаба и прочими отбросами субботней ночи. Две уборочные машины трудились изо всех сил, скрежеща вдоль бровок.

— Конечно, тогда было все по-другому, — рассуждал Билл Норрис. — В те времена у нас были свои информаторы, понял? Однажды, когда я работал в бригаде по наркотикам, мы два месяца держали под присмотром деликатесную на Ватерлоо-стрит по раздобытым мной сведениям. Я знал, что мой человек прав. — Он постучал себя по носу. — У меня чутье полицейского. Оно либо есть, либо нет. Ты сам скоро поймешь, сынок.

Солнце светило им прямо в лицо, поднимаясь над Ла-Маншем в конце улицы. Дэвид Кертис прикрыл рукой глаза, разглядывая тротуары, проезжавшие автомобили. Чутье полицейского у него точно есть.

— И еще нужен крепкий желудок, — продолжал Норрис.

— У меня железный.

— Ну так вот, сидим мы в поганой развалюхе напротив — всегда заходили и выходили через черный ход. Холод там был адский. Два месяца! Задницы отморозили. Я нашел старую шинель железнодорожной охраны, которую оставила какая-то шлюха, в ней и сидел. Два месяца мы там торчали, день и ночь напролет, днем следили в бинокли, а в темноте в приборы ночного видения. Ничего не делали, только свет тушили. Знаешь, как у нас говорится: рассказывать байки — тушить свет. Ну, и как-то вечером подкатывает машина, большой…

Стажера-констебля на время избавил от этой истории, которую он уже дважды слышал, вызов из центральной диспетчерской.

— Сьерра-Оскар вызывает Чарли-Чарли-сто девять.

Дэвид Кертис ответил по рации, прикрепленной к лацкану пиджака:

— Сто девятый слушает, говорите.

— У нас очередная тревога второй степени. Вы свободны?

— Да-да. Давайте подробности. Прием.

— Адрес Ньюман-Виллас, семнадцать, квартира четыре. Жиличка Софи Харрингтон. Вчера не явилась на встречу с подругой, со вчерашнего дня не отвечает на звонки по телефону и в дверь, что для нее нетипично. Можете проверить, чтоб мы сняли вопрос?

— Повторяю, Ньюман-Виллас, семнадцать, квартира четыре, Софи Харрингтон. Правильно?

— Да.

— Принято. Едем.

Радуясь возможности заняться настоящим делом, Норрис развернул машину так круто и быстро, что взвизгнули шины. Потом свернул на Вестерн-роуд, набрав такую скорость, какой, строго говоря, и не требовалось.

56

Извинившись перед Марселем Кулленом, Грейс поднес трубку к уху и нажал зеленую кнопку.

— Рой Грейс слушает.

Услышав ядовитый голос, сразу же пожалел, что ответил, — пусть бы чертов телефон звонил себе и звонил.

— Где вы, Рой? Не за границей ли? — Его непосредственная начальница Элисон Воспер была, очевидно, удивлена. — Слышу какой-то чужой гудок.

Этого звонка он сегодня не ожидал и поэтому не был готов к ответу. Звоня Марселю в Германию, он тоже заметил другой тон гудка — ровный непрерывный писк вместо двух тонов Соединенного Королевства. Понятно, что врать бессмысленно.

Грейс глубоко вдохнул и сказал:

— Я в Мюнхене.

На другом конце послышался такой звук, словно в складе из рифленого железа, полном туго надутых мячей, сдетонировало небольшое ядерное устройство. Затем после нескольких секунд молчания голос Воспер кратко объявил:

— Я только что пролила кофе. Перезвоню попозже.

Грейс проклял себя, что как следует не подумал. Разумеется, в нормальном мире он имел бы полное право на выходной, оставив вместо себя заместителя. Но мир, в котором рыщет Элисон Воспер, не является нормальным. Она давно по непонятным причинам невзлюбила Грейса — отчасти, несомненно, из-за недавних злоречивых газетных статей в его адрес — и постоянно выискивала повод избавиться от него, остановить продвижение по службе, перевести куда-нибудь подальше от себя, в другой конец страны. Выходной, взятый на третий день после тяжкого убийства, не повысит ее мнения на его счет.

— Все в порядке? — поинтересовался Куллен.

— Лучше не бывает.

Опять зазвонил телефон.

— Что вы делаете в Германии? — поинтересовалась Элисон Воспер.

Рой терпеть не мог врать, по недавнему опыту зная, что ложь делает людей слабыми, но он знал также, что правда не всегда радушно приветствуется, поэтому извернулся:

— Проверяю одну ниточку.

— В Мюнхене?

— Да.

— Когда ждать вашего возвращения к руководству операцией в Англии?

— Сегодня вечером, — ответил он. — Во время отсутствия меня замещает инспектор Мерфи.

— Отлично, — сказала Элисон Воспер. — Значит, сможете повидаться со мной сразу после утреннего инструктажа?

— Да. Зайду около девяти тридцати.

— Что скажете по делу?

— Мы неплохо продвинулись. Я готовлюсь к аресту. Жду анализов ДНК из Хантингтона, надеюсь завтра получить.

— Хорошо. — Нисколько не смягчив тон, Элисон Воспер заметила: — Говорят, в Германии великолепное пиво.

— Не знаю, не пробовал.

— Я провела медовый месяц в Гамбурге. Можете мне поверить, действительно прекрасное пиво. Попробуйте. Значит, завтра утром в девять тридцать. — И начальница разъединилась.

Черт возьми, думал Грейс, злясь на себя за то, что так плохо подготовился. Черт, черт, черт! Завтра утром Элисон обязательно спросит, какую такую ниточку он проверял. Надо выдумать что-нибудь неотразимое.

Проехали жилой квартал на холме, где круглый нос БМВ высоко задрался, потом отель «Марриот».

Грейс заглянул в электронную почту. Прочтения ждал десяток сообщений, пришедших уже после приземления, почти все были связаны с операцией «Хамелеон».

— Старый олимпийский стадион, — указал Куллен.

Грейс взглянул влево на сооружение, имевшее крайне затейливую форму. Свернули направо в туннель, перевалили трамвайную

222

линию. Грейс расстелил на коленях карту, пытаясь сориентироваться.

Куллен взглянул на часы:

— Знаете, я планировал сначала заехать в офис, ввести в систему данные, а теперь думаю, лучше сначала отправиться в Зеехаусгартен. Там сейчас пик, очень много народу. Может, вы ее увидите. А в контору потом заедем, идет?

— Вы гид, вам и решать, — ответил Грейс, глядя на голубой трамвай с огромной рекламой на крыше.

Видно, неправильно его поняв, Куллен принялся называть галереи, мимо которых они ехали по широкой улице.

— Музей современного искусства... А вон там Дом искусств — художественная галерея, построенная при гитлеровском режиме...

Через несколько минут они въехали на длинную прямую улицу, которая шла вдоль усаженного деревьями берега реки Изар. Слева тянулись многоквартирные дома. Прекрасный большой город. Чертовски большой. Проклятье! Как искать Сэнди в такой дали от дома? Если она не хочет, чтоб ее нашли, то выбрала самое подходящее место.

Марсель услужливо продолжал называть места и городские кварталы, по которым они проезжали. Грейс слушал, то и дело заглядывая в карту и стараясь запечатлеть в памяти географию.

Если Сэнди здесь, где она поселилась? В центре? На окраине? В пригородной деревушке?

Всякий раз, поднимая глаза, он разглядывал прохожих на тротуаре, пассажиров в машине, ловя шанс, пусть даже самый крохотный, заметить среди них Сэнди. Несколько секунд он наблюдал за тощим мужчиной ученого вида, в шортах, широкой футболке, с зажатой под мышкой газетой, жевавшим претцель в синей бумажной салфетке. *В твоей жизни появился новый мужчина? Похожий на этого?*

— Мы едем в Остервальдгартен. Это тоже пивной сад неподалеку от Английского. Там легче припарковаться и очень приятно пройтись пешком до Зеехауса, — объяснил Куллен.

Через пару минут машина свернула в жилой квартал, поехала по узкой улочке с маленькими красивыми домами по обеим сторонам, миновала бело-розовое здание с колоннами, поросшее плющом.

— Здесь играются свадьбы... бюро регистрации браков. В этом доме можно жениться, — указал Куллен.

В желудке у Грейса вдруг заворочался кусок льда. Могла ли Сэнди опять выйти замуж в своем новом обличье?

Миновали зеленую улицу, обсаженную справа кустарником, слева деревьями, вывернули на маленькую, выложенную булыжником площадь, где стояли дома, увитые плющом, которую вполне можно было принять за английскую, если бы не левостороннее движение и немецкие надписи на дорожных знаках.

Куллен заехал на парковку, заглушил мотор.

— Ну, начнем, пожалуй?

Грейс кивнул, чувствуя некоторую беспомощность. Он не мог точно определить по карте, где находится, и, когда немец ткнул пальцем, понял, что смотрит совсем не туда. Потом вытащил из кармана карту на одной страничке, которую Дик Поуп перепечатал из Интернета и прислал ему факсом, отметив кружком место, где они с женой видели женщину, которую приняли за Сэнди.

— Давайте. — Он открыл дверцу.

Они шли по пыльной улице на утренней жаре, на небе начали собираться тучи. Грейс сбросил пиджак, повесил на плечо, оглядываясь в поисках бара или кафе. Несмотря на приток адреналина, он чувствовал себя усталым и очень надеялся, что глоток воды и добрая чашка кофе помогут. Но он знал также, что нельзя терять время, и торопился добраться до места, до черного кружка на расплывчатой карте.

До единственного за девять лет следа женщины, которую так сильно любил.

Они направились через мост, по дорожке, к озеру. Озеро с лесистым островком осталось справа, слева стояли густые деревья. Грейс вдыхал сладкий запах травы, листьев, наслаждаясь неожиданной и отрадной прохладой, легким ветерком от воды.

Мимо промелькнули два велосипедиста, потом оживленно болтавшие юноша и девушка на роликах. Промчался крупный французский пудель, за которым бежал сердитый мужчина с пробором посередине, в очках в черепаховой оправе.

— Адини! Адини! — кричал он.

Мужчину сменила решительная дама нордического типа лет шестидесяти, совершавшая пробежку в ярко-красном костюме из лайкры, — зубы стиснуты, лыжные палки постукивают по бетону. За правым поворотом перед глазами открылся пейзаж.

Гигантский парк кишел людьми; озеро за островом было гораздо обширнее, чем казалось сначала, — длиной добрых полмили, шириной в несколько сотен ярдов. На воде флотилии уток и десятки лодок, изящных деревянных, гребных, синих фиберглассовых водных велосипедов.

Люди сидят на скамейках вокруг воды, на каждом дюйме травы загорающие в наушниках с плеером, слушают по радио музыку или просто стараются заглушить нескончаемый детский визг.

Кругом блондинки. Десятки, сотни. Грейс переводил взгляд с одного лица на другое, внимательно осматривал и отвергал одно за другим. Тропинку перед ними перебежали две девочки, одна с рожком мороженого, другая с визгом. На земле сидел мастиф, тяжело дыша, пуская слюни. Куллен остановился у скамейки, на которой мужчина в полностью расстегнутой рубашке читал книгу, неудобно держа ее на расстоянии вытянутой руки, словно забыл очки, и указал на другой берег озера, на красивый, пожалуй, даже слишком большой павильон, похожий на крытый соломой английский коттедж.

Люди сидели за пивными столиками под открытым небом, рядом располагалась маленькая лодочная станция и деревянный помост, к которому была привязана всего пара лодок и лежал на боку водный велосипед.

Грейс почувствовал прилив сил, осознав, что видит то самое место, где Дику Поупу и его жене Лесли показалось, будто они видят Сэнди.

Заставляя немца ускорить шаг, Грейс направился вперед по бетонированной дорожке, огибавшей озеро, мимо скамеек, глядя на другой берег, осматривая каждого загорающего, каждого велосипедиста, бегуна, ходока, роллера, попадавшегося на глаза. Пару раз он видел длинные светлые волосы, обрамляющие лицо, похожее на лицо Сэнди, но со второго взгляда его отбрасывал.

Может быть, она подстриглась. Может быть, перекрасилась.

Прошли мимо изящного монумента на насыпи с надписью: «Фон Вернек… Людвиг I…» Подойдя к павильону, Куллен остановился перед меню, пришпиленным к красивой доске в виде щита под вывеской: «Seehaus im Englischen Garten».

— Хотите чего-нибудь съесть? Можно зайти в ресторан, там прохладно, можно здесь.

Грейс оглядывал бесконечные ряды плотно составленных столов в виде козел в тени деревьев, под огромным зеленым матерчатым навесом, просто под открытым небом.

— Предпочитаю здесь. Хороший обзор.

— Да, конечно. Выпьем сначала. Чего пожелаете?

— Я бы выпил немецкого пива, — мрачно усмехнулся суперинтендент. — И кофе.

— Какого пива? «Вайсбир», «Хеллес»? Или «Радлер» — смесь простого с имбирным, — а может быть, «Руссн»?

— Большую кружку холодного пива.

— Масс?

— Что значит «масс»?

Куллен кивнул на двоих мужчин за столом, пивших из стаканов размером с каминную трубу.

— А есть что-нибудь поменьше?

— Половину?

— Отлично. А вы что возьмете? Я угощаю.

— Нет, в Германии плачу я, — твердо заявил Куллен.

Это было милое местечко. На берегу расставлены изящные фонарные столбы; павильоны, где располагается бар и обеденный зал, недавно выкрашены в темно-зеленый и белый цвет; на мраморной плите — забавная бронзовая фигурка голого лысого мужчины со сложенными на груди руками и крошечным пенисом; кругом аккуратные пластиковые корзины и зеленые урны для мусора; замечательные пивные стаканы, любезные надписи по-немецки и по-английски.

Перед сидевшим под тентом кассиром стояла длинная очередь. Официанты и официантки в красных брюках и желтых рубашках убирали со столов грязную посуду. Оставив Куллена в очереди к бару, Грейс чуть-чуть отошел и снова принялся изучать карту, стараясь определить, за каким из сотни с лишним столов на восемь персон могла сидеть Сэнди.

Здесь были сотни человек, по его прикидке, добрых пять сотен, может быть, даже больше; перед каждым без исключения стоял высокий стакан с пивом. Запах пива плыл в воздухе вместе с клубами сигаретного и сигарного дыма, соблазнительным ароматом французской картошки и жареного мяса.

Убийственно жив

Летом Сэнди, выпивая холодного пива, порой шутливо замечала, что в ней говорит немецкая кровь. Теперь шутка стала понятной. У Грейса возникло какое-то странное чувство — то ли от усталости, то ли от жажды, то ли от пребывания в чужой стране, — что он вступил на заповедную территорию, где его присутствие нежелательно.

Внезапно он увидел перед собой суровое властное лицо, которое как бы с ним соглашалось, но и укоряло. Это был серый каменный бюст бородатого мужчины, напоминавший скульптурные изображения древних философов, которые часто видишь в сувенирных лавках и на распродажах. Он еще только учится философии, а этот действительно похож на ее представителя. Имя — Пауланер — торжественно отчеканено на пьедестале.

Подошел Куллен с двумя стаканами пива и двумя чашками кофе на подносе.

— Ну что, выбрали место?

— Кто такой этот Пауланер, немецкий философ?

Детектив усмехнулся:

— Философ? Не думаю. «Пауланер» — название крупнейшей мюнхенской пивоварни.

— А, — промычал Грейс, решительно чувствуя себя полным тупицей. — Понятно.

Куллен указал на столик у кромки воды, где компания молодежи освобождала места, надевая рюкзаки.

— Вон там сесть не хотите?

— Отлично.

Идя к столу, Грейс всматривался в лица за другими столами — мужчины и женщины разного возраста, от подростков до стариков, в повседневной одежде, чаще всего в футболках, широких юбках, шортах, джинсах, почти все в темных очках, бейсболках, панамках, соломенных шляпах. Пьют пиво из высоких или половинных стаканов, едят сосиски с картошкой, жареные ребрышки, сыр размером с теннисный мяч, нечто вроде мясного рулета с кислой капустой.

Здесь была Сэнди на этой неделе? Может, она приходит сюда регулярно, проходит мимо обнаженной бронзовой статуи на мраморной плите, мимо бородатой головы у фонтана, которая рекламирует «Пауланер», садится, пьет пиво, смотрит на озеро?

С кем?

С новым мужчиной? С друзьями?

Если жива, о чем думает? Вспоминает о прошлом, о нем, об их совместной жизни, о мечтах, обещаниях, о проведенном вместе времени?

Он снова взял карту Дика Поупа, взглянул на кружок, стараясь сориентироваться.

— До дна!

Куллен поднял стакан.

Грейс поднял свой:

— Ваше здоровье!

Немец дружелюбно покачал головой:

— Нет, у нас говорят: «Прозит».

— Прозит, — повторил суперинтендент, и они чокнулись.

— За успех, — сказал Куллен. — Или, может быть, вам не хочется поддержать такой тост?

Грейс издал горький короткий смешок, подумав, что немец даже не представляет, насколько близок к истине. Словно в ответ на реплику телефон дважды пискнул.

Поступило сообщение от Клио.

57

Стажер-констебль Дэвид Кертис и сержант Билл Норрис вылезли из патрульной машины неподалеку от дома, адрес которого им назвали. Ньюман-Виллас — типичная жилая улица Хоува со старыми викторианскими террасными домами. Некогда это были цельные дома, принадлежавшие одному владельцу, с помещениями для прислуги наверху. Теперь они разделены на квартиры. По всей улице тянутся объявления агентств о сдаче квартир и комнат.

Парадная дверь дома номер 17, похоже, десятки лет не видела ни одного мазка краски; почти все фамилии на панели домофона, написанные от руки, стерлись, выцвели. Надпись «С. Харрингтон» выглядела довольно свежей.

Билл Норрис нажал на кнопку.

— Знаешь, — сказал он, — мы обычно вчетвером сидели в засаде. Сейчас посылают двадцать офицеров. Я однажды попал в передрягу. Один гуляка был завсегдатаем закусочной, которую мы караулили. Я взял и написал на доске: «Отличная задняя часть и вымя». Не совсем хорошо получилось. Инспектор устроил настоящую выволочку.

Он опять позвонил. Через несколько минут, не получив ответа, Норрис принялся нажимать другие кнопки одну за другой.

— Пора кое-кого пробудить от воскресного сна. — Он постучал по наручным часам, фыркнул. — Может, она в церкви?

— Да? — проскрипел вдруг слабый голос.

— Четвертая квартира. Я ключ потерял. Пожалуйста, впустите, — умоляюще попросил Норрис.

Через несколько секунд послышался резкий скрежет и щелчок замка.

Сержант распахнул дверь, оглянулся на молодого коллегу и понизил голос:

— Не говори, что мы представители закона, а то не пустят, — и заговорщицки приложил к носу палец. — Скоро сам увидишь.

Кертис таращился на своего напарника, гадая, долго ли еще терпеть мучения. Будем надеяться, кто-нибудь догадается отключить его самого от розетки, если он когда-нибудь станет таким же проклятым занудой.

Полицейские прошли по короткому коридору, пахнувшему грязью, мимо двух велосипедов и полки, где лежала почта — главным образом листовки с рекламой местной пиццы и китайской готовой еды. На площадке второго этажа услышали из-за двери под номером 2 выстрелы, за которыми последовал громоподобный окрик Джеймса Гарнера: «Стоять на месте!»

Поднявшись, миновали квартиру под номером 3. Лестница сузилась. Дверь под номером 4 оказалась на самом верху.

Норрис постучал. Нет ответа. Он постучал громче. По-прежнему ничего. Он взглянул на стажера:

— Ладно, сынок. Когда-нибудь ты окажешься на моем месте. Что сделаешь?

— Выбью дверь? — предположил Кертис.

— А если она чем-то сильно занята в своем гнездышке?

Кертис пожал плечами, не зная ответа.

Норрис опять постучал.

— Эй! Мисс Харрингтон! Есть там кто-нибудь? Полиция!

Молчание.

Норрис развернул свою могучую тушу, крепко ударил плечом в дверь. Та задрожала, но не поддалась. Ударил покрепче, на этот раз дверь распахнулась, створка треснула, он влетел в узкий пустой коридор, ухватился за стену, чтобы не упасть.

— Эй! Полиция! — крикнул Норрис, продвигаясь вперед, потом обратился к стажеру: — Шагай за мной след в след. Ни к чему не прикасайся. Нельзя уничтожать улики.

Кертис неловко шел за сержантом по коридору на цыпочках, затаив дыхание. Сержант толкнул дверь и замер на месте.

— Будь я проклят, — пробормотал Норрис. — Ох, чтоб мне провалиться!

Поравнявшись с сержантом, констебль тоже остолбенел. Внутренности заледенели. Страшно хотелось отвернуться, да не было сил. Жуткое восхищение, несовместимое с профессиональным долгом, не позволяло оторвать взгляд от постели.

58

Рой Грейс смотрел на сообщение Клио на телефонном дисплее: «Выбирайся из Мюнхена. Позвони, когда вернешься».

Ни подписи, ни поцелуя — сухие, голые фразы.

По крайней мере, наконец ответила.

Он мысленно составил скупой ответ и сразу же отбросил его. Составил другой и тоже отверг. Лишил ее воскресного ленча, чтобы ехать в Мюнхен на поиски бывшей жены. Кому это понравится?

Впрочем, она, безусловно, могла быть помягче. Он никогда не держал в секрете исчезновение Сэнди — Клио все об этом известно. Разве у него есть выбор? Разумеется, каждый сделал бы то, что он сейчас делает, разве нет?

И, доведенный до взрывоопасного состояния усталостью, напряжением, бесконечной жарой, солнцем, бьющим прямо в голову, он неожиданно разозлился на Клио. *Эй, женщина, неужели не можешь понять, черт возьми?*

Грейс перехватил взгляд Марселя Куллена, пожал плечами:

— Женщины…

— Все в порядке?

Грейс положил телефон, взял стакан обеими руками.

— Хорошее пиво. Больше чем хорошее, — сделал большой глоток, допил остывший кофе. — Лучше не бывает.

Мужчина за соседним столом курил вересковую трубку. До них доплывал дымок, и Грейс вдруг вспомнил отца, тоже курившего трубку. Помнятся все его ритуалы. Отец прочищал трубку длинными тонкими белыми ёршиками, которые быстро приобретали коричневый цвет. Отскребал ободок маленьким медным инструментом. Смешивал табак крупными пальцами, набивал, раскуривал специальными спичками, приминал и опять зажигал. Гостиная мгновенно наполнялась дразнящим ароматом серо-голубого дыма. А когда они выезжали рыбачить в лодчонке или сидели на краю Дворцового пирса или на молу Шорэмской гавани, Рой всегда следил за направлением ветра, когда отец вытаскивал трубку, и старался встать с подветренной стороны, чтобы дым до него долетал.

Интересно, как отец поступил бы в такой ситуации. Джек Грейс любил Сэнди. Когда он лежал больной в хосписе, умирая от рака мочевого пузыря слишком молодым, в пятьдесят пять, она часами сидела у его постели, беседовала с ним, играла в скребл, читала вместе с ним «Спортинг лайф», где он ежедневно выбирал ставки, и делала их за него. Они просто болтали. Были лучшими друзьями с того самого дня, когда Рой впервые привел Сэнди в дом познакомить с родителями.

Джек Грейс всегда довольствовался тем, что имел. С удовольствием служил сержантом до самой отставки, возился с автомобилями, увлекался лошадьми в свободное время, никогда не стремясь к продвижению по полицейской иерархической лестнице. Но был человеком дотошным, докапывался до мелочей, придерживался правил, старался связать оставшиеся концы. Он бы, конечно, одобрил поездку сына в Мюнхен, без всяких сомнений.

Черт побери, вдруг подумал Грейс, Мюнхен полон призраков...

— Скажите, Рой, — спросил Куллен, — инспектор Поуп хорошо знает Сэнди?

Вернувшись к реальности, к насущной на сегодня задаче, он ответил:

— Хороший вопрос. Они были нашими ближайшими друзьями, мы каждый год отдыхать вместе ездили.

— Значит, не мог так легко ошибиться?

— Ни он, ни его жена.

Высокий, хорошо сложенный молодой человек с модно подстриженными, смазанными муссом волосами, в желтой рубашке и красных штанах убирал рядом с ними стаканы с освободившегося стола.

— Прошу прощения, — обратился к нему Грейс. — Вы хоть немного говорите по-английски?

— Даже чересчур хорошо, — усмехнулся тот.

— Австралиец?

— К несчастью.

— К счастью! Возможно, вы сможете мне помочь. В прошлый четверг работали?

— Я каждый день работаю. С десяти утра до полуночи.

Грейс вытащил из кармана пиджака фотографию Сэнди:

— Видели когда-нибудь эту женщину? Она была здесь в четверг во время ленча.

Парень взял фотографию и внимательно посмотрел.

— В прошлый четверг?

— Да.

— Нет… звоночек не звонит. Только это не означает, что ее тут не было. У нас бывают сотни людей каждый день. — Парень поколебался. — Черт возьми, я вижу столько лиц, что они все сливаются. Если хотите, спрошу у коллег.

— Пожалуйста, — попросил Грейс. — Для меня это действительно важно.

Официант ушел и через несколько минут вернулся с целой компанией молодых людей в такой же униформе.

— Извините, приятель, — сказал он. — Это сборище самых тупых на планете созданий, но я сделал все, что мог.

— А пошел бы ты, Рон, — буркнул маленький плотный австралиец с лохматой головой, похожей на подушечку для булавок. И обратился к Грейсу: — Прошу прощения за нашего приятеля, он просто слабоумный. Таким уродился, мы стараемся его перевоспитать.

Грейс выдавил улыбку и протянул ему фотографию:

— Я ищу эту женщину. Думаю, она была здесь в прошлый четверг во время ленча. Хочу спросить, может быть, кто-то из вас ее видел…

Маленький австралиец взял снимок, посмотрел и передал по кругу. Каждый по очереди покачал головой.

Марсель Куллен полез в карман, вытащил стопку визитных карточек, встал и вручил каждому. Все сразу стали серьезными.

— Я зайду завтра, — сказал Куллен. — Раздам каждому по фотографии. Если она вернется, прошу немедленно позвонить мне по номеру, указанному на карточке, или в уголовный розыск. Это очень важно.

— Не беспокойтесь, — кивнул Рон. — Если придет, сообщим.

— Буду очень признателен.

— Будет сделано.

Грейс всех поблагодарил.

Когда официанты вернулись к своим обязанностям, Куллен поднял свой стакан и, глядя Грейсу в глаза, твердо сказал:

— Если ваша жена в Мюнхене, я найду ее, Рой. Как говорят в Англии? Сколько бы это ни стоило?

— Приблизительно. — Суперинтендент чокнулся с коллегой. — Спасибо.

— Я тоже для вас список составил. — Куллен вытащил из внутреннего кармана блокнотик. — Представим, что она оказалась здесь, прожив всю жизнь в Англии. Наверняка есть вещи, по которым она скучает, правда?

— Например?

— Может, что-нибудь из еды? Есть у нее какая-то любимая английская еда?

Грейс задумался. Хороший вопрос.

— «Мармайт»![1] — вспомнил он через какое-то время. — Она эту штуку любила. Всегда намазывала на хлеб за завтраком.

— Хорошо. «Мармайт». Есть один магазинчик на Виктуаленмаркт, где ваши соотечественники покупают английские продукты. Я туда загляну. Есть у нее какие-нибудь проблемы со здоровьем? Например, аллергия?

Грейс напряженно припоминал.

— У нее нет аллергии, но она плохо переносит жирную пищу. Генетическая черта. После жирного у нее начиналось ужасное несварение, и она принимала лекарство.

— Знаете, как оно называется?

— Вроде бы хломотил. Дома смогу уточнить.

— Расспрошу в мюнхенских клиниках, не просила ли это лекарство женщина, отвечающая описанию.

— Хорошо мыслите.

— Еще многое можно проверить. Какую музыку она любит? Ходит в театры? Есть у нее любимые фильмы и киноактеры?

Грейс просматривал список.

— А спорт? Она занимается каким-нибудь спортом?

Он вдруг понял, к чему ведет немец. И то, что пару часов назад казалось непосильной, невыполнимой задачей, сразу свелось

---

[1] «М а р м а й т» — фирменное название питательной белковой пасты.

к тому, что можно и нужно сделать. Стало ясно, как бестолково мыслил он сам. Права старая пословица: «За деревьями леса не видишь».

— Плаванием! — Почему сам не подумал, черт побери? Сэнди одержимо старалась поддерживать форму. Не совершала пробежек, не занималась гимнастикой из-за поврежденного колена. Плавание было ее страстью. Она ежедневно ходила в брайтонские купальни, а в теплое время года плавала в море.

— Проверим мюнхенские бассейны.

— Отличный план.

Снова заглянув в блокнот, Куллен спросил:

— Она читать любит?

— Римский папа католик?

Немец озадаченно посмотрел на него:

— Римский папа?..

— Забудьте. Есть такое английское выражение. Так говорят, когда речь идет о чем-то само собой разумеющемся. Да, она любит книги. Особенно детективы. Английские и американские. Особенно Элмора Леонарда.

— Один американец держит книжный магазин на углу Шеллингштрассе. У него множество англоязычных клиентов. Они туда часто ходят, обмениваются книгами...

— Он сегодня работает?

Куллен покачал головой:

— В Германии все закрыто по воскресеньям, в отличие от Англии.

— Мне следовало выбрать другой день.

— Я завтра схожу. Ну, теперь поедим чего-нибудь?

Грейс благодарно кивнул. У него внезапно проснулся аппетит.

И тут, вновь оглядывая море лиц, он мельком заметил женщину со светлыми, коротко подстриженными волосами, которая направлялась в их сторону в сопровождении компании, но вдруг повернулась и побежала в обратную сторону.

Сердце разорвалось в клочки. Грейс вскочил, пробежал мимо японца, щелкавшего фотоаппаратом, обогнул туристов, сбрасывавших рюкзаки, не сводя с нее глаз, догоняя.

59

Клио в мятой белой футболке сидела на своем излюбленном месте — на коврике на полу, прислонившись спиной к кровати. Кругом были разбросаны воскресные газеты, она держала в руках наполовину выпитую, постепенно остывавшую кружку с кофе. Рыбка, как всегда, деловито обследовала прямоугольный аквариум. Плыла медленно, словно подкарауливая невидимую добычу, потом вдруг совершала бросок, может быть, на крошку корма, на воображаемого врага, на любимого.

Хотя комната находилась в тени, а все окна были открыты, в ней царила неприятно липкая жара. По телевизору шли «Скай ньюс», но звук был приглушен, и она, собственно, не смотрела — телевизор служил просто фоном. На экране поднимались клубы черного дыма, люди плакали, прыгавшая в руках оператора камера снимала бьющуюся в истерике женщину, трупы, развалины, горящую искореженную груду железа, которая прежде была автомобилем, окровавленного мужчину на носилках. Очередное воскресенье в Ираке.

Тем временем проходит ее воскресенье. Половина двенадцатого, прекрасный день, а она просто встала с постели, уселась здесь, внизу, в комнате без солнца, листая газеты, пока глаза не устали. И мозги устали, не соображают. В квартире безобразие, надо сделать хорошую уборку, но нет ни энтузиазма, ни сил. Она смотрела на мобильник, дожидаясь ответа на сообщение, отправленное Рою. Гад проклятый. Хотя на самом деле она проклинает себя.

Взяла трубку, набрала номер ближайшей подруги Милли.

Ответил детский голос, далекий, протяжный, запинающийся голос трехлетней девочки.

— Алё, это Джессика, а ты кто?

— Мама дома? — спросила Клио у своей крестной дочери.

— Мама очень сейчас занята, — важно ответила Джессика.

— Скажи ей, что это твоя тетя Кило. — Сколько она себя помнит, Милли, страдавшая дислексией[1], всегда называла ее «Кило».

— Знаешь, тетя Кило, у нас сегодня очень много гостей, и поэтому мама на кухне.

Через несколько секунд в трубке раздался голос Милли:

— Эй, это ты? Что стряслось?

Клио рассказала о конфликте с Грейсом.

Вот что ей всегда нравится в Милли — сколь бы горькой ни была правда, она никогда не стесняется в выражениях.

— Идиотка чертова. Чего ты от него ожидала? Как бы сама поступила в такой ситуации?

— Он мне врал.

— Все мужики врут. Так уж они устроены. Если хочешь прочных отношений с мужчиной, то сразу пойми, что он лжец. У них это в натуре, генетическая особенность, проклятая дарвинская приобретенная характеристика для выживания. Ясно? Они говорят тебе то, что ты хочешь услышать.

— Потрясающе.

— Ничего не поделаешь, это правда. Женщины тоже врут, но по-другому. Я, например, часто вру Роберту, что испытываю оргазм.

— Мне кажется, вранье вовсе не та основа, на которой можно строить отношения.

— Я не говорю, что все сплошь вранье, я говорю, что если ты стремишься к совершенству, то в конце концов останешься одна. Единственные парни, которые никогда уже не соврут, лежат у тебя в холодильнике в морге.

— Проклятье! — вдруг охнула Клио.

— Что?

— Ничего. Просто ты мне напомнила о неотложном деле.

— Слушай, я с минуты на минуту ожидаю вторжения — Роберт пригласил к ленчу кучу клиентов! Давай я тебе вечером перезвоню, ладно?

---

[1] Дислексия — неспособность к чтению.

— Конечно.

Клио взглянула на часы и сообразила, что, погрузившись в раздумья о Рое, совсем забыла заглянуть в морг. Они с Дарреном оставили женское тело, привезенное ночью с пляжа, на каталке. Холодильники переполнены — одну секцию, пришедшую в негодность, меняют. Владелец местного похоронного бюро должен сегодня в середине дня забрать два трупа, а она должна его впустить и переложить женщину на освободившееся место.

Клио вскочила. На автоответчике сообщение от сестры Чарли, звонившей часов в десять. Хорошо известно, о чем пойдет речь. Придется выслушивать плачущий отчет о неверном любовнике. Может, удастся уговорить ее встретиться после морга где-то на солнце, пойти в парк, к морю, поесть где-нибудь. Она набрала номер, и, к ее облегчению, Чарли охотно согласилась, предложив известное ей заведение.

Через полчаса, выбравшись из густого потока машин, направлявшихся к пляжам, Клио въехала в ворота морга, с радостью отмечая, что у крытого бокового подъезда, к которому доставляют тела, пусто — похоронщик еще не приехал.

Верх машины был поднят, и настроение несколько поднялось, вспомнились слова Роя, сказанные несколько недель назад, когда она везла его в этой самой машине в загородный клуб: «Знаешь, в теплый вечер, когда крыша машины поднята и ты рядом, даже в голову не приходит, будто в мире что-то не в порядке!»

Она поставила синий «эм-джи» на обычном месте, напротив парадной двери серого здания морга, открыла сумочку, чтобы вытащить телефон и предупредить сестру о возможной задержке. Телефона не было.

— Вот задница! — пробормотала Клио.

Как можно было забыть, черт возьми? Она никогда, никогда, никогда не выходит из дому без мобильника. «Нокия» связана с ней невидимой пуповиной.

Рой Грейс, что ты сделал с моими проклятыми мозгами?

Она опустила крышу, хотя собиралась уйти лишь на несколько минут, заперла дверцу. Стоя под наружной камерой наблюдения, вставила ключ в замок двери служебного входа и повернула его.

В плотном автомобильном потоке мимо кованых железных ворот морга двигалась черная «тойота-приус». В отличие от остальных машин, направлявшихся к побережью, она повернула за угол, на улицу, идущую вдоль морга, медленно взяла крутой подъем между маленькими домами в поисках места для парковки. Обладатель Миллиардного Запаса Времени улыбнулся, видя впереди пустое, как раз подходящее место. Поджидающее его.

Он снова пососал руку. Боль усиливалась, кружа голову. И вид нехороший. За ночь кисть еще больше распухла.

— Глупая сучка! — крикнул он в неожиданном приступе ярости.

Хотя Клио работала в морге уже восемь лет, у нее еще не выработался иммунитет к запахам. Сегодня ударившее в нос зловоние из открывшейся двери почти физически сбивало с ног. Подобно всем служащим морга, она давно научилась дышать ртом, но вонь разлагающейся плоти — кислая, едкая — густо висела, сгущалась, словно утяжеленная лишними атомами, обволакивала ее невидимым туманом, клубилась вокруг, проникала в кожные поры.

На самой полной скорости, задерживая дыхание, позабыв о звонке, который надо было сделать, она пробежала мимо своего кабинета к маленькой раздевалке. Сорвала с крючка зеленую куртку, сунула ноги в высокие белые сапоги, рывком выхватила из пакета латексные перчатки, натянула на неуклюжие непослушные руки. Потом надела маску — не то чтобы та спасала от запаха, но все-таки сделалось чуточку легче.

Повернула направо, прошла по короткому коридору, выложенному серой плиткой, вошла в приемную, смежную с главным прозекторским залом, включила свет.

Мертвая женщина, зарегистрированная как «неизвестная», подобно всем попавшим сюда неопознанным женщинам, лежала на столе из нержавеющей стали в ряду трех других. Оторванная рука уложена между ногами, прямые мертвые волосы с крошечным запутавшимся зеленым стебельком водорослей откинуты назад. Клио подошла к ней, резко махнула рукой, вспугнув десяток трупных мух, которые разлетелись кругом. Сквозь вонь разложения слышался и другой, не менее сильный запах соли. Привкус моря. И вдруг, осторожно вытаскивая из волос стебелек, Клио расхотелось встречаться на пляже с сестрой.

Прозвенел дверной звонок. Похоронщик приехал. Прежде чем открыть заднюю дверь, Клио посмотрела на монитор, потом помогла двум небрежно одетым юношам погрузить в коричневый фургон тела в пластиковых мешках. Когда они уехали, тщательно заперла дверь и вернулась в приемную.

Вытащила из углового шкафа очередной белый мешок, подошла к телу. Ненавистно иметь дело с утопленниками. За несколько недель кожа приобретает призрачный сально-белый цвет, и фактура меняется, напоминая чешуйчатую свинину. Для этого существует даже термин подходящий — жировоск. Как с коварным блеском в глазах объяснял ей первый патологоанатом, под руководством которого она работала, обожавший все, что связано со смертью.

Губы женщины, глаза, пальцы рук и ног, груди, частично щеки съели мелкие рыбы или крабы. Сильно обгрызенные сморщенные груди расползлись в стороны, лишившись почти всех внутренних тканей, точно так же, как бедная женщина почти начисто потеряла достоинство.

Кто ты такая? — гадала Клио, расстегивая мешок и подсовывая его под тело, действуя очень осторожно, чтобы не разорвать плоть.

Осматривая его прошлым вечером вместе с инспектором уголовной полиции и полицейским врачом, они не обнаружили явных признаков насильственной смерти. Никаких следов не было, кроме ссадин, которых не избежать в волнах прибоя, хотя из-за сильного разложения признаки насилия могли исчезнуть. Уведомили коронера, получили распоряжение доставить труп в морг для вскрытия в понедельник и опознания — скорее всего, по зубам.

Клио снова внимательно осмотрела тело, отыскивая возможные мельчайшие следы на шее от удавки, входное пулевое отверстие, пытаясь что-то понять. Всегда трудно определить возраст, когда тело так долго находилось в воде. По прикидкам, женщине где-то от двадцати с небольшим до сорока.

Может быть, плавала и утонула или свалилась за борт. Может быть, самоубийца. Может быть, даже, как иногда случается, тело просто было похоронено в море, груз плохо прикрепили, и оно всплыло. Хотя в море чаще хоронят мужчин, чем женщин.

Клио осторожно подняла оторванную руку, положила на соседний стол, принялась осторожно переворачивать труп на живот, чтобы осмотреть спину. И услышала где-то в здании легкий щелчок.

Подняла голову, прислушалась. Похоже, парадная дверь закрылась или открылась.

60

— Сэнди! — вопил он. — Сэнди!..

Она убегала. Черт возьми, очень быстро!

Женщина в простой белой футболке, синих велосипедных трусах и кроссовках, держа в руке сумочку, бежала по огибавшей озеро дорожке. Следуя за ней, Грейс добежал до статуи, видя, как она петляет между играющими детьми, обегает двух играющих шнауцеров, возвращается на дорожку, бежит мимо красиво одетой женщины верхом на лошади и целого каравана нордических матрон, прогуливающихся парами.

Рой пожалел, что пил пиво. Пот по лицу тек ручьями, разъедая глаза, ослепляя. Навстречу мчались два парня на роликах. Он вильнул вправо, и они вправо — влево, и они влево. В последний миг вновь безнадежно метнулся направо, больно ударился ногой о маленькую скамейку, упал ничком, и она под его тяжестью ушла в землю.

— T'schuldigen![1] — Один из роллеров, высокий подросток, стоял над ним с озабоченным видом. Другой наклонился, протянул руку.

— Ничего, — выдохнул он.

— Вы американец?

— Англичанин.

— Простите, пожалуйста, мне очень жаль.

— Все в порядке, спасибо. Я сам виноват. — Дрожа, чувствуя себя очень глупо, он принял руку парня, поднялся с его помощью. Встав, сразу принялся искать глазами Сэнди.

— Вы брюки порвали, — заметил другой мальчишка.

---

[1] Извините (*нем.*).

Грейс едва обратил внимание на прореху в джинсах на левой голени, просочившуюся кровь. Плевать он хотел на все это.

— Спасибо вам... Danke[1], — пробормотал он, в панике озираясь.

Она исчезла.

Дорожка шла среди густых деревьев и выходила на открытое пространство, но за узким мостом с металлическими перилами находилась развилка.

Черт, черт, черт.

Он в отчаянии взмахнул руками. Думай!

Куда она направилась? Как верно вычислить?

Он оглянулся на мальчишек:

— Скажите, как тут ближе всего выйти к дорогс?

Парень махнул рукой на мост:

— Только так. Это единственный путь.

Поблагодарив ребят, Грейс прохромал несколько ярдов, повернул направо, пробирался среди встречных мотоциклистов, пересекавших мост, и побежал, игнорируя жгучую боль в ноге, решив, что Сэнди спешит к выходу. Кругом толпы народу. Перейдя на неровный спринт, он сошел с запруженной людьми дорожки на траву на обочине. Время от времени глядя по сторонам, чтобы снова не налететь на скамейку, на загорающих, на бегающих собак, он отчаянно высматривал впереди светлые волосы.

Она! Пусть он только мельком видел профиль, толком не разглядел лицо, но этого вполне достаточно. Это Сэнди. Должна быть Сэнди. Зачем ей убегать, черт возьми, если это не Сэнди?

Отчаяние притупляло боль. Не для того он заехал в такую даль, в такую чертову даль, чтобы теперь позволить ей ускользнуть.

Где ты?

На секунду алмазный луч солнца, отраженный от стекол автобуса, ехавшего по дороге всего в сотне ярдов, ударил в глаза, как фонарь. Потом что-то вновь вспыхнуло. На этот раз не солнце — веселая компания фотографировалась на природе под фотовспышку. Он перебежал полосу сухой травы и выскочил на пустую дорогу посреди парка, по которой тронулся автобус. Сэнди исчезла.

---

[1] Спасибо (*нем.*).

Когда автобус проехал, он ее вновь увидел.

— Сэ-э-энди-и-и! — закричал Грейс во все горло.

Она резко остановилась и оглянулась, как бы удивляясь, кому он кричит.

Не оставляя сомнений, лихорадочно размахивая руками, он рванулся к ней с криком:

— Сэнди! Сэнди! Сэнди!..

А она уже снова бежала и вскоре скрылась за поворотом. Появились два конных полицейских. Они двигались ему навстречу, он на секунду подумал, не попросить ли помощи, но пробежал мимо них, чувствуя на себе пристальные взгляды.

Вдали показалась желтая стена какого-то здания. Сэнди пробежала на красный светофор, через мостик, мимо здания и автобусов. Остановилась у серебристого БМВ, начала рыться в сумочке, что-то отыскивая — должно быть, ключи.

Он внезапно очутился рядом, задыхаясь, ликующе вымолвил:

— Сэнди...

Она оглянулась, тяжело дыша, и что-то сказала по-немецки.

Впервые разглядев женщину вблизи, Грейс понял, что это не Сэнди.

Сердце упало, как шахта лифта с перерезанным тросом. Тот же профиль, безошибочно тот, но лицо шире и совсем не такое красивое. Глаз за темными очками не видно, да этого и не требуется. Рот не тот — узкий, маленький. Кожа у Сэнди прекрасная, шелковистая, а это лицо покрыто следами от детских прыщей.

— Простите... Извините, пожалуйста.

— Вы англичанин? — с любезной улыбкой спросила женщина. — Я вам чем-нибудь могу помочь?

Она вытащила ключи, вставила в замок, дверца открылась. Женщина принялась что-то искать в машине, послышался звон монет.

— Извините... я ошибся. Принял вас... за знакомую.

— Я совсем позабыла о времени! — Женщина похлопала себя по щеке, признавая собственную глупость. — Здесь полиция очень быстро штрафует. Квитанция всего на два часа!

Она вытащила из кармашка на дверце горстку евро.

— Разрешите спросить... Вы были здесь... в Английском саду... в четверг? Приблизительно в это время?

Женщина пожала плечами:

— Наверно. В такую погоду я часто сюда приезжаю, — задумалась на минутку и переспросила: — В четверг?

— Да.

— Определенно, — кивнула она. — Точно.

Грейс поблагодарил ее и поплелся обратно. Пропотевшая одежда липла к телу. На кроссовку вытекла струйка крови. Навстречу ему шел Куллен. Чувствуя себя абсолютно раздавленным и сокрушенным, Грейс выхватил мобильный телефон, поднес к уху, когда та самая женщина проходила мимо, направляясь к парковочному автомату. Но он не звонил, а фотографировал.

61

Клио прислушивалась. Определенно был слышен щелчок.

Она осторожно опустила скользкий хрупкий серый труп спиной на стол и глухо сквозь маску окликнула:

— Эй! — Застыла, слушая, тревожно глядя через дверь в молчавший серый кафельный коридор. — Эй! Кто там? — крикнула она громче, чувствуя ком в горле. Сбросила маску, повисшую на завязках. — Эй!..

Тишина. Только слабый гул холодильников.

Ее пронзил страх. Неужели оставила наружную дверь открытой? Нет, такого никогда не бывает. Надо рассуждать трезво. Из открывшейся двери пошел жуткий запах, может, она ее не закрыла, чтобы немного проветрить?

Невозможная глупость. Но та дверь всегда закрыта, на ней автоматический замок с защелкой. Конечно заперта!

А почему вошедший не откликается?

В глубине смятенной души был ответ на этот вопрос. Вокруг морга так и крутятся ненормальные. Раньше несколько раз прорывались, но современные охранные системы работают эффективно вот уже добрых полтора года.

Вспомнив вдруг про монитор на стене, она взглянула на него. На экране застыло черно-белое изображение бетонной дорожки снаружи, клумбы и кирпичной стены. В кадр попали хвостовые огни на заднем бампере ее автомобиля.

В коридоре отчетливо послышался шорох.

Мурашки забегали по всему телу, голова пошла кругом. Надо искать выход. На полке рядом со шкафчиком телефон, но бежать к нему некогда. Клио лихорадочно оглядывалась в поисках какого-нибудь орудия, до которого можно было бы дотянуться. На секунду мелькнула нелепая мысль о руке трупа. От страха кожа на голове натянулась, как будто надели резиновую шапочку.

Шорох приближался. На фоне кафеля двигалась тень.

Страх внезапно превратился в злость. Кто бы там ни был, черт побери, он не имеет права здесь находиться! Она мигом решила, что не позволит себя запугать какому-то гнусному извращенцу, осмелившемуся вломиться в морг. В *ее* морг.

Решительно шагнув к шкафчику, Клио отодвинула створку, выхватила самый большой мясницкий нож, крепко стиснула рукоятку, бросилась к двери, открыла… И, издав испуганный вопль, столкнулась с высокой фигурой в оранжевой футболке и желтовато-зеленых шортах. Незнакомец схватил ее за руки, прижал к бокам. Нож со звоном упал на кафель.

62

Марсель Куллен свернул к бровке тротуара, махнул рукой, указывая через дорогу. Рой Грейс увидел на углу большой магазин, выкрашенный в бежевый цвет. В витринах выставлены книги, внутри темно. Висячие лампы включены не столько ради освещения, сколько для декорации. Похожи на светлячков.

На фасаде красивыми серыми буквами написано: «Мюнхенская читальня. Букинистические книги на английском языке».

— Я вам просто хотел показать, — сказал лейтенант. — Завтра зайду, расспрошу.

Грейс кивнул. Он выпил два больших стакана пива, съел жареную колбасу с картошкой и кислой капустой и решительно осовел. Фактически он с трудом держал глаза открытыми.

— Говорите, Сэнди была страстной читательницей?

Была. Это слово застряло в мозгу. Он не любит, когда о Сэнди говорят в прошедшем времени, словно она мертва. Хотя сам иногда неосознанно употребляет прошедшее время. Почувствовав вдруг неожиданный прилив сил, ответил:

— Да, читает запоем. Детективы, триллеры, биографические романы, особенно о женщинах-путешественницах и исследователях.

Куллен поехал дальше.

— Как говорят у вас в Англии… не вешайте нос?

Грейс потрепал его по плечу:

— Хорошая память.

— Ну, отправляемся теперь в полицейское управление. Там хранятся все данные о пропавших. Отдел возглавляет моя приятельница Сабина Томас, полицайрат. Специально приехала, чтобы встретиться с нами.

— Спасибо, — сказал Грейс. — Очень любезно с ее стороны, в воскресенье...

Прежний оптимизм покинул его, в душе возникла пустота, вновь пришло осознание непомерности стоявшей перед ним задачи. Он разглядывал тихие улицы, пустые магазины, прохожих. Сэнди может быть где угодно. За любым фасадом, в любой из проезжающих машин, на любой улице. А это лишь один город. Сколько триллионов городов в мире, где она может быть?

Он нашел кнопку на дверце, опустил стекло. Знойный влажный воздух повеял в лицо. Ощущение собственной глупости, пережитое при возвращении к столику после бесплодной погони, исчезло, но он чувствовал себя потерянным.

После звонка Дика Поупа почему-то казалось, что достаточно только войти в Английский сад, и он найдет Сэнди. Потому что там она его ждет. Как бы специально попалась на глаза Дику и Лесли Поуп, чтоб подать ему тайную весточку.

Ну, не глупо ли?

— Если хотите, можно пройти пешком через Мариенплац, сделать оттуда маленький крюк до Виктуаленмаркт, куда люди ходят за английскими продуктами, как я уже говорил.

— Хорошо, спасибо.

— А потом поедем ко мне, я вас познакомлю со своей семьей.

Грейс улыбнулся, гадая, имеет ли немец какое-нибудь представление о том, как он завидует его нормальной жизни. Зазвонил мобильный телефон. Он взглянул на дисплей — частный номер.

В нерешительности пропустил еще два звонка. Возможно, с работы, а он не в том настроении, чтобы сейчас разговаривать с кем-нибудь по делам. Но вспомнил о своей ответственности и с тяжким сердцем нажал зеленую кнопку.

— Эй! — воскликнул Гленн Брэнсон.

— Что случилось?

— Ты где?

— В Мюнхене.

— Еще в Мюнхене?

— Стараюсь купить лошадь.

Последовало долгое молчание.

— Что?.. А, понял. Очень смешно. В Мюнхене... черт побери, старик. Видел когда-нибудь «Ночной поезд в Мюнхен»?

— Нет.

— Режиссер Кэрол Рид.

— Никогда не видел. Знаешь, сейчас не время толковать про кино.

— Ну, ты же как-то смотрел «Третьего человека». Это тоже его фильм.

— Ты за этим звонишь?

— Нет. — Брэнсон начал что-то говорить, но тут Куллен наклонился к Грейсу, указывая на довольно неприметную постройку.

— Обожди минутку. — Грейс прикрыл рукой микрофон.

— Пивная, откуда вышвырнули Гитлера, потому что он не расплатился, — объявил немец. — Слухи, конечно.

— Я только что проехал мимо любимой забегаловки Адольфа Гитлера, — проинформировал Брэнсона Грейс.

— Да? Поезжай дальше. У нас проблема.

— Рассказывай.

— Крупная. Тяжелая. Понял?

— Внимательно слушаю.

— Голос у тебя какой-то дурной. Пьяный?

— Нет. — Грейс мысленно скрепился. — Говори.

— Еще одно убийство, — объявил сержант. — Похожее на случай с Кэти Бишоп.

Рой Грейс сразу выпрямился, насторожился.

— Чем похожее?

— Молодая женщина, Софи Харрингтон, обнаружена мертвой в противогазе.

По спине пробежали холодные крепкие пальцы.

— Проклятье. Что еще?

— Чего тебе еще надо? Давай, старик, поторапливайся, пошевеливай задницей.

— У вас есть инспектор Мерфи. Справится.

— Она твоя дублерша, — пренебрежительно фыркнул Гленн.

— Можешь и так сказать, если хочешь. Я ее считаю своей заместительницей, инспектором уголовной полиции.

— Знаешь, что говорили про дублершу Греты Гарбо?

Стараясь припомнить какой-нибудь фильм с легендой экрана, Грейс осторожно ответил:

— Нет. Что?

Убийственно жив

— Дублерша Греты Гарбо может сделать все, что делает Грета Гарбо, кроме того, что делает именно Грета Гарбо.

— Очень лестно.

— Понял?

— Понял.

— Тогда тащи свою задницу к первому же самолету. Элисон Воспер с тебя скальп снимет. Я ни за одного политика гроша ломаного не дам, а за тебя дам. Ты нам нужен.

— Марлона не забыл покормить? — спросил Грейс.

— Какого Марлона?

— Золотую рыбку.

— Ох, черт!

63

Клио пыталась закричать, но крик застрял в горле. Она бешено сопротивлялась, стараясь высвободить руки, лицо мужчины расплывалось перед глазами. Удалось пнуть его в голень.

Потом она услышала голос:

— Клио!

Спокойный, умоляющий.

— Клио! Это я... Все в порядке!

Торчащие черные волосы. Ошеломленное выражение на молодом приятном лице. Обыденная одежда — оранжевый верх и зеленые шорты, в ушах наушники от плеера.

— Ох, черт... — Она перестала бороться, разинула рот. — Даррен!..

Он очень медленно и опасливо выпустил ее руки, словно еще не вполне убедившись, что она не пырнет его ножом.

— Что с вами, Клио? Все в порядке?

Глотая ртом воздух, она чувствовала, как сердце выпрыгивает из груди. Отступила на шаг, глядя на коллегу, на нож на полу, потом снова в карие глаза. Молча, словно онемела.

— Как ты меня напугал! — Слова прошелестели в воздухе.

Даррен поднял руки, вытащил наушники, повисшие на белых проводах. Снова поднял руки, как бы сдаваясь. Она заметила, что он дрожит.

— Извини. — Клио поборола себя, улыбнулась, стараясь разрядить ситуацию.

Даррен спросил, по-прежнему неуверенно:

— Разве я такой страшный?

— Я... услышала, как щелкнула дверь, — объяснила Клио, начиная чувствовать себя идиоткой, — окликнула, ты не ответил. Думала, кто-то чужой вошел... Я... — Она тряхнула головой.

Даррен опустил руки, взял наушники.

— Я тяжелый рок слушал, ничего больше не слышал.

— Мне страшно жаль, что так вышло.

Даррен потер лодыжку.

— Я тебя больно ударила?

— Фактически больно. Однако жив. — На коже парня образовался кровоподтек. — Я вдруг вспомнил, что мы тело оставили. Подумал, в такую жару надо бы положить в холодильник. Позвонил вам, ни домашний, ни мобильный не отвечают, поэтому решил поехать, все сделать.

Клио еще раз извинилась.

Даррен пожал плечами:

— Да не переживайте. Просто до сих пор я не считал морг ареной бойцового спорта.

Она рассмеялась:

— Мне очень неловко. Я только что отдежурила сутки и…

— Забудьте. Все в порядке.

— Ты очень хорошо поступил, что приехал. Спасибо.

— В следующий раз дважды подумаю, — добродушно ответил парень. — Может, надо было сидеть на прежнем месте — там гораздо меньше насилия.

Она усмехнулась, помня, что раньше Даррен работал подручным мясника.

— Очень мило, что ты тратишь воскресное время.

— Пожертвовал барбекю у родителей подружки. Такова обратная сторона профессии. С тех пор как я сюда пришел, терпеть не могу жаркого.

— И я тоже.

Оба думали об умерших от ожогов. Кожа черная, хрусткая, как жареная свинина. В зависимости от того, долго ли они горели, плоть бывает серой и твердой или сырой, кровавой, вроде непрожаренного мяса. Клио как-то читала, что каннибальские племена Центральной Африки называют белого человека долго жарящейся свиньей. Теперь она знает почему. Не секрет, что многие работники моргов не любят жаренного на открытом огне мяса. Особенно свинины.

Они вместе перевернули труп на живот, осмотрели спину на предмет татуировок, родимых пятен, пулевого отверстия, однако ничего не нашли. Наконец с облегчением уложили его в мешок, застегнули «молнию», вкатили в холодильную камеру номер 17. Завтра начнется процесс идентификации. Мягкие ткани на пальцах отсутствуют, поэтому нельзя снять отпечатков. Челюсти целы, можно проверить карточки дантистов. ДНК — дело другое. Чтобы установить его, оно должно быть внесено в базу данных. Фотографии, описание, измерения будут отправлены в отдел розыска пропавших, суссекская полиция свяжется с друзьями и родными всех исчезнувших, подпадающих под описание мертвой женщины.

Утром консультант-патологоанатом доктор Найджел Черчмен проведет вскрытие, выяснит причину смерти. Если обнаружит что-нибудь подозрительное, немедленно прекратит работу и уведомит коронера. В морг будут вызваны либо Надюшка Де Санча, либо доктор Теобальд.

А пока у Клио и Даррена остаются несколько часов прекрасного августовского воскресного дня.

Даррен уехал первым в своем маленьком красном «ниссане». Он все-таки отправился на барбекю, без которого, честно сказать, вполне мог обойтись. Клио стояла в дверях, глядя ему вслед, не в силах удержаться от зависти. Молодой, полный энтузиазма, повезло с подружкой, повезло с работой...

А она быстро движется к тридцати и дальше. Довольна карьерой, но беспокоится из-за нее. Хочет иметь детей, пока не слишком поздно. Каждый раз, когда кажется, что нашла *того самого*, он обязательно что-то выбрасывает с левого поля. Рой был таким чудесным. И надо же — когда ей казалось, что все идеально, неожиданно выскочила его пропавшая жена, как проклятый чертик из табакерки.

Клио включила сигнализацию, вышла из здания, заперла дверь с одной мыслью в голове: добраться домой, посмотреть, нет ли сообщения от Роя. Пошла по бетонной подъездной дорожке к своему «эм-джи» и в ужасе остановилась.

Кто-то распорол ножом матерчатую крышу. От ветрового стекла до заднего.

64

Женщина за деревянным прилавком в стеклянном окошке протянула желтоватый прямоугольный бланк.

— Впишите, пожалуйста, имя, фамилию, адрес и прочее, — устало проговорила она.

Вид у нее был такой, словно она тут сидит слишком долго, напоминая музейный экспонат, с которого кто-то забыл смахнуть пыль. Лицо бледное от сидения взаперти, его обрамляют бесформенные темные волосы, плечи похожи на занавески, свисающие с оборванных колец.

Над окошечком регистратуры отделения травматологии и неотложной помощи Королевской больницы графства Суссекс висело большое жидкокристаллическое табло, где желтыми буквами на черном фоне светилась в данный момент надпись: «Время ожидания три часа».

Он внимательно изучал анкету. Имя, фамилия, адрес, дата рождения, ближайшие родственники. Особая графа насчет аллергии.

— Что-нибудь непонятно? — спросила женщина.

Он поднял распухшую правую руку:

— Писать трудно.

— Хотите, я за вас заполню?

— Сам справлюсь.

Склонившись над стойкой, принялся за анкету; одурманенная болью голова работала плохо. Он старался быстро соображать, но нужные мысли приходили не в той последовательности. Вдруг одолело головокружение.

— Можете присесть, — предложила женщина.

— Я сказал, справлюсь! — рявкнул он.

255

Сидевшие вокруг на жестких оранжевых пластмассовых стульчиках люди испуганно на него посмотрели. *Глупо*, думал он. *Глупо привлекать к себе внимание*. Поспешно заполнил бумагу и, как бы в качестве извинения, находчиво, по его мнению, записал в графе «аллергия»: боль.

Женщина, кажется, не обратила на это внимания.

— Садитесь, пожалуйста, сестра скоро выйдет и вас пригласит.

— Через три часа? — уточнил он.

— Я предупрежу, что дело срочное, — пообещала она и опасливо посмотрела на странного человека с длинными всклокоченными темными волосами, пышными усами и бородой, в затемненных очках, широкой белой рубашке под пиджаком, серых слаксах и сандалиях, направившегося к пустому стулу между мужчиной с окровавленной рукой и пожилой женщиной с забинтованной головой. Потом подняла телефонную трубку.

Обладатель Миллиардного Запаса Времени вытащил из футляра ноутбук, висевший на поясе, но, прежде чем успел что-нибудь сделать, перед ним выросла тень. Симпатичная темноволосая женщина под пятьдесят в форме медицинской сестры с табличкой, на которой значилось: «Барбара Лич — медсестра», приветливо сказала:

— Добрый день! Пожалуйста, пройдемте со мной.

Она привела его в маленькую кабинку и попросила сесть.

— В чем проблема?

Он поднял руку:

— Поранился, когда возился с машиной.

— Давно?

Он подумал:

— В четверг после полудня.

Медсестра внимательно осмотрела кисть, перевернула, сравнила с левой рукой.

— Похоже, занесли инфекцию. Противостолбнячный укол давно делали?

— Не помню.

Медсестра снова задумчиво обследовала руку:

— Говорите, возились с машиной?

— Реставрировал старый автомобиль.

— Попрошу доктора принять вас как можно скорее.

Убийственно жив

Он вернулся на свой стул в зале ожидания, снова погрузился в ноутбук, вошел в справочную систему «Гугл», задал поиск «эм-джи ТФ».

Машины Клио Мори.

Несмотря на боль и туман, в голове формировался план. Поистине хороший план.

— Блестяще, мать твою! — проговорил он вслух, не в силах сдержать радостное волнение. И моментально заполз в свою раковину.

Его била дрожь.

Господь всегда подает знак одобрения.

65

Неохотно сократив драгоценное время пребывания в Мюнхене, Рой Грейс умудрился попасть на рейс пораньше. За день погода в Англии драматически переменилась, и, когда он в шесть часов с небольшим выводил свою машину с краткосрочной многоэтажной стоянки, небо было зловеще-серым, дул холодный ветер, на ветровое стекло брызгал дождь.

За недавние жаркие летние дни он забыл о таком ветре. Матушка-зима задолго сурово напоминает, что лето не вечно. Дни становятся короче. Через месяц с небольшим придет осень. Потом зима. Очередной год закончится.

Он устало размышлял, чего добился за день, кроме еще одной черной метки от Элисон Воспер. Вообще хоть что-нибудь сделал?

Сунул в автомат квитанцию, и шлагбаум поднялся. Даже мотор сейчас взял фальшивый тон. Явно работает не на всех цилиндрах. Как и его владелец.

Выбирайся из Мюнхена. Позвони, когда вернешься.

Добравшись до круговой развязки и выехав на шоссе М-25, он вытащил из футляра мобильник, набрал номер Клио. Пошли гудки. Потом раздался ее голос, не совсем твердый, неразборчивый сквозь дикий грохот джазовой музыки где-то на фоне.

— Ух! Суперинтендент Рой Грейс! Где ты?

— Только что выехал из Хитроу. А ты?

— Оттягиваюсь с сестренкой, допиваем по третьему «Морскому бризу»... не по третьему? Извини. Поправь. Допиваем по пятому «Морскому бризу» на морском берегу. Жуткий ветер, но оркестр обалденный. Давай к нам!

— Я должен быть на месте преступления. Если только попозже?

— Вряд ли мы еще долго продержимся в сознании.

— Значит, ты сегодня не дежуришь?

— У меня выходной!

— Можно все-таки заскочить?

— Не могу гарантировать, что не засну. Но попробуй.

Во времена его детства Черч-роуд в Хоуве была стоячим болотом по сравнению с шумной оживленной торговой брайтонской Вестерн-роуд, спала мертвым сном где-то к западу от рынка Уэйтроуз. В последние годы она существенно преобразилась, обзаведясь шикарными ресторанами, деликатесными лавками, магазинами, в которых демонстрировались товары, привлекающие людей моложе девяноста. С нее, как почти со всех других улиц города, исчезли знакомые названия аптеки и бакалеи «Калленс», универмагов «Хиллс оф Хоув» и «Пламмер Роддис». Остались лишь немногие. В том числе булочная «Форварс». Грейс свернул направо, поднялся по улочке с односторонним движением, снова повернул вправо и еще раз на Ньюман-Виллас.

Как во всех дешевых жилых кварталах этого быстро меняющегося города, улица кишела объявлениями о сдаче жилья, и дом номер 17 не составлял исключения. Особенно выделялось объявление агентства «Рэнд и K⁰», предлагавшее внаем двухкомнатную квартиру. Перед желто-синими лентами, ограждающими место преступления, стоял плотный констебль в форме с планшетом в руках. Вдоль улицы выстроились несколько знакомых автомобилей — квадратный кузов фургона отдела тяжких преступлений, другие полицейские машины, стоявшие в два ряда, отчего узкая улица стала еще уже, — и кучка репортеров, включая доброго малого Кевина Спинеллу.

Не опознанный в своей личной «альфе» Грейс проехал мимо и нашел свободное местечко за углом на Черч-роуд. Заглушил мотор, посидел неподвижно.

Сэнди.

Что дальше делать? Ждать известий от Куллена? Вернуться в Мюнхен, пробыть там еще какое-то время? Ему предстоит двухнедельный отпуск. Они с Клио собирались поехать куда-нибудь вместе, может быть, на полицейский симпозиум в Новом Орлеане в конце этого месяца. Только в данный момент его попросту разрывает на части.

Если Сэнди в Мюнхене, то он обязательно ее найдет. Сегодня действительно вел себя глупо. Никогда не умел добиваться результата за несколько часов. Хотя бы запустил мяч, сделал все, что мог. На Марселя Куллена можно положиться, он постарается. Может, стоит вернуться через неделю. Неделю провести в Мюнхене, а другую с Клио в Новом Орлеане. Хорошо бы удалось ее уговорить.

Переключившись на непосредственно стоявшую перед ним задачу, он вытащил из багажника рабочий саквояж и пошел назад к дому номер 17. Репортеры закричали, увидев его, энергичная девушка сунула под нос микрофон, мелькали фотовспышки.

— На данном этапе никаких комментариев, — твердо объявил Грейс.

Дорогу неожиданно преградил Спинелла.

— Опять, суперинтендент? — тихо спросил он.

— Что «опять»?

Репортер еще понизил голос, глядя на него понимающим взглядом:

— Вам хорошо известно. Правда?

— Скажу, когда сам увижу.

— Не волнуйтесь. Если вы не скажете, так другой кто-нибудь. — Спинелла постучал себя по носу. — Источники!

Подавляя заманчивое побуждение двинуть репортеру в морду, почти слыша, как хрустнет носовая кость, Грейс протиснулся мимо него, расписался в листке на планшете. Констебль подсказал, что надо подниматься на верхний этаж.

Он нырнул под ленту, вытащил из саквояжа свежий белый бумажный костюм и принялся его неловко натягивать. К своему смущению и досаде, едва не упал на глазах у суссекских репортеров, сунув обе ноги в одну штанину. Покраснев, поправил дело, натянул бахилы, латексные перчатки и вошел в дом.

Закрыв за собой парадную дверь, остановился в прихожей, принюхался. Обычный запах сырости от старого ковра и вареных овощей, типичный для тысяч старых домов, в которых он побывал за годы службы. Никакого зловония разлагающегося трупа — значит, жертва убита недавно. В летнюю жару запах гниющей плоти появляется быстро. Маленькое облегчение, подумал он, с одобрением видя протянутые по всей лестнице ленты, ограничивающие проход. По крайней мере, прибывшая сюда полицейская бригада свое дело знает, предупредив уничтожение следов на месте преступления.

О чем ему самому следовало бы подумать. Глупо подниматься наверх, рискуя наследить, пока криминалисты все тщательно не осмотрели. Грейс вытащил мобильник, позвонил Ким Мерфи, сообщил, что стоит внизу.

На площадке первого этажа он заметил криминалиста Эдди Гриббла в белом костюме с капюшоном, который ползал по полу на коленях и делал соскобы. Гриббл приветственно кивнул. Показался второй точно так же одетый криминалист Тони Монпингтон, посыпавший стену порошком для выявления отпечатков пальцев.

— Добрый вечер, Рой, — весело поздоровался он.

Грейс махнул рукой:

— Хорошо проводишь воскресенье?

— Вытащили из дома. Пусть Белинда смотрит что хочет по телевизору.

— Во всем есть светлые стороны, — мрачно ответил суперинтендент.

Через несколько секунд появились еще две фигуры в спецкостюмах с капюшонами. Одной оказалась Ким Мерфи с видеокамерой в руках, другой — старший инспектор Брендан Дуиган, высокий крупный общительный офицер с добродушным румяным лицом и преждевременно поседевшими волосами. Дуиган был дежурным офицером, первым прибывшим на место преступления, о чем Грейс узнал по дороге сюда. Он и вызвал Ким Мерфи, заметив сходство с убийством Кэти Бишоп.

После краткого обмена любезностями Мерфи продемонстрировала Грейсу видеозапись, сделанную на месте. Он просмотрел ее на маленьком мониторе, прикрепленном к камере.

Когда много лет занимаешься такой работой, начинаешь думать, что выработал иммунитет ко всевозможным кошмарам, все повидал и больше ничто тебя не удивит, а тем более не шокирует. Но от представленной видеозаписи внутри заворочался ледяной червь.

Грейс увидел еще двух криминалистов в белом на четвереньках и одного стоявшего, Надюшку Де Санча на коленях в ногах кровати и алебастрово-белое обнаженное тело молодой женщины с длинными темными волосами, на лице маска противогаза.

Почти точная копия Кэти Бишоп.

За исключением того, что Кэти не сопротивлялась. А камера показывала, что эта девушка определенно боролась. На полу разбитая тарелка, на стене над ней пятно. Зеркало на туалетном столике разбито, флакончики духов и баночки с макияжем разбросаны по всей комнате, на стене смазанные следы крови прямо над белой спинкой кровати. Фотография в рамке сорвана и валяется на полу, стекло разбито. В Брайтоне из года в год совершается своя доля убийств, но, к счастью, на них никогда еще не падала тень убийцы-маньяка. Грейсу даже нужды не было досконально знакомиться с их деятельностью — до нынешнего момента.

Поблизости громко завыла сирена. Грейс ее не слышал, глядя на застывшую в кадре мертвую девушку. Он регулярно посещал лекции для старших офицеров об убийцах-маньяках на ежегодных симпозиумах Международной ассоциации по исследованию преступлений, проводившихся в основном в США, и теперь пытался припомнить характерные особенности. Спинелла пока держит слово, в прессе не было никаких упоминаний о противогазе, значит, маловероятно, что действовал подражатель.

Одно из лекций хорошо помнится: страх, возникающий в обществе при известии о серийном убийце. А с другой стороны, общество имеет право и должно знать об этом.

Грейс обратился к старшему инспектору Дуигану:

— Что у нас есть на данный момент?

— Надюшка предполагает, что молодая женщина мертва дня два.

— Можно сказать, как она умерла?

— Да. — Ким Мерфи прокрутила запись, остановила, указывая на шею девушки. Видна была багровая полоса от удавки, ставшая на мгновение еще четче от вспышки камеры полицейского фотографа.

Налитый свинцом желудок Грейса сжался, прежде чем Ким успела подтвердить:

— Идентично случаю с Кэти Бишоп.

— Ищем убийцу-маньяка, что бы это на самом деле ни означало? — уточнил Грейс.

— Судя по тому, что я до сих пор видел, Рой, пока говорить что-нибудь слишком рано, — ответил Дуиган. — Я фактически не специалист по серийным убийцам. К счастью, никогда с ними не сталкивался.

— Я тоже.

Грейс напряженно думал. Убиты две привлекательные женщины, явно одинаковым способом, вторая через сутки после первой.

— Что о ней известно?

— Софи Харрингтон, — сообщила Мерфи, двадцати семи лет, служила в лондонской компании по производству фильмов. Я сначала ответила на телефонный звонок молодой женщины по имени Холли Ричардсон, которая представилась ее ближайшей подругой. Она весь вчерашний день пыталась связаться с Софи, они должны были вместе идти на вечеринку. Холли в последний раз говорила с ней в пятницу часов в пять.

— Это нам поможет, — кивнул Грейс. — По крайней мере, известно, что в то время она была жива. Кто-нибудь разговаривал с Холли Ричардсон?

— Ник сейчас к ней отправился.

— А мисс Харрингтон явно устроила чертовскую драку, — добавил Дуиган.

— Все кругом вдребезги, — согласился Грейс.

— Надюшка нашла под ногтем на большом пальце крошечный кусочек кожи.

Грейс ощутил прилив адреналина:

— Человеческой кожи?

— Так она считает.

— Могла убитая во время борьбы поцарапать противника?

— Возможно.

Внезапно обострившаяся память подбросила Грейсу воспоминание о ссадине на руке Брайана Бишопа. И о его самовольной отлучке на несколько часов в пятницу вечером.

— Мне срочно нужен анализ ДНК, — сказал он, вытаскивая мобильный телефон.

Линда Бакли ответила после второго звонка.

— Где Бишоп?

— Ужинает с родителями жены. Они прилетели из Аликанте, — доложила она.

Он спросил адрес, набрал номер мобильника Брэнсона.

— А, старый знакомый... Чего тебе?

— Что ты сейчас делаешь?

— Ем омерзительно здоровые вегетарианские каннелони[1] из твоего морозильника, слушаю твою дерьмовую музыку, смотрю твой древний телевизор. Слушай, почему ты не купишь широкий экран, как все добрые люди на этой планете?

— Забудь о своих проблемах. Пора на работу.

И Грейс продиктовал адрес.

---

[1] К а н н е л о н и — трубочки из теста с мясной, сырной и прочей начинкой.

66

Тишину на мгновение прервала звякнувшая ложечка, которой Мойра Дентон деликатно помешала чай в изящной костяной китайской чашечке. Брайан Бишоп всегда с трудом общался с родителями жены. Отчасти потому, как ему казалось, что они между собой не очень-то ладили. Глядя на них, вспоминалась прочитанная когда-то фраза о людях, которые жили *в тихом разводе*. К сожалению, лучше не скажешь об отношениях между Фрэнком и Мойрой Дентон.

Фрэнк — маньяк-предприниматель, постоянно терпящий крах. Брайан кое-что вложил по мелочи в его последнее предприятие — фабрику в Польше по переработке пшеницы в биологически чистое горючее, — скорее из семейной солидарности, чем в надежде на реальную прибыль. Предприятие неизбежно рухнуло, как и все прочие предприятия подобного рода, которые замысливал Фрэнк. Высокий мужчина, еще не достигший семидесяти, который лишь недавно стал выглядеть на свои годы, Фрэнк Дентон был столь же маниакальным приверженцем длинной спутанной гривы волос, которая теперь имела довольно грязный оранжевый цвет от каких-то осветлителей. Веко на его левом глазу плохо слушалось, постоянно оставаясь как бы полузакрытым. Прежде тесть напоминал Брайану дружелюбного беспутного пирата, но сейчас, когда он молча сидел в кресле, подавшись вперед, в крошечном котелке, небритый, непричесанный, в грязной белой рубашке, это был просто-напросто опечаленный и потрепанный жизнью старик. Рядом с пузатой бутылкой перед ним стояла нетронутая рюмка бренди.

Мойра сидела напротив мужа за резным кофейным столиком, на котором лежал вчерашний выпуск «Аргуса» с мрачными заголовками. В отличие от Фрэнка она работала над своей внешностью и в шестьдесят с лишним лет выглядела привлекательно. Она выглядела бы еще лучше, если б не позволяла себе горько и кисло морщиться. На ней был свободный простой серый топ, синяя плиссированная юбка, черные туфли. Обильно вьющиеся крашеные черные волосы тщательно причесаны, макияж искусный.

На экране телевизора с приглушенным звуком бегала мышка в широкой зеленой траве. Живя почти все время в Испании, Дентоны считали холодной даже английскую летнюю жару. Поэтому включали центральное отопление в своей квартире в Хоуве на полную мощность и окна держали закрытыми.

Брайан потел, сидя в бархатном кресле, выпив третий стакан пива «Сан-Мигель». В животе бурчало, хотя Мойра только что подала еду. Он почти не притронулся к холодной курице с салатом и к консервированным персикам. У него вообще не было аппетита. И беседа не ладилась. После его прихода пару часов назад они втроем сидели практически молча, обсудив только, хоронить Кэти или кремировать. С женой Брайан никогда об этом не говорил, но Мойра непреклонно настаивала на кремации.

Потом поговорили насчет организации похорон — все зависит от того, когда коронер выдаст тело, которое Фрэнк с Мойрой видели вчера в морге. Эта тема обоих довела до слез.

Понятно, родители тяжело переживают смерть Кэти. Она была не просто единственным ребенком, а единственным по-настоящему ценным достоянием в их жизни, липучкой, которая склеивала их друг с другом. В одно особенно неприятное Рождество Мойра, выпив чересчур много шерри, шампанского, а потом еще ликера, горько призналась Брайану, что только благодаря Кэти удалось отвлечь Фрэнка от любовных интрижек.

— Понравилось тебе пиво, Брайан? — спросил Фрэнк. Он выработал роскошный раскатистый голос с красочным английским произношением, чтобы скрыть свои рабочие корни. Мойра тоже повышала тон, особенно когда выпьет лишнего, а потом вновь возвращалась к родной ланкастерской речи.

— Да. Очень вкусно. Спасибо.

— Испанское, видишь? Высокое качество. — Оживившись на миг, Фрэнк взмахнул рукой. — Эту страну сильно недооценивают — еду, вино, пиво. И цены, конечно. Кое-какие растут, но все-таки возможности остаются, если знаешь, что делаешь.

Брайан видел, что отец Кэти, несмотря на горе, готов обсуждать ценовую политику.

— Цены на недвижимость там удваиваются каждые пять лет, — продолжал Фрэнк. — Надо только поймать очередное горячее место. Строительство дешево стоит, испанцы работают здорово. Я нашел абсолютно фантастический вариант неподалеку от Аликанте. Говорю тебе, Брайан, просто немыслимый.

Меньше всего ему сейчас хотелось выслушивать подробности очередного заманчивого, но неизбежно обреченного плана Фрэнка. Лучше скорбное молчание, позволяющее, по крайней мере, погрузиться в собственные мысли.

Он выпил еще пива. Надо остановиться — ему еще предстоит сесть за руль, и неизвестно, как офицер из отдела семейных проблем отреагирует на запах спиртного.

— Что у тебя с рукой? — неожиданно спросила Мойра, глядя на свежий пластырь.

— Оцарапал... выходя из машины, — с легкостью ответил Брайан.

Раздался дверной звонок.

Дентоны переглянулись, Фрэнк отправился в прихожую.

— Мы никого не ждем, — сказала Мойра.

Вскоре Фрэнк вернулся.

— Полиция, — объявил он, бросив странный взгляд на зятя. — Сюда поднимаются. — Он не отрывал взгляда от Брайана, словно за время отсутствия его осенила какая-то мрачная мысль.

Брайан задумался, не сказали ли полицейские тестю чего-нибудь неподобающего.

67

В комнате для допроса свидетелей Гленн Брэнсон включил записывающую аудио- и видеоаппаратуру и, усевшись на место, четко объявил:

— Воскресенье, шестое августа, двадцать один час двенадцать минут. Суперинтендент Грейс и сержант Брэнсон беседуют с мистером Брайаном Бишопом.

Помещения уголовного розыска становились для последнего удручающе знакомыми — вверх по лестнице мимо ряда синих досок с последними полицейскими сообщениями, через открытые кабинеты, по коридорам с кремовыми стенами, увешанными таблицами, в крошечную комнатку с тремя красными стульями.

— Начинает смахивать на «День сурка»[1], — заметил Бишоп.

— Блестящий фильм, — кивнул Брэнсон. — Лучшая роль Билла Мюррея. По-моему, даже лучше, чем в «Охотниках за привидениями».

Этот фильм Бишоп видел в одну из бессонных ночей и теперь принялся припоминать роль Мюррея, хотя вовсе не был настроен обсуждать кино.

— Ваши люди закончили с расследованием в моем доме? Когда мне разрешат вернуться туда?

— Боюсь, придется потерпеть еще несколько дней, — ответил Грейс. — Спасибо, что сейчас к нам пришли. Простите, что вызвали вас в воскресенье.

— Звучит почти смешно, — с горечью вымолвил Бишоп, едва удержавшись от добавления, что без всякого сожаления оставил

---

[1] «День сурка» — фильм, герои которого постоянно переживают один и тот же день.

горюющих тещу и тестя, а заодно избавился от обсуждения очередного предприятия Фрэнка. — Что нового можете мне сообщить?

— Увы, ничего на данном этапе, но завтра мы ожидаем результатов анализа ДНК, которые нам, может быть, что-нибудь скажут. В ходе следствия у нас к вам возникли некоторые вопросы. Не откажетесь на них ответить?

— Давайте.

Грейс отметил, что Бишоп поежился и вообще ведет себя совсем иначе, чем на первой беседе, когда был охвачен горем и выглядел растерянным. Но суперинтендент по опыту знал, что этому впечатлению нельзя верить. Злость, естественно, сопутствует трагическим переживаниям, а овдовевший мужчина способен без видимой причины наброситься на первого встречного.

— Не начнете ли, мистер Бишоп, с характера вашей предпринимательской деятельности?

— Моя компания разрабатывает и поставляет логистические системы. Мы устанавливаем и запускаем программное обеспечение, держа его под круглосуточным контролем.

— Что это значит? — переспросил Грейс, видя, что насупившийся Брэнсон тоже недоумевает.

— Приведу пример. Вылет самолета, скажем из Гатуика, задерживается по каким-то причинам до следующего дня — техническим, из-за плохой погоды и прочее. Перед авиакомпанией сразу встает проблема ночевки трехсот пятидесяти пассажиров и еще куча головоломных вопросов — изменение рейсов, утряска расписания экипажей, члены какой-то команды вынуждены работать сверхурочно, не получая ни положенного питания, ни компенсации, транзитных пассажиров приходится пересаживать на другие маршруты, ну вы понимаете.

— Значит, вы работаете с компьютерами?

— Я бизнесмен, но вполне разбираюсь в компьютерном деле. Получил степень в Суссекском университете.

— Как я понимаю, ваша фирма процветает?

— В прошлом году «Санди таймс» включила ее в список ста самых успешных британских компаний, — с проглянувшей под скорбью гордостью сообщил Бишоп.

— Надеюсь, все эти события не окажут на вашу деятельность отрицательного влияния.

— Да какое это имеет значение, — глухо ответил Бишоп. — Я все это делал для Кэти... — У него сорвался голос, он вытащил носовой платок и уткнулся в него лицом. А потом в неожиданном приступе гнева выкрикнул: — Пожалуйста, поймайте сукиного сына... мерзавца... последнюю сволочь... — И он разразился слезами.

Грейс чуть-чуть подождал и спросил:

— Не хотите чего-нибудь выпить?

Бишоп, всхлипывая, покачал головой.

Грейс ждал, когда он успокоится.

— Извините, — пробормотал Бишоп, утирая глаза.

— Не стоит извиняться, сэр. — Грейс дал ему еще немного времени. — Как вы описали бы свои супружеские отношения?

— Назвал бы их хорошими. Мы любили друг друга. По-моему, мы... — Бишоп помедлил и уверенно заявил: — *Дополняли* друг друга.

— Не ссорились в последнее время?

— Нет. Честно могу сказать, что нет.

— Что-нибудь вашу жену беспокоило? Огорчало?

— Кроме превышения кредита по карточкам?

Грейс с Брэнсоном скупо улыбнулись, не зная, как реагировать на это неудачное подобие шутки.

— Не могли бы вы нам рассказать, что делали сегодня, сэр? — Грейс перешел к насущной задаче.

Бишоп отнял от лица платок:

— Сегодня?

— Да.

— Утром разбирался с электронной почтой. Позвонил секретарше, пересмотрев список назначенных встреч, которые пришлось отменить. Я должен был лететь в среду в Штаты к потенциальному клиенту в Хьюстоне, но отказался от этого. Потом пообедал с одним своим приятелем и его женой... у них дома.

— Они смогут это подтвердить?

— Господи боже! Конечно.

— У вас рука перевязана.

— Жена моего друга — она медсестра — решила, что это надо сделать. А что? Мы вновь вернулись во времена испанской инквизиции?

Брэнсон поднял обе руки:

— Мы просто беспокоимся о вашем здоровье, сэр. Переживая такое горе, люди часто о себе забывают. Вот и все.

В тот момент Грейсу очень хотелось сказать, что водитель такси, где он якобы ободрал руку, хорошо его помнит, но никак не может объяснить ссадину, однако решил сохранить за собой решающий выстрел.

— Еще пара вопросов, и все, мистер Бишоп, — заключил он с улыбкой, встретив в ответ беспристрастный, равнодушный взгляд. — Вам что-нибудь говорит имя Софи Харрингтон?

— Софи Харрингтон?

— Это молодая женщина, которая жила в Брайтоне и работала в лондонской кинокомпании.

— Софи Харрингтон? Нет, — твердо сказал Бишоп. — Я ее не знаю.

— Никогда о ней не слышали? — настаивал Грейс.

— Нет. Никогда не слышал, — последовал после некоторой паузы ответ.

Грейс понял, что Бишоп лжет. Глаза дважды метнулись в сторону воображения.

— А я должен ее знать?

Вопрос прозвучал неубедительно.

— Нет, — ответил Грейс. — Я просто на всякий случай спросил. Еще нас интересует страховой полис, который вы заключили на имя миссис Бишоп.

Бишоп с искренним изумлением помотал головой — или превосходно сымитировал искреннее изумление.

— Он был получен полгода назад, сэр, — продолжал Грейс. — Вы заключили банковский полис на имя жены, застраховав ее жизнь на три миллиона фунтов.

Бишоп энергично затряс головой и недоуменно ухмыльнулся:

— Ничего подобного. Я не верю в страхование жизни. Никогда не получал ни единого полиса.

Грейс внимательно наблюдал за ним.

— Позвольте уточнить, сэр. Вы утверждаете, что никогда не страховали жизнь миссис Бишоп?

— Совершенно верно!

— В вашем доме найден страховой полис. Предлагаю вам заглянуть в свои банковские счета. С них ежемесячно перечислялись соответствующие платежи.

Бишоп озадаченно помотал головой.

И на этот раз по движению его взгляда Грейс понял, что он не лжет.

— Пожалуй, я ничего больше не стану говорить, — объявил Бишоп. — Пока не прибудет мой адвокат.

— Думаю, это разумно, сэр.

68

Через несколько минут Рой Грейс и Гленн Брэнсон провожали взглядом хвостовые красные огни «бентли» Бишопа, исчезавшие за правым поворотом, где находился огромный книжный склад.

— Что думаешь, старик? — спросил Брэнсон.

— Думаю, что неплохо бы выпить.

Они поехали к пабу «Черный лев», и Грейс у стойки заказал для Гленна пинту «Гиннесса», а себе виски «Гленфиддиш» со льдом, после чего они уселись в отдельной кабинке.

— Никак не могу его раскусить, — сказал Грейс. — Умный, хитрый, хладнокровный... Но чую, что он знал Софи Харрингтон.

— По глазам?

— Ты видел? — Грейс обрадовался, что друг перенял его метод.

— Он ее точно знал.

Грейс сделал маленький глоток виски, и ему страшно захотелось курить. Черт возьми. Через год курение в пивных будет запрещено. Может быть, и хорошо. Он пошел к автомату, взял пачку «Силк кат», содрал целлофан, вытащил сигарету, прикурил у молодой барменши, глубоко затянулся, наслаждаясь каждой секундой, пока вдыхал табачный дым.

— Бросай курить. До добра это не доведет.

— Сама жизнь не доведет до добра, — возразил Грейс. — Она всех доводит до смерти.

Брэнсон помрачнел:

— Ты мне будешь рассказывать? Помнишь пулю? Угоди она на дюйм правее, попала бы в позвоночник. Я бы сидел в инвалидной коляске до конца своих дней. — Он тряхнул головой, от души хлебнул пива. — Перетерпел адское лечение, пережил реабилитацию, вернулся домой и вместо любящей заботливой жены нашел полнейшее дерьмо! — Он горестно закрыл лицо руками.

— Я думаю, ты должен ей просто лошадь купить, — осторожно сказал Грейс.

Друг ничего не ответил.

— Не знаю, сколько стоит лошадь и ее содержание, но ведь ты получил компенсацию за ранение, целую кучу денег. По-моему, на покупку лошади хватит с лихвой.

Рядом с ними возникла молоденькая барменша:

— Еще чего-нибудь желаете? Мы скоро закрываемся.

Грейс ей улыбнулся:

— Нет, все, — и обнял Брэнсона, чувствуя под ладонью мягкую замшу куртки.

— Знаешь, в чем ирония судьбы? — спросил сержант. — Я ведь тебе уже говорил, правда? Пошел служить в полицию, чтоб ребятишки могли мной гордиться. А мне теперь даже не разрешается поцеловать их на ночь.

Грейс выпил виски, затянулся сигаретой. По-прежнему вкусно, но не так, как раньше.

— Старик, ты же знаешь закон. Она не имеет права тебе воспрепятствовать.

Он смотрел на длинную деревянную стойку бара: перевернутые бутылки, зеркала, пустые высокие табуреты, опустевшие столики. День был долгий. Трудно поверить, что он обедал на берегу озера в Мюнхене.

— Слушай, — неожиданно спохватился Брэнсон, — я ведь даже не спросил, как ты съездил. Что там?

— Ничего. Абсолютно ничего.

— Не повторяй моих ошибок, Рой. Не порть дело. Ты правильно сделал, что связал себя с Клио. Береги ее. Она очень хорошая.

Клио была в полном смятении, когда Грейс около половины двенадцатого подошел к кованым железным воротам ее дома.

— Мне нужна твоя помощь, — объявила она в домофон. — Я не знаю, что делать и думать.

Электронный замок открылся с резким пистолетным щелчком. Грейс вошел, прошагал по каменным плитам, залитым неоновым светом, к парадным дверям, напоминающим раковину гигантского синего краба-мутанта, которые сразу распахнулись. Там стояла Клио.

Он хотел поцеловать ее в губы, но она подставила щеку, давая понять, что по-прежнему сердится.

— Какой-то мерзавец распорол мне сегодня крышу машины. Поможешь ее закрыть?

Он даже не помнил, когда на него в последний раз сваливалась такая тяжесть, и без конца переспрашивал, огорошенный ее холодностью:

— А ты-то как?

— Чувствую себя трупом, — ответила она, задыхаясь, и чуть не упала на бровке тротуара.

Они прошли по темной тихой улице мимо его «альфа-ромео» к синему «эм-джи» с начисто распоротым верхом.

— Сволочи! — прохрипел Грейс. — Где это случилось?

— Нынче днем у морга. Чинить смысла нет. Могут снова разрезать.

Она дрожащей рукой вытащила электронный ключ, отперла машину, залезла внутрь, и они вместе с трудом, обливаясь потом и сыпля проклятиями, укрепили жесткую крышу.

Полностью сосредоточившись на деле, ни Клио, ни Грейс не заметили в тени мужчину, притаившегося в ближайшем переулке, который наблюдал за ними с довольной улыбкой.

69

Утро понедельника началось для Роя Грейса со встречи в его служебном кабинете в половине восьмого с инспектором Ким Мерфи, старшим инспектором Бренданом Дуиганом, криминалистом Джо Тиндаллом и сержантом Гленном Брэнсоном. На своего друга Грейс возложил задачи, способные отвлечь его от домашних проблем. На совещании присутствовала и его помощница Элинор. Инструктажи Дуигана и Мерфи проходили с разницей в полчаса, чтобы Грейс мог присутствовать на обоих, но в то утро они были объединены, чтобы получился полный отчет обеих бригад о прошедших событиях.

Чуть позже восьми Грейс выпил вторую утреннюю чашку кофе. Вернувшись в кабинет, просмотрел на мобильнике три сделанных вчера снимка немки-блондинки и отправил электронное сообщение Дику Поупу, который должен был в тот день вернуться на работу. Он спрашивал Дика, не эту ли женщину он с Лесли видел на прошлой неделе в Английском саду?

Опять вернулся к фотографиям. Лицо анфас крупным планом и в профиль. Довольно четкие.

Потом отправил те же снимки Марселю Куллену. Он ему их показывал на маленьком дисплее мобильного телефона, но на компьютерном мониторе они были четче. Потом открыл файл регистрации происшествий, пробежав глазами события за прошедшие сутки. Воскресный вечер был спокойным, не считая летнего дорожного движения с уставшими и нередко подвыпившими путешественниками за рулем, возвращающимися домой. Зарегистрированы мелкие правонарушения, уличные преступления, угон автомобилей, семейный скандал в Патчеме, ограбление престарелого пешехода, вторжение в клуб рыболовов, драка в ресторане и прочее в том же роде. Кажется, ничего, что могло бы быть связано с убийством Кэти Бишоп и Софи Харрингтон.

Грейс послал еще пару электронных сообщений, собрал статистические сведения по городу для инструктажа в половине девятого и направился по коридору к конференц-залу, куда созвал бригаду, состоявшую из сорока с лишним человек.

Сначала он всех поприветствовал, разъяснил новичкам план и ход следствия, сообщив, что лично руководит расследованием обоих дел, тогда как инспектор Ким Мерфи является его заместителем по делу об убийстве Кэти Бишоп, а старший инспектор Дуиган по делу Софи Харрингтон. Потом предложил просмотреть видеозапись с места убийства Софи Харрингтон и проинформировал своих сотрудников о результатах расследования обоих дел на данный момент.

После просмотра видеозаписи ненадолго установилось молчание, которое прервал Норман Поттинг, сгорбившийся над столом в мятом, заляпанном кремовом полотняном костюме.

— Если желаете знать мое мнение, мы охотимся за убийцей, оставляющим за собой очень даже вонючий след, — проворчал он с широкой ухмылкой. В ответ улыбнулся только Альфонсо Дзаффероне, хотя не сочувственно, а жалостливо.

— Спасибо, Норман, — холодно бросил Грейс, недовольный черствостью Поттинга и не хотевший отклоняться от лежавшей перед ним отпечатанной повестки дня и от статистической сводки по городу, которые они рано утром тщательно обсудили с Ким Мерфи. И все-таки он решил воспользоваться моментом и поставить Нормана на место. — Может, ты для начала поделишься с нами добытыми фактами, которые подтвердили бы это предположение?

Поттинг принялся поправлять неловко завязанный узел облинявшего и обтрепанного галстука.

— Ну, по-моему, я кое-что накопал в другом направлении, — самодовольно объявил он, переставая возиться с узлом.

— Мы внимательно слушаем, — сказал Грейс.

— Кэти Бишоп завела любовную интрижку, — победно доложил сержант-ветеран.

Сорок пар глаз внимательно обратились к нему.

— Кто-нибудь из вас наверняка помнит, — продолжал Поттинг, заглядывая в блокнот, — что я просматривал запись видеокамеры, зарегистрировавшей автомобиль БМВ с откидным верхом, принадлежавший миссис Бишоп. В прошлый четверг, в ночь убийства, — пояснил он присутствующим, в чем не было надобности, — он появился на заправке «Бритиш петролеум» на шоссе А-27, в двух милях к востоку от Льюиса. Потом я опознал миссис Бишоп на пленке. В пятницу, обследуя тот же самый автомобиль у дома Бишопов, я нашел оплаченную квитанцию на стоянку, полученную... — он снова заглянул в блокнот для справки, — в четверг в семнадцать часов одиннадцать минут из автомата на Саутовер-роуд в Льюисе.

Он помолчал, теребя галстук. Грейс взглянул в окно. Небо за окном синее, чистое. Лето вновь вернулось. А если вчера погода немножечко сбилась с пути, значит, кто-то случайно нажал не на тот рычаг.

— С любезной помощью Джона Смита из нашего управления, — продолжал Норман Поттинг, — я проверил вчера мобильный телефон миссис Бишоп, в памяти которого сохранились телефонные номера Льюиса, и нашел среди них номер мистера Барти Чанселора, проживающего в Льюисе на Саутовер-стрит, по моим сведениям художника-портретиста, пользующегося мировой известностью. — Поттинг был очень доволен собой. — Вчера я в четыре часа побеседовал с мистером Чанселором у него дома, и он признался, что около года встречался с миссис Бишоп. Его ужасно расстроило сообщение в газетах о ее смерти, и, если можно так выразиться, он обрадовался возможности излить кому-нибудь душу.

— И что же он рассказал? — спросил Грейс.

— Выходит, что Бишопы не были такой счастливой парой, какой их все считали. По свидетельству Чанселора, Бишоп без устали работал, редко появлялся дома, видно не понимая, что жена чувствует себя одинокой.

— Извини, Норман, — сердито прервала сержанта Белла Мой, — любой мужчина именно так оправдывал бы любовную интрижку. Черт возьми, муж жену не понимает, поэтому она бросается ко мне в объятия, что еще ей остается, старик? — Белла Мой, раскрасневшись, оглядела присутствовавших. — Все честно признайтесь, сколько раз вы это слышали? Мужья далеко не всегда виноваты, тут и у многих жен рыльце в пушку.

— Вы мне еще рассказывать будете, — фыркнул Поттинг. — Я на трех таких был женат.

— Бишоп знал об их связи? — перебил его Грейс.

— Чанселор считает, что нет, — ответил сержант.

Грейс старательно записал новое имя в блокноте.

— Значит, у нас имеется еще один потенциальный подозреваемый.

— Он, похоже, хороший художник, — заметил Поттинг. — Заколачивает за картину от пяти до двадцати кусков. Вполне можно машину купить или дом, чего сильно хочется моей новой жене.

— Какое это имеет значение, Норман? — уточнил Грейс.

— По-моему, среди этих художников куча чокнутых. Я читал, Пикассо в девяносто с лишним лет трахал баб.

— А значит, вы утверждаете, будто художник обязательно извращенец? — Берта Мэй явно была сегодня в дурном настроении. — Надел на Кэти Бишоп противогаз, потом задушил? Может быть, не будем тратить время, выложим эти факты прокуратуре и получим постановление об аресте Чанселора?

— Спасибо, Белла, хватит, — твердо остановил перепалку сотрудников Грейс.

Белла Мэй, раскрасневшись, пронзила Поттинга пылающим взглядом. Грейс на секунду задумался, не имеет ли ее враждебность к сержанту какие-то глубокие корни. Не было ли между ними когда-нибудь близости? И усомнился в этой мысли, глядя на старого заезженного боевого коня и свеженькую привлекательную разведенную брюнетку тридцати пяти лет. Нет, невозможно.

— Вы обнаружили в его доме признаки ненормальных наклонностей? — спросила Ким Мерфи. — Развешанные на стенах противогазы? Непристойные картины?

— Кругом нарисованы голые бабы, я вам говорю! Никто таких картинок своей старушке маме не покажет. И еще я узнал кое-что интересное: в четверг вечером он был с миссис Бишоп. Почти до полуночи.

— Надо как можно скорее его допросить, — решил Грейс.

— Придет в десять.

— Очень хорошо. Кто с тобой будет?

— Констебль Николл.

Грейс взглянул на Ника Николла. Измотанный молодой отец еле сдерживал зевки, с трудом умудряясь держать глаза открытыми после очередной тяжкой ночи с младенцем. Не стоит поручать беседу с таким важным свидетелем сонному зомби. Он перевел взгляд на Дзаффероне. Несмотря на сильную антипатию к заносчивому юнцу, вариант идеальный. Его высокомерие каждого выведет из себя, а уж чувствительного художника и подавно. Часто бывает полезно сбить с толку свидетеля, чтобы что-нибудь из него выудить.

— Нет, — сказал Грейс. — Вместе с тобой со свидетелем будет беседовать констебль Дзаффероне. — Он заглянул в отпечатанный листок с программой инструктажа, а потом оглянулся на бритоголового тридцатисемилетнего Джо Тиндалла с узкой бородкой, в очках с голубоватыми стеклами. — Хорошо. Теперь послушаем доклад криминалиста, работавшего на месте преступления.

— Во-первых, — начал Тиндалл, — я жду сегодня из Хантингтона результаты анализа ДНК по семенной жидкости, обнаруженной во влагалище миссис Бишоп. Утром мы отослали в лабораторию несколько образцов из квартиры мисс Харрингтон. Включая кусочек ткани из-под ногтя большого пальца ее правой ноги и маску противогаза, которая была на ней надета, кажется аналогичная по типу и производству обнаруженной в доме миссис Бишоп. — Он отпил воды из бутылки. — Кроме того, мы отправили на исследование волокна ткани и образцы крови из квартиры мисс Харрингтон. Смазанные следы крови на стене над кроватью, где лежала жертва, не соответствуют полученным ею повреждениям. Возможно, это кровь преступника. На месте обоих преступлений пригодных для идентификации отпечатков не найдено. Значит, убийца обеих женщин либо действовал в перчатках, что наиболее вероятно, либо везде стер следы пальцев. Однако с помощью химических проявителей мы сняли отпечатки ног на кафельном полу в ванной, явно принадлежащие не жертве. Теперь стараемся установить по ним тип обуви.

Затем Памела Бакли, как всегда собранная, с пронзительным взглядом, доложила о результатах проверки по поводу обращений в травматологию и отделения «скорой помощи» во всех больницах графства Суссекс, Истборна, Уортинга, Льюиса и Хейуорд-Хитс с травмой руки.

— Мы добывали сведения о пациентах конфиденциально, — саркастично добавила она и зачитала исчерпывающие сведения из больниц без указания имен. Ни одно повреждение не совпадало с раной Бишопа, и никто из медицинского персонала не опознал его по фотографии.

Потом настал черед сержанта Гая Батчелора. Высокий плотный офицер сказал со свойственной ему деловитостью:

— Кажется, у меня есть нечто интересное. — Он одобрительно кивнул в сторону Нормана Поттинга. — Норман очень хорошо сделал, послав своего папарника Джона Смита в филиал «Телекома», несмотря на воскресенье. Джон проследил звонки с мобильного телефона, найденного в квартире мисс Харрингтон.

Он прервался, отпил кофе из большой кружки и с улыбкой поднял на соратников глаза.

— Согласно полученной информации, в последний раз мисс Харрингтон набрала номер, — он сверился с записями, — 07985 541298. Я его установил. — Сержант победоносно посмотрел на Грейса. — Это номер мобильника Брайана Бишопа.

70

Говорят, успех в жизни на один процент зависит от вдохновения и на девяносто девять от пролитого пота. Не упоминают только о том, что для нового предприятия требуются наличные. Чтобы создать компанию, нужны юристы, бухгалтеры, поверенные с патентами на оформление авторских прав на программное обеспечение, дизайнерская компания, которая разработает логотип, создаст имидж компании, упаковку для продукции, что необходимо, если действовать в глобальном масштабе, и, конечно, веб-сайт. Нужен офис, мебель, телефоны, факс, секретарша. Все это стоит недешево. За год после рождения Великой Идеи я выложил из своего кармана сто тысяч фунтов и еще не готов к песням и пляскам. Но близок.

Во второй раз заложил квартиру, продал все, что мог продать; кроме того, управляющий банком, который мне поверил, выдал ссуду крупнее положенного. Я все поставил на карту, как выражаются американцы.

Читал финансовые страницы всех газет, подписывался на каждый журнал, имеющий отношение к намеченной мной сфере деятельности. И можете представить, с каким ошеломлением однажды прочел в приложении к «Файнэншл таймс» статью журналиста Готэма Малкани о своем предприятии.

Там буквально излагалось все, что я задумал и что уже делал.

И я сам смотрел на себя с фотографии на розовой странице. Только название компании отличалось от избранного.

И под моим снимком стояла чужая фамилия какого-то мужчины, о котором я никогда в жизни не слышал.

71

Мария Дьяпич набрала код, вошла в кованые ворота. Только что минуло девять часов вечера; она несколько задержалась из-за дочери. Мария сразу заметила мужчину, стоявшего перед четвертым подъездом, как будто ее дожидаясь. Она прошагала по вымощенному булыжником двору, тяжело дыша после долгой ходьбы, тем более с тяжелой сумкой, где лежала рабочая одежда, туфли, еда и питье. Она сильно вспотела в жару и очень расстроилась из-за очередной ссоры с Даникой. Что это за мужчина? Чего ему надо? Какой-нибудь агент из многочисленных контор, которым она должна деньги по кредитным карточкам?

Тридцатипятилетняя сербка повсюду ходила пешком, экономя деньги. Практически до любого работодателя можно дойти примерно за час от муниципальной квартиры в районе Уайтхок, где она живет вместе со своей четырнадцатилетней примадонной. Почти каждое заработанное кровавым потом пенни идет на покупку для Даники самого лучшего, что они себе могут позволить в новой жизни в Англии. Она старается покупать хорошие продукты, одежду, которую хочется дочке, — ну, кое-какую, по крайней мере, — и прочее, чтобы та не отставала от своих друзей: компьютер, мобильник, плеер с наушниками последней модели ко дню рождения две недели назад.

И в награду девчонка явилась домой в десять минут пятого утра! Зрачки расширены, макияж смазан.

А теперь еще этот симпатичный мужчина — стоит на ступеньках, явно желая забрать наличные деньги, которые лежат на кухонном столе. Мария опасливо смотрела на него, нашаривая в сумке ключи от квартиры Клио Мори. Высокий, с гладко зачесанными назад темными волосами, красивый — похож на киноактера, фамилию которого она не помнит, — прилично одетый:

в белой рубашке с одноцветным галстуком, голубых брюках, черных туфлях, голубой холщовой куртке, которую можно принять за форменную, с жетоном на нагрудном кармане.

Мария тревожно огляделась, нет ли кого рядом, и с облегчением увидела подъехавшую на горном велосипеде к соседнему дому молодую женщину в лайкровых шортах и топе. Приободрившись, она вставила ключ в замочную скважину и отперла дверь.

Мужчина шагнул вперед, предъявляя карточку с фотографией в ламинированном футляре, которая висела у него на шее.

— Прошу прощения, — очень вежливо сказал он, — я из газовой компании. Нельзя ли снять показания счетчиков?

И тут она заметила у него в руке небольшой металлический приборчик с клавиатурой.

— Вы договаривались с мисс Мори? — резко и несколько агрессивно спросила Мария.

— Нет. Я только сегодня пришел в этот район. Мне понадобится всего пара минут, если вы мне покажете, где стоят счетчики.

Она поколебалась в нерешительности. Вид у него вполне нормальный, идентификационная карточка с фотографией... Во время ее работы в разных домах часто появлялись люди, снимавшие со счетчиков показания. Но ей строго наказывали в дом никого не впускать. Может быть, позвонить мисс Мори и спросить? Хотя вряд ли стоит отвлекать ее от серьезной работы из-за человека, который должен только взглянуть на счетчик.

— Покажите еще раз удостоверение.

Мужчина снова предъявил карточку. Мария не совсем освоила английский, но узнала его на фотографии и увидела надпись: «Контролер». Убедительно, официально.

— Ну ладно, — решила она.

Тем не менее, опасаясь его, прошла вперед, оставив открытой парадную дверь. Прошагав по площадке, поднялась на две ступеньки на кухню, ни на секунду не выпуская мужчину из поля зрения.

Ее деньги лежали на прямоугольном сосновом столе под керамической вазой для фруктов. Рядом Клио оставила записку с указаниями, что надо нынче сделать в доме. Мария поспешно сгребла две бумажки в двадцать фунтов и сунула в сумку. Потом указала на левую стену, где стоял огромный серебристый холодильник.

— По-моему, счетчик там, — сказала она, впервые обратив внимание на забинтованную руку мужчины.

— Круто! — воскликнул он, видя, как ее глаза на секунду расширились. — Вы даже не представляете, где у людей расположены счетчики! Я постоянно рискую жизнью. — Он улыбнулся. — Не возражаете, если встану на стул?

Мария подвинула деревянный кухонный стул, мужчина ее поблагодарил, наклонился, снял обувь, глядя вовсе не на счетчик, а на уборщицу, положившую связку ключей на стол, напряженно раздумывая, как бы ее отвлечь и выставить с кухни. И тут зазвонил ее мобильный телефон.

Он проследил, как женщина вытащила из сумочки маленькую зеленую трубку «Нокия», взглянула на дисплей, с явной дрожью в голосе сказала:

— Даника? — а потом торопливо заговорила на незнакомом ему языке. Через несколько секунд и без того напряженный разговор стал резче.

Женщина зашагала по кухне, все больше повышая голос, вышла на верхнюю ступень лестницы, ведущей к жилым комнатам, и там уже перешла на крик.

Она меньше чем на минуту потеряла его из виду, но этого было вполне достаточно, чтобы схватить ключ, вдавить его в баночку с воском, спрятанную в ладони, и положить обратно на стол.

72

Мэллинг-Хаус, где сидело начальство, находился в пятнадцати минутах езды от офиса Грейса и представлял собой хаотичный комплекс построек на окраине Льюиса, главного города Восточного Суссекса, откуда осуществлялось административное руководство действиями пяти тысяч офицеров и служащих суссекской полиции.

Особенно выделялись два здания. В одном, трехэтажном, стеклянно-кирпичном, футуристическом, располагался штаб управления, бюро регистрации и раскрытия преступлений, а также компьютерный центр. Другое — импозантный особняк из красного кирпича в стиле королевы Анны, давно внесенный в список самых значительных памятников архитектуры, сохраняющихся в прекрасном состоянии, — дало название самому штабу. Мэллинг-Хаус гордо стоит средь убогих расползающихся во все стороны автомобильных стоянок и одноэтажных панельных построек. Есть здесь и одно темное здание без окон, с высоченной трубой, которое всегда напоминало Грейсу ткацкую фабрику в Йоркшире, высокомерно высившуюся в сторонке. В этом особняке находятся офисы высшего начальства и его заместителей, в том числе Элисон Воспер, а также располагается вспомогательный персонал и многочисленные старшие офицеры, временно или постоянно работающие за пределами Мэллинг-Хаус.

Кабинет Воспер находится на первом этаже за парадной дверью. Из огромного створчатого окна открывается вид на гравийную подъездную дорожку и круглую лужайку за ней. Грейс, подходя к начальственному столу, мельком увидел в траве дрозда, купавшегося в фонтанчике.

Во всех приемных Мэллинг-Хаус красивая деревянная резьба, прекрасная лепнина, чудесные плафоны, старательно восстановленные после пожара, едва не уничтожившего здание несколько лет назад. Оно строилось как удобное жилье, дававшее посетителям представление о богатстве хозяина.

Приятно было бы работать в таком помещении, в тихом оазисе, подальше от тесных пещер Суссекс-Хаус. Иногда Грейсу кажется, что он с радостью принял бы назначение на ответственный пост, с удовольствием пользовался сопутствующей этому властью, но размышления прерывает мысль о том, сумел бы он при этом смириться с проклятой коварной политкорректностью, которая требует лебезить перед начальством больше, чем положено по чину. Впрочем, в данный момент его больше занимало не продвижение по службе, а возможность избежать понижения.

Несколько лет назад некий остряк назвал кисло-сладкое блюдо в местном китайском магазинчике «Элисон Воспер номер 27», зная вместе со всеми прочими об изменчивом настроении этой дамы, и прозвище Номер 27 к ней прилипло. Сегодня она твой лучший друг, а завтра злейший враг, каким уже давно остается для Грейса, который стоит теперь перед ней чуть ли не навытяжку, потому что начальница не предлагает садиться, чтобы визиты были деловыми и краткими.

Поэтому он сильно удивился, когда та, не отрывая взгляда от документа, скрепленного витым зеленым шнуром, взмахом руки указала ему на одно из двух кресел перед своим широким лакированным письменным столом из розового дерева.

Элисон Воспер — коротко стриженная блондинка сорока с небольшим лет, с суровым, но не лишенным привлекательности лицом, официально одетая, в накрахмаленной белой блузке, застегнутой по горло на пуговицы, несмотря на жару, и в синем костюме — пиджак и юбка, — с маленькой бриллиантовой брошью на лацкане. На столе, как обычно, разложены веером утренние газеты.

Грейс почуял знакомый горьковатый аромат ее любимых духов, который смешивался с гораздо более сладким запахом свежескошенной травы, доносившимся с ветерком из открытого окна.

Ничего не поделаешь. Каждый раз, входя в этот кабинет, он теряет самообладание, как в детстве, когда его вызывали к директору школы. Он сильно нервничал, поскольку Элисон не желала обращать на него внимание и демонстративно читала. Слышно было, как за окном плещет дождевальная установка, а в соседней комнате дважды прозвонил мобильный телефон.

Первой целью атаки, естественно, будет Мюнхен, но он готов к защите, хотя она кое в чем хромает. Когда Элисон в конце концов на него посмотрела, на лице ее, как ни странно, играла приветственная улыбка.

— Прошу прощения, Рой. Пришлось прочесть чертову директиву Европейского союза по стандартизации лечения психически больных преступников. Не хотелось терять нить. Полный бред! Даже не верится, сколько денег налогоплательщиков — ваших и моих — тратится на подобную белиберду.

— Абсолютно верно, — пожалуй, с излишней поспешностью согласился Грейс, с опасением ожидая перемены настроения и упреков.

Элисон взмахнула кулаком:

— Вы себе не представляете, сколько уходит времени на чтение дурацких бумаг, которое отвлекает от прямых обязанностей. Я начинаю по-настоящему ненавидеть Европейский союз. Есть любопытная статистика. Вы знакомы с Геттисбергским посланием?[1]

— Да. Больше того, наверно, могу процитировать наизусть, заучил еще в школе.

На начальницу это практически не произвело впечатления. Она обеими руками схватилась за стол, как бы ища опоры.

— Когда Авраам Линкольн произнес эту речь, в мировой истории возникли два священнейших принципа свободы и демократии, запечатленные в американской Конституции. — Элисон помолчала, выпила воды. — В этой речи меньше трехсот слов. Знаете, сколько слов в директиве Европейского союза о стандартных размерах кочанной капусты?

— Не знаю.

— Шестьдесят пять тысяч!

---

[1] Геттисбергское послание — короткая, из десяти фраз, знаменитая речь президента Линкольна на открытии 19 ноября 1863 г. национального кладбища в Геттисберге, близ которого произошло одно из решающих сражений Гражданской войны.

Грейс, усмехнувшись, тряхнул головой.

В ответ Элисон улыбнулась с такой теплотой, какой он от нее никогда раньше не видел. Не наглоталась ли каких-нибудь таблеток?

— Ну и как там в Мюнхене? — Элисон резко сменила тему, но осталась по-прежнему дружелюбной.

Рой снова насторожился.

— По правде сказать, похоже на норвежских омаров.

— Что это значит? — нахмурилась начальница.

— Да я так говорю, когда не совсем оправдываются ожидания.

— Не понимаю.

— Пару лет назад был в одном ресторане в Лэнсинге, где в меню значился «норвежский омар». Я заказал в надежде на кусок деликатеса, а получил три маленькие креветки размером с мизинец.

— Предъявили претензии?

— Да. Но метрдотель предъявил мне в свой черед старую поваренную книгу, где сказано, что эти самые креветки иногда называются «норвежскими омарами».

— Пожалуй, этот ресторан лучше обходить стороной.

— Особенно если не хочется пережить жестокое разочарование.

— Вот именно. — Элисон вновь улыбнулась, чуть-чуть холоднее, словно поняв, что с этим человеком они всегда находятся на разных планетах. — Значит, как я понимаю, вы не нашли в Мюнхене свою жену?

Грейс покачал головой, не понимая, откуда ей стала известна цель его поездки.

— Давно она пропала?

— Чуть больше девяти лет назад.

Кажется, начальница еще что-то хотела сказать, но вместо этого налила в стакан воды.

— Не хотите воды? Чаю, кофе?

— Нет, спасибо. Как вы провели выходные? — Грейс старался перевести разговор на любую другую тему, кроме Сэнди, по-прежнему недоумевая, зачем его сюда вызвали.

— Была на совещании в Бейсингстоке по поводу улучшения деятельности полиции или, скорее, общественного восприятия деятельности полиции. Одно из очередных косметических мероприятий Тони Блэра. Куча скользких специалистов в области маркетинга учила нас, как подавать результаты, разрабатывать стратегию и тактику процесса. — Она раздраженно пожала плечами.

— И в чем же секрет? — спросил Грейс.

— Сначала срывать плод, который висит ниже всех. — Зазвонил мобильник, Элисон взглянула на дисплей и прервала вызов. — В любом случае сейчас на первом месте у нас убийства. Что нового? Кстати, я собираюсь присутствовать на утренней пресс-конференции.

— Вот как? — искренне удивился Грейс, с облегчением понимая, что не вся ноша свалится на его плечи. Он предчувствовал, что сообщение о втором убийстве на пресс-конференции, назначенной на одиннадцать, нелегко будет сделать.

— Можете быстренько описать мне положение дел? — спросила Элисон. — Какие косточки можно бросить журналистам? Имеются подозреваемые? Что насчет обнаруженного вчера трупа? В вашей бригаде людей достаточно, Рой? Что вам еще требуется?

Теперь, когда она перестала расспрашивать о Мюнхене, он почти физически почувствовал облегчение и кратко обрисовал ситуацию. После сообщения, что «бентли» Брайана Бишопа был зафиксирован видеокамерой на шоссе, ведущем в Брайтон, в четверг в двадцать три сорок семь, и подробного рассказа о страховом полисе Элисон жестом остановила его:

— Этого вполне достаточно, Рой.

— Два человека твердо подтверждают его алиби. Допрошен финансовый консультант, с которым он ужинал и который точно помнит время. Тут мы ничего не выиграли. Если он говорит правду, Бишоп не мог доехать до видеокамеры в одиннадцать сорок семь. Второй свидетель — консьерж из его лондонской квартиры, мистер Оливер Даулер, — тоже был опрошен и подтвердил, что рано утром, около половины седьмого, помогал Бишопу погрузить в машину клюшки для гольфа.

Элисон помолчала, задумавшись, потом заключила:

— Дело труба.

Грейс мрачно усмехнулся.

Зазвонил телефон, она, извиняясь, подняла палец и ответила.

Через секунду зазвонил и его мобильник. Надпись на дисплее «частный номер» означала, что звонят, возможно, по делу. Он встал, отошел от стола.

— Рой Грейс слушает.

Это был сержант Гай Батчелор.

— Рой, по-моему, мы нашли кое-что существенное. Мне только что звонила Сандра Тейлор, аналитик из службы наблюдения, которую прикрепили к этому делу. Вы знаете, что у Брайана Бишопа криминальное прошлое?

73

Пол Пакер сидел за столиком под открытым небом у бара «Ха-ха» перед входными воротами в Королевский павильон и, прихлебывая пиво, наблюдал за жизнью на белом свете. С улыбкой на лице. В половине одиннадцатого, в жаркое солнечное августовское утро в мире есть много мест и похуже, рассуждал он. Черт возьми, для работы вполне подходящее место! Это была шутка, потому что он действительно работал.

Чего вовсе не думали официантка и прохожие, глядя на двадцатилетнего молодого человека, невысокого, крепкого, с выбритой головой и козлиной бородкой, небрежно одетого в серую бесформенную футболку, перед которым лежала открытая тетрадка, где он вроде бы делал заметки, подобно другим студентам, околачивающимся в городских кафе.

Он ничего не упускал, вглядываясь в лицо каждого проходившего в обоих направлениях.

Люди в костюмах, с портфелями и кейсами, торопятся на деловые встречи или опаздывают на службу. Туристы другое дело — вот пожилая пара кружит на месте, разглядывая карту. Мужчина указывает в одну сторону, а женщина в другую. Еще одна супружеская чета средних лет, скорей всего немцы, решительно шагают, смешно одетые, с тяжелыми рюкзаками, как будто собрались на сафари и вынуждены тащить с собой все, что для этого требуется. Двое парнишек в широких майках и трусах тренируются, перепрыгивая отдельно стоящий дорожный указатель.

На протяжении последнего получаса перед ним то и дело мелькают бездомные, которых он знает в лицо. Должно быть, направляются на лужайки, где будут валяться весь день до возвращения в ближайший подъезд или в арку, храня свое земное имущество в пластиковых сумках или в тележках из супермаркета и оставляя за собой гнилостный кислый запах. Выползла на свет и бесчисленная брайтонская преступная братия: барыги, толкачи наркотиков, торговцы контрабандными товарами и сами наркоманы. Последние, еле держась на ногах, приступают к ежедневному неустанному поиску денег, которые надо любым способом раздобыть на очередную дозу.

Наблюдая за прохожими, констебль Пакер вносил в тетрадку подробные заметки. Он хотел стать писателем и в данный момент работал над сценарием об инопланетянах, у которых вышла из строя навигационная система, после чего они высадились на Земле рядом с Брайтоном в поисках помощи. Через несколько дней им отчаянно захотелось убраться отсюда, потому что двух членов экипажа ограбили, космический корабль изуродовали, а потом и вовсе реквизировали, так как им нечем было оплатить эвакуацию с проезжей дороги. Что ж до еды, то с ней был полный кошмар. Кроме того, чтобы получить помощь, они должны были оформить заявку с обязательным указанием почтового индекса и номера кредитной карты, когда ни того ни другого у них не имелось. Иногда Пакер задумывался, не наделила ли его полицейская служба чрезмерным цинизмом.

Он вернулся к реальности, заметив краем глаза знакомую фигуру со сгорбленными плечами. Приятное утро стало еще приятнее, когда эта фигура протопала мимо, не заметив его.

Пол смотрел на молодого человека с измученным и болезненным желтоватым лицом, в потрепанной куртке с капюшоном, спортивных штанах и грязных кроссовках со смешанными в равных долях отвращением, неприязнью и сочувствием. Рыжая голова выбрита под ноль, как у него самого, точно такая же узенькая бородка протянулась вертикально от нижней губы. Пол следил, как парень медленно брел к какому-то юноше, фотографировавшему свою жену или подружку, ничего вокруг себя не видя. Пробрался сквозь группу туристов, которых пас гид, и констебль точно понял, куда он направляется — к стене через площадь, вдоль которой бок о бок стоят банкоматы. Наверняка между ними усядется — там очень выгодно просить милостыню. И уже наметил цель — молодую женщину, вытащившую банковскую карту.

Пол Пакер улучил момент, прошагал через площадь и встал перед молодым человеком, который как раз в этот момент прохрипел:

— Не поделишься с нами мелочью, милочка?

Пакер в качестве приветствия поднял обрубок правого указательного пальца.

— Привет, Вонючка, — сказал он. — Помнишь меня?

Вонючка опасливо посмотрел на него. Женщина копалась в сумочке.

— Я офицер полиции, — обратился к ней Пакер. — Попрошайничество запрещено законом. А этот малый хорошо знает, как оторвать кусок мяса, правда? — Он снова повернулся к Вонючке, помахивая откушенным пальцем и щелкая зубами, чтобы подразнить своего бывшего соперника.

— Не понимаю, что это значит, — проворчал Вонючка.

— Память отшибло? Может, поможет денек в КПЗ? Там наркоту будет трудно достать, скажешь, нет?

— Иди в задницу. Оставь меня в покое.

Пакер взглянул на женщину, которая, не зная, что делать, схватила деньги, карточку и убежала.

— Я чистый, — угрюмо заявил Вонючка.

— Знаю, приятель. Не хочу тебя сажать. Просто думаю, не расскажешь ли мне кое-что.

— Смотря что.

— Что знаешь о Барри Спайкере?

— Никогда не слыхал о таком.

На Норт-стрит завыла пожарная сирена, громче пароходных гудков. Пакер выждал, пока машина проедет.

— Еще как слыхал. Ты на него работаешь время от времени.

— Ничего о нем не знаю.

— Значит, «ауди» с откидным верхом, в которой ты в пятницу вечером ехал вдоль берега, — твоя?

— Не понимаю, о чем идет речь.

— А по-моему, понимаешь. За тобой шел полицейский автомобиль без опознавательных знаков. Я в нем сидел. Ты хороший водитель, — с невольным одобрением признал Пакер.

— Ничего не понимаю.

Пакер поднес обрубок указательного пальца к самому лицу Вонючки.

— У меня память долгая. Предупреждаю.

— У меня было время запомнить.

— А потом ты вышел, но палец не вырос, я до сих пор на тебя за это сержусь и хочу предложить тебе сделку. Либо буду тебя преследовать до конца твоей жалкой и поганой жизни, либо ты мне поможешь.

Помолчав, Вонючка уточнил:

— Чего тебе надо?

— Просто сообщи. Телефонный звонок — вот и все. Только позвони, когда Спайкер сделает очередной заказ.

— А потом?

Пакер объяснил, что потом нужно сделать, и подытожил:

— И будем считать, что мы квиты.

— А меня арестуют, да?

— Нет, тебя мы не тронем. И я больше не буду за тобой следить. Договорились?

— А деньги заплатите?

Констебль окинул парня взглядом и неожиданно пожалел обреченного беднягу.

— Если дело выгорит, получишь кое-какое вознаграждение. Договорились?

Вонючка безразлично и вяло пожал плечами.

— Принято за знак согласия, — сказал Пакер.

74

Субботняя пресс-конференция прошла плохо, а нынешняя обещала быть еще хуже. В зал набилось не менее пятидесяти человек, в коридоре собралась толпа больше субботней. Вместительное помещение, мрачно думал Грейс. Одно хорошо — сегодня утром ему обеспечена мощная поддержка.

Овальную трибуну, на которой он стоял, с обеих сторон фланкировали заместитель начальника суссекской уголовной полиции Элисон Воспер, переодевшаяся после утренней встречи в свежевыглаженную форменную одежду, и начальник брайтонской полиции главный суперинтендент Кен Брикхилл, невозмутимый и прямой полисмен старой школы в столь же безупречной форме. Брикхилл, обладая весьма сильной личностью, не имел времени на соблюдение политкорректности и при малейшей возможности посылал на виселицу преступников Брайтона и Хоува. Ничего удивительного, что практически все подчиненные уважали его.

Несколько окон в зале были открыты, но солнечные лучи все равно проникали сквозь жалюзи, в помещении стояла удушливая жара. Кто-то упомянул «черную дыру» в Калькутте, когда офицер по связям с общественностью Дэннис Пондс, ярко, но несколько небрежно одетый, протиснулся к сидящим за столом, бормоча извинения за опоздание.

Он слишком близко придвинулся к микрофону, и первые слова прозвучали почти неразборчиво в гулком вое.

— Доброе утро, — повторил Пондс вкрадчивым доверительным тоном. — В начале нашей сегодняшней пресс-конференции суперинтендент Рой Грейс расскажет о ходе следствия по делам о смерти миссис Кэтрин Бишоп и мисс Софи Харрингтон. Затем заместитель главного констебля Воспер и главный суперинтендент Брикхилл побеседуют с присутствующими. — Понс театральным жестом пригласил к микрофону Грейса и отошел в сторону.

Замелькали фотовспышки. Рой Грейс излагал детали расследования, сообщая, конечно, не все, но придерживаясь последовательности событий и подтверждая уже полученную информацию. Он снова призвал объявиться свидетелей по обоим делам, особенно тех, кто знал погибших женщин и встречал их в последние несколько дней, а также заявил, что будет признателен каждому заметившему что-нибудь подозрительное поблизости от мест преступлений.

Сказав все, что хотел сказать на данном этапе, он предложил задавать вопросы.

Женский голос откуда-то сзади выкрикнул:

— Как мы поняли, тут действует маньяк-убийца. Вы можете заверить, суперинтендент, что населению Брайтона и Хоува не угрожает опасность?

Грейс никогда не знал, что делать со своими руками, понимая, что язык жестов важен не меньше слов. Подавляя желание сцепить перед собой пальцы, он крепко прижал руки к бокам и наклонился к микрофону:

— В настоящий момент ничто не свидетельствует о действиях маньяка. Только всем надо быть немного осторожнее и внимательнее.

— Как вы можете отрицать действия маньяка-убийцы, когда за одни сутки убиты две женщины? — пронзительно выкрикнул вечный внештатный корреспондент целой кучи провинциальных газет. — Вы гарантируете безопасность молодым жительницам Брайтона, суперинтендент Грейс?

Правый глаз защипало от едкой струйки пота.

— Пожалуй, на этот вопрос лучше ответят мои коллеги. — Грейс оглянулся на Элисон Воспер и Кена Брикхилла.

Те кивнули, и Брикхилл произнес непререкаемым тоном:

— Никто не даст стопроцентной гарантии в современном городе. Полиция и городские власти делают все возможное, чтобы найти убийцу... или убийц.

— Значит, есть вероятность, что *один* человек совершил оба убийства? — настаивал репортер.

Главный суперинтендент уклончиво ответил:

— Если это кого-нибудь беспокоит, надо обратиться в полицию. Патрульная служба будет усилена. Каждый, заметивший что-либо подозрительное, должен связаться с полицией. Нам не хочется, чтобы возникла паника. Расследование ведут лучшие сотрудники полиции. Мы всеми силами обеспечиваем безопасность жителей Брайтона и Хоува.

Слово взял Кевин Спинелла, стоявший в первых рядах:

— Суперинтендент Грейс, вы не готовы признать, что в Брайтоне действует сумасшедший серийный убийца?

Он ответил на вопрос спокойно, вновь рассказав о том, что было обнаружено на местах преступлений, и закончил словами:

— Мы пока только начали следствие, но, кажется, в этих двух преступлениях есть кое-какие общие черты.

— У вас есть главный подозреваемый? — спросил молодой репортер «Мид-Суссекс таймс».

— Мы ведем расследование в нескольких направлениях, ежедневно получая новую информацию. Благодарим всех, кто предоставил нам сведения. В нашу бригаду поступает масса телефонных звонков. В данный момент мы ждем результатов лабораторных анализов. Детективы работают круглосуточно, выявляя виновного, чтобы предать его правосудию.

— Значит, вы говорите, — громко сказал Кевин Спинелла, — что жители Брайтона и Хоува должны закрыть двери на замок и не выходить из дому, пока не будет пойман убийца?

— Нет, — парировал Грейс, — мы этого не говорим. Полиция не имеет понятия, кто убил этих двух женщин и где он находится, поэтому пока что любая женщина подвергается риску. Хотя это вовсе не означает, что горожане должны бояться. — Он оглянулся на свою начальницу: — Предоставлю подробней ответить на этот вопрос заместительнице главного констебля Воспер.

Если бы выражение лица убивало, Воспер своей улыбкой раскроила бы Грейсу череп и начисто его выпотрошила.

Крепенькая матрона выкрикнула:

— Скажите, миссис Воспер, вы позволили суперинтенденту Грейсу посоветоваться с медиумом?

По аудитории прокатился сдержанный смех. Женщина попала в самое больное место. Сохраняя на лице бесстрастное выражение, Грейс в душе улыбался, видя, что Элисон Воспер внезапно

298

смутилась, попав в затруднительное положение. Несколько месяцев назад во время расследования другого дела, которое передавалось в суд, он отнес медиуму туфлю — главное свидетельство, обличающее убийцу. Это был истинный праздник для прессы. И начало битвы не на жизнь, а на смерть, которую повела с ним начальница.

— Обычно полиция не прибегает к таким следственным методам, — резко заявила она. — То есть мы слушаем каждого, кто может дать нам информацию, а потом разбираемся, насколько она полезна.

— Значит, вы этого не исключаете? — допытывалась репортерша.

— По-моему, я вам уже ответила. — Элисон Воспер огляделa аудиторию. — Еще есть вопросы?

По окончании пресс-конференции Грейс столкнулся с Элисон Воспер на выходе, и они зашли в пустой кабинет.

— На нас смотрит весь город, Рой. Если вы собираетесь встретиться с кем-нибудь из своих психопатов, заранее предупредите меня.

— Не собираюсь, по крайней мере на данном этапе.

— Хорошо, — сказала она, как бы хваля щенка, который пописал в указанном месте. Грейс даже на секунду подумал, что она погладит его по головке и даст лакомство.

75

Через полчаса он стоял в тесной раздевалке морга, возясь с завязками зеленого халата, натягивая белые резиновые сапоги. В дверь заглянула Клио в прозекторской шапочке с явными признаками похмелья. Она бросила на него непонятный взгляд:

— Извини за вчерашний вечер. Я честно не хотела тебя отфутболивать.

Он улыбнулся в ответ:

— Ты всегда так оттягиваешься при встречах с сестрой?

— Ее только что бросил тупоголовый бойфренд, и она просто разваливается на куски. Я должна была ее поддержать.

— Разумеется. Как себя чувствуешь?

— Ненамного лучше, чем Софи Харрингтон. Голова в буквальном смысле идет кругом.

— Полноценная кока-кола — лучшее средство, — посоветовал он.

— Выпила уже две банки. — Она вновь как-то странно на него посмотрела. — По-моему, я даже не спросила, как дела в Германии. Нашел жену? Произошло счастливое воссоединение?

— Ты уже раз пять спрашивала.

Клио удивилась:

— И ты ответил?

— Может быть, нынче вместе поужинаем, и я дам тебе полный отчет?

Она снова странно на него взглянула, и он, на секунду охваченный паникой, подумал, что сейчас услышит приказ проваливать раз навсегда. Но Клио скупо улыбнулась — без теплоты.

— Приходи ко мне. Приготовлю что-нибудь простенькое, без выпивки. Здоровую еду. По-моему, нам надо поговорить.

— Приду сразу же после вечернего инструктажа. — Он быстро чмокнул ее в щеку.

Она резко отдернулась:

— Мне еще очень больно, я сильно на тебя сержусь, Рой.

— А мне нравится, когда ты сердишься.

Она немного оттаяла и усмехнулась:

— Вот сукин сын.

Он снова поцеловал ее, на этот раз не столь по-братски, халаты шуршали при их крепком объятии. Грейс одним глазом присматривал за дверью, как бы кто не вошел.

Клио вырвалась, оглядела себя:

— Нельзя этого делать. Я на тебя сердита. На тебя форма действует, да?

— Еще сильней, чем черное шелковое нижнее белье.

— Лучше заходите и приступайте к работе, суперинтендент. Если в «Аргусе» появится снимок, на котором вы обжимаетесь с дамочкой в раздевалке морга, это не пойдет на пользу вашему имиджу.

Он пошел следом за Клио по кафельному коридору, одолеваемый сумбурными мыслями о ней, о Сэнди, о деле. Пресса сильно надавила на них нынче утром. Ясно, что вызвало такую атаку. Убийство одной молодой привлекательной женщины можно считать единичным и как бы личным событием. А второе способно повергнуть город и даже графство в панику. Если же журналисты узнают о противогазах, начнется настоящее безумие.

Грейс утаил, что Софи Харрингтон звонила Брайану Бишопу — главному подозреваемому в убийстве Кэти Бишоп. И что Брайан Бишоп, известный как преуспевающий бизнесмен, уважаемый гражданин Брайтона и Хоува, член комитета гольф-клуба, филантроп, занимающийся благотворительной деятельностью, имеет далеко не респектабельное криминальное прошлое. Да и жена его — респектабельная ротарианка — заводила на стороне любовные интрижки.

По сведениям национальной компьютерной базы данных, Бишоп был на два года отправлен в исправительное заведение для малолетних преступников за изнасилование четырнадцатилетней девочки, учившейся с ним в одной школе. А в двадцать один год его условно осудили на два года за нападение на женщину с причинением тяжких телесных повреждений.

Выходит, чем глубже следственная бригада вникает в жизнь Бишопа, тем весомее становятся свидетельства против него. Сегодня на утренней встрече Элисон Воспер сказала, что его алиби, подтвержденное в Лондоне, «тухлое». Теперь открылось еще одно столь же «тухлое» обстоятельство: Бишоп решительно отрицает, что знал о страховке жизни своей жены. И по всей видимости, говорит правду, что особенно плохо.

Тем не менее ясно, что Брайан Бишоп действует очень ловко. По мнению Грейса, мало кому удается добиться такого финансового успеха, несмотря на преступное прошлое, благодаря одной лишь приятной внешности и манерам. Он хорошо понимал, что неведение Бишопа, может быть притворное, о страховом полисе ничего еще не говорит.

Разум начинал отказывать, столкнувшись с трудными вопросами. Хотелось усесться в тихом темном углу и перебрать в памяти все детали убийства Кэти Бишоп и Софи Харрингтон. Криминалисты давно уже работают в доме Бишопов, и очень хорошо. Пускай он понервничает, до сих пор не получив доступа в собственный дом. Загнанный в номер отеля, как зверь в клетку, он чувствует себя в опасности, тем легче будет его допрашивать.

Свидетельства против Бишопа постоянно накапливаются, но еще рано его арестовывать. Пока можно лишь задержать на двадцать четыре часа, а затем продлить пребывание в камере предварительного заключения еще на двенадцать часов до предъявления обвинения. Твердых улик нет, и, хотя его алиби вилами на воде писано, остаются большие сомнения. Два независимых свидетеля заявили, что в момент убийства и сразу после него он был в Лондоне, вопреки записи на регистрирующей номера машин видеокамере, свидетельствующей об обратном. Правонарушители очень часто меняют номера, особенно теперь, во избежание штрафов за зафиксированное камерой превышение скорости — судья сразу же усомнится, подлинный ли номер на машине Бишопа или поддельный.

Вдобавок Грейс сильно заинтересовался художником, с которым встречалась Кэти Бишоп. Он мог стать еще одним потенциальным подозреваемым.

Так, в раздумьях, он вошел в залитый ослепительным светом патолого-анатомический зал и не увидел тело Софи Харрингтон, скрытое склонившимися над ним фигурами в зеленых халатах. Надюшка Де Санча давала разъяснения.

Кроме нее, Клио и Даррена, в помещении находился старший инспектор Дуиган, длинный тощий представитель коронера Рон-ни Уотсон, бывший офицер полиции пятидесяти с лишним лет, и инспектор Мерфи.

Грейс подошел к столу, чувствуя обычное неприятное удивление, которое неизменно испытывал при виде каждого нового трупа здесь и в любом другом месте. Они кажутся такими неземными, эфирными, с призрачной алебастрово-белой кожей, если не считать обгоревших или сильно покалеченных жертв. Смерть как бы представляет их в черно-белом цвете, когда все кругом сохраняет краски.

Софи Харрингтон была перевернута па живот. Надюшка указывала пальцем в латексной перчатке на десятки крошечных ярко-красных отметинок на спине мертвой женщины, напоминающих татуировку.

— Можете прочитать? — спросила она.

Приглядевшись поближе, Грейс увидел какой-то беспорядочный рисунок.

— По четкости и аккуратности, с какой сделаны отметины, я бы сказала, что они нанесены электрической дрелью, — добавила Надюшка.

— При жизни или после смерти? — уточнила инспектор Мерфи.

— По-моему, после смерти, — ответила патологоанатом, наклоняясь и внимательно разглядывая спину жертвы. — Следы глубокие, а крови очень мало. Значит, сердце уже ее не качало.

Все-таки утешение для бедной женщины, подумал Грейс. И вдруг понял, что означает шарада, сложившаяся в слова:

«Потому что ты ее любишь».

76

Сердитая уборщица покинула дом Клио Мори в половине первого. Обладатель Миллиардного Запаса Времени это отметил, сидя за рулем своей «тойоты-приус». Очень удачно, всего за несколько минут до окончания срока оплаченной парковки. Пока она топала в гору, раздраженно разговаривая по мобильнику, он гадал, не все ли три с половиной часа женщина провисела на телефоне. Когда Клио Мори увидит, что получила за те деньги, которые заплатила уборщице, ее это не порадует. Хотя такие глупости его не касаются.

Он запустил электрический двигатель, бесшумно проехал мимо женщины, запетлял по запутанному лабиринту улочек, добираясь до Куинс-роуд, миновал башню с курантами и повернул направо вдоль берега.

Пересек границу Хоува, проследовал через квартал Кинг-Альфред, остановился у светофора в начале Хоув-стрит, через два квартала свернул направо на Вестберн-Виллас, застроенный огромными викторианскими домами. Потом снова повернул направо к бывшим конюшням, теперь превращенным в закрытые гаражи. Те, что он снимал, находились в конце, под номерами 11 и 12.

Остановился перед одиннадцатым, вылез из машины, отпер и поднял дверь гаража, вошел, включил свет, плотно захлопнул подъемную дверцу с раскатистым громким щелчком. Настала тишина, почти не нарушаемая гулом двух увлажнителей.

Мир и покой!

Он вдыхал любимый запах машинного масла, старой кожи, старого трудового пота. Здесь его дом, его *храм*. В этом гараже, а порой и в соседнем, стоит трейлер, где он часто прячется, тратя запасы времени. Сразу десяток. Сотни ежемесячно. Тысячи ежегодно.

Он любовно оглядывал пылезащитный чехол, плотно облегавший машину, сверкающий жемчужно-белый «ягуар», занимавший столько места, что мимо него приходилось протискиваться.

На стенах аккуратно развешаны инструменты, каждый на своем месте, на каждом ни единого пятнышка, словно они только что вынуты из упаковки. В одном месте молотки, в других накидные и простые гаечные ключи, щупы для замера зазоров, отвертки — все на отдельных выставочных стендах. На полках стоят банки и бутылки с политурой, чистящими средствами для руля и колес, хрома, стекол, кожаной обивки, губки, кусочки замши, бутылочные ершики, ершики для чистки трубок — новенькие, с иголочки.

— Привет, детка, — шепнул он, поглаживая чехол и чувствуя под ним округлую жесткую крышу. — Какая ты красивая... Очень-очень красивая.

Он протиснулся мимо машины, ощупывая под чехлом окна, капот, зная каждый проводок, каждую деталь, болт, гайку, каждый дюйм стали, хрома, кожи, орехового дерева и бакелита[1]. Это его детище. Семь лет с тяжкими трудами он собирал машину из обломков в заброшенном деревенском сарае, где гнездились куры, крысы, мыши. Теперь она в лучшем состоянии, чем была больше сорока лет назад, когда только что сошла с заводского конвейера, что подтверждают висящие на стене гаража десять розеток за первое место в конкурсах по всей стране. Кроме того, десятки розеток за второе, третье, четвертое места, которые сразу же отправляются в мусорный бак.

Он напомнил себе, что сегодня надо поработать над внутренней поверхностью бамперов, скрытой от взгляда стороннего наблюдателя. Туда порой заглядывают судьи, задача которых тебя уличить, а в конце месяца состоится важный конкурс клуба водителей «ягуаров».

Впрочем, в данный момент есть дело поважнее. Аппарат для нарезки ключей с полным набором болванок — для любого зам-

---

[1] Б а к е л и т — синтетическая смола с электроизоляционными свойствами.

ка, как утверждает объявление в Интернете, — стоит на полу рядом с верстаком в коричневой упаковке с надписью: «Не кантовать!», с момента доставки пару месяцев назад.

Вот в чем преимущество Обладателя Миллиардного Запаса Времени — можно планировать наперед, думать наперед. Он когда-то прочитал в газете слова какого-то Виктора Гюго: «Одно сильнее всех армий мира: вовремя возникшая идея».

Погладил банку с воском, где остался слепок ключа от парадного Клио Мори, тяжело лежавшую в кармане куртки. И с улыбкой начал ее открывать. Очень хорошая была идея купить эту самую банку.

Пришло ее время.

77

Грейс подогнал «альфа-ромео» к автомобильной стоянке у Королевской больницы графства Суссекс и медленно поехал вперед в поисках свободного места. Терпеливо ждал, пока пожилая дама открывала дверцу своего маленького «ниссана», садилась за руль, возилась с ремнем безопасности, вставляла ключ зажигания, поправляла зеркало, запускала мотор, соображала, что будет, если повернуть руль вправо, вспоминала, что делать с рычагом переключения передач, в конце концов припомнила, как подать машину назад, и рванула со скоростью торпеды, вылетевшей из пускового аппарата, пролетев в дюйме от его переднего бампера. Он въехал на освобожденное место и заглушил мотор.

Минуло половина третьего, в желудке урчало, напоминая, что надо поесть, хотя аппетита не было. После визитов в морг редко хочется есть, а непонятная татуировка на спине Софи Харрингтон так и стоит перед глазами, озадачивая и мучая.

«Потому что ты ее любишь».

Что это значит, черт побери? «Ее», видно, относится к жертве, Софи Харрингтон. А вот кто такой «ты»? Бойфренд девушки?

Зазвонил телефон. Ким Мерфи доложила, как идут дела. Самая важная новость: лаборатория Хантингтона подтвердила, что результаты анализа ДНК будут готовы во второй половине дня. Когда разговор закончился, мобильник просигналил о звонке инспектора Дуигана, сообщавшего кое-что по делу Софи Харрингтон, и тон у него был довольный.

— Примерно час назад к офицеру, работавшему на месте преступления, обратилась пожилая соседка, которая живет напротив. Сказала, что около восьми вечера в пятницу заметила возле дома мисс Харрингтон незнакомого мужчину, который довольно странно вел себя. В руках у него была красная багажная сумка, на голове капюшон. Тем не менее она его хорошо разглядела.

— Лицо описала?

— Мы отправили к ней человека. Пока рост и комплекция соответствуют Бишопу. Если я правильно понял из расчетных сводок, у него нет алиби на тот момент?

— Правильно. Она сможет его опознать?

— Это в первую очередь надо проверить.

Грейс спросил, не удалось ли выяснить насчет любовника Софи. В отделе семейных проблем сведений пока не было, но вскоре они расспросят подругу, заявившую об исчезновении девушки.

Поговорив с коллегой, Грейс заглянул в ноутбук в электронную почту, но там ничего не было. Сунул компьютер обратно в футляр и задумался. В самом деле, у Дуигана, похоже, потенциально хорошие новости. Если женщина сможет точно опознать Бишопа, против него появится еще одно серьезное свидетельство.

В желудке опять забурчало. Солнце яростно палило в машину с поднятым верхом, и он его опустил, насладившись на мгновение тенью. Взял сандвич с беконом и яйцами, купленный по пути на заправочной станции, сорвал целлофановую упаковку и принялся есть, почувствовав картонный вкус со слабым запахом бекона. Медленно и без всякого энтузиазма жуя, заглянул в последний выпуск «Аргуса», захваченный вместе с сандвичем, и, увидев сообщения на первой странице, удивился, как быстро журналисты разгласили историю. Надо будет все-таки выяснить, кто сливает Спинелле внутреннюю информацию. Но пока это не первоочередная задача.

«Брайтонский маньяк убивает вторую жертву».

Ниже очень красивая фотография Софи Харрингтон в футболке, с простыми бусами, с распущенными длинными темными волосами, залитыми солнечным светом. Она ослепительно улыбалась в объектив или тому, кто ее снимал.

Потом он прочел статью за подписью Кевина Спинеллы, которая продолжалась на второй и третьей страницах, сопровождаемая серией снимков Кэти Бишоп, горестными откровениями родителей Софи Харрингтон и ее лучшей подруги, с которой корреспондент надеялся повидаться. И маленькая фотография его самого, как всегда принято в этой газете.

Типичный для Спинеллы сенсационный репортаж с целью поднять в городе максимально возможную панику, обеспечить газете в ближайшие дни максимальный тираж, повысить профессиональный престиж журналиста, подкрепив несомненные претензии ловкого проходимца на место в национальном печатном органе. Наверно, не стоит винить ни его, ни редактора — скорей всего, Грейс на их месте делал бы то же самое. Но все-таки сознательно искаженные цитаты вроде того, что «начальник брайтонской полиции главный суперинтендент Кен Брикхилл советует всем женщинам Брайтона и Хоува держать дверь на замке», не шли на пользу делу.

Одна из целей тщательно подготовленных пресс-конференций вроде нынешней утренней заключается в том, чтобы проинформировать общественность о совершенных преступлениях в надежде ухватиться за ниточки. А вместо этого на полицейские коммутаторы обрушится лавина звонков от испуганных женщин.

Грейс почти до конца съел сандвич, запил теплой диетической кокой, вылез из машины, бросил остатки еды в мусорный бак, законопослушно оплатил стоянку, приклеив квитанцию к ветровому стеклу. Пошел к цветочному киоску, выбрал маленький букетик и направился дальше вдоль длинного фасада больницы, местами белого, местами кремового и серого, под широким прозрачным навесом, мимо машины «скорой помощи» с зеленой надписью на капоте.

Рой терпеть не мог это место. Его злило и изумляло, что в таком красивом городе, как Брайтон и Хоув, такая безобразная и запущенная больница. Пусть у нее громкое название, обширный впечатляющий комплекс построек, несколько отделений, к примеру кардиологическое, безусловно, мирового класса, но в целом обычная принаряженная под медицинский центр лачуга в стране третьего мира ее устыдила бы.

Он однажды читал, что во время Второй мировой войны солдаты чаще умирали не от фактических ранений, а от подхваченной в госпиталях, где они лечились, инфекции. Половина жителей Брайтона и Хоува опасается попасть в больницу, поскольку, по слухам, здесь легче умереть от заразы, чем от того, что тебя сюда привело.

Медицинский персонал в этом не виноват, его в большинстве своем составляют квалифицированные люди, работающие изо всех сил, что он не раз видел собственными глазами. Виновато руководство больницы, виновато правительство, политика которого допускает столь низкие стандарты здравоохранения.

Грейс прошел мимо подарочного киоска, мимо дрянной закусочной, какую можно встретить возле автосервиса, посторонился перед пожилой пациенткой в халате с пустым лицом, которая брела по дорожке ему навстречу.

Подойдя к пустой регистратуре с овальным деревянным прилавком и увидев объявление, лежавшее рядом с рассыпанными искусственными цветами: «Приносим извинения, регистратура закрыта», он и вовсе впал в уныние.

К счастью, Элинор выяснила, где искать его юную подчиненную, — несколько дней назад ее перевели из ортопедического отделения в палату под названием Чичестер. В висевшем на стене списке указывалось, что она находится в этом корпусе на третьем этаже.

Он поднялся по винтовой лестнице с веселенькой стенной росписью, прошагал по длинному коридору, застеленному голубым линолеумом, преодолел еще два пролета по лестнице с деревянными балясинами и вошел в очередной мрачный обшарпанный коридор. К нему направилась молоденькая сестра — азиатка в синей куртке и черных брюках. Чувствовался запах школьных обедов — картофельного пюре и капусты.

— Я ищу палату Чичестер, — сказал Грейс.

— Прямо вперед, — указала медсестра.

Грейс прошел мимо ряда газовых баллонов к застекленной двери, увешанной предупредительными объявлениями, и дальше в палату, где стояло около шестнадцати коек. Здесь запах школьных обедов чувствовался еще сильнее, смешиваясь с кислым запахом мочи и дезинфицирующих средств. Стены грязные, липкие, на полу старый истертый линолеум, окна настежь открыты, из них виден другой больничный корпус с вентиляционным отверстием, откуда шел пар. Несколько кроватей частично закрыты ширмами.

Это была общая палата, больше похожая на палату в доме престарелых или в психиатрической лечебнице. Грейс на секунду взглянул на крохотную старушку с клочьями волос ватного цвета и такими же щеками, спавшую с широко открытым беззубым ртом. Работали несколько телевизоров. На одной из коек вслух бормотал, разговаривая с самим собой, молодой человек. Другая пожилая женщина в дальнем конце что-то невнятно выкрикивала, ни к кому, собственно, не обращаясь. На ближайшей койке справа, откинув одеяло, спал сгорбленный небритый старичок. Рядом с ним на тумбочке стояли две пустые бутылки из-под коки. Он был в полосатой пижаме с расстегнутыми штанами. В прорехе был хорошо виден пенис, вяло лежавший на мошонке.

А на следующей койке между двумя пыльными аппаратами Грейс с ужасом увидел ту, кого пришел навестить. Кровь у него в жилах закипела, он сунул руку в карман, выхватил мобильный телефон, бурей промчался мимо двух дежурных сестер за столиками.

Одна из самых любимых его сотрудников, констебль Эмма Джейн Бутвуд, получила тяжелые травмы, пытаясь остановить фургон во время той же операции, в которой был ранен Гленн Брэнсон. Ее зажало между фургоном и припаркованным автомобилем, в результате чего пострадали внутренние органы в частности, пришлось удалить селезенку, — не говоря уже о множественных переломах костей. Двадцатипятилетняя женщина больше недели лежала в коме на аппаратах жизнеобеспечения, а когда очнулась, врачи объявили, что она, может быть, не сможет ходить. Но в последние недели дело заметно пошло на поправку — Эмма Джейн уже стоит без костылей и подпорок и настойчиво спрашивает, когда сможет вернуться к работе.

Грейс искренне ее ценил — поистине замечательный детектив, безусловно, с великими перспективами. Только вот в данный момент слабо улыбается ему с больничной койки, похожая на заблудившегося растерянного ребенка. Всегда худенькая, совсем потерялась в широком больничном халате, оранжевая бирка на запястье едва не спадает. Светлые потускневшие волосы, неаккуратно заколотые, с выбившимися повисшими прядками, похожи на сухую солому. На тумбочке у койки свалены в беспорядке открытки, цветы, фрукты.

Ее взгляд все сказал, прежде чем они успели заговорить, и у Грейса в душе что-то оборвалось.

— Ну, как ты? — спросил он, сжимая в руке букетик.

— Лучше не бывает! — ответила Эмма Джейн, стараясь приободриться ради него. — Вчера папе сказала, что еще до конца лета я обыграю его в теннис. А это не так уж просто, он ловкий игрок.

Грейс усмехнулся и тихо сказал:

— Какого черта ты делаешь в этой палате?

— Перевели сюда три дня назад. — Эмма Джейн пожала плечами. — Говорят, в прежней надо было освободить место.

— Да будь они прокляты. Тебе как здесь?

— Не особенно.

Он отступил на шаг, огляделся, подошел к молодой азиатке, которая в этот момент вытаскивала из-под больного утку.

— Прошу прощения, — сказал он, — мне нужна медсестра или санитарка, которая ухаживает вон за той пациенткой.

Медсестра оглянулась и указала на усталую женщину лет сорока, с заколотыми волосами, в больших очках, которая входила в палату с планшетом в руках.

Грейс решительно преградил ей дорогу. На именной табличке на лацкане голубой куртки значилось: Анджела Моррис, старшая сестра.

— Извините, можно вас на пару слов?

— К сожалению, нет, — объявила женщина резким, откровенно враждебным и высокомерным тоном. — У меня свои проблемы.

— А сейчас будет еще одна. — Трясясь от злости, Грейс выхватил служебное удостоверение, ткнул ей прямо в лицо.

— Что… в чем дело? — Громкость на несколько децибелов понизилась.

Грейс ткнул пальцем в сторону Эммы Джейн:

— У вас есть ровно пять минут, чтобы перевести эту девушку из вонючей дыры либо в одиночную палату, либо в палату для женщин. Понятно?

Старшая сестра вновь преисполнилась высокомерия:

— Может быть, суперинтендент, вы постараетесь вникнуть в наши больничные проблемы?

Грейс почти заорал:

— Эта девушка — героиня! Она получила тяжелые травмы во время исполнения служебного долга. Помогала спасти город от дикого зверя, который сидит сейчас за решеткой в ожидании суда, и спасла две невинные жизни, едва не пожертвовав собственной! В награду ее запихнули в вонючую дыру вместе с разнополыми стариками — у одного вон даже член вывалился наружу. Она больше не проведет здесь ни часа. Вы меня поняли?

Сестра опасливо оглянулась:

— Я подумаю, что можно сделать.

— По-моему, вы меня плохо поняли, — продолжал Грейс. — Ни о каких «подумаю» не может быть речи. Вы немедленно переведете ее. А я останусь здесь и прослежу за этим, пока она не будет в палате, которая меня устроит. — Он ткнул под нос медсестре мобильный телефон. — Если не хотите, чтобы я немедленно по электронной почте послал в «Аргус» и во все другие чертовы газеты в этой проклятой Богом стране только что сделанные фотографии брайтонской героини, констебля уголовной полиции Бутвуд, лишенной достойного ухода из-за вашей чудовищной некомпетентности, то сделаете это немедленно.

— Вы не имеете права в палате пользоваться мобильным телефоном. И делать снимки.

— А вы не имеете права так обращаться с моим офицером. Вызовите главного врача. Сейчас же!

78

Через полчаса Эмму Джейн Бутвуд везли на каталке по лабиринту коридоров в один из новых модернизированных больничных корпусов.

Грейс дождался, пока ее устроят в отдельной светлой палате с видом на Ла-Манш, а потом протянул букет и ушел, пообещав дозвониться до главного больничного босса в башню из слоновой кости и выколотить из него заверение, что она останется в этой палате до полного выздоровления и выписки.

Ему подробно объяснили, как пройти к выходу; он, следуя указаниям, подошел к лифту, нажал кнопку вызова. После долгого ожидания почти решил спускаться по лестнице, когда дверцы внезапно открылись. Грейс шагнул в кабину, кивнув усталому молодому индусу, жевавшему шоколадный батончик.

Он был в зеленом врачебном костюме, на шее висел стетоскоп, на именной табличке значилось: «Доктор Радж Сингх». Двери закрылись. На Грейса вдруг навалилась жаркая духота. Врач с любопытством смотрел на него.

— Горячий денек, — доброжелательно сказал Грейс.

— Действительно, жарковато. — У мужчины был хороший английский. — Простите за вопрос, но ваше лицо мне кажется знакомым. Мы не встречались? — чуть нахмурившись, спросил врач.

У Грейса всегда была хорошая память на лица, почти фотографическая. Но этот человек не вызывал никаких ассоциаций.

— По-моему, нет, — сказал он.

Лифт остановился, Грейс вышел, врач последовал за ним.

— А в сегодняшнем «Аргусе» не ваша фотография?

Он кивнул.

— Тогда понятно! Я только что читал газету. Собственно говоря, собирался повидаться с вашими сотрудниками.

Спеша вернуться в офис, Грейс слушал доктора Сингха вполуха.

— Правда?

— Может быть, я зря взволновался, но только в газете сказано, что вы просите всех быть повнимательнее и сообщать о любом подозрении.

— Совершенно верно.

— Дело в том, что я должен не разглашать сведения о пациентах, и все-таки... я вчера видел здесь подозрительного человека.

— В каком смысле?

Врач оглядел пустой коридор, почему-то пристально посмотрел на пожарный гидрант и, убедившись, что дверцы лифта закрылись, сказал:

— Вел себя очень странно. Кричал на регистраторшу.

Вот уж в этом нет ничего странного, подумал Грейс. У вас здесь и ангел закричит.

— А когда я его осматривал, — продолжал доктор, — он был излишне возбужден. Поймите меня правильно, я тут много чего вижу, так что, поверьте, этот мужчина был взволнован неадекватно своей проблеме.

— С чем он к вам обратился?

— В том-то и дело. С инфицированной раной на руке.

Грейс насторожился:

— Как ее получил?

— Сказал, прищемил дверцей машины, но, по-моему, не похоже на то.

— Прищемил дверцей? — переспросил Грейс, вспоминая объяснение Бишопа, будто он поранил руку при посадке в такси.

— Да.

— А вы что подумали?

— Мне показалось, что это укус. Я бы даже с большой долей уверенности сказал, человеческий. Понимаете, следы остались с обеих сторон — на запястье и на ладони прямо под большим пальцем.

— Если он прищемил руку дверцей машины или крышкой багажника, следы и должны остаться с обеих сторон.

— Конечно, только не округлые, — заметил врач. — А эти сверху и снизу овальные. Прокусы разной глубины в соответствии с расположением и величиной человеческих зубов.

— Почему вы считаете, что человеческих, а не какого-нибудь животного, например крупной собаки?

Доктор вспыхнул:

— Знаете, я в свободное время увлекаюсь детективами, смотрю по телевизору криминальные программы... — Запищал его пейджер, он помедлил и продолжал: — Понимаете, я пришел к одному заключению... — Он снова замолчал, читая сообщение на дисплее. — Подумал, что, если его укусила собака, почему он это отрицает? А если его укусил человек в схватке, вполне можно понять, почему он это отрицает. Узнав ужасные новости об убийстве двух молодых женщин, я помножил два на два и получил четыре.

— Думаю, из вас вышел бы неплохой детектив, — улыбнулся Грейс. — Хотя дважды два дают намного больше. Можете мне описать этого человека?

— Могу. Рост около шести футов, очень худой, с довольно длинными темными волосами, в темных очках, с густой бородой. Лицо разглядеть было трудно. Одет в холщовую синюю куртку, кремовую рубашку, в джинсах и кроссовках.

Описание не соответствовало Бишопу, если только тот не потрудился замаскироваться, что всегда возможно.

— Вы узнали бы его, если б снова увидели?

— Конечно.

— Его наверняка засняла какая-нибудь больничная камера наблюдения.

— Не сомневаюсь.

Грейс поблагодарил врача, записал его фамилию, номера телефонов и отправился в больничный диспетчерский пункт видеонаблюдения, просматривая электронную почту на карманном «блэкберри».

Одно сообщение пришло от Дика Поупа в ответ на отправленный нынче утром запрос с приложением сделанных в Мюнхене снимков. Прочтя его, Грейс обомлел.

«Рой, мы с Лесли видели на прошлой неделе не ту женщину. Это наверняка была Сэнди. Желаем всего наилучшего. *Дик*».

79

Около половины четвертого Надюшка Де Санча закончила вскрытие и покинула морг вместе со старшим инспектором Дуиганом и представителем коронера.

Следы от удавки на шее Софи Харрингтон и точечные кровоизлияния на глазных белках привели патологоанатома к заключению, что молодая женщина была задушена. Оставалось дождаться результатов токсикологического анализа крови, содержимого желудка и образцов жидкости из мочевого пузыря, чтобы исключить другие причины смерти. Семенная жидкость во влагалище свидетельствовала о половом акте, имевшем место либо до, либо после смерти жертвы.

Клио и Даррену предстояло работать еще не один час. Надо было обследовать вынесенный морской волной труп неизвестной женщины, потом заняться скорбным делом шестилетней девочки, сбитой машиной в субботу. Их ожидало еще несколько трупов, включая ВИЧ-положительного мужчину сорока семи лет, помещенного в отдельную камеру.

Родители девочки приходили накануне вечером, и Даррен разрешил им зайти еще раз нынче днем. Они явились пару часов назад; Клио с ними встречалась и до сих пор не могла прийти в себя.

Через полчаса ждали доктора Найджела Черчмена, городского консультанта-патологоанатома, проводившего обычные вскрытия. Служащий в уголовной полиции зубной техник Кристофер Гент, которого вызвали на опознание неизвестной женщины, пил пока в конторе чай.

Клио с Дарреном вытащили труп из камеры холодильника, развернули. Гнилостный запах сразу же разнесся по помещению. Потом они предоставили Генту делать свое дело.

Питер Джеймс

Высокий, энергичный, сорока с лишним лет, в очках, с редеющими волосами, Гент пользовался международной известностью как автор общепризнанного труда по судебно-медицинской зубной экспертизе, конкурируя с монреальским ортодонтом Робертом Дорионом, написавшим книгу о прикусе, хорошо известную профессионалам.

Гент работал быстро, но тщательно под скрежет пилы, которой Даррен крушил ребра и черепа других трупов. Настроение у всех было мрачное, принятые между коллегами шуточки были неуместны. Детское тельце угнетало сильнее, чем жертва убийства.

Гент сделал несколько фотоснимков обычным фотоаппаратом и портативным рентгеновским, записал на бланке положение и состояние каждого зуба, снял слепки с верхней и нижней челюсти. В соответствии с указаниями коронера, он позже разошлет их каждому дантисту в радиусе пятнадцати миль от Брайтона и Хоува. Не получив результатов, постепенно расширит область поисков, обратившись при необходимости ко всем лицензированным зубным врачам в Соединенном Королевстве.

Пока в этой сфере не существует международной системы регистрации. Если ни один дантист в Великобритании не опознает отпечатков и снимков, а анализ ДНК не даст точных ответов, тело похоронят за счет городских властей Брайтона и Хоува, и оно останется очередной цифрой трагической статистики.

Найджел Черчмен недавно подсчитал, что за последние пятнадцать лет провел в этом морге больше семи тысяч вскрытий, но всякий раз подступает к трупу с прежним юношеским энтузиазмом, как будто в первый раз. Он искренне любил свое дело и верил, что каждый, кого ему выпало препарировать, достоин внимания и стараний.

Красивый мужчина, страстный любитель спортивных машин, с идеальной фигурой и моложавым лицом, сейчас почти полностью скрытым под зеленой маской, доктор казался гораздо моложе своих пятидесяти девяти лет.

Он вспугнул трупных мух с мозга на металлическом подносе и приступил к работе. Сделал аккуратный срез изогнутым ножом с длинным лезвием, проверил, нет ли инородных предметов, скажем, пули, следа от ножевого ранения или специфических кровоизлияний, которые указывали бы на смерть от удара тяжелым предметом. Мозг оказался здоровым, неповрежденным.

Почти полностью съеденные глаза никакой информации не давали. Сердце крепкое, типичное для человека с хорошим сложением, артерии без расслоений. Возраст женщины пока нельзя точно определить. Судя по состоянию и цвету зубов, по физической форме, грудям, которые тоже наполовину исчезли, приблизительно от двадцати с лишним до сорока.

Даррен понес сердце к весам, записал данные в таблицу на стене. Черчмен кивнул: вес в пределах нормы. Перешел к легким, вырезал их, поднял обеими руками в перчатках, положил на поднос, из них вылилась темная жидкость.

Он оглянулся на Клио:

— Интересно. Она не утопленница. Воды в легких нет.

— Что это значит? — спросила Клио. Вопрос был глупый. Она задала его не подумав, будучи расстроенной после встречи с родителями погибшей девочки, после напряженного рабочего дня и от огорчения, что тень Сэнди омрачила их с Роем Грейсом отношения. Ответ ей отлично известен.

— Она попала в воду уже мертвая. К сожалению, обследование придется прекратить. Надо сообщить коронеру.

Вскрытие должен проводить специалист более высокого ранга, может быть, снова Надюшка Де Санча. Неизвестная женщина получила более серьезный разряд жертвы подозрительной смерти.

80

Рой Грейс сделал мысленную пометку никогда больше не оставаться с Норманом Поттингом в маленькой комнате в жаркий день. Они сидели рядом друг с другом перед видеомонитором в тесной каморке, примыкающей к залу опроса свидетелей. От Поттинга несло, как от старой шляпы.

Вдобавок сержант съел что-то сильно сдобренное чесноком. Грейс выудил из кармана пиджака, висевшего на спинке стула, пачку мятной жевательной резинки и предложил Поттингу, надеясь хоть чуть-чуть смягчить убийственный дух.

— Спасибо, Рой, никогда не жую эту дрянь, — отказался тот. — Меня от нее выворачивает наизнанку. — Он повозился с кнопками, включив быструю перемотку записи. Грейс смотрел, как на экране Поттинг, Дзаффероне и третий мужчина, пятясь, быстро исчезают из комнаты по одному. Поттинг остановил изображение, снова пустил, и все трое опять появились в дверях. — Ты уже завел личный сайт для знакомств, Рой? — неожиданно спросил Поттинг.

— По-моему, я для этого несколько староват.

Поттинг покачал головой:

— Возраст роли не играет. Хотя Ли только двадцать четыре. Мы с ней завели общий. «Норма-Ли» — понял? У нее уже три тайских подружки в Англии, одна в Брайтоне. Хорошо, правда?

— Гениально, — согласился Грейс, больше думая не о теме беседы, а о том, как держаться подальше от Поттинга.

— Знаешь, — фыркнул Поттинг, — тут встречаются очень даже интересненькие малышки. Ух!

— Я думал, ты теперь счастливый новобрачный, с молодой женой.

Поттинг просиял, курносая физиономия счастливо сморщилась.

— Скажу тебе, Рой, это действительно что-то! Она научила меня кое-чему новенькому. Обалдеть! У тебя была когда-нибудь восточная женщина?

Грей покачал головой.

— Верю на слово.

Он старался сосредоточиться на экране, старался прогнать подальше мысли о Сэнди и сконцентрировать внимание на работе. На его плечи возложена огромная ответственность, и то, что он сделает в ближайшие дни, окажет решающее влияние на его карьеру. Понятно, что при такой важности дела на него нацелен не только критический взгляд Элисон Воспер.

На экране худой угловатый мужчина опустился в одно из трех красных кресел, стоявших в комнате для свидетелей. У него было примечательное лицо, скорее интересное, чем красивое, небрежно взлохмаченные волосы, бородка немецкого колониста. Он был в широкой гавайской рубашке, голубых джинсах, кожаных сандалиях. Лицо бледное, словно он почти все время проводил в помещении.

— Это и есть любовник Кэти Бишоп? — спросил Грейс.

— Да, — подтвердил Поттинг. — Барти Чанселор.

— Громкая фамилия[1].

— Тот еще мерзавец, — буркнул Поттинг.

Грейс следил за ходом беседы, во время которой оба детектива делали в блокнотах пометки. Несмотря на необычный внешний вид, Чанселор говорил уверенно, слегка высокомерно, с хорошим произношением выпускника частной школы, держался спокойно, единственным намеком на волнение было то, что он время от времени крутил браслет на запястье.

— Миссис Бишоп когда-нибудь говорила с вами о своем муже, мистер Чанселор? — спрашивал Поттинг.

— Да, конечно.

— Вас это заводило? — спросил Дзаффероне.

Грейс улыбнулся. Молодой спесивый констебль делал именно то, чего он от него ожидал: выводил Чанселора из равновесия.

— Что имеется в виду? — уточнил Чанселор.

---

[1] Ч а н с е л о р — канцлер; председатель суда (*англ.*).

Дзафффероне не сводил с него глаз.

— Вам было приятно спать с женщиной, зная, что она изменяет мужу?

— Я здесь для того, чтобы помочь вам отыскать убийцу моей дорогой Кэти. Считаю, что этот вопрос не относится к делу.

— Здесь мы решаем, что относится к делу, а что не относится, — холодно заявил Дзафффероне.

— Я сюда пришел добровольно. — Чанселор повысил голос. — Мне ваш тон не нравится.

— Я понимаю, что вы расстроены, мистер Чанселор, — любезно вставил Норман Поттинг, изображая классического доброго копа рядом со злым — Дзафффероне. — Могу себе представить, что вы пережили. Вы очень бы нам помогли, рассказав побольше об отношениях между мистером и миссис Бишоп.

Чанселор повертел браслет на руке.

— Этот тип просто зверь, — вымолвил он.

— В каком смысле? — спросил Поттинг.

— Он избивал миссис Бишоп? — добавил Дзафффероне. — Жестоко с ней обращался?

— Не физически, а морально. Постоянно делал замечания насчет ее внешнего вида, домашнего хозяйства — в этих вопросах он одержимый. И ужасно ревнивый... Именно поэтому она была предельно осторожна. И... — Чанселор помолчал секунду, словно не решаясь продолжать. — Ну, не знаю, имеет ли это значение, но она мне рассказывала о его очень странных причудах.

— Каких? — спросил Поттинг.

— Сексуальных. Он садомазохист. Фетишист...

— Что это значит? — спросил Поттинг.

— Кожа, резина, всякое такое.

— Обо всем этом она вам рассказывала? — уточнил Дзафффероне.

— Да.

— Вас это возбуждало?

— Что это за вопрос, черт возьми? — Чанселор бросил на молодого нахала пылающий взгляд.

— Вы возбуждались, когда Кэти рассказывала о подобных вещах?

— Я вовсе не такой свихнувшийся извращенец, как вы, видимо, думаете, — парировал он.

— Мистер Чанселор, — Поттинг снова разыгрывал доброго копа, — миссис Бишоп в своих рассказах никогда не упоминала противогаз?

— Что?

— Среди фетишей мистера Бишопа противогаза не было? Постарайтесь припомнить.

Художник на секунду задумался.

— Нет... Не помню, чтобы Кэти говорила о противогазе.

— Точно? — спросил Дзаффероне.

— Такое не забудешь.

— Похоже, вы легко забыли, что она замужняя женщина, — подколол его Дзаффероне.

— Думаю, мне пора пригласить своего адвоката, — заявил Чанселор. — Вы преступаете рамки дозволенного.

— Вы убили миссис Бишоп? — хладнокровно спросил Дзаффероне.

— Что?! — взорвался Чанселор.

— Я спрашиваю, вы убили миссис Бишоп?

— Я любил ее... мы собирались прожить жизнь вместе... зачем же, скажите на милость, мне было ее убивать?

— Вы только что собирались пригласить адвоката, — продолжал Дзаффероне, вцепившись в него, как ротвейлер. — По опыту знаю, когда люди зовут на допрос адвоката, значит, чуют за собой вину.

— Я ее очень сильно любил... я... — Голос сорвался, Чанселор неожиданно наклонился вперед, закрыл лицо руками и всхлипнул.

Поттинг с Дзаффероне переглядывались в ожидании, когда он успокоится. Наконец Барти Чанселор выпрямился, взяв себя в руки.

— Простите.

И тут Дзаффероне задал вопрос, которого Грейс отчаянно ждал от обоих детективов:

— Мистер Бишоп знал о ваших отношениях?

— Абсолютно исключено.

Вмешался Норман Поттинг:

— Мистер Бишоп, судя по всему, очень проницательный, умный человек. Ваша связь с миссис Бишоп длилась больше года. Вы действительно думаете, что у него не было ни малейших подозрений?

— Мы были очень осторожны... а кроме того, он всю неделю, кроме выходных, проводил в Лондоне.

— Может быть, он все-таки знал, но молчал? — настаивал Дзаффероне.

— Возможно, — мрачно согласился Чанселор. — Только я так не думаю... то есть Кэти была уверена, что он не знает.

Дзаффероне перелистал страницы блокнота.

— Вы уже говорили, что не имеете алиби на время между уходом от вас миссис Бишоп и моментом ее убийства, которое произошло менее чем через час.

— Верно.

— Заснули...

— Было около полуночи. Мы занимались любовью. Может, вы не устаете от такого занятия? Не знаете, что после этого хочется спать?

Грейс размышлял. Любовная связь длилась год. Полгода назад Брайан Бишоп застраховал жизнь жены на три миллиона фунтов. Ранее он уже совершал насильственные действия. Вдруг все-таки узнал об измене?

Чанселор заявил, что они с Кэти хотели жить вместе. А значит, это не мимолетное увлечение. Может быть, Бишоп не мог вынести мысли об уходе жены.

Все складывается. У него был мотив.

Возможно, он планировал убийство на протяжении нескольких месяцев. Идеальное алиби в Лондоне, кроме одной небольшой промашки, о которой ему неизвестно. Снимок его машины скрытой камерой рядом с аэропортом Гатуик.

Грейс смотрел, как Дзаффероне все сильнее заводит Чанселора. Конечно, художник — потенциальный подозреваемый. Явно был страстно влюблен в погибшую женщину. Настолько, чтобы убить за измену? Может быть. Так умен, чтобы убить и навести подозрения на мужа? Тоже нельзя сбрасывать со счетов. Хотя в данный момент все улики весомо свидетельствуют против Брайана Бишопа.

Убийственно жив

Часы показывали пять пятнадцать. Он отослал техникам для обработки и увеличения видеозаписи больничных камер наблюдения, зафиксировавших мужчину, ожидавшего в приемном отделении травматологии и неотложной помощи. Хватит времени спуститься, посмотреть, что там получилось, прежде чем он встретится с Ким Мерфи и Бренданом Дуиганом для подготовки очередного инструктажа.

Пока что на записи трудно было разглядеть лицо мужчины, почти полностью скрытое длинными волосами, темными очками, усами и бородой. Но технические возможности позволяют сделать изображение четче. Едва он шагнул в коридор, как зазвонил телефон. Сержант Белла Мой взволнованно и неразборчиво залепетала. Пришли результаты анализа ДНК по делу Кэти Бишоп.

Грейс радостно взмахнул кулаком, услышав, каковы они.

81

В кабинете Роберта Вернона на втором этаже очень красивого дома в стиле королевы Анны на Брайтонс-Лейнс, откуда открывался вид на море через узкую улицу, застроенную облицованными галькой домами, не было кондиционера. Сквозь открытые окна доносился грохот уличных дрелей. Из-за них головная боль, с которой Брайан Бишоп проснулся нынче утром после второй практически бессонной ночи, только усиливалась.

Кабинет уютный, солнечный, почти все стены заставлены книжными полками с юридическими томами и картотечными шкафчиками. На нежно-голубых стенах две старые красивые гравюры с изображением брайтонских видов. На письменном столе и даже на полу груды корреспонденции.

— Прошу прощения за беспорядок, Брайан, — извинился всегда вежливый Вернон. — Только сегодня вернулся после отдыха, даже не знаю, с чего начинать.

— Я часто думаю, стоит ли вообще отдыхать, потому что проклятые бумаги, которые разгреб до отъезда, только и ждут твоего возвращения, — сказал Бишоп.

Он семь раз помешал ложечкой чай в тонкой фарфоровой чашке, глядя на цветную фотографию в рамке на подоконнике, запечатлевшую Триш, жену Вернона, симпатичную блондинку, занесшую клюшку для гольфа, позируя перед ударом. Рядом в другой серебряной рамке в трех овалах улыбались детские лица. Бишоп догадался, что снимок сделан много лет назад — дети Вернонов уже тинейджеры. У Вернона все хорошо, неожиданно с горечью подумал он. Прекрасная семья, прекрасная жизнь, с какими бы проблемами ни обращались к нему клиенты. Он исследует обстоятельства и факты, изрекает советы, смотрит, как они выходят, как за ними закрывается дверь, потом прыгает в «лексус» и мчится на поле для гольфа, сияя улыбкой.

Этот элегантный мужчина лет шестидесяти пяти обладает аристократическим шармом. Серебристые волосы всегда аккуратно причесаны, консервативный костюм безупречен, манеры подчеркивают умудренность и уверенность в себе. Кажется, что он вечно был поверенным семьи Бишоп. Улаживал формальности после смерти отца, а потом и матери. Именно Вернону он поручил разобрать бумаги в секретере, стоявшем в спальне матери, сразу после ее кончины, почти пять лет назад. Среди них обнаружилось нечто, скрывавшееся от него всю жизнь. Оказалось, что он усыновлен.

Именно Вернон отговорил его от поисков настоящих родителей. Сказал, что ему выпало очень счастливое детство. Безумно любящие приемные родители, поженившиеся слишком поздно, чтобы иметь своих детей, полностью посвятили себя ему и его сестре, которая была на два года младше, но трагически умерла от менингита в тринадцать лет.

Они удачно переехали, привезли его в милый уединенный дом в курортной зоне Хоува, наскребли денег на обучение в частной школе, отправляли на каникулах за границу, купили ему маленькую машину, когда он получил водительские права. Бишоп обоих очень любил, как и почти всех родственников. Сильно переживал смерть отца и еще сильней смерть матери. Хотя он в тот момент был всего несколько месяцев женат на Кэти, чувство одиночества поглотило его. Он был как потерянный.

А потом обнаружился документ в секретере.

Но Вернон его успокоил. Заявил, что приемные родители хранили тайну исключительно ради него. Хотели окружить любовью, внушить ощущение безопасности, чтобы он радовался настоящему и набрался сил для будущего. Они боялись, что признание омрачит его жизнь, что он начнет отыскивать свое прошлое, которого, может быть, больше не существует или, хуже того, которое вдруг окажется далеко не таким, каким его хочется видеть.

Вернон убедил его, что эта старомодная точка зрения тем не менее имеет свои достоинства. Брайан преуспел в жизни, обрел — по крайней мере внешне — уверенность и довольство собой. Конечно, хорошо было бы отыскать одного или обоих настоящих родителей, но, с другой стороны, это могло бы принести огромное огорчение. Вдруг они ему не понравятся? Вдруг окажется, что они его просто бросили?

Однако назойливое стремление выяснить свои корни постоянно усиливалось, подогреваемое сознанием, что шансы найти настоящих родителей сокращаются с каждым годом.

— Я ужасно огорчен известиями, Брайан, и тем, что до сих пор не сумел повидаться с тобой. Мне надо было быть в суде.

— Конечно, Роберт. Ничего страшного. У меня была куча дел.

— Невозможно поверить, правда?

— Да. — Бишоп не знал, стоит ли говорить о Софи Харрингтон. Отчаянно хотелось кому-то открыться, но в то же время он чувствовал, что не стоит этого делать, по крайней мере сейчас.

— Как ты себя чувствуешь? Справляешься?

— Почти, — скупо улыбнулся Бишоп. — Застрял в Брайтоне. Меня еще несколько дней не пустят домой. Полиция не хочет, чтобы я возвращался в Лондон, поэтому приходится оставаться здесь и все-таки как-то вести дела.

— Если тебе нужен ночлег, мы с Триш тебя приютим.

— Спасибо, все в порядке.

— Ты имеешь какое-то представление о случившемся? О том, кто совершил это жуткое преступление?

— Судя по тому, как со мной обращаются, полиция думает, что это я.

Их глаза на мгновение встретились.

— Я уголовных дел не веду, Брайан, но знаю, что ближайшие родственники всегда являются главными подозреваемыми почти во всех делах об убийстве до полного исключения такой возможности.

— Знаю.

— Тогда пусть тебя это не беспокоит. Чем скорее тебя исключат, тем скорей установят убийцу. Кстати, где сейчас дети? — Адвокат успокаивающе поднял руку. — Извини, не хочу вмешиваться...

— Да нет, конечно, я понимаю. Макс с приятелем на юге Франции, Карли у кузенов в Канаде. Я говорил с обоими, посоветовал не возвращаться, потому что они мне ничем не помогут. Как я понял, пройдет около месяца, прежде чем я смогу... прежде чем коронер разрешит... — Выдохшись, он совсем сбился.

— Увы, тут масса формальностей. Бюрократия. Официальные правила. Ничего хорошего, когда хочется остаться в одиночестве, со своими раздумьями.

Бишоп кивнул, вытащил носовой платок, вытер глаза.

— Поэтому мы с тобой должны кое-что прояснить. Не возражаешь, если приступим?

— Нет.

— Во-первых, насчет имущества и капитала Кэти. Не знаешь, она оставила завещание?

— Тут такое непонятное дело. Полиция меня спрашивала насчет страхового полиса на три миллиона, который, по их утверждению, я получил на имя Кэти.

Адвокат не обратил внимания на прозвучавший телефонный звонок, глядя в глаза Бишопу.

— А ты его не получал?

— Нет. Никогда... Насколько могу припомнить, а я прекрасно помню, что нет.

Вернон задумался.

— Ты ведь недавно перезакладывал дом на Дайк-роуд-авеню? Чтобы получить наличные на неотложные нужды?

— Перезакладывал, — подтвердил Бишоп.

Дела в компании шли хорошо, но, по иронии судьбы, слишком уж хорошо, порождая проблемы с потоком наличности, с которыми сталкиваются многие быстро растущие деловые предприятия. Сначала он сам финансировал дело вместе с несколькими состоятельными друзьями, вкладывая относительно небольшие наличные деньги. Недавно, выходя на другой уровень, пришлось пойти на значительные инвестиции в новые технологии, помещения, наем опытного персонала. Бишоп с друзьями решили лучше сами найти деньги, чем делать займы или искать другие способы финансирования, и он внес свою долю, перезаложив дом.

— Обычно залоговые компании требуют страховой полис, покрывающий крупную ссуду... Может быть, так ты и сделал?

Возможно, адвокат прав, думал он. Залоговая страховка о чем-то туманно намекает. Только сумма несообразная. И в документы нельзя заглянуть — они находятся в чертовом доме.

— Может быть, — с сомнением вымолвил Бишоп. — Да, Кэти составила завещание, очень короткое. Я один из распорядителей, вместе с моим бухгалтером Дэвидом Краучем. Оно лежит дома.

— Правда, я и забыл. У нее ведь были какие-то средства? Она получила немалую компенсацию после расторжения предыдущего брака. Не помнишь, что сказано в завещании?

— Помню. Она отписала несколько тысяч родителям, но, так как была единственным ребенком, почти все оставила мне.

В голове Роберта Вернона прозвучал тревожный звоночек. Он чуть-чуть нахмурился — но Бишоп этого не заметил.

82

— Восемнадцать тридцать, понедельник, седьмое августа, — отрывисто говорил Грейс, испытывая для разнообразия победоносное чувство. — Второй совместный инструктаж по операциям «Хамелеон» и «Мистраль».

Название «Мистраль» для расследования убийства Софи Харрингтон произвольно выбрал полицейский компьютер. Конференц-зал в Суссекс-Хаус заполнился до предела, офицеры полиции и вспомогательный персонал сгрудились за столом на стоявших впритык стульях. Царила атмосфера ожидания, накаленная до электрического напряжения. Кондиционеры впервые нормально работали.

Грейс быстро резюмировал полученные результаты и объявил в заключение:

— Рад сообщить, что сегодня произошло несколько важных подвижек. — Он взглянул на долговязого молодого отца, констебля Ника Николла. — С кого начнем?

Николл, без пиджака, в расстегнутой у ворота рубашке, с распущенным галстуком, начал читать по блокноту:

— Сегодня в одиннадцать часов утра я беседовал с мисс Холли Ричардсон на месте ее работы, в агентстве по общественным связям «Риджент», в Брайтоне, дом шестнадцать на Трафальгар-стрит. Она объяснила, что училась вместе с мисс Харрингтон на секретарских курсах и с тех пор они оставались близкими подругами. Мисс Ричардсон сообщила, что Софи по секрету призналась ей в близких отношениях с Брайаном Бишопом на протяжении приблизительно полугода. Софи рассказала, что в последнее время Бишоп порой грубо с ней обращался, что ее пугало. Все чаще предъявлял садистские и извращенные сексуаль-

331

ные требования. — Он вытер лоб и продолжил, перевернув листок: — Техник из здешнего отделения компании «Телеком» Род Стэнли, который проверял мобильные телефоны мисс Харрингтон и Брайана Бишопа, сообщил мне, что оба ежедневно и по многу раз перезванивались друг с другом за указанный период. Самый последний звонок мисс Харрингтон мистеру Бишопу был сделан в шестнадцать пятьдесят одну в пятницу, за несколько часов до предполагаемого времени ее смерти.

Грейс поблагодарил его и обратился к крепко сбитому Гаю Батчелору.

Сержант рассказал собравшимся об обращении Брайана Бишопа за наличными к инвесторам своей компании «Интернэшнл ростеринг солушнс», сказав в заключение:

— Хотя предприятие расширяется и дела ведутся хорошо, Бишоп по уши в долгах.

Все отлично поняли важность этого сообщения. Потом он взорвал главную бомбу, проинформировав обе бригады о криминальном прошлом Бишопа.

Грейс наблюдал за своими сотрудниками. В зале физически чувствовалось ощущение прорыва.

Потом он продемонстрировал на видеоэкране краткую запись беседы Нормана Поттинга и Альфонсо Дзаффероне с Барти Чанселором. По окончании просмотра Поттинг доложил, что разузнал о конкретной модели противогаза, обнаруженной на обеих жертвах. Производитель установлен, ожидаются сведения о количестве выпущенных противогазов и полном списке их поставщиков в Соединенном Королевстве.

Затем инспектор Дуиган рассказал о показаниях соседки, живущей напротив дома Софи Харрингтон, которая решительно узнала Бишопа на фотографии в «Аргусе» и охотно согласилась присутствовать на официальном опознании.

Театрально приберегая самое лучшее напоследок, Рой Грейс оглянулся на Беллу Мой.

Сержант предъявила фотографию номерного знака «бентли» Брайана Бишопа, сделанную камерой наблюдения на южном направлении шоссе М-23 неподалеку от аэропорта Гатуик в четверг вечером в двадцать три сорок семь. И подчеркнула, что, несмотря на подтвержденное алиби в Лондоне, машина Бишопа направлялась в сторону Брайтона, до которого оставалось не более тридцати минут езды, что вполне умещается в рамки предположительного времени убийства его жены.

Грейс, однако, беспокоился по этому поводу, поскольку снимок был сделан поздним вечером. Номер отчетливо виден, а машину разглядеть невозможно. Полезное вторичное свидетельство, но не решающее. Даже не сильно компетентный адвокат разобьет его за несколько секунд. Впрочем, полезно припасти его для разнообразия. Еще один факт для обсуждения присяжными.

Белла добавила, что с домашним компьютером Бишопа сейчас работает Рей Пэкем из отдела высоких технологий, и под конец сделала ошеломительное заявление.

— Мы получили результаты лабораторного анализа ДНК по семенной жидкости из влагалища миссис Бишоп, — ровным официальным тоном читала она по блокноту. — В образцах, взятых при вскрытии, присутствуют два разных типа сперматозоидов. По мнению патологоанатома, основанному на жизнеспособности сперматозоидов, те и другие извергнуты вечером в четверг третьего августа с промежутком в несколько часов. Один тип пока не идентифицирован, однако мы считаем, что анализ ДНК подтвердит его принадлежность любовнику миссис Бишоп, который признался в соитии с ней в четверг вечером. Другой на сто процентов совпадает с ДНК Брайана Бишопа. — Она секунду помолчала. — Конечно, это означает, что, несмотря на заявление Бишопа, будто он был в Лондоне, на самом деле он находился в Брайтоне и совершил с женой половой акт в момент близкий ко времени ее смерти.

Грейс терпеливо слушал, давая всем переварить информацию, чувствуя напряжение в зале, а потом сказал:

— Вы все отлично поработали. Сегодня мы арестуем Брайана Бишопа по подозрению в убийстве жены. Но пока нет уверенности, что он убил Софи Харрингтон. Поэтому не хочу завтра прочесть в «Аргусе», что мы раскрыли оба убийства. Понятно?

Ответом ему было полное молчание, означавшее, что все всё поняли.

83

Брайан Бишоп вышел из-под душа в гостиничном номере, вытерся и принялся рыться в саквояже, который Мэгги Кемпбелл принесла час назад, с чистой одеждой, собранной в доме.

Надел синюю рубашку поло, темно-синие брюки. Легкий ветерок нес в открытое окно запах жаркого, очень соблазнительный, хотя из-за расстроенного желудка у него почти не было аппетита. Он жалел, что принял приглашение пообедать с Гленном и Барбарой Мишон, их с Кэти ближайшими друзьями. Обычно он с удовольствием с ними общался. Барбара позвонила сегодня и уговорила его прийти.

В тот момент перспектива провести с ними вечер выглядела привлекательней одиночества, наедине со своими мыслями, и гостиничной еды на подносе. Но нынешняя встреча с Робертом Верноном вновь напомнила о реальности произошедшего, ввергнув его в глубокую тоску и отчаяние. До сих пор все это казалось дурным сном. Теперь же на него свалилась невыносимая тяжесть. Слишком многое надо обдумать. И действительно, хочется быть одному, в компании со своими мыслями.

На полу стояли коричневые замшевые мокасины. Для носков слишком жарко, однако небрежность в одежде была бы чересчур легкомысленной, неуважительной по отношению к Кэти. Поэтому он сел на кровать, натянул голубые носки и сунул ноги в туфли. В саду, куда выходили гостиничные окна, слышались разговоры, смех, детский крик, музыка.

Раздался стук в дверь.

Должно быть, горничные собираются перестелить постель, подумал он, открывая. Вместо этого перед ним стояли два полицейских, которые впервые известили его о смерти Кэти.

Чернокожий предъявил служебное удостоверение.

— Сержант Брэнсон и констебль Николл. Разрешите войти, сэр?

Бишопу не понравилось выражение их лиц.

— Да, конечно. — Он посторонился, пропуская их. — У вас для меня какие-то новости?

— Брайан Десмонд Бишоп, — официальным тоном произнес Брэнсон, — на основании полученных свидетельств я арестую вас по подозрению в убийстве миссис Кэтрин Бишоп. Вы можете хранить молчание, иначе все сказанное вами может быть использовано против вас в суде. Понятно?

Бишоп помолчал, а потом спросил:

— Неужели вы серьезно?

— Мой коллега, констебль Николл, произведет краткий личный досмотр.

Бишоп почти автоматически поднял руки, позволив Николлу ощупать себя.

— Я... простите... — бормотал Бишоп. — Я должен позвонить своему адвокату.

— К сожалению, это сейчас невозможно, сэр. Вам будет предоставлена такая возможность в блоке предварительного заключения.

— Но мои права...

Брэнсон поднял широкие брови.

— Ваши права нам известны, сэр. — Он отцепил висевшие на поясе наручники. — Заведите, пожалуйста, руки за спину.

Еще остававшиеся на лице Бишопа слабые краски теперь полностью схлынули.

— Прошу вас, не надевайте на меня наручники! Я не собираюсь бежать. Это недоразумение. Какая-то ошибка. Давайте разберемся.

— Пожалуйста, руки за спину.

Бишоп диким взглядом окинул гостиничный номер:

— Мне кое-что нужно... Пиджак... бумажник... прошу вас, позвольте надеть пиджак...

— Какой, сэр, и где он? — уточнил Николл.

Бишоп кивнул на платяной шкаф:

— Верблюжьего цвета. — Потом он указал на мобильник и «блэкберри» на тумбочке у кровати.

Николл ощупал пиджак, Брэнсон позволил его надеть, рассовать по карманам бумажник, мобильный телефон, «блэкберри», очки для чтения и снова попросил завести руки за спину.

— Слушайте, неужели это действительно необходимо? — взмолился Бишоп. — Мне будет очень неприятно. Мы пойдем по отелю...

— Мы условились с управляющим, что выйдем по боковой пожарной лестнице. Как ваша рука, сэр? — поинтересовался Брэнсон, защелкивая первый наручник.

— Если бы она была в полном порядке, за каким чертом наклеивать пластырь? — рявкнул в ответ Бишоп и, все еще оглядывая комнату, спросил в панике: — А ноутбук?

— К сожалению, запрещено, сэр.

Ник Николл взял ключи от машины Бишопа.

— Ваш автомобиль на стоянке, сэр?

— Да-да... Я могу сесть за руль, вместе поедем...

— Боюсь, это тоже запрещено в интересах криминалистической экспертизы, — сказал Брэнсон.

— Невероятно, — выдавил Бишоп. — Просто невероятно, черт побери.

Но не нашел сочувствия у детективов. Их поведение полностью изменилось по сравнению с тем, когда они утром в прошлую пятницу впервые принесли ему дурные вести.

— Мне нужно позвонить друзьям, у которых я должен обедать, сообщить, что не приду.

— Им сообщат от вашего имени, не беспокойтесь.

— Они специально для меня готовят обед, — объяснял Бишоп, кивая на стоявший в номере телефон. — Пожалуйста, позвольте позвонить. Это займет всего тридцать секунд.

— Простите, сэр. — Брэнсон говорил словно автомат. — Им позвонят от вашего имени, не беспокойтесь.

На Брайана Бишопа нахлынул ужас.

84

Бишоп сидел рядом с констеблем Николлом на заднем сиденье серой полицейской «вектры». Уже стукнуло восемь вечера, а свет за окнами машины по-прежнему яркий.

Город проплывал мимо, проецируясь в автомобильных стеклах, как немое кино, выглядя незнакомым, не тем, каким он всю жизнь его помнил. Он словно впервые видел прежде знакомые улицы, дома, магазины, деревья и парки. Полицейские не произносили ни слова. Молчание только время от времени нарушал треск и неразборчивый голос в рации. Он чувствовал себя чужим, заглянувшим в параллельную вселенную, к которой не принадлежал.

Машина замедлила ход и свернула к зеленым железобетонным воротам, которые начали открываться. Справа высились зубчатая ограда и мрачное кирпичное здание. Он увидел голубую вывеску с надписью «Центральная брайтонская тюрьма». Створки разъехались, машина поднялась по крутому пандусу мимо подобия заводской погрузочной платформы в задней части кирпичного здания, повернула налево в один из пролетов. В машине сразу потемнело, он увидел прямо перед собой закрытую зеленую дверь с маленьким смотровым окошечком.

Сержант Брэнсон заглушил мотор и вылез из машины, слабый верхний свет практически не разгонял темноту в салоне. Потом он открыл заднюю дверцу, жестом предложив Бишопу выйти.

Тот неуклюже выбрался со скованными за спиной руками, высунув из машины сначала ноги, опустив их на бетонный пол. Брэнсон придержал его за локоть. Зеленая дверь разъехалась, и Бишопа провели в узкую, абсолютно голую приемную пятнадцати футов длиной и восьми шириной с еще одной зеленой дверью со смотровым окошком.

Мебели в помещении не было никакой, кроме жесткой скамьи по всей его длине.

— Садитесь, — сказал Гленн Брэнсон.

— Лучше постою, — вызывающе отказался Бишоп.

— Возможно, у нас уйдет много времени.

Зазвонил мобильник Бишопа, он дернулся, забыв о скованных руках.

— Может, кто-нибудь из вас ответит вместо меня?

— К сожалению, запрещено, сэр, — сказал констебль Николл, вытаскивая телефон у него из кармана. Внимательно оглядев телефон, он отключил его и сунул Бишопу в карман.

Бишоп внимательно изучал объявление под прозрачным пластиком, прикрепленное к стене полосками липкой ленты. Вверху было написано синими буквами: «Управление уголовного судопроизводства». Ниже следовало предупреждение: «Все задержанные тщательно обыскиваются тюремными надзирателями. О запрещенных предметах, находящихся в личной собственности, немедленно сообщить тюремному персоналу и офицерам полиции».

Объявление над зеленой дверью сообщало: «Пользоваться в тюрьме мобильными телефонами запрещено».

И третье: «Арестованных фотографируют, у них также берутся отпечатки пальцев и производится анализ ДНК».

Полицейские сели, а Бишоп остался стоять, кипя гневом, но понимая, что имеет дело с двумя роботами. Потеряв самообладание, ничего не выиграешь. Надо просто разобраться, что происходит.

— Вы можете мне объяснить, в чем дело? — спросил он, и в этот самый момент дверь открылась.

Констебль Николл махнул Бишопу:

— Сюда, пожалуйста, сэр.

Бишоп проследовал в большое круглое помещение, посередине которого на возвышении стояла загородка вроде командного центра, как в «Стар трек». Он удивился этой футуристической конструкции, изготовленной из крапчатого серого сверкающего композита, напомнившего ему гранитную отделку, выбранную Кэти для их безумно дорогой кухни. Несколько мужчин и женщин, охранников в форменных белых рубашках с черными погонами, работали в индивидуальных кабинках. В стенах очень ярко освещенной комнаты также были массивные зеленые двери со смотровыми окошками.

Здесь царила тихая, спокойная, упорядоченная обстановка. Бишоп заметил, что стенки загородки выдаются в стороны перед каждым рабочим местом, образуя более или менее замкнутое пространство. В одном из них между двумя охранниками уныло стоял татуированный бритоголовый парень в мешковатой одежде. Все казалось абсолютно нереальным.

Потом его повели к отделанной мрамором стойке высотой по шею. За ней сидел пухлый, коротко стриженный мужчина. Табличка «охрана», черный галстук заколот золотой булавкой английской команды регбистов, которую Бишоп, держатель акций Твикнема[1], тут же узнал.

На голубом видеомониторе перед компьютером, находившемся чуть ниже уровня его глаз, он прочел: «Брайтонский центр предварительного заключения. Не позволяйте прошлому преследовать вас. Полиция предлагает вам признаться в ранее совершенных преступлениях».

Брэнсон изложил тюремному полицейскому обстоятельства ареста Бишопа. Потом мужчина в рубашке с короткими рукавами, сидя на возвышении, ровным, лишенным всяких эмоций голосом сказал:

— Я тюремный офицер, мистер Бишоп. Вы слышали сказанное. Я убедился в законности и необходимости вашего ареста. Санкционирую содержание под стражей в целях получения и сохранения доказательств и вашего допроса по делу.

Бишоп кивнул, упустив момент для ответа.

Тюремщик протянул ему желтый сложенный бланк с заголовком: «Полиция Суссекса. Уведомление о правах и обязанностях».

— Это может вам пригодиться, сэр. Вы имеете право уведомить кого-либо о своем аресте и видеться с адвокатом. Желаете, чтобы мы предоставили вам нашего адвоката, или у вас есть собственный?

— Будьте добры позвонить мистеру Гленну Мишону и передать, что я не приду сегодня к обеду.

— Его номер?

---

[1] Т в и к н е м — известный регбийный стадион в предместье Лондона.

Бишоп продиктовал номер, потом сказал:

— Мне хотелось бы поговорить со своим поверенным Робертом Верноном из адвокатской конторы «Эллис, Черрил и Анселл».

— Я сделаю эти звонки, — кивнул полицейский. — Тем временем поручаю арестовавшему вас сержанту Брэнсону произвести обыск.

Бишоп с ужасом увидел, как Брэнсон вынимает латексные хирургические перчатки. Обыск начался с головы. Когда сержант положил в лоток очки для чтения, Бишоп воскликнул:

— Эй! Они мне нужны, я без них читать не смогу.

— Простите, сэр, — ответил Брэнсон, — я должен их изъять ради вашей же безопасности.

— Но ведь это смешно!

— Возможно, попозже вам позволят их держать при себе, а пока они отправятся на хранение вместе с другими вашими вещами.

— Что за глупости, черт побери! Я ни в коем случае не собираюсь покончить с собой. Как я прочту без очков этот чертов документ? — Он отшвырнул инструкцию.

— Если у вас проблемы со зрением, я попрошу кого-нибудь прочесть ее вам.

— Слушайте, давайте говорить разумно!

Игнорируя просьбы Бишопа вернуть ему очки, Брэнсон забрал ключ от номера в отеле, бумажник, мобильный телефон, «блэкберри» и выложил все на поднос. Тюремщик записал каждую вещь, пересчитал деньги в бумажнике и отметил сумму.

Брэнсон снял с пальца Бишопа обручальное кольцо, наручные часы фирмы «Марк Жакоб», медный браслет с правого запястья и тоже положил на понос.

Тюремщик протянул Бишопу бланк с перечнем его собственности и шариковую ручку для подписи.

— Слушайте, — сказал Бишоп, подписываясь с явной неохотой, — я рад оказаться здесь и помочь вам в расследовании. Но это смехотворно! Вы хотите лишить меня всех орудий труда. Ради бога, мне необходима электронная почта, телефон и очки!

Не обращая на него внимания, Гленн Брэнсон обратился к тюремному офицеру:

— Ввиду серьезности преступления, к которому, возможно, причастен подозреваемый, мы просим разрешения обыскать его одежду.

— Разрешаю, — кивнул тюремщик.

— Это что еще за хреновина? — рявкнул Бишоп. — Что вы тут...

Брэнсон с Николлом подхватили его под руки с обеих сторон, вывели в очередную зеленую дверь и двинулись по наклонному полу между кремовых стен с красной лентой сигнализации слева по всей длине, мимо желтой таблички с предупредительным треугольником и крупной надписью: «Идет уборка», затем свернули за угол в коридор с камерами.

При виде тюремных дверей Бишоп впал в панику:

— Я... У меня клаустрофобия...

— За вами круглосуточно будут присматривать, сэр, — вежливо сообщил Ник Николл.

Они посторонились перед женщиной, которая везла тележку с замусоленными обтрепанными книжками в бумажных обложках, и остановились у полуоткрытой двери.

Гленн Брэнсон распахнул створку шире, вошел. Николл, крепко держа Бишопа под руку, последовал за ним.

Первое, что поразило шагнувшего в камеру Бишопа, — это всепоглощающий липкий запах дезинфицирующих средств. Он растерянно осматривал маленькое вытянутое помещение. Разглядывал кремовые стены, коричневый пол, такую же жесткую скамью, как в приемной, покрытую такой же облицовкой «под гранит», как загородка в круглом зале, на которой лежал тонкий голубой матрас. Он посмотрел на зарешеченное окно, едва пропускавшее свет, за которым вообще ничего не было видно, на потолочное зеркало наблюдения, укрепленное в недосягаемости и повернутое к двери, камеру видеонаблюдения, тоже недосягаемую, нацеленную на него, и словно вдруг перенесся во владения «Большого брата»[1].

В камере стоял современный унитаз, тоже отделанный фальшивым гранитом, с кнопкой слива в стене, и на удивление современная крапчатая раковина из того же крапчатого материала.

---

[1] «Большой брат» — персонаж романа Дж. Оруэлла «1984», олицетворяющий тотальный контроль государства над личностью.

Он заметил решетку интеркома с двумя ручками управления, вентиляционное отверстие, забранное сеткой, и стекло в двери.

Господи Иисусе. У него ком встал в горле.

Констебль Николл, державший в руке сверток, принялся его разворачивать. Бишоп увидел синий хлопчатобумажный комбинезон, как у парашютиста. В дверях появился молодой двадцатилетний мужчина в белой рубашке с жетоном службы охраны и черных брюках, с кучей коричневых пакетов для вещественных доказательств. Он вручил их Брэнсону, после чего сержант закрыл дверь.

— Прошу вас, мистер Бишоп, — сказал он, — снять всю одежду, включая носки и нижнее белье.

— Я хочу видеть своего адвоката.

— С ним свяжутся. — Брэнсон кивнул на интерком. — Как только его отыщут, сразу с вами соединят.

Бишоп принялся раздеваться. Констебль Николл клал каждую вещь, даже носки, в отдельные мешки. Когда он оказался совсем голым, Брэнсон протянул ему комбинезон и черные шлепанцы.

Только он натянул его и застегнулся, как интерком с хриплым треском ожил, послышался спокойный, уверенный, но озабоченный голос Роберта Вернона.

Со смешанным чувством облегчения и стыда Бишоп прошлепал босиком к аппарату.

— Роберт! Спасибо, что позвонили. Огромное спасибо.

— С тобой все в порядке? — поинтересовался солиситор.

— Нет, совсем не в порядке.

— Слушай, Брайан, я понимаю, как это тебе неприятно. Тюремный офицер кое-что кратко мне рассказал, но полных фактов у меня нет.

— Можете вытащить меня отсюда?

— Как друг, сделаю все, что смогу, но я не специалист в этой области закона, а тебе понадобится настоящий знаток. В нашей конторе такого нет. Но я знаю здешнего лучшего парня. Его зовут Литон Ллойд. Репутация очень хорошая.

— Быстро сможете его найти, Роберт? — Бишоп вдруг осознал, что остался в камере один, дверь закрыта.

— Постараюсь прямо сейчас, надеюсь, что он не на отдыхе. Полиция намеревается начать допросы нынче вечером. Пока тебя задержали только для допросов, поэтому смогут держать только двадцать четыре часа с возможной последующей двена-дцатичасовой пролонгацией. До прибытия Литона ни с кем не разговаривай, вообще не говори ни слова.

— А вдруг его нет? — спросил в ужасе Бишоп.

— Есть другие хорошие люди. Не беспокойся.

— Мне нужен лучший, Роберт. Самый лучший. Деньги не проблема. Это смешно. Мне здесь нечего делать. Полное безумие. Я не понимаю, что за чертовщина творится.

— Пожалуй, сейчас лучше закончим разговор, — суховато сказал адвокат. — Немедленно начинаю хлопотать по твоим делам.

— Спасибо, — сказал Бишоп, интерком замолчал.

Он сел на голубой матрас, сунул ноги в шлепанцы, слишком тесные, сдавившие пальцы. Роберт Вернон чем-то насторожил его. Почему старик не проявил больше сочувствия? Судя по его тону в данную минуту, он как будто предвидел такой ход событий.

Почему?

Дверь открылась, его повели в другое помещение, где сфотографировали, сняли отпечатки пальцев на электронной подушечке, взяли мазок изо рта для анализа ДНК. Потом вернули в камеру.

К своим беспорядочным мыслям.

85

Для некоторых офицеров служба в полиции означает постоянную, не всегда предсказуемую череду перемен. Сегодня тебя переводят из уличного патруля в группу поддержки, которая производит аресты и занимается уличными беспорядками, потом в бригаду по борьбе с наркотиками, где работают под прикрытием, в штатской одежде, потом направляют в аэропорт Гатуик для предупреждения и расследования краж багажа. Другие находят свою нишу, как змея нору, а кальмар трещину в морской стене, где и сидят всю дорогу, все тридцать лет до выхода в отставку, глядя на крючок с наживкой — обещанием весьма достойной пенсии: большое вам спасибо.

Сержант Джейн Пакстон нашла свою нишу. Крупная сорокалетняя некрасивая женщина с прямыми темными волосами и резкими манерами, не признающая никакой чепухи, занималась организацией допросов.

Несколько лет назад она завоевала уважение всего женского штата суссекской уголовной полиции, отвесив, по преданию, пощечину Норману Поттингу. В зависимости от рассказывавшего легенду сложилось около полудюжины версий, объяснявших причины случившегося. Грейс слышал ту, согласно которой Поттинг крепко ухватил ее за бедро под столом во время совещания с предыдущим главным констеблем.

Сейчас сержант Пакстон сидела напротив Грейса за круглым столом у него в кабинете. На ней была свободная блуза, такая широкая, что голова как бы торчала над крышей палатки. По сторонам от нее сидели Ник Николл и Гленн Брэнсон. Она пила воду, трое мужчин кофе. Был вечер понедельника, половина девятого, и все четверо знали, что им повезет, если удастся выбраться из управления до полуночи.

Пока Брайан Бишоп сидел в одиночестве, погруженный в скорбные размышления, в тюремной камере, ожидая прибытия своего адвоката, команда разрабатывала политику его допросов. Брэнсон и Николл, прошедшие специальное обучение технике допросов, будут их вести, а Рой Грейс с Джейн Пакстон следить за ходом бесед из комнаты наблюдения.

Согласно стандартной процедуре, подозреваемый подвергается трем последовательным, стратегически продуманным допросам в течение двадцати четырех часов, которые позволяется держать его под стражей. На первом, который состоится сегодня же вечером после прибытия адвоката подозреваемого, говорить будет главным образом Бишоп, излагая свои факты. Его попросят рассказать собственную историю, историю семейной жизни, о том, где он был и что делал за двадцать четыре часа до убийства его жены.

На втором, утреннем, прозвучат конкретные вопросы, возникшие по материалам первого допроса. Тон будет вежливым и конструктивным, но детективы будут отмечать любые расхождения и неувязки. И только на третьем допросе, который состоится днем, после того как команда сделает свои оценки, — перчатки будут сброшены. В третий раз должны выявиться любые несоответствия и разоблачиться любая ложь.

Надежда была на то, что к концу третьего допроса полученной от подозреваемого информации вкупе с уже имеющимися свидетельствами — в том числе результатом анализа ДНК — окажется достаточно для того, чтобы королевский прокурор признал доказательную базу годной для предъявления обвинения и дал официальную санкцию на арест.

Главное для успеха допросов заключается в том, какие вопросы надо сразу задать, а какие придержать. Все четверо согласились, что тему о засеченном «бентли», направлявшемся в сторону Брайтона незадолго до гибели миссис Бишоп, следует оставить до третьего допроса.

Потом принялись обсуждать вопрос о страховом полисе. Грейс настаивал, что, поскольку Бишопа об этом уже спрашивали и он полностью отрицал, что знает о его существовании, надо снова поговорить об этом на первом допросе, посмотреть, изменит ли он показания.

Насчет противогаза решили попытать его на втором допросе. Джейн Пакстон предложила включить этот вопрос в ряд вопросов о сексуальных отношениях Бишопа с женой. Остальные согласились.

Грейс попросил Брэнсона и Николла подробно рассказать, как Бишоп вел себя при задержании и вообще о его поведении.

— Довольно холодная рыба, — заметил Брэнсон. — Я глазам своим не верил, когда мы с Ником пришли сообщить ему об убийстве жены. — Он взглянул за подтверждением на констебля, который кивнул. — Ну, конечно, изобразил горе и потрясение, только знаете, что сказал в следующую минуту? — Он посмотрел на Грейса, а потом на Пакстон. — «У меня турнир по гольфу... Я половину поля прошел...» Можете поверить?

— По-моему, если уж толковать это замечание, то в другом смысле, — сказал Грейс.

Все с интересом взглянули на суперинтендента.

— В каком? — спросил Брэнсон.

— Насколько я его видел и слышал, — объяснил Грейс, — Бишоп слишком умен, чтобы брякнуть такую бесчувственную, жестокую, потенциально опасную фразу. Скорей похоже на реакцию потрясенного человека, который действительно находится в шоке.

— То есть вы считаете его невиновным? — уточнила Джейн Пакстон.

— Нет, по-моему, у нас есть несколько очень веских улик против этого человека. Давайте пока придерживаться твердых фактов. На суде подобные комментарии могут пойти на пользу — с их помощью прокурорский совет может настроить суд против Бишопа. Мы их придержим, не упоминая ни на одном допросе, потому что Бишоп всегда может сказать, что вы его неправильно поняли, и сюрприза не выйдет.

— Хорошая мысль, — кивнул Ник Николл, зевнул и мигом извинился.

Грейс понимал, что жестоко задерживать парня, когда у него дома малый ребенок. Но это не его проблема. Именно Николл тот самый мягкий следователь против жесткого Брэнсона, какой требуется для этой серии допросов.

— Следующий пункт в моем списке, — сказала Джейн Пакстон, — касается отношений Бишопа с Софи Харрингтон.

— Определенно для третьего допроса, — заявил Грейс.

— Нет, по-моему, надо прояснить его на втором, — возразил Брэнсон. — Можно снова спросить, был ли он с ней знаком, и если был, то в каких отношениях находился. Послужит хорошей проверкой правдивости, если он по-прежнему будет отрицать знакомство, правда?

— Хорошо, — сказал Грейс. — Только он будет знать, что мы проанализировали его телефонные звонки, поэтому сочтет отрицание глупым.

— Да, но я все-таки думаю, стоит спросить на втором, — настаивал Брэнсон. — Я вот как рассуждаю: у нас есть свидетельница из дома напротив Софи Харрингтон. Она положительно опознала в нем человека, которого видела приблизительно во время убийства. В зависимости от ответа на вопрос о телефоне на втором допросе прижмем его на третьем.

Грейс взглянул на Джейн Пакстон, та согласно кивнула.

— Ладно, — сдался он. — Хороший план.

Зазвонил внутренний телефон, Грейс отошел от круглого стола и склонился над письменным. Послушал несколько секунд и сказал:

— Отлично. Хорошо. Спасибо. Мы готовы.

Положив трубку, вернулся за круглый стол.

— Адвокат Бишопа будет здесь в половине десятого. — Он взглянул на часы. — Через сорок пять минут.

— Кто такой? — спросила Джейн Пакстон.

— Литон Ллойд.

— Ну конечно. А кто же еще? — пожал плечами Брэнсон.

Они сосредоточились на том, что сказать Ллойду, а чего на данной стадии не говорить. Потом отправились в супермаркет напротив, срезав путь через кусты на заднем дворе, торопливо сжевали сандвичи в качестве ужина и уже через десять минут вернулись обратно. Николл с Брэнсоном вошли в боковые ворота и поднялись к блоку предварительного заключения. Там их провели в комнату для допросов, где им предстояло изложить адвокату основные факты, объяснить причину задержания Бишопа, без присутствия последнего. Потом и его приведут для допроса.

Джейн Пакстон и Грейс разошлись по своим офисам. Грейс намеревался в следующие полчаса заняться электронной почтой. Сев за письменный стол, он позвонил Клио и узнал, что она до сих пор на работе, в морге.

— Эй, привет! — обрадованно воскликнула она.

— Как ты? — спросил он.

— Вдребезги. Но очень мило, что ты позвонил.

— Очень люблю твой голос, когда ты усталая. Хрипловатый — чудо!..

— Если б ты меня видел, не стал бы так говорить. Чувствую себя столетней. А ты? Что происходит?

Он коротко сообщил, что до полуночи не освободится, потом мог бы приехать, если нет возражений.

— Милый, мне бы страшно хотелось, но, как только я отсюда выберусь, завалюсь в ванну, а потом рухну в постель. Может, завтра?

— Заманчивый план.

— Ты нормально питаешься? — поинтересовалась Клио с материнской заботой. — Обедал?

— Вроде как бы, — уклончиво ответил он.

— Чашка лапши из супермаркета?

— Сандвич, — признался он.

— Это вредно! С чем сандвич?

— С говядиной.

— Отлично, Рой. Жирное мясо с углеводами!

— Я прикрыл его листком салата.

— Ну тогда все в порядке, — саркастически провозгласила Клио. Потом тон ее вдруг изменился. — Можешь обождать секунду? Кто-то бродит под окнами... — Голос звучал тревожно.

— Другие люди есть рядом?

— Никого. Я одна. Бедняги Даррен и Уолтер явились сегодня в четыре утра. Я недавно их по домам отослала. Подожди, пока проверю... Перезвоню через секунду.

И телефон умолк.

86

Я получил письмо нынче утром от некоего Лоренса Абрамсона из лондонской адвокатской конторы под названием «Харбот и Льюис». Письмо по-настоящему неприятное.

Недавно я писал одному человеку, в точности на меня похожему, который создал компанию, используя мою идею, и запросил для доказательства все документы у мистера Кристофери Петта, агента патентного бюро «Фрэнк Б. Деблин и сын», пообещав царское вознаграждение с доходов.

Мистер Абрамсон пригрозил получить против меня судебный запрет, если я еще когда-нибудь обращусь к его клиенту.

Я очень рассердился.

87

Судя по виду, у Литона Ллойда был тяжелый день. Источая легкий запах табака, он сидел в закрытой комнате для допросов, душной, безоконной, в дорогостоящем, но помятом сером костюме с кремовой рубашкой и ярким шелковым галстуком. Рядом с ним на полу стоял много попутешествовавший кожаный кейс, откуда он вытащил красный блокнот в линейку.

Худой пружинистый мужчина с коротко стриженными волосами и настороженным хищным лицом слегка напомнил Брэнсону актера Роберта Карлайла, игравшего злодея в фильме «И целого мира мало». У Брэнсона был пунктик приписывать сходство с кинозлодеями и негодяями каждому адвокату, что помогало не позволять им его запугивать, особенно в суде.

Очень многие полицейские отлично ладят с солиситорами[1], которые спокойно относятся к неудачам, говоря, что это лотерея — то выиграл, то проиграл. Но Брэнсон не был столь беспристрастным. Он, конечно, знал, что и барристеры, и солиситоры, выступающие по уголовным делам, просто делают свою работу, играя важную роль в обеспечении свобод британского народа. Но дело в том, что почти десять лет до прихода в полицию он служил вышибалой в городском ночном клубе. Сталкивался практически с каждым подонком, какого себе только можно представить, от пьяных бузотеров до опаснейших гангстеров, очень хитрых и умных преступников. И потому искренне считал своим долгом сделать город лучше ради своих детей, которым здесь жить. Вот и теперь его бесил сидевший сейчас напротив

---

[1] С о л и с и т о р — юрист, консультирующий клиентов, включая организации и фирмы; подготавливает дела для барристеров, имеет право выступать в низших судах.

мужчина в костюме от портного, мокасинах с бахромой, с роскошным БМВ и, без сомнения, шикарным домом на какой-нибудь самой престижной улице Хоува, потому что он знал, что все это куплено на жирные деньги, полученные за спасение от тюрьмы негодяев.

Настроение Брэнсона нисколько не улучшилось от грозовой ссоры с женой по мобильнику по дороге к тюремному корпусу. Он позвонил пожелать детям спокойной ночи, а она едко сообщила, что они уже давным-давно спят. На что он ответил, что не слишком приятно сидеть в девять часов на работе да еще выслушивать колкости. Обмен репликами вылился в крикливый скандал, которому Эри, разъединившись, положила конец.

Ник Николл закрыл дверь, подвинул кресло, сел напротив Брэнсона. Ллойд расположился во главе стола, как бы подготовив сцену, на которой с самого начала собирался проявить себя в полном блеске.

Адвокат сделал запись шариковой ручкой в черном блокноте.

— Итак, джентльмены, что вы можете мне сообщить? — Говорил он четко, отрывисто, вежливым, но твердым тоном. Под потолком шумно загудел кондиционер, накачивая холодный воздух.

Ллойд заставлял Брэнсона нервничать. Сержант без проблем справился бы с грубой силой, но изощренные интеллектуалы всегда выводили его из себя. А Ллойд смотрел на детективов с непроницаемым выражением, говорил медленно, тщательно артикулируя каждое слово, как будто обращался к ребенку, старательно обдумывая, что сказать дальше.

— Мы беседовали с мистером Бишопом на протяжении последних четырех с лишним дней, чтобы получить основные сведения о нем и его жене, что, как вы понимаете, нормально в таких обстоятельствах. В ходе этих бесед выясняли, где он находился как перед убийством, так и в момент его совершения.

— Хорошо. — Литон Ллойд нетерпеливо шлепнул по столу ладонью, словно объявляя, что явился сюда не затем, чтоб выслушивать чепуху. — Можете быстренько объяснить, почему мой клиент арестован?

Брэнсон протянул подготовленную бумагу, составленную на основании предыдущих бесед.

— Прочтите, пожалуйста, и мы ответим на ваши вопросы.

Ллойд протянул через стол руку, взял краткий документ на единственном листе, прочел молча, потом повторил вслух некоторые фразы:

— «Вероятность удушения с помощью удавки требует дальнейших патологических исследований… Полученные результаты анализа ДНК требуют объяснения… — Он на секунду поднял на детективов глаза и продолжил читать вслух с недоуменным видом: — Есть основания полагать, что мистер Бишоп говорил не полную правду. Соответственно, мы намерены задать ему определенные вопросы при содержании его под стражей…» — Солиситор бросил листок на стол и обратился к Брэнсону: — Можете поконкретнее объяснить эту бумагу?

— Что вам известно по делу?

— Очень мало. Конечно, об убийстве миссис Бишоп я читал в газетах и слышал в новостях, но с клиентом пока еще не разговаривал.

На протяжении следующих двадцати минут Ллойд расспрашивал детективов. Сначала поинтересовался уборщицей и детальной картиной на месте преступления. Гленн Брэнсон дал минимально возможную информацию. Описал обстоятельства обнаружения тела Кэти Бишоп, назвал приблизительное время смерти по оценке патологоанатома, но противогаза не упомянул. И решительно отказался говорить о результатах анализа ДНК.

Солиситор попытался выжать из него признание, почему полиция не верит в правдивость показаний Бишопа. Но сержант не поддался.

— Мой клиент предоставил вам алиби? — спросил адвокат.

— Да, — кивнул Брэнсон.

— Можно предположить, что оно вас не удовлетворяет? Сержант, поколебавшись, сказал:

— Мы намерены прояснить это в ходе допроса.

Ллойд черкнул что-то в блокноте и улыбнулся Брэнсону.

— Что еще можете сообщить мне на данной стадии? Брэнсон взглянул на Николла и тряхнул головой.

— Ничего.

— Ну что ж. А теперь я хочу повидаться с клиентом.

88

На улице уже почти совсем стемнело. Рой Грейс рассеянно пробегал глазами страницы сводки происшествий за нынешний день, выходившие на компьютерный монитор, ища хоть что-нибудь, имеющее отношение к расследуемым делам, однако ничего не нашел. Просмотрел электронную почту, выбросил множество сообщений, отослал несколько кратких ответов. Посмотрел на часы. Прошло пятнадцать минут после того, как Клио обещала перезвонить.

Его охватила тревога. Он понял, как сильно ее любит, мысль о том, что с ней может что-то случиться, невыносима. Клио становится опорой жизни, нерушимой скалой, какой много лет была Сэнди. Надежной, прочной, прекрасной, веселой, заботливой, любящей. Только порой она с солнца уходит в тень.

Господи, думал Грейс, насколько все стало бы проще, если бы Дик подтвердил, что встретил *ту* женщину. Это не принесло бы желанного покоя, но хотя бы можно было не думать о Мюнхене. А теперь надо вновь туда ехать. Только в данный момент невозможно размышлять об этом. Слишком живо помнится, что вчера какой-то ненормальный средь бела дня распорол крышу машины Клио, стоявшую у морга.

Туда тянутся всякие извращенцы и чокнутые, которых в Брайтоне более чем достаточно. До сих пор трудно понять, как ей может нравиться там работать. Разумеется, ко всему можно привыкнуть, но это не означает, что можно такое *полюбить*.

Крыши автомобилей режут главным образом на городских улицах, чтобы украсть что-нибудь из салона, либо темной ночью напившиеся или обкуренные юнцы. Но никто не разгуливает по автостоянке у морга, особенно в жаркий воскресный день. Из «эм-джи» Клио ничего не украдено. Просто гадкий, злобный акт вандализма. Может, какой-нибудь подонок позавидовал машине.

Кто там сегодня шныряет у морга?

Позвони мне. Пожалуйста, позвони.

Он попытался вникнуть в повестку дня ежегодного симпозиума Международной ассоциации следователей, но не смог сосредоточиться.

Зазвонил телефон, он схватил трубку, с облегчением выпалил:

— Привет!

Но это была Джейн Пакстон, сообщившая, что Бишоп сейчас встретится с адвокатом и она отправляется в наблюдательную комнату. Грейс должен был прийти туда через десять минут.

89

Брайан Бишоп сидел в камере, сгорбившись на краешке постели. Даже не помнится, чтобы когда-нибудь в жизни он чувствовал себя таким несчастным и униженным. Казалось, что половина привычного мира от него оторвана, а другая оборачивается против него. Даже добряк Роберт Вернон говорил сегодня по телефону не столь дружелюбно, как обычно. Почему? Прошел слух, будто он губит все, к чему прикоснется, и поэтому от него надо держаться подальше, как от ядовитого гада?

Кто будет следующим — Гленн с Барбарой? Потом Йен и Террина, с которыми они с Кэти так часто виделись? И все остальные, кого он некогда считал друзьями?

Голубой хлопчатобумажный комбинезон резал под мышками, пальцы ног едва шевелились в тесных тапках, но он не обращал внимания. Все это страшный сон, и скоро он проснется и увидит на соседней кровати Кэти, сияющую широкой улыбкой, читающую колонку светской хроники в «Дейли мейл», а рядом с ней чашку чаю.

В руках он держал желтый листок, полученный при регистрации, и щурился на расплывающиеся слова, стараясь прочесть их без очков.

Полиция Суссекса
УВЕДОМЛЕНИЕ О ПРАВАХ И ОБЯЗАННОСТЯХ
Запомните свои права

Дверь внезапно открылась, и Бишоп увидел мужчину лет тридцати, с одутловатой физиономией, без шеи, со сложением пухлого младенца, словно тот раньше работал с гантелями, а потом перестал, и мускулы заплыли жиром. Он был в форме охранника: в белой рубашке с монограммой и черными погонами, с черным галстуком, в черных брюках — и очень сильно потел.

Несколько скрипучим голосом, нарочито вежливо, стараясь не смотреть в глаза, словно так принято при общении с негодяем, брошенным за решетку, он проговорил:

— Мистер Бишоп, ваш адвокат здесь. Я провожу вас к нему. Пожалуйста, идите вперед.

Бишоп пошел, следуя звучавшим за спиной указаниям, по лабиринту пустых, молчаливых кремовых коридоров, где единственной утешительной ноткой служила красная лента сигнализации в металлической оправе, и оказался в конце концов в комнате для допросов, которую Брэнсон и Николл на время покинули, предоставляя ему возможность встретиться с адвокатом наедине.

Литон Ллойд пожал ему руку, заставил сесть и проверил, выключены ли все записывающие устройства.

— Спасибо, что пришли, — сказал Бишоп.

Солиситор сочувственно улыбнулся ему, и Бишоп мгновенно проникся к нему теплым чувством, хотя был уверен, что испытал бы симпатию даже к Аттиле, если бы тот явился на помощь.

— Это моя работа, — ответил Ллойд. — Ну, с вами хорошо обращаются?

— Мне особенно не с чем сравнивать, — попытался слегка пошутить Бишоп, на что адвокат не отреагировал. — Собственно, единственное, что меня по-настоящему рассердило, — у меня забрали очки для чтения.

— К сожалению, здесь нет нарушения.

— Замечательно. Значит, если б я носил контактные линзы, они бы остались при мне, а если предпочитаю очки, то лишен возможности читать.

— Приложу все силы, чтобы вам их поскорей вернули. — Ллойд сделал пометку в блокноте. — Итак, мистер Бишоп, я понимаю, сейчас уже поздно, вы устали. Полиция хочет провести один допрос сегодня — постараемся, чтобы он был как можно короче, — а следующий состоится завтра утром.

— Долго мне здесь придется оставаться? Вы не можете освободить меня под залог?

— О залоге можно ходатайствовать, только когда полиция выдвинет против вас обвинение. Без предъявления обвинения она имеет право задерживать подозреваемого лишь на двадцать четыре часа, а потом в случае необходимости продлить срок еще на двенадцать.

— Значит, меня могут здесь продержать до утра среды?

— Боюсь, что так.

Бишоп замолчал.

Ллойд поднял лист бумаги:

— Здесь кратко изложена информация, которую полиция готовится нам предоставить на данном этапе. Если вам трудно читать, я могу прочесть вслух.

Бишоп кивнул, охваченный болезненной слабостью. Ему даже не хотелось говорить.

Прочитав то, что было написано на листке, адвокат от себя добавил то немногое, что сумел вытянуть из сержанта Брэнсона.

— Все понятно? — спросил он, закончив.

Бишоп снова кивнул. Он услышанных слов ему стало еще хуже. Они падали в душу, как черные камни, отягощая и без того мрачную тоску. Казалось, будто он сидит на самом дне глубочайшей на всем белом свете шахты.

За несколько следующих минут солиситор кратко перечислил вопросы, которые ему могут задать на первом допросе, и проинструктировал, как отвечать. Велел говорить немногословно — с готовностью, но коротко. Если какие-то вопросы покажутся неуместными, Ллойд сам скажет об этом. Ллойд также поинтересовался, как он себя чувствует, вынесет ли предстоящее испытание, не требуется ли ему врач, лекарства. Он ответил, что с ним все в порядке.

— И последний вопрос, который я должен задать, — сказал Литон Ллойд. — Вы убили свою жену?

— Нет. Ни в коем случае. Это смешно. Я любил жену. Зачем мне ее убивать? Нет, я ее не убивал. Действительно не убивал. Вы должны мне поверить. Я просто не понимаю, что происходит.

Солиситор улыбнулся:

— Хорошо. Для меня это очень неплохо.

90

Когда Грейс шел вдоль бетонной дорожки, отделяющей основное здание Суссекс-Хаус от блока предварительного заключения, его одолевали мрачные мысли. Он прижимал к уху мобильник, и тревожный узел в желудке закручивался все туже. Во рту пересохло от страха. Прошло уже больше двадцати минут. Почему Клио не перезвонила? Ее мобильный телефон переключился на голосовую почту, и он набрал номер морга. После четвертого звонка включился автоответчик. Он подумал, не вскочить ли в машину и не поехать ли туда, но это было бы безответственно. Надо быть здесь, следить и тщательно анализировать ход допроса.

Поэтому он позвонил в патрульную службу, объяснил дежурному, кто он такой и в чем его проблема, и с облегчением услышал в ответ, что как раз сейчас в том районе находится бригада и ее немедленно направят к моргу. Грейс попросил, если можно, перезвонить ему, когда полицейские будут на месте, и обрисовать ситуацию.

Нехорошо все это. Очень нехорошо. Хотя он знает, что Клио всегда запирает двери и в морге стоят камеры наружного наблюдения, все равно нехорошо, что она осталась там одна поздним вечером. Особенно после вчерашнего происшествия с автомобилем.

Он поднес карточку-пропуск к серому глазу электронного устройства на двери, вошел в тюремное здание и оказался в круглом зале, где, как обычно, регистрировали прискорбную горстку хулиганов из низших слоев — среди прочих костлявого юнца в рваной куртке, камуфляжных штанах и сандалиях.

Джейн Пакстон уже сидела в маленькой комнатке наблюдения перед цветным монитором, включенным, но еще пустым. Аудио- и видеоаппаратура отключена, чтобы Бишоп конфиденциально поговорил с адвокатом до официального начала допроса. Она предусмотрительно запаслась для них двумя бутылками воды. Грейс положил блокнот на консоль перед своим стулом и направился к маленькой кухоньке в конце коридора заварить себе кружку крепкого кофе. Дешевый кофе в большой жестяной банке имел затхлый запах. Какой-то придурок не убрал молоко в холодильник, оно скисло, поэтому пришлось пить черный.

Вернувшись в комнату, он спросил:

— А вы не хотите чаю или кофе?

— Не употребляю, — сказала Джейн Пакстон с легким укором, словно он предложил ей наркотики класса «А».

Когда Грейс поставил кружку, в динамике раздался треск, экран, вспыхнув, ожил. Теперь на нем были четверо мужчин: Брэнсон, Николл, Бишоп и Ллойд. Все без пиджаков, детективы в галстуках, но рукава рубашек закатаны.

В комнате наблюдения были установлены две камеры, и Грейс переключился на ту, с которой лучше был виден Бишоп.

Обращаясь к Бишопу и время от времени бросая уважительный взгляд на его адвоката, Гленн Брэнсон начал со стандартной фразы, которая обязательно произносится в начале допроса подозреваемых:

Ведется аудио- и видеозапись допроса, которая может просматриваться на расстоянии.

Грейс поймал его мельком брошенный холодный взгляд.

Бишоп кивнул, выслушав предупреждение.

— Двадцать два пятнадцать, понедельник, седьмое августа, — объявил детектив. — Я сержант Брэнсон. Не могли бы вы назвать себя?

Брайан Бишоп, Литон Ллойд, констебль Николл по очереди представились. После чего Брэнсон продолжил:

— Мистер Бишоп, пожалуйста, опишите как можно подробнее, где вы находились в течение двадцати четырех часов до того, как я и констебль Николл пришли повидаться с вами в гольф-клуб Северного Брайтона утром в пятницу.

Грейс внимательно наблюдал за Бишопом, излагавшим события. Тот предварил рассказ замечанием, что обычно по утрам в понедельник ранним поездом отправляется в Лондон, где живет всю неделю один в своей квартире в Ноттинг-Хилле, допоздна работает, часто проводит вечерние совещания и возвращается в Брайтон на выходные по пятницам вечером. На прошлой неделе ему предстояло участвовать в турнире по гольфу, устроенном в честь столетия клуба и стартовавшем рано утром в пятницу. Поэтому он был вынужден ехать в Лондон поздно вечером в воскресенье, чтобы при нем была машина, на которой можно было бы утром в пятницу поехать прямо в клуб.

Грейс отметил в блокноте это отступление от прежних показаний Бишопа.

Бишоп описал свой рабочий день в офисе компании «Интернэшнл ростеринг солушнс», расположенном на Ганновер-сквер, откуда он вечером направился пешком до Пикадилли, так как должен был встретиться со своим финансовым консультантом Филом Тейлором за ужином в ресторане «Уолсли».

Он объяснил, что Фил Тейлор занимается его личным ежегодным налоговым планированием. После ужина он вышел из ресторана, вернувшись домой чуть позже, чем рассчитывал, и выпив чуть больше, чем намеревался. Спал плохо, отчасти в результате выпитого бренди и двух больших чашек кофе эспрессо, отчасти потому, что боялся проспать и опоздать утром в клуб.

Строго придерживаясь составленного плана, Брэнсон то и дело просил конкретных подробностей, особенно о людях, с которыми Бишоп в тот день разговаривал. Спросил, разговаривал ли он в тот день с женой, и Бишоп ответил, что Кэти звонила ему около двух часов насчет покупки кое-каких растений для сада, так как он собирался в начале сентября устроить для своих служащих субботний ленч в саду.

Бишоп добавил, что, вернувшись после ужина с Филом Тейлором, позвонил в «Бритиш телеком» с просьбой позвонить и разбудить его утром в пять тридцать.

Грейс не успел дописать фразу, потому что зазвонил его мобильник. Молодой голос офицера, который представился констеблем Дэвидом Кертисом, сообщил, что они находятся возле городского морга, что в здании свет погашен и все тихо и спокойно.

Грейс выскочил в коридор и спросил, не видит ли он на стоянке синего спортивного «эм-джи». Констебль Кертис ответил, что на стоянке пусто.

Грейс поблагодарил, разъединился и немедленно набрал домашний номер Клио. Она ответила после второго звонка, радостно воскликнув:

— Привет! Как дела?

— С тобой все в порядке? — спросил Грейс, немыслимо радуясь, что слышит ее голос.

— Со мной? Все отлично. Держу в руке стакан вина, собираюсь нырнуть в ванну, — сонно сообщила она. — А ты как?

— Беспокоился до сумасшествия.

— Почему?

— Как — почему? Боже мой! Ты сказала, что кто-то бродит у морга! Пошла посмотреть, пообещала сразу же перезвонить! Я думал... боялся...

— Просто пара пьяных, — объяснила она. — Искали кладбище, бормотали, что хотят почтить память матери.

— Никогда так больше не делай! — приказал он.

— Как? — абсолютно невинно спросила она.

Он покачал головой, улыбаясь с чувством облегчения.

— Мне надо вернуться.

— Конечно. Ты такой важный детектив, расследуешь крупное дело.

— Выпей стаканчик.

— Я один уже выпила, сразу как в дом вошла. Теперь в ванну иду. Пока-пока.

Вернувшись в комнату для наблюдений, Грейс обратился к Джейн Пакстон:

— Что я пропустил?

— Ничего, — ответила она. — Сержант Брэнсон хорош.

— Потом скажите ему это. Он нуждается в ободрении. Мнение о себе совсем на нуле.

— Какое у вас, у мужчин, может быть о себе мнение? — фыркнула Джейн.

Грейс оглядел ее голову, торчавшую из палаточной блузки, двойной подбородок, гладко отутюженные волосы, перевел взгляд на обручальное кольцо на мясистом пальце и спросил:

— У вашего мужа есть самомнение?

— Пускай только попробует, черт побери.

91

Обладатель Миллиардного Запаса Времени все знал про «пилюли счастья». Только ни разу не принимал. Необходимости нет. Эх, кому нужны «пилюли счастья», когда в понедельник приходишь домой и видишь, что почтальон оставил на коврике под дверью заказанное в субботу техническое руководство к спортивному автомобилю «эм-джи ТФ» 2005 года выпуска?

Эту модель начали выпускать незадолго до того, как завод прекратил производство и был куплен какой-то китайской компанией. Эту модель водит Клио Мори. Темно-синяя. Теперь на ней стоит голубая железная крыша, потому что какой-то псих распорол ножом откидной верх. Вот сукин сын! Ненормальный. Распроклятый дерьмовый подонок.

И это произошло в четверг вечером! В один из выходных дней ворчливой дуры уборщицы с неблагодарной дочкой! Об этом она сама ему вчера рассказала.

Самая лучшая новость — Брайан Бишоп арестован. Об этом сообщает крупный заголовок в утреннем выпуске «Аргуса». Об этом говорит местное радио. Наверняка расскажут и местные теленовости. Может, даже национальный выпуск новостей! Какая радость! Как аукнется, так и откликнется. Все движется по кругу. Как руль в автомобиле. В автомобиле Клио Мори.

У Клио Мори первоклассный мотор. Сейчас он его слышит, 1,8 литра сладко урчат в прохладном воздухе раннего утра. Восемь часов. Она подолгу работает, надо отдать ей должное.

Выехала со стоянки, движется вверх по улице, слишком долго оставаясь на первой передаче, хотя, может, ей нравится слушать гулкий треск выхлопов.

Чтобы въехать в ворота перед ее домом, ума не надо. На кодовом замке всего четыре цифры. Он их с легкостью высмотрел, удобно устроившись в машине, наблюдая в бинокль за другими жильцами, возвращавшимися домой.

В переднем дворе было пусто. Если бы какие-то досужие соседи выглядывали сквозь жалюзи, то увидели бы того же опрятно одетого мужчину с планшетом, которого видели и вчера, считая, что он снимает показания с газовых счетчиков.

Только что нарезанный ключ гладенько повернулся в замке. Слава Богу за помощь! Он шагнул в большой холл, захлопнул за собой дверь. В тишине слышался легкий гул холодильника, пахло мебельной политурой, свежемолотыми кофейными зернами.

Он огляделся, впитывая все вокруг, чего не успел сделать вчера в присутствии ворчливой женщины, ходившей за ним по пятам. Кремовые стены увешаны непонятными ему абстрактными картинами. Современные ковры расстелены на блестящем дубовом полу. Два красных дивана, черная лакированная мебель, большой телевизор, дорогая стереосистема. И незажженные свечи. Десятки, десятки, черт возьми, десятки, в серебряных подсвечниках, в непрозрачных стеклянных розетках, в вазах — она что, свихнулась на религии? Служит черные мессы? Еще один хороший повод покончить с ней. Господь рад будет от нее избавиться.

Потом он увидел прямоугольный стеклянный аквариум на журнальном столике, где кружила золотая рыбка среди какой-то конструкции, напоминающей древнегреческий храм.

— Тебя надо выпустить на свободу, — сказал Обладатель Миллиардного Запаса Времени. — Животных нельзя держать в неволе.

Он побрел к противоположной стене, до потолка заставленной битком набитыми книжными полками. «Брайтонский леденец» Грэма Грина, роман Джеймса Герберта, детектив Наташи Купер, несколько книг Йена Рэнкина.

— Ух ты! — воскликнул он в полный голос. — У нас одинаковые литературные вкусы. Очень жаль, что у нас не случится возможности поговорить о книгах. Знаешь, в других обстоятельствах мы с тобой могли бы стать очень даже хорошими друзьями.

Потом он выдвинул ящик стола. Там лежали эластичные ленты, пачка заранее оплаченных квитанций на парковку, сломанный дистанционный пульт для автоматических дверей гаража, одна батарейка, конверты. Еще покопался, но, не найдя искомого, задвинул ящик. Оглянулся, заглянул еще в пару ящиков — безуспешно. В кухонных ящиках тоже ничего не нашлось.

Рука до сих пор болит, все время жжет огнем, становится только хуже, несмотря на таблетки. И голова болит, постоянно пульсирует, чувствуется небольшая лихорадка, но нет ничего такого, с чем он не мог бы справиться.

Он медленно, не спеша направился вверх по лестнице. Клио Мори только что уехала на работу. Все время в мире в его распоряжении. Если захочет, можно потратить несколько часов.

На втором этаже оказалась маленькая ванная. Напротив — ее комната. Он вошел. Там царил полный хаос. Стены заставлены книжными полками, почти все книги по философии. На письменном столе перед окном с видом на море груды бумаг, среди них ноутбук. Он открывал каждый ящик, трудолюбиво перебирал содержимое, аккуратно закрывал. Выдвинул и задвинул четыре ящика металлической картотеки.

Спальня на следующем этаже, по другую сторону от винтовой лестницы, которая, кажется, ведет на крышу. Он вошел, принюхался к постели. Отдернул покрывало, уткнулся лицом в подушки, глубоко дыша. От запахов сжалось в паху. Он осторожно откинул пуховое одеяло, обнюхивая каждый дюйм простыни. Еще! Еще! Суперинтендентом Роем Грейсом не пахнет. На простыне никаких пятен от семени. Только ее запахи! Только ее… Можно наслаждаться.

Он тщательно расправил одеяло и покрывало. Очень тщательно. Никто никогда не узнает, что он здесь был.

В спальне стоял современный черный лакированный туалетный столик. Он выдвинул единственный ящик и увидел! Среди коробочек с украшениями черный кожаный кармашек для часов с вытисненными золотыми буквами «MG». В нем два блестящих неиспользованных ключа, скрепленные кольцом.

Закрыв глаза, он кратко произнес благодарственную молитву Богу, приведшему его сюда. Поднес ключи к губам, поцеловал.

— Прекрасно!

Задвинул ящик, сунул ключи в карман, спустился вниз и направился прямо к аквариуму. Поддернул рукав куртки, потом рубашки, сунул руку в тепловатую воду. Все равно что поймать кусок мыла в ванне! Наконец удалось схватить трепетавшую скользкую рыбку, зажав ее в пальцах, — глупая тварь.

Он бросил ее на пол.

Слышал, как рыбка бьется, пока он шел к дверям.

92

Совместный утренний инструктаж по операциям «Хамелеон» и «Мистраль» закончился в девять с небольшим. На нем царило оптимистическое настроение, поскольку подозреваемый находится под стражей. Тем более что свидетельница, пожилая дама, живущая напротив Софи Харрингтон, опознала в Брайане Бишопе мужчину, которого видела у ее дома приблизительно во время убийства. Грейс надеялся, что, если повезет, анализ ДНК по семени в вагине Софи Харрингтон совпадет с образцом Бишопа. Он ждал результатов сегодня во второй половине дня.

Теперь практически ни у кого не оставалось сомнений в связи между двумя убийствами, но точные детали пока держались в секрете от прессы.

Люди, названные Бишопом на первом допросе, указанные им периоды времени проверялись, и Грейса особенно интересовало, подтвердят ли в «Бритиш телеком», что Бишоп просил разбудить его рано утром звонком, когда вернулся в четверг вечером к себе на квартиру. Хотя, разумеется, позвонить в «Телеком» мог сообщник. Учитывая получение трех миллионов фунтов по страховому полису жены, необходимо тщательно проверить вероятность, что Бишоп имел сообщника, может быть, не одного.

Он вышел из конференц-зала, спеша продиктовать пару писем своему коллеге из Столичной полиции, одно относительно подготовки к суду над одиозным Карлом Веннером, арестованным в ходе расследования последнего дела об убийстве, которое вел Грейс. Он торопливо шел по коридорам к большому помещению с зеленым ковровым покрытием, где размещались старшие офицеры главного полицейского управления.

К своему удивлению, войдя в дверь с охранной системой, отделявшей это самое помещение от отдела тяжких преступлений, он увидел столпившийся у письменного стола народ, в том числе Гэри Уэстона, главного суперинтендента суссекской уголовной полиции и своего основного босса, хотя на самом деле Грейс чаще всего отчитывался перед Элисон Воспер.

На секунду он подумал, не разыгрывается ли тут лотерея, или, может быть, у кого-то день рождения. Но, подойдя ближе, увидел, что настроение у всех вовсе не праздничное.

— В чем дело? — спросил Грейс у Элинор.

— А вы не слышали?

— Что?

— О Дженет Макуиртер.

— О нашей Дженет из отдела программного обеспечения?

Элинор кивнула, глядя на него сквозь большие очки, как будто помогала решить шараду.

Еще четыре месяца назад Дженет Макуиртер занимала ответственную должность в Суссекс-Хаус, возглавляя компьютерную службу, где работало человек сорок. Одной из их главных задач был сбор информации и разведывательных данных для здешних детективов.

Некрасивая одинокая девушка тридцати с лишним лет, спокойная и старательная, слегка старомодного вида, пользовалась всеобщей симпатией за всегдашнюю готовность помочь. Она работала столько, сколько было нужно, всегда оставаясь приветливой и любезной.

В нынешнем апреле Дженет всех удивила, подав в отставку, объясняя, что хочет попутешествовать в течение года. Потом под строжайшим секретом сообщила двум своим ближайшим подругам в отделе, что влюбилась в одного мужчину. Они уже обручились, эмигрируют в Австралию, там поженятся.

На Грейса оглянулся Брайан Кук, управляющий аналитическим отделом, один из его здешних приятелей.

— Ее нашли мертвой, Рой, — сообщил он глухим голосом. — В субботу вечером тело выбросило на берег… Она довольно долго пробыла в воде. Опознали только по зубам. И похоже, убита до того, как брошена в море.

Грейс молчал в потрясении. Он много лет часто общался с Дженет, и она ему по-настоящему нравилась.

— Черт возьми, — вымолвил он. На миг показалось, будто окна застлала темная туча. В этой смерти он инстинктивно почувствовал что-то очень дурное.

— Вряд ли она затем поехала в Австралию, — сардонически добавил Кук.

— Или пошла к алтарю?

Кук пожал плечами.

— С женихом связались?

— Мы только что услышали новость. Может, он тоже мертв. Не заглянешь в ее отдел сказать пару слов сотрудникам? — попросил Кук.

— Обязательно, как только выберется свободная минутка. Кто возглавит расследование?

— Пока не знаю.

Грейс кивнул и повел свою ошеломленную секретаршу назад в кабинет. На диктовку едва остается десять минут, потом надо идти на второй допрос Брайана Бишопа.

Перед глазами неотступно стояло некрасивое личико Дженет Макуиртер, такой славной, милой, услужливой. Зачем было кому-то ее убивать? Грабеж? Насилие? Или что-то связанное с ее работой?

Надо подумать, решил он про себя. Она пятнадцать лет служила в суссекской полиции, большинство из них в компьютерной службе, влюбилась, решила поменять жизнь, уехала… И умерла.

Грейс был твердо убежден, что всегда надо первым делом рассматривать самое очевидное. Знал, с чего начал бы, если бы назначили расследовать это дело. Но в данный момент смерть Дженет Макуиртер, какой бы она ни была огорчительной, не его проблема.

По крайней мере, так он думал.

93

— Бо-о-оже, старик! Заткнешь ты когда-нибудь эту чертову распроклятую хренотень? Зудит целое утро! Отвечай или глуши!

Вонючка открыл один глаз. Ощущение было такое, будто в него заехали молотком. По башке тоже. А мозги кто-то пилит проволочным ножом для резки сыра. Фургон качался, как лодчонка в шторм.

Биип-биип-взз-биип-биип-взз... Мобильник, сообразил он. Свалился на пол. Вибрирует, мигает, трезвонит.

— Сам отвечай, мать твою, — пробормотал он в ответ, обращаясь к своему очередному незваному постояльцу — какому-то распоследнему оборванцу, с которым он рано утром встретился на гулянке в брайтонском притоне, и тот напросился поспать. — Тут тебе не «Хилтон» хренов. У нас круглосуточное обслуживание не принято.

— Если я отвечу, приятель, то засуну его тебе прямо в задницу так глубоко, что будешь шарить пальцами в кишках до самого носа.

Вонючка открыл и другой глаз, потом снова закрыл, пронзенный ослепительным лазерным солнечным светом, который ударил в мозги, прошил череп, ушел в глубь земли, пригвоздив голову, словно бабочку на булавке, к смятой пропотевшей подушке. Он попытался сесть, крепко стукнувшись макушкой о пластиковую крышу над головой.

— Мать твою! Дерьмо!

Вот благодарность за то, что он позволяет долбаным никчемным проходимцам вламываться к себе в дом. Совсем проснувшись, на грани тошноты, он протянул руку, как бы полностью отделившуюся от тела, словно кто-то ночью привязал ее ниточками к плечу. Онемевшие пальцы зашарили по полу, пока не нащупали телефон.

Он его поднял дрожащей рукой, трясясь всем телом, нажал зеленую кнопку, поднес к уху, прохрипел:

— Бр-р?

— Где ты был, кусок дерьма? — спросил голос Барри Спайкера.

Тут он проснулся окончательно, в голове вертелась и сталкивалась целая куча спутанных мыслей.

— Да сейчас ведь середина ночи, — пробормотал он.

— Может быть, на твоей планете, гаденыш. На моей одиннадцать утра. Снова пропустил святое причастие, да?

И тут Вонючка вспомнил. *Пол Пакер. Констебль Пол Пакер!*

Утро вдруг стало чуть лучше. Из затуманенного водоворота сознания, болезненно изголодавшегося по наркотикам, выплывали воспоминания о заключенной им с Пакером сделке. Он дал Пакеру обещание. Обещал сообщить, когда Барри Спайкер сделает следующий заказ. Сдать Спайкера — все равно что отрезать себе напрочь нос, но это соображение перевешивала радость от самой мысли. Спайкер кинул его на последней сделке. Обещав заплатить.

Полиция заплатит шиш с маслом. Но если вести себя по-настоящему умно, можно повернуть дело так, что ему заплатят и Спайкер, и полиция. Вот это будет клево!

Хомяк Эл, как всегда, деловито бегал в колесе. Надо снова везти его к ветеринару. Деньги дает Бет. Две птички на одном камешке! Спайкер и констебль Пакер. Эл и Бет! Дело сделано.

— На самом деле только что вернулся с мессы, — сказал он.

— Хорошо. Для тебя есть работа.

— Превращаюсь в слух.

— Вот в чем твоя проблема, черт побери. Ни слуха, ни мозгов.

— Ну так чего там надо?

Спайкер кратко рассказал.

— Сегодня к вечеру, — добавил он. — В любое время. Я всю ночь буду тут. На этот раз, если доставишь то, что нужно, сто пятьдесят. Справишься?

— Я в классной форме.

— Не сваляй дурака.

Телефон замолчал.

Вонючка разволновался, выпрямился и снова едва не расколол череп о крышу фургона.

— Мать твою! — охнул он.

— И твою, Джимми! — донесся голос из дальнего конца фургона.

94

Гленн Брэнсон прервал второй допрос Брайана Бишопа в двенадцать двадцать, оставил его завтракать наедине с адвокатом и отправился на совещание в кабинет Грейса.

Брэнсон придерживался программы. По-настоящему серьезные вопросы приберегались для нынешнего дневного — третьего — допроса.

Усевшись за круглым столиком, суперинтендент похлопал сержанта по спине:

— Хорошая работа, Гленн, молодец. Ну ладно, как я вижу, тут у нас слон в комнате. — Он использовал выражение Элисон Воспер, которое ему даже нравилось.

Три детектива выжидательно смотрели на него.

— Алиби Бишопа. Ужин в лондонском ресторане «Уолсли» с тем самым Филом Тейлором. Это и есть слон в комнате.

— Результаты анализа ДНК безусловно обращают это алиби в прах, — заметил Николл.

— Я думаю о присяжных, — объяснил Грейс. — Все зависит от убедительности показаний Тейлора. Будьте уверены, Бишоп выбрал самого лучшего. Подкрепил алиби на полную катушку. Честный и уважаемый гражданин против какой-то научной белиберды? Возможно, сведения «Телекома» о времени звонка Бишопа, когда он просил разбудить его утром, внесут поправку во временные рамки?

— По-моему, Рой, на третьем допросе мы его расколем, — сказала Джейн Пакстон. — Нам есть что ему предъявить.

Грейс кивнул, хотя не был до конца уверен.

Допрос начали сразу после двух. Рой Грейс знал, садясь на шаткий стул в наблюдательной комнате, что ровно через шесть часов они будут обязаны выпустить Бишопа, если не получат санкции на продление срока задержания или не предъявят ему обвинение. Можно, конечно, обратиться в суд за постановлением о продлении, но без крайней необходимости этого делать не хочется.

Элисон Воспер уже звонила, спрашивала, насколько они готовы выдвинуть против Бишопа обвинение. Когда он изложил имеющиеся на данный момент факты, она вроде бы осталась довольна. По-прежнему в сладком настроении.

Столь быстрый арест подозреваемого в убийстве Кэти Бишоп выставлял полицию в выгодном свете в глазах средств массовой информации, гарантируя успокоение гражданам Брайтона и Хоува. Теперь они обязаны предъявить обвинение. Что, конечно, не повредило бы карьерным перспективам Грейса. А с положительными результатами анализов ДНК прокуратура наверняка согласится санкционировать обвинение. Надо только составить его убедительно.

Грейс понимал, что должен бы радоваться ходу дела, но что-то его беспокоило, а что — непонятно.

Неожиданно прозвучал голос Гленна Брэнсона, четко и громко, и через мгновение на мониторе вспыхнуло изображение четырех мужчин в комнате для допросов. Брайан Бишоп пил воду из стакана, белый, как попугай.

— Четырнадцать часов три минуты, вторник, восьмое августа, — говорил Брэнсон. — На данном третьем допросе присутствуют мистер Брайан Бишоп, мистер Литон Ллойд, констебль Николл и я, сержант Брэнсон.

Потом он в упор посмотрел на Бишопа:

— Мистер Бишоп, вы нам рассказывали, что счастливо жили с женой, составляли прекрасную пару. Вам было известно о любовной связи миссис Бишоп? О сексуальных отношениях с другим мужчиной?

Грейс пристально всматривался в глаза Бишопа. Они скользнули влево. Судя по уже известным его инстинктивным повадкам, он собирался сказать правду. Но тут он бросил взгляд на адвоката, как бы спрашивая, что ему делать, и тот сказал:

— Вы не обязаны отвечать.

Бишоп задумался, потом с трудом выдавил:

— Подозревал такую возможность. С художником из Льюиса?

Брэнсон кивнул с сочувственной улыбкой, понимая, как ему больно.

Бишоп закрыл лицо руками.

— Хотите сделать перерыв? — спросил солиситор.

Бишоп покачал головой, опустил руки. Он плакал.

— Нет… Ничего. Все в порядке. В порядке. Только давайте скорее покончим с проклятым вопросом. Господи! — Он содрогнулся, уставившись в стол с несчастным страдальческим видом, утирая ладонью слезы. — Кэти была такой прелестной, но внутри ее что-то сидело, толкало… Словно какой-то бес вечно внушал ей недовольство всем. Я думал, что дал ей все, чего она хотела. — Он снова заплакал.

— Думаю, джентльмены, мы все-таки должны сделать перерыв, — сказал Литон Ллойд.

Все вышли, оставив Бишопа одного, и вернулись через десять минут. Ник Николл, изображая доброго копа, спросил:

— Скажите, мистер Бишоп, что вы чувствовали, впервые заподозрив жену в неверности?

Бишоп, сардонически усмехнувшись, посмотрел на констебля:

— Имеете в виду, что я захотел ее убить?

— Вы задали этот вопрос, сэр, не мы, — вставил Брэнсон.

Грейса заинтересовала быстрая смена эмоций. Может быть, то были крокодиловы слезы, пролитые ради следователей?

— Я любил ее, никогда не хотел убивать… — снова печально сказал Бишоп. — Все на свете заводят романы. Когда мы впервые встретились с Кэти, она была замужем, я был женат. У нас завязался роман. Думаю, в глубине души я знал, что, если мы поженимся, она может в конце концов поступить со мной так же.

— Поэтому вы ей изменяли? — спросил Николл.

Бишоп ответил не сразу.

— Вы имеете в виду Софи Харрингтон?

— Именно.

Глаза его снова стрельнули влево.

— Это был легкий флирт. Приятный для моего самолюбия, не больше. Я никогда с ней не спал, хотя ей, кажется, нравится… нравилось, — поправился он, — воображать обратное.

— Вы никогда не спали с мисс Харрингтон? Ни разу?

Грейс внимательно всматривался в глаза Бишопа. Взгляд ушел влево.

— Уверяю вас, никогда. — Бишоп нервно усмехнулся. — Я не утверждаю, что мне этого не хотелось. Но у меня свой моральный кодекс. Я вел себя глупо, был польщен ее интересом ко мне, с удовольствием общался с ней, но, помните, я уже прошел этот путь. Переспишь с кем-то, и, если повезет, это останется мимолетным приятным приключением. А если не повезет, начинаются дьявольские страдания, ты сражен страстью. Потом попадаешь в катастрофическое положение. Так было у нас с Кэти — мы сразили друг друга.

— Значит, вы никогда не спали с мисс Харрингтон? — настаивал Брэнсон.

Никогда. Я хотел попытаться спасти свою семейную жизнь.

— И считали, что этому поможет извращенный секс?

— Простите? Что имеется в виду?

Брэнсон заглянул в свои записи.

— Вчера наша коллега беседовала с миссис Дайан Рэнд. С ее слов мы поняли, что это одна из лучших подруг вашей жены, верно?

— Они болтали раза четыре на день. Бог весть, что могли наговорить друг другу!

— Думаю, многое, — без тени юмора ответил Брэнсон. — Миссис Рэнд рассказала нашему офицеру, что в последнее время ваша жена выражала тревогу и озабоченность тем, что вы предъявляете ей все более необычные сексуальные требования. Не желаете объяснить поподробнее?

— Нет, мой клиент не желает, — быстро и твердо вставил Литон Ллойд.

— У меня есть один существенный вопрос по этому поводу, — обратился Брэнсон к адвокату, который согласно махнул рукой.

— Мистер Бишоп, — продолжил сержант, — у вас есть противогаз, изготовленный по образцу времен Второй мировой войны?

— Какое это имеет отношение к делу? — спросил Ллойд.

— Чрезвычайно важное, сэр, — ответил Брэнсон.

Грейс внимательно следил за Бишопом. Глаза метнулись вправо.

— Да, — сказал он.

— Вы с миссис Бишоп пользовались им в сексуальных играх?

— Я не позволю своему клиенту отвечать на этот вопрос.

Бишоп жестом успокоил своего адвоката:

— Ничего. Да, я его купил. — Он поежился, вспыхнул. — Мы... экспериментировали. Я... читал одну книгу о том, как оживить любовную жизнь, знаете? Со временем между двоими людьми возникает как бы охлаждение. Когда уходит прежнее волнение, отношения теряют новизну. — Лицо его приобрело свекольный цвет.

Брэнсон сменил тему, перейдя к ужину с финансовым консультантом Филом Тейлором.

— Мистер Бишоп, верно ли, что среди ваших машин есть «бентли-континенталь» винного цвета?

— Да, темно-красный.

— Регистрационный номер Чарли один шесть Браво Дельта Браво?

Бишоп, непривычный к фонетическому алфавиту, на секунду задумался, потом кивнул.

— В прошлый четверг вечером, в двадцать три сорок семь, этот автомобиль был снят камерой автоматической идентификации автомобильных номеров на южном направлении шоссе М-23 неподалеку от аэропорта Гатуик. Можете объяснить, почему там оказалась ваша машина и кто ее вел?

Бишоп взглянул на солиситора.

— У вас есть снимок? — спросил Литон Ллойд.

— С собой нет, но могу предоставить вам копию, — сказал Брэнсон.

Ллойд сделал пометку.

— Это ошибка, — заявил Бишоп. — Наверняка.

— Вы в тот вечер одалживали кому-нибудь свою машину? — продолжал Брэнсон.

— Я ее никогда никому не одалживал. В тот вечер она мне была нужна в Лондоне, чтобы утром приехать в гольф-клуб.

— Мог ее кто-нибудь взять без вашего разрешения... или без вашего ведома?

— Нет. Ну... не думаю. В высшей степени невероятно.

— У кого еще есть ключи от машины, кроме вас, сэр?

— Ни у кого. Хочу заметить, что в доме, где находится моя квартира, проблемы с подземной парковкой. Бывают случаи, когда машины там получают повреждения.

— Не могли какие-нибудь любители покататься угнать ее на время? — вмешался Литон Ллойд.

— Возможно, — кивнул Бишоп.

— Любители покататься обычно не возвращают машину на место, — пробормотал Грейс, глядя, как Ллойд делает пометки в блокноте. Истинный подарок адвокату.

— Мистер Бишоп, — продолжал Брэнсон, — мы уже говорили, что при осмотре вашего дома на Дайк-роуд-авеню был обнаружен страховой полис, выданный страховой компанией «Саутерн стар». Согласно этому полису, жизнь вашей жены застрахована на три миллиона фунтов. Единственный получатель страховой премии — вы.

Грейс переводил взгляд с Бишопа на адвоката. Выражение лица Ллойда почти не изменилось, только плечи чуть поникли. Глаза Бишопа бегали, он разом лишился самообладания.

— Слушайте, я говорил... я уже говорил... что ничего об этом не знаю! Абсолютно ничего!

— Думаете, ваша жена сама тайком получила этот полис? — нажимал Брэнсон.

Грейс улыбнулся, гордясь работой коллеги, которого он так усердно натаскивал последние несколько лет, потому что любил его, верил в него, и вот теперь убеждается, что тот действительно вырос.

Бишоп всплеснул руками, уронил их на стол. Глаза его по-прежнему бегали.

— Прошу вас, поверьте, я ничего об этом не знал.

— По-моему, три миллиона фунтов неплохая премия, — заметил Брэнсон. — Возможно, мы сможем проверить по вашему банковскому счету и, разумеется, по счету миссис Бишоп, как был оплачен полис. Или у вас есть таинственный благодетель?

— Я ничего об этом не знаю. — Тон Бишопа стал жалобным, умоляющим. — Правда не знаю!

— Накапливается довольно много фактов, о которых вы ничего не знаете, мистер Бишоп, — гнул свое Гленн Брэнсон. — Не знаете, как могло получиться, что ваша машина ехала в сторону Брайтона незадолго до убийства вашей жены. Не знаете о полисе на три миллиона фунтов, застраховавшем жизнь вашей жены за полгода до ее убийства. — Он помолчал, заглянул в записи, выпил воды. — Вчера на вечернем допросе вы утверждали, что в последний раз вступали в половую связь с женой утром в воскресенье тридцатого июля. Я правильно понял?

Бишоп кивнул с легким смущением.

— Как вы тогда объясните присутствие большого количества вашей семенной жидкости во влагалище миссис Бишоп, обнаруженное в ходе посмертного вскрытия утром в пятницу четвертого августа?

— Не может быть! — воскликнул Бишоп. — Абсолютно невозможно!

— Вы хотите сказать, сэр, что не имели полового соития с миссис Бишоп в четверг вечером третьего августа?

Глаза Бишопа решительно скосились влево.

— Именно это я и хочу сказать. Господи помилуй, я был в Лондоне! — Он оглянулся на адвоката. — Невозможно! Невозможно, черт побери!

Рой Грейс часто видел выражение лиц адвокатов, когда те слышали от своих клиентов неприкрытую ложь. Лицо Литона Ллойда оставалось непроницаемым. Из него вышел бы хороший игрок в покер.

В десять минут шестого, после того как Гленн Брэнсон дотошно уточнил ответы Бишопа, данные на вчерашнем вечернем допросе и на втором нынче утром, придираясь практически к каждому слову, он рассудил, что они уже добились всего, на что рассчитывали на данном этапе.

Бишоп не сдавался по трем ключевым пунктам: лондонскому алиби, страховому полису и последнему соитию с женой. Но Брэнсон был доволен... и выжат как лимон.

Бишопа увели в камеру, а солиситор остался наедине с двумя полицейскими офицерами.

Ллойд многозначительно посмотрел на часы и обратился к детективам:

— Полагаю, вам известно, что через три часа моего клиента придется освободить, если ему не будет предъявлено обвинение.

— Где вас можно найти? — спросил Брэнсон.

— Я еду к себе в контору.

— Мы с вами свяжемся.

Они вернулись в Суссекс-Хаус, поднялись в кабинет Роя Грейса, расселись за круглым столом.

— Хорошо поработал, Гленн, молодец, — повторил Грейс.

— Просто замечательно, — добавил Ник Николл.

Джейн Пакстон о чем-то задумалась. Она не из тех, кто раздает похвалы.

— Теперь надо обдумать следующий шаг.

Тут открылась дверь, и вошла Элинор Ходжсон с тоненькой пачкой сколотых бумаг.

— Простите, что прерываю вас, Рой, но, по-моему, вы должны это видеть... только что прислали из Хантингтона.

Это были результаты анализа двух образцов ДНК — по семенной жидкости из влагалища Софи Харрингтон и по крошечной частичке, предположительно человеческой кожи, которую Надюшка Де Санча вытащила из-под ногтя большого пальца на ноге убитой женщины.

Оба полностью соответствовали ДНК Брайана Бишопа.

95

Клио Мори вышла из морга вместе с Дарреном около половины шестого. Заперла парадную дверь и, стоя в ярком теплом солнечном свете, спросила:

— Ты что сегодня вечером делаешь?

— Собирался в кино ее отвезти, да только слишком жарко, — ответил Даррен, щурясь на солнце. — Сходим на пристань, выпьем немного. Хочу заглянуть в одно новое клевое заведение. Называется «Реабилитация».

Клио с сомнением смотрела на него. Двадцать лет, черные волосы торчком, оживленное веселое лицо… Он ведь мог с такой легкостью совершить короткий поворот в своей жизни и закончить тем же, чем заканчивают очень многие молодые люди, лишенные надежды, каждую ночь валяющиеся на тротуарах и в подворотнях, живущие разбоем, наркотиками, воровством, милостыней. Но он явно родился с трудовой жилкой. Работает изо всех сил, с ним приятно общаться, у него все будет хорошо.

— «Реабилитация»?

— Да. Ресторан с баром. Классный. Рекомендую — это что-то. Я бы вас тоже позвал, да, знаете, третий лишний.

— Вот хитрый мерзавец, — усмехнулась Клио. — Спросил бы лучше, не назначено ли у меня самой на сегодня свидание?

— Правда? — Даррен обрадовался. — Дайте-ка угадаю с кем.

— Тебя не касается.

— Уж не служит ли он в уголовной полиции, а?

— Я что сказала, это не твое дело.

— Тогда зачем вы с ним обжимались в приемной? — подмигнул парень.

— Что? — воскликнула Клио.

— Позабыли про камеру наблюдения, да? — Даррен с широкой ухмылкой махнул ей рукой и направился к машине.

— Подглядываешь? — крикнула она вслед. — Извращенец! Шпион!

Он оглянулся:

— Собственно, если желаете знать мое мнение, вы очень неплохо смотритесь вместе!

Она погрозила ему кулаком. И, как бы подводя итог, добавила:

— Не слишком напивайся. Помни, сегодня мы на ночных вызовах.

— Всегда приятно побеседовать с ответственным человеком!

Клио, все еще улыбаясь, выехала через несколько минут через турникет и свернула на крытую автостоянку у супермаркета. Мысли ее теперь были заняты тем, чем накормить парня из уголовной полиции, с которым она, по грубому выражению Даррена, «обжималась» в приемной. Наконец решила в такой прекрасный вечер устроить барбекю у себя на крыше. Рой Грейс любит рыбу и морепродукты.

Увидела впереди свободное место, принялась маневрировать, пробираясь к нему. Сначала надо купить моллюсков и стейки из тунца. Потом пару кукурузных початков. Немного салата. И сладкие бататы, особенно замечательные в печеном виде. Ну и бутылку хорошего розового вина. Возможно, даже не одну.

Она ждала этого вечера и надеялась, что Грейс сумеет в разумное время отделаться от своих дел. Кажется, что прошло очень долгое время с тех пор, как они по-настоящему проводили целый вечер вместе, — будет жутко приятно покувыркаться. Она поняла, что скучает по нему, постоянно тоскует, когда его нет рядом. Но над ними по-прежнему витает тень Сэнди и его поездки в Мюнхен — хочется полностью с этим покончить.

Из своего последнего романа она поняла — как только подумаешь, что все прекрасно, жизнь может обернуться и больно укусить.

96

— Надо разобраться с его алиби. — Грейс хлопнул ладонью по сжатому кулаку. — Я уже говорил, это слон в комнате.

Пакстон, Брэнсон и Николл задумались. Джейн выпила воды.

— Вы не думаете, что у нас уже достаточно доказательств, Рой? — спросила она. — Нас сотрут в порошок, если мы задержим Бишопа до завтра, не обратившись сегодня вечером в суд с просьбой о продлении срока.

Грейс немного подумал. Плохо, что Бишоп был арестован вчера в восемь вечера. Это значит, что сегодня в восемь его надо выпустить. Получить разрешение на продление срока еще на двенадцать часов не составит труда. Но тогда его придется выпустить завтра в восемь утра. Чтобы дальше держать его под стражей, надо обратиться в суд магистратов[1]. И это надо сделать сегодня же вечером, чтоб завтра на рассвете не названивать по телефонам, беспокоя людей, имеющих полное право спокойно поспать.

Он взглянул на часы. Семнадцать тридцать пять. Схватившись за телефон, позвонил Ким Мерфи.

— Ким, кто-то из ваших опрашивал Фила Тейлора, финансового консультанта Бишопа. Мне срочно нужен номер его телефона. Можете раздобыть? А еще лучше свяжитесь с ним и переключите на меня, хорошо?

В ожидании звонка принялись обсуждать ход сегодняшнего допроса. Грейс стоял на своем.

— А как насчет результатов анализа ДНК в деле Софи Харрингтон, Рой? — спросил Ник Николл. — Разве это не решающее свидетельство?

Рой с трудом сдерживался.

---

[1] Суд магистратов рассматривает дела о мелких преступлениях.

— Ну как ты не понимаешь, Ник? Если алиби Бишопа выдержит и подтвердится, что во время убийства жены он был в Лондоне, результаты анализа превратятся в нуль, защита будет доказывать, что семенная жидкость была введена искусственным способом. Если мы чересчур поспешили связать два убийства, то должны понимать, что результаты анализов тоже будут отброшены на тех же основаниях.

Грейс знал на горьком опыте, что правосудие уклончиво, непредсказуемо и только от случая к случаю совершается по-настоящему. В суде слишком многое идет не туда, куда следует. Присяжных, которые часто избираются из людей, абсолютно не сведущих в судебном праве, легко направить в ту или иную сторону, сбить с толку, ввести в заблуждение, соблазнить и запутать; они нередко склонны к предубеждениям или просто глупы. Некоторые судьи давно исчерпали срок годности, некоторые словно только что прибыли с другой планеты. Вовсе недостаточно представить неопровержимое дело, подкрепленное исчерпывающими доказательствами. Чтобы добиться обвинительного приговора, необходимо еще и большое везение.

— У нас есть свидетельница, которая его видела возле дома Софи Харрингтон, — напомнила Джейн Пакстон.

— Да? — Грейс разозлился. Может быть, от жары? Или оттого, что устал как собака? Или от жизни бок о бок со своим проклятым «постояльцем»? Или оттого, что Сэнди давит на обнаженный нерв?

— Ну… по-моему, это сильное свидетельство, — воинственно заявила Джейн.

— Прежде чем представлять его, мы должны провести эту свидетельницу через официальную процедуру опознания и перепроверить время. А в ближайшие несколько дней могут всплыть другие свидетельства. Если выясним всю подноготную Бишопа по данному обвинению, то потом в подходящий момент попытаем насчет мисс Харрингтон. По крайней мере, бросим косточку прессе.

Позвонила Ким, доложила, что Тейлор на проводе, она его переключает. Грейс пошел к телефону на письменном столе.

Закончив разговор, поднялся.

— Согласился со мной встретиться нынче вечером в Лондоне. Похоже, человек прямодушный. — Он взглянул на Брэнсона. —

Попросим продлить срок задержания Бишопа на двенадцать часов и сразу после инструктажа в половине седьмого отправимся в Лондон. Я хочу, чтоб ты со мной поехал.

Он позвонил Норману Поттингу, попросив оформить документы на получение санкции на продление задержания еще на двенадцать часов. И снова обратился к троице, сидевшей в кабинете:

— Ладно. Увидимся в конференц-зале в шесть тридцать. Всем большое спасибо.

Он опять уселся за письменный стол. Теперь перед ним стоит другая задача, сама по себе не менее тяжкая, хоть и совсем другого рода. Как объяснить Клио, что вечером он должен ехать в Лондон и при всем желании не сумеет вернуться к полуночи.

К его изумлению, она приняла известие довольно легко, может быть, потому, что вполне понимала характер полицейской работы — по двадцать четыре часа семь дней в неделю.

— Ничего. Убийства гораздо важнее креветок. И все-таки лучше поторопись.

— Я, наверно... перекушу в машине.

— Я не еду имею в виду.

Он чмокнул в трубку.

— А я десять раз, — ответила она.

Он положил трубку, радуясь, что Клио — по крайней мере, на данный момент — позабыла о его поездке в Мюнхен.

А он сам?

Ясно, что это будет зависеть от результатов, добытых Марселем Кулленом. И Грейс вдруг впервые захотел, чтобы немец ничего не нашел.

97

Как ни странно, свободного места перед воротами дома не оказалось, поэтому Клио пришлось сделать круг, чтоб поставить машину. Обладатель Миллионного Запаса Времени с безопасного расстояния наблюдал, как хвост синего «эм-джи» скрывается за углом, мигая правым подфарником. И улыбнулся.

Потом быстро и коротко поблагодарил Бога.

Насколько же лучше на этой улице! Справа высокие стены без окон, сплошной красный кирпич. Слева во всю длину синий забор, ограждающий строительную площадку, с запертыми на висячий замок воротами. Над ним изображение будущего сооружения — причудливого жилищно-торгового комплекса — высотой в десять футов и с надписью: «Лейн-Вест. Не просто новостройка, а новый стиль личной жизни в соседстве с друзьями!»

Клио нашла место, завела машину. Ура!

Он не сводил глаз с тормозных огней, которые, как ему казалось, горели все ярче. Красные, предупреждавшие об опасности, сулившие удачу, обещавшие секс! Смотреть на тормозные огни столь же приятно, как на горящие дрова. А ему все известно о тормозных огнях машины Клио Мори. Размеры подфарников, мощность, способ их замены и подсоединения к монтажной схеме, механизм включения. Ему все известно об этом автомобиле. Он ночь напролет читал техническое руководство и лазал по Интернету. Хорошая вещь Интернет. В любое время дня и ночи можно найти молодца-энтузиаста, который разбирается в автоматике, запирающей дверцы, лучше любого производителя.

Она вышла из машины! Короткие джинсы. Розовые кеды. Белая футболка. В руках три фирменных пластиковых пакета, а на плече большая тряпичная сумка.

Питер Джеймс

Он проехал мимо нее, в конце улицы свернул вправо, потом снова направо, направляясь к парадному подъезду ее дома. Увидел, как она стоит у ворот, неуклюже стараясь удержать сумки и одновременно набирая код. Вошла, створки ворот, звучно щелкнув, закрылись за ней.

Будем надеяться, что нынче вечером она больше не выйдет. На это он делал ставку. И разумеется, на Божью помощь.

Сделал еще один полный круг, просто чтоб убедиться, что она ничего не забыла в машине и не вернется к ней. Известная женская привычка.

Через десять минут он решил, что можно действовать спокойно. Припарковал свой «приус» рядом с пыльным «вольво», заляпанным птичьим дерьмом, видно давно неподвижно стоявшим на месте, перекрыв улицу, по которой, впрочем, никто и не ехал. Потом открыл дверцу «эм-джи», вывел его задним ходом, перескочил в «приус», поставил на освободившееся место между «вольво» и маленьким «рено».

Дело сделано.

Первый шаг.

Плохо, что у «эм-джи» теперь неподъемная крыша. Было бы очень приятно проехаться сегодня вечером в открытой машине.

98

Сразу по окончании инструктажа, начавшегося в половине седьмого, Грейс схватил ключи от полицейского автомобиля, которые припас для него Тони Кейс, и поспешил к стоянке с Гленном Брэнсоном на хвосте.

— Старик, дай я поведу!

— Я боюсь, ты же знаешь, — ответил Грейс. — Могу иначе сформулировать: когда ты ведешь машину, у меня в глазах темнеет от ужаса.

— Ну да? — буркнул Брэнсон. — Сам-то ты дерьмово водишь. Как девчонка. Нет, как старый кретин, какой ты на самом деле и есть.

— А ты недавно завалил экзамен на спецкурсах!

— Экзаменатор просто идиот. Инструктор говорил, что у меня врожденный дар к скоростным погоням!

— Ему место в психушке.

— Дурак!

Грейс бросил Брэнсону ключи, подходя к «мондео».

— Только не старайся произвести на меня впечатление.

— Видел «Форсаж» с Вином Дизелем?

— Не знаю киноартиста глупее.

— Да? Ну, и он о тебе невысокого мнения.

Грейс сам не знал, что за внезапное помрачение рассудка побудило его отдать другу ключи. Возможно, надежда, что Гленн сосредоточится на дороге и не заведет бесконечной беседы — верней, монолога — о своей несчастной супружеской жизни. Вчера, когда они вернулись после допроса Бишопа, он три часа терпел его душевные излияния. Распитая на двоих бутылка «Гленфиддиша» лишь частично утишила боль. Утром снова пришлось его слушать, бреясь, одеваясь, завтракая хлопьями.

К его облегчению, Гленн вел машину разумно, за исключением одного спуска с холма, где он нарочно разогнался до ста тридцати миль в час и сделал пару крутых поворотов, демонстрируя свое искусство.

— Главное — держать дорогу и выбирать правильную скорость, — объяснил он.

Грейс не мог с ним согласиться, думая, что главное — не врезаться в солидные деревья, стоявшие по обеим сторонам шоссе. Когда выехали на автостраду М-23, он еще раз предупредил о камерах слежения, замеряющих скорость, о патрульных инспекторах, только и мечтающих прищучить полицейских из других подразделений. Напоминание подействовало.

Брэнсон сбросил скорость, вытащил свободной рукой мобильник, попробовал позвонить домой, проворчал:

— Вот сука… Не отвечает. Имею я право поговорить со своими детьми или нет?

— Ты имеешь право жить в собственном доме, — в который раз напомнил другу Грейс.

— Это ты ей скажи. Как официальный представитель закона.

Грейс потряс головой:

— Чем смогу, помогу, только вместо тебя бой не выиграю.

— Правильно. Извини за просьбу. Виноват.

— Что насчет лошади?

— Только о ней и говорит. Хочет заняться стипль-чезом. А лошадь серьезных денег стоит.

Про себя Грейс подумал, что жене Брэнсона следовало бы наведаться к психотерапевту, а вслух сказал:

— По-моему, ребята, вам надо сходить в консультацию по вопросам семьи и брака.

— Ты это уже предлагал.

— Правда?

— Сегодня часа в два ночи. И вчера. Повторяешься, старичок. Первый звонок от Альцгеймера[1].

— Знаешь, в чем твоя проблема? — спросил Грейс.

— Кроме черной кожи? И низкого происхождения?

— Кроме.

— Не знаю. Объясни.

---

[1] Болезнь Альцгеймера — старческое слабоумие.

— В неуважении к таким же людям, как ты.

Брэнсон взмахнул рукой, оторвав ее от руля:

— Я их уважаю.

— Уже лучше.

В девять с небольшим Брэнсон остановил «мондео» у Ар-лингтон-стрит сразу за отелем «Ритц», напротив ресторана «Каприс».

— Неплохая тачка, — заметил он, когда они поднимались на холм мимо припаркованного «феррари». — Советую обзавестись вместо твоей вшивой «альфы». Повысь имидж.

— Мне для этого не хватает чуть-чуть мелочи, приблизительно в тысячу кусков, — объяснил Грейс. — А пока ты работаешь в моей бригаде, шансы на прибавку жалованья невелики.

Пройдя до верхнего конца улицы, они свернули на Пикадилли и сразу увидели справа впечатляющее здание, окрашенное в черный и золотой цвета. Огромные стеклянные окна ярко светились, изнутри доносился гул голосов. Красивая вывеска на стене гласила «Уолсли».

Их встретил швейцар в ливрее и цилиндре, воскликнув с легким ирландским акцентом:

— Добрый вечер, джентльмены!

— Здесь ресторан «Уолсли»? — уточнил Грейс, чувствуя себя не совсем в своей тарелке.

— Конечно! Мы вам очень рады! — Швейцар, придерживая дверь, пропустил их внутрь.

У администраторской стойки топтались несколько человек. Мимо с подносом, нагруженным коктейлями, промчался официант в огромный черно-белый сводчатый зал с галереями, забитый людьми, где стоял гулкий шум. Грейс огляделся. Старомодное великолепие эпохи модерна пронизано современностью. Обслуга в черном, почти все клиенты выглядят роскошно. Он решил, что Клио тут бы понравилось. Можно привести ее сюда, заехав на ночь в Лондон. Впрочем, лучше сначала справиться о ценах.

Им улыбнулась молодая администраторша, потом высокий мужчина с рыжими, модно длинными кудрявыми волосами, приветливо спросил:

— Добрый вечер, джентльмены. Чем могу служить?

— У нас назначена встреча с мистером Тейлором.

— С мистером Филом Тейлором?

— Да.

— Он здесь, джентльмены. — Мужчина кивнул в сторону бара. — Первый столик справа. Я вас провожу.

Войдя в бар, Грейс увидел человека слегка за сорок, в желтой рубашке поло и синих хлопчатобумажных брюках, вопросительно на них смотревшего.

— Мистер Тейлор?

— Он самый. — Мужчина приподнялся. — Суперинтендент Грейс? — Он говорил с заметным йоркширским акцентом.

— Да. И сержант Брэнсон. — Грейс окинул собеседника беглым взглядом, оценивая первое впечатление. Держится непринужденно, хорошо сложен, набрал чуточку лишнего веса, лицо открытое, приятное, нос обгорел на солнце, светлые редеющие волосы, внимательный, проницательный взгляд. Такого не проведешь. На столике рядом с высоким стаканом с каким-то водянистым коктейлем и веточкой мяты лежала связка автомобильных ключей с эмблемой «Феррари» на брелоке.

— Очень рад знакомству, джентльмены. Садитесь. Позвольте вас угостить? Рекомендую «Моджито», это замечательно. — Он махнул официанту.

— Я за рулем. Диетическую коку, — сказал Брэнсон.

— Мне тоже, — добавил Грейс, хотя в ожидании кошмарного обратного пути с Брэнсоном вполне мог бы употребить пинту пива. — Мы расплатимся, сэр. Очень любезно с вашей стороны встретиться с нами так быстро.

— Никаких проблем. Чем могу вам помочь?

— Позвольте спросить, давно ли вы знаете Брайана Бишопа? — начал Брэнсон, выкладывая на стол блокнот.

Грейс следил за Тейлором, пока тот думал.

— Лет шесть... да, почти шесть лет.

Брэнсон сделал пометку.

— Я даю показания? — с легкой насмешкой спросил Фил Тейлор.

— Нет, — ответил Брэнсон. — Мы просто стараемся с вашей помощью сверить кое-какие даты и время.

— Я вчера уже рассказывал вашему офицеру. А в чем, собственно, дело? У Брайана неприятности?

— В данный момент мы точно не можем этого сказать, — вставил Грейс.

— Как вы с ним познакомились? — продолжал Брэнсон.

— На собрании в «Пи-один».

— Где?

— В клубе для крупных шишек из нефтяных компаний, которым заведует Дэймон Хилл, автогонщик, бывший чемпион мира. Подписываешься на год, вносишь деньги, и можно пользоваться разными спортивными машинами. Там мы и встретились с Брайаном на одном из приемов с коктейлями.

Гленн Брэнсон взглянул на ключи с брелоком.

— Это ваш «феррари» стоит за углом на Арлингтон-стрит?

— Четыреста тридцатый? Мой.

— Замечательный, — кивнул Брэнсон. — Хороший мотор.

— Был бы еще лучше, если б не ваши проклятые камеры, которые засекают скорость!

— Не могли бы вы нам немного рассказать о себе, мистер Тейлор? — попросил Грейс, не клюнув на наживку.

— О себе? Получил диплом бухгалтера, пятнадцать лет работал в налоговом ведомстве, выслеживал неплательщиков. Там я понял, какие деньги делают независимые финансовые консультанты, и сам решил заняться этим делом. Поэтому открыл контору финансового планирования. И ни разу не пожалел. Вскоре после этого и познакомился с Брайаном. Он стал одним из моих первых клиентов.

— Вы когда-нибудь оформляли для него страховку?

— Мы вступаем в область конфиденциальных сведений о клиенте, джентльмены.

— Понятно, — кивнул Грейс. — Мне хотелось бы вот что спросить. Если не захотите ответить, ничего страшного. Вы когда-нибудь страховали жизнь жены Брайана Бишопа?

— Могу ответить категорически: нет.

— Спасибо.

— Мистер Тейлор, — снова подключился к разговору Брэнсон, — вы действительно ужинали с мистером Бишопом в этом ресторане на прошлой неделе, в четверг третьего августа?

— Да. — Тон Тейлора стал более доверительным.

— Часто здесь бываете?

— Часто. Предпочитаю встречаться с клиентами именно здесь.

— Не припомните, во сколько примерно вы вышли из ресторана?

— У меня есть кое-что получше, — с некоторым самодовольством ответил Фил Тейлор. Выудил бумажник из пиджака, лежавшего рядом с ним, покопался и вытащил чек.

Грейс взглянул и понял, что Бишоп не лгал. Достаточно посмотреть на перечень выпитых ими напитков. Два коктейля «Моджито». Две бутылки вина. Четыре порции бренди.

— Похоже, хорошо посидели, — сказал он, про себя отметив, что цены не выше, чем в приличных брайтонских ресторанах. Можно прийти сюда с Клио.

— Угу.

Грейс мысленно подсчитывал. Допустим, оба выпили более или менее поровну. Значит, выходя из ресторана, Бишоп сильно превысил допустимый предел для водителя. Может, из-за выпивки он разозлился на жену-изменницу и рискнул рвануть к ней, чтобы поквитаться?

Внимательно изучив чек, он нашел в верхнем правом углу то, что искал. Время — 22.45.

— Каким вам показался Брайан Бишоп в прошлый четверг вечером? — спросил он у Тейлора.

— Он был в превосходном настроении. Очень веселый. Приятно было с ним общаться. У него на следующее утро был матч по гольфу в Брайтоне, поэтому он не хотел задерживаться и пить слишком много, и все-таки мы умудрились! — Тейлор фыркнул.

— Не помните, скоро ли вы ушли после того, как получили чек?

— Сразу же. Я видел, что Брайан торопится домой — ему утром надо было рано вставать.

— И он взял такси?

— Да. Швейцар Джон поймал. Я уступил Брайану первую машину.

— Значит, это было около одиннадцати.

— Должно быть. Я точно не могу сказать. Может, в несколько минут двенадцатого.

Грейс заплатил за напитки, они поблагодарили Тейлора и вышли. Заворачивая за угол на Арлингтон-стрит, Грейс молчал, занимаясь в уме арифметикой. Потом, подходя к «мондео», тепло хлопнул Брэнсона по спине:

— На каждой улице свой праздник!

— Это еще что такое?

— Бывает, дружище, что все дни рождения сливаются в один!

— Прости, старик, не понял.

— Я твои водительские таланты имею в виду. Хочу дать тебе шанс проявить их в полном блеске. Сначала доедем на разрешенной скорости до квартиры Бишопа в Ноттинг-Хилле, а оттуда можешь лететь ракетой. Посмотрим, за сколько Бишоп мог домчаться до Брайтона.

Сержант просиял.

99

Что за хренотень? Вчера в Брайтоне брось палку на все четыре стороны — и попадёшь в «эм-джи». Теперь в целом городе ни одного не видно. Вонючка сердито таращился в ветровое стекло маленького «пежо» матери Бет.

— Ну, давай, делай! — клянчила Бет.

— Отвали. Ищи чертов «эм-джи», женщина. Вот дерьмо!

Уже половина одиннадцатого. Объехали все стоянки. Ничего. В любом случае ничего похожего на описание, данное Барри Спайкером, а после прошлого случая он не собирается повторять ошибку с моделью. Синий «эм-джи ТФ-160». Ясней не скажешь.

Вонючка весь сжался, как пружина. Позарез надо принять коричневого. Обо всём договорился два часа назад. Констебль Пакер согласился. Возьмёт машину, приведёт к Спайкеру. Все устроено. Пакер завтра заплатит. А сегодня он купит коричневого на денежки Спайкера.

И вот на тебе. Нигде ни одного синего «эм-джи ТФ-160». Ни единого. Будто вообще провалились с планеты.

Они ехали вверх по Ширли-Драйв, одной из центральных и красивейших транспортных артерий Хоува, по которой тайком течёт не кровь, а наличные. Шикарные дома, роскошные тачки на подъездных дорожках. Все, чего только захочешь купить, если сойдётся номер лотерейного билета. «Бимеры», «мерседесы», «порше», «бентли», «феррари», «ренджроверы», всех не пересчитаешь. Дорогой сверкающий металл, насколько видит глаз и позволяет кредитная карточка.

— Поворачивай направо, — скомандовал он.

— Ну, хоть пальцем давай…

— Я занят, на работе.

— Нечего тебе допоздна сидеть в офисе! — подколола его Бет.

— Да? Вот что я тебе скажу. Найдешь машину, буду всю ночь тебя трахать. Я припас кое-что, на двоих хватит.

Бетани наклонилась, поцеловала его. Продетое в губу колечко пощекотало щеку.

— Знаешь, что я тебя обожаю?

Вонючка на нее покосился. Довольно хорошенькая под некоторыми углами, курносенькая, с челкой как у Бетти Пейдж. Глубоко в желудке образовалась пустота. Никогда он ничего такого не чувствовал за всю свою дерьмовую жизнь и поэтому не знал, что делать. Глубоко вдохнул, сдерживая слезы.

— Знаешь, Бет, лучше тебя ничего у меня в жизни не было. — Он передернулся. — Правда. Хочу, чтобы ты это знала. Теперь кончай, отвали и поехали. Дело надо делать.

Вдруг на повороте он резко подался вперед, но ремень безопасности не пустил.

— Жми! Скорей!

Бетани прибавила газу, «пежо» рванулся вперед мимо красивых особняков на Онслоу-роуд, догоняя маячившие впереди хвостовые огни. Поравнялись с «эм-джи», дождались дырки в трафике, повернули направо на Дайк-роуд.

Вонючка пристально вглядывался в маленький «эм-джи», хорошо видный в свете фар. «ТФ-160», синий с голубой стационарной крышей. Непонятно, зачем хозяину такая крыша в летнюю жару, но это не его проблема. Спайкер наверняка будет доволен. Стационарная крыша — отдельная премия.

«Эм-джи» рванулся вперед.

— Двигай за ним! Смотри, чтоб он нас не заметил, но не отставай!

— В чем дело, Медвежонок? — Она его зовет Медвежонком, не желая называть Вонючкой.

— Я работаю. Не задавай вопросов.

Бетани усмехнулась, заинтригованная его странным тоном, прибавила скорость, промчалась прямо под носом у другой машины. Ослепительно сверкнули фары, взвизгнули тормоза, прогудел гудок.

— Черт тебя побери, — проворчал он. — Ведешь машину просто как ненормальная.

— Сам велел не отставать.

— Смотри, чтоб он нас не засек.

Она притормозила. «Эм-джи» мчался по дороге, остановился перед светофором. Бетани остановилась за ним. Вонючка увидел затылок сидевшего за рулем водителя. Длинные темные волосы. Вроде женщина.

— Когда ты мне объяснишь, в чем дело? — спросила Бетани.

— Езжай за ней. Держи дистанцию.

Обладателя Миллиардного Запаса Времени забеспокоили следующие за ним фары. Кто его преследует? Полиция? На светофоре загорелся зеленый свет, и он прибавил скорости, строго придерживаясь ограничения 30 миль в час. С облегчением увидел, что автомобиль сзади остался стоять, а потом очень медленно тронулся с места.

У следующего светофора на пересечении с Олд-Шорэм-роуд он вновь остановился за ним, прямо под фонарным столбом, так что удалось разглядеть маленький старый побитый «пежо-206». Явно не полицейский автомобиль. Просто какой-то лихач, хулиган. Ничего страшного.

Через пять минут он повернул на улицу рядом с домом Клио Мори и остановился рядом с «вольво», заляпанным птичьим дерьмом. Вывел свой «приус», а на его место поставил «эм-джи». Идеально! Сучка вообще ничего не заподозрит.

Стоя на улице, Вонючка прятался в тени, с интересом следя за загадочными маневрами, абсолютно не понимая, что происходит. Для чего эта женщина тратит столько времени, чтобы поставить «эм-джи» на место загородившего улицу «приуса»?

Потом она вышла из машины, и он сообразил, что ошибся — бородатый парень сел в «приус» и отъехал.

Вонючка вернулся к стоявшему неподалеку «пежо», набрал номер констебля Пакера.

— Привет, — сказал констебль. — Что стряслось?

— Я машину нашел.

— Молодец. У меня тут проблемы на пару часов, вызывают на службу. Продержишься?

— Долго?

— Часа два, максимум.

Вонючка взглянул на часы на приборной доске. Без пятнадцати одиннадцать.

— Только не больше, — предупредил он. — Больше не продержусь.

— Скажи, куда ехать.

Вонючка объяснил, где находится, разъединился, повернулся к Бетани:

— Снимай штаны.

— А я их не ношу! — рассмеялась она.

100

Грейс взглянул на часы — семь минут двенадцатого, — а потом на спидометр. Постоянная скорость не ниже 135 миль в час. Мимо несутся огни, а спереди наваливается темнота. Он сосредоточенно следил за машинами впереди, пытаясь уберечь от беды Гленна. Обгоняя очередную, присматривался, не патрульный ли это автомобиль. Нелегкое дело — на этой дороге столько полицейских машин без опознавательных знаков, — но все же можно догадаться по некоторым признакам: внутри два человека, модель новенькая, четырехместная, с наружными антеннами. Ему также известно, что в столь позднее время их на дороге не так уж и много — по вечерам высылаются патрульные машины с надписями и мигалками, чтобы их хорошо было видно.

Он готовился дергать за ниточки — непростая задача, когда общество следит за полицией во все глаза, — стараясь, чтобы Брэнсона не оштрафовали и не прокололи права на основании показателей четырех видеокамер, дважды отснявших их на выезде из Лондона. Четыре трехмерные камеры — может быть, даже больше — зафиксировали скорость. Как минимум двенадцать проколов в правах. И немедленное их лишение.

Он усмехнулся при этой мысли, представляя себе возмущение друга.

— Чего смеешься? — спросил Брэнсон, стараясь перекричать приемник, из которого несся рэп на полную громкость. — Чего ухмыляешься?

Грейс терпел адский шум, ибо Гленн объяснил, что может быстро ехать только под музыку.

— Посмеиваюсь над своей собственной жизнью, — ответил он.

Прошло восемь минут. Давно миновали восьмую развязку, вот-вот появится девятая. Он высматривал указатели на темной дороге.

— Над жизнью? По-моему, твоя жизнь печальна. Не вижу повода для смеха.

— Да ты руль держи, веди машину! Знаешь, я переживаю, как говорят, близость к смерти. Когда вся жизнь проносится перед глазами. С той минуты, как мы выехали из Ноттинг-Хилла.

Впереди уже замаячил огромный сине-белый знак поворота к аэропорту Гатуик и девятой дорожной развязки. Грейс разглядел вблизи эстакаду над шоссе.

Пролетели под ней через тридцать секунд, и он, поглядывая на часы и на спидометр, сказал:

— Дальше можно помедленнее.

— Ни за что.

Песня кончилась, к облегчению Грейса. Он потянулся убавить громкость, но Брэнсон возразил:

— Сейчас дальше пойдет, старик. Даже если тебе не понравится, для меня подходящая музыка.

— Сбавь скорость, или я отыщу Клиффа Ричарда, — пригрозил Грейс.

Брэнсон чуть-чуть замедлил ход, качая головой.

Грейс на минуту выбросил из головы Брэнсона с его музыкой, снова занявшись расчетами. Они проехали больше двадцати восьми миль от многоквартирного дома Бишопа в Ноттинг-Хилле.

Бишоп мог ехать разными путями. Из Лондона шел плотный транспортный поток, в котором может либо повезти, либо нет в зависимости от дня недели и времени суток.

Сегодня они проделали этот путь за тридцать шесть минут. Брэнсон действительно летел как ветер — чудо, что их ни разу не остановили. Поездка на законно дозволенной скорости заняла бы почти час. При меньшем дорожном движении, рассуждал Грейс, можно было бы выиграть еще пять или десять минут. Значит, Бишоп мог доехать за двадцать шесть минут.

Надо учесть еще множество факторов. Ресторанный чек Фила Тейлора свидетельствует, что счет был оплачен в двадцать два пятьдесят четыре. Часовой механизм на аппарате, который обрабатывает кредитные карточки, не всегда точен на сто процентов, запаздывая или уходя вперед на несколько минут. Допустим с сомнением, что он на пять минут запоздал, дав Бишопу определенное преимущество. Допустим, что Бишоп вышел из ресторана более или менее ровно в одиннадцать. Допустим, что ехал в такси, если не было пробок, пятнадцать минут. Добавим еще пару минут на то, чтобы вывести машину с подземной стоянки под домом.

Приблизительно в двадцать минут двенадцатого Бишоп мог доехать до Вестберн-Гроув. Камера на мосту девятой развязки засекла его в двадцать три сорок семь.

Двадцать семь минут на поездку, которая заняла у них тридцать шесть. А машина у Бишопа гораздо мощнее. Самая быстрая в мире.

Впрочем, камера наблюдения тоже не абсолютно точная. Мимо нее в то время много чего мелькало. Только теперь понятно, что это возможно.

Грейс выключил приемник.

— Эй! — запротестовал Брэнсон.

— Больше не вздумай пускать эту дрянь в моем доме, или немедленно попадешь в инкубатор.

— У тебя нет инкубатора.

— Утром приобрету.

— Совершенно ничего не соображаешь. Никогда не научишься.

Отбросив шутки в сторону, Грейс серьезно спросил:

— Как относишься к свидетельству Фила Тейлора?

— Честный человек. Богатый и авторитетный, да еще с такой машиной. Железный.

— Прикрывает клиента? Договорился, что Бишоп поделится с ним страховой премией?

Брэнсон покачал головой:

— По-моему, этот тип не из тех. Сам бывший дознаватель. Конечно, любого можно заподозрить в мошенничестве, но этот, по-моему, правильный. Абсолютно нормальный тип во всех смыслах. Только что за машина у подлеца! Просто невыносимо...

— Я тоже думаю, что он честный. И будет в суде авторитетным свидетелем.

— Ну так что?

— Ты доехал за тридцать шесть минут. По моим расчетам, Бишоп должен был сделать это за двадцать семь, но с одной и другой стороны остается зазор.

— Да я мог и быстрее доехать.

Грейс поморщился при такой мысли.

— Нет, ты все сделал правильно.

— Ну?

— Предъявим ему обвинение.

Он вытащил мобильник, набрал номер Криса Биннса из Королевской прокуратуры, с которым уже пару дней назад связывался для санкции на предъявление Бишопу официального обвинения. Сообщил ему о полученных нынче вечером сведениях и о расчетах времени, что позволяло продлить срок задержания Бишопа.

Договорились встретиться в половине седьмого в Суссекс-Хаус.

101

Клио лежала на диване в нижней гостиной, на полу стояла почти пустая бутылка розового вина, рядом с ней валялся пустой стакан. На большом телевизионном экране крутились «Мемуары гейши», но она с трудом держала глаза открытыми.

Пить, конечно, не следовало перед назначенной встречей, вдобавок надо было написать реферат, заданный на курсах философии, но, увидев на полу рыбку, она страшно расстроилась. Как странно — целый день равнодушно осматривать трупы, за исключением детских, и с таким ужасом воспринять маленькую рыбку, лежавшую между двумя дубовыми плашками, сменившую живой цвет на глухой бронзовый. Невидящий глаз смотрел на нее, обвиняя, словно говоря: «Почему тебя не было дома? Почему ты меня не спасла?»

Как же, черт побери, это крошечное создание выбралось из аквариума? Если бы это случилось вчера, можно было бы возложить вину на уборщицу Марию, недотепу, которая все кругом бьет. Но по четвергам она не приходит. Могла сюда запрыгнуть кошка? Птица? Или бедная рыбка испробовала какой-нибудь новый дикий кульбит?

Она протянула руку, вылила в стакан последние капли и выпила. Гейшу на экране учили искусству ублажать мужчину. Клио внимательно смотрела, вдруг очнувшись, обретя второе дыхание. Поставила этот фильм в надежде еще кое-чему научиться, испробовать с Роем.

Поэтому на ней под шелковым халатом кружевное прозрачное кремовое белье, купленное за бешеные деньги в субботу в специализированном магазинчике в Брайтоне. Она весь вечер планировала, что будет делать, когда он явится. Откроет дверь, поцелует его, отойдет назад и распахнет халат.

Хотелось увидеть реакцию! Как-то она читала, что мужчины остерегаются женщин-лидеров. А она тут валяется в таком наряде — и все впустую. Часы на экране видеоплеера показывали восемь минут первого. Где ты? — гадала она.

И, словно в ответ, прозвонил телефон. Клио поднесла к уху беспроводную трубку, ответила. Звонил Рой по трещавшему мобильнику.

— Привет, — сказал он. — Как ты там?

— Нормально. А ты где, пропащий?

— В пяти минутах от конторы. Надо к утру кое-что подготовить по-быстрому. У тебя буду через полчаса. Не слишком поздно?

— Нет, совсем не поздно. Присяжай, когда сможешь. Берегу для тебя выпивку. Как дела?

— Хорошо. Очень даже хорошо. Я устал, но поездка того стоила. Ты действительно хочешь, чтобы я приехал?

— Абсолютно уверена, милый! Заниматься любовью всегда лучше вдвоем, чем в одиночку.

Не успела она разъединиться, как послышался настойчивый писк.

Черт возьми! Сердце ёкнуло, когда она услышала голос. Скотина, гад, мерзавец, почему именно в этот момент?

102

У Вонючки запищал мобильник. Входящее сообщение. Он оторвался от полуголой Бетани, полусонный, помятый, не в силах отыскать проклятую трубку. Трясло его теперь до ужаса.

— Ух! — воскликнула Бет, когда он в поисках мобильника сунул руку ей под ягодицу.

— Я телефон ищу.

— Еще раньше мне спину сломал, — ухмыльнулась она.

— Поганая корова.

Трубка нашлась на полу под ногами. Констебль Пол Пакер спрашивал: «На месте? Готов?»

Вонючка отправил ответное сообщение: «Да».

На часах было четырнадцать минут первого.

Он неуклюже выбрался, натянул камуфляж с капюшоном под жалобы придушенной Бетани. Быстро чмокнул ее в щеку:

— Пока.

— Чего ты? Куда ты?

— Встретимся у меня в офисе.

— Расскажи!

— Мне надо идти.

Он с трудом выбрался из машины. Трясущееся тело окостенело. Он остановился в глубокой тени у забора, одной рукой держась за машину, другой за стену. Тяжело дышал, трясся так, что побоялся на миг, что не выдержит. Тело сплошь заливал пот. Бет с тревогой наблюдала за ним, похожая в свете фонаря на призрак.

Он сделал шаг вперед — голова кружилась, он пошатнулся, едва не упал, вовремя ухватившись за машину сбоку. Надо это сделать, надо еще чуть-чуть продержаться, еще пару-тройку шагов, такое дело нельзя завалить, его надо сделать, надо, надо…

Он натянул на голову капюшон и рванулся вперед. Ветер с моря раздувал капюшон. По обеим сторонам улицы выстроились машины, они как будто купались в оранжевом натриевом свете уличных фонарей. «Эм-джи» стоял впереди ярдах в пятидесяти.

Он сознавал, что сильно шатается. И знал, что за ним наблюдают. Неизвестно откуда — откуда-то с улицы. Может быть, из машины или из фургона. Прошел мимо черного «приуса», мимо «ситроена». Пыльный «мицубиси» растаял перед глазами, а потом опять сфокусировался. Тошнота усиливалась. По левой руке поползло насекомое, и он его прихлопнул. Заползали другие, перебирая крошечными колючими лапками. Он похлопал себя по груди, поднял руку, потер шею, живот, пробормотал:

— Пошли вон!

В неожиданном приливе паники понял, что забыл инструменты. Выпали из машины? Или остались в фургоне? Обшарил все карманы по очереди — ничего, черт возьми!

Потом нашел. Все на месте, в правом кармане куртки, в жестком пластмассовом футляре.

Держи крепче!

Когда добрался до «эм-джи», его вдруг ослепил яркий белый свет. Услышав рев мотора, он отступил в сторону. Мимо на большой скорости промчалась Бет, помахав рукой и просигналив.

Глупая телка, ухмыльнулся он, глядя вслед исчезающим хвостовым огням. Неожиданно почувствовал себя лучше, зашевелился проворней, вытащил из кармана инструменты, открыл футляр, вытащил то, что нужно, вставил в замок дверцы. Сразу же оглушительно завизжала сигнализация, вспыхнули фары, подфарники.

Он сохранял спокойствие. В такие машины нелегко проникнуть, кругом электрошоки, обездвиживающие устройства. Но главная проволочка находится за приборной доской. Закороти ее — и все противоугонные устройства отключатся, а мотор заведется.

В салоне хорошо пахло новой обивкой, кожей, чуть-чуть женскими духами. Он сел, оставив дверцу открытой, свет включенным, наклонился над приборной доской и сразу увидел искомое. Через две секунды сигнализация отключилась.

И тогда послышался вопль. Женский голос яростно кричал:

— Это моя машина, черт побери!

Клио неслась по улице, кипя гневом, глаза ее застилал кровавый безумный туман. Мало того что рухнули старательно разработанные планы на вечер из-за неожиданной поездки Роя в Лондон, а теперь совсем погубленные вызовом к трупу пьяницы, обнаруженному на автобусной остановке, так теперь еще какой-то подонок собирается угнать ее машину. Она была готова в клочки его разорвать.

Дверца машины плотно захлопнулась. Взревел мотор. Вспыхнули хвостовые подфарники. Сердце у нее упало. Негодяй уезжает. Как только она подбежала к стоявшему позади ее машины «вольво», «эм-джи» ярко осветился изнутри, словно в салоне включилась мощная лампа.

Взрыва не было слышно. Никаких звуков. Просто вдруг настала тишина, вспыхнули языки пламени под капотом, вроде фейерверка.

Она замерла на месте, онемела, на мгновение пронеслась мысль, не вандал ли в куртке с капюшоном сознательно взорвал машину. Хотя сам сидел за рулем.

Бросившись к водительской дверце, она увидела за стеклом искаженное ужасом лицо. Парень старался нащупать ручку, налегая на дверцу всем телом, яростно заколотил в окно кулаком, глядя на нее с надеждой. Видно было, как вспыхнул капюшон и брови. Почувствовался жар. Она в панике дернула ручку дверцы. Ничего не вышло.

Позади неожиданно выросли два полисмена в пуленепробиваемых черных жилетах — один крепкий бритоголовый, другой повыше, стриженный ежиком.

— Отойдите, пожалуйста, леди, — попросил тот, что покрепче. Схватил обеими руками ручку дверцы, рванул, а другой побежал к противоположной дверце.

Парень, сидевший в машине, в пылающей куртке, лихорадочно вертел головой, кривил рот в смертельной агонии, с запекавшейся на глазах кожей.

— Отвори дверцу, Вонючка, открой, ради бога! — завопил крепыш.

Парень в машине пошевелил губами.

— Это моя машина! — Клио рванулась вперед, вставила в дверцу ключ, но он не повернулся.

Полицейский тоже попытался, но, не добившись успеха, сдался, вытащил дубинку.

— Держитесь подальше, мисс, — предупредил он Клио. — Отойдите назад. — И изо всех сил принялся бить в почерневшее стекло. Расколотив его, вцепился обеими руками в визжавшего парня, не обращая внимания на бушевавшее внутри пламя, густой черный дым, ядовитую вонь горевшей пластмассы, изо всех сил стараясь открыть дверцу. Она не поддавалась.

Сделав глубокий вдох, полицейский нырнул в разбитое окно, в самый ад, обхватил парня и уже с помощью коллеги медленно — слишком медленно, как казалось Клио, — принялся вытаскивать вопившего беднягу в окно. Вся одежда на нем горела. Горели шнурки на кроссовках. Он вертелся, дрожал и мычал в такой жуткой агонии, какой она никогда в жизни не видела.

— Переверните его, — крикнула Клио, стараясь хоть чем-нибудь помочь. — Переворачивайте, сбейте пламя!

Полицейские, упав на колени, принялись переворачивать тело, потом оттащили его подальше от горевшей машины, причем крепыш совершенно не обращал внимания на собственные сгоревшие брови и опаленное лицо.

Плавившийся капюшон сливался с лицом, с головой, плотные штаны с ногами. Сквозь вонь горевшего пластика Клио на мгновение почуяла дразнящий запах жареной свинины. На нее нахлынула тошнота.

— Вода! — вспомнила она из давних курсов первой помощи. — Ему нужна вода, его надо накрыть, перекрыть доступ воздуха к телу… — Она перевела взгляд на свою пылающую машину, лихорадочно соображая, что там есть в бардачке и в багажнике. — В багажнике скатерть… Для пикника… Завернем его, перекроем приток воздуха…

Полицейский метнулся вперед по дороге. Клио не сводила глаз с вертевшейся почерневшей фигуры, дрожавшей, трепещущей, словно на электрическом стуле. Боясь, что парень умирает, она бросилась рядом с ним на колени. Хотела взять за руку, утешить, но рука совсем обуглилась.

— Ничего, все будет хорошо, — тихо проговорила она. — Все будет хорошо. Уже едет «скорая помощь». Тебе помогут.

Парень вертел головой, открывал рот, пузырившиеся губы издавали жалобный стон.

Совсем молоденький. Наверно, двадцати еще нет.

— Как тебя зовут? — тихо спросила она.

Он не услышал, не понял.

— Все будет хорошо. Обязательно!

Прибежал полицейский с двумя покрывалами.

— Помогите его завернуть.

— На нем плавкая синтетическая одежда... Может быть, лучше ее снять?

— Нет. Давайте завернем его поплотнее.

Вдали послышался слабый вой сирены, который становился все громче, за ним другой, третий.

Сидя в темном «приусе», Обладатель Миллиардного Запаса Времени смотрел на Клио Мори, стоявшую вместе с двумя полицейскими на земле на коленях. И слышал сирены. И видел синюю мигалку. Подъехала патрульная машина и две пожарные, потом третья. Затем «скорая помощь».

Он наблюдал. Нынче вечером больше нечего делать. Он стоял и наблюдал, как прибыл эвакуатор, подцепил выгоревший внутри «эм-джи», снаружи он по-прежнему смотрелся прекрасно, погрузил и увез.

На улице разом вдруг стихло. Обладатель Миллиардного Запаса Времени сидел в машине и бесился от ярости.

103

Будильник должен был прозвонить через несколько минут, в пять тридцать, но Рой Грейс уже совсем проснулся и слушал утренний птичий хор. Клио тоже не спала.

Они лежали на боку, тесно прижавшись друг к другу. Он крепко обнимал ее, обнаженную.

— Я люблю тебя, — шепнул он.

— И я тебя ужасно люблю, — прошептала она в ответ.

В час ночи Грейс еще сидел в офисе, готовясь к встрече с адвокатом, когда Клио позвонила ему в полном смятении. Он сразу приехал к ней, утешая и одновременно названивая по телефону в поисках двух полицейских, которые первыми прибыли на место происшествия. Позднее он вышел на работавшего под прикрытием констебля Тревора Сэллиса, занимавшегося розыском угнанных автомобилей, который очертил план по задержанию главаря банды.

По словам Сэллиса, местный подонок пошел на сотрудничество с полицией и по случайному совпадению, как иногда бывает в жизни, нацелился на машину Клио. Видно, он не сумел запустить двигатель, накоротко замкнув провода. Известно, что «эм-джи ТФ» не так-то легко угнать.

Объяснения успокоили Клио, но самого Грейса происшествие сильно обеспокоило. Предполагаемый угонщик лежал теперь в палате интенсивной терапии в Королевской больнице графства Суссекс — помоги ему Бог, — и, если доживет, его в ближайшие часы перевезут в ожоговый центр в Ист-Гринстеде. Пол Пакер лежал в той же больнице с тяжелыми, но не смертельными ожогами.

Почему машина загорелась? Чокнутый подонок, ничего не понимая, замкнул провода, нарушив подачу горючего?

Грейс перебирал возможные варианты. Зазвенел будильник. Оставался всего час, чтоб доехать домой, принять душ, надеть чистую рубашку — нынче утром назначена очередная пресс-конференция — и отправиться в офис.

— Возьми отгул, — сказал он.

— Так и сделаю.

Грейс поцеловал Клио на прощание.

Крис Биннс, назначенный от прокуратуры вести дело Кэти Бишоп, был, по мнению Грейса, разделяемому очень многими, запредельным ловкачом. Прежде они не раз сталкивались и поэтому большой любви друг к другу не питали.

Грейс принципиально считал своим делом обеспечение общественного порядка, а значит, обезвреживание преступников и передачу их в суд. Крис Биннс видел свою главную цель в том, чтобы избавить прокуратуру от лишних расходов при разбирательстве дел, если нельзя обоснованно предъявить обвинение.

Несмотря на ранний час, Биннс вошел в кабинет Грейса свежий и пахнущий как роза. Это был высокий стройный мужчина двадцати с лишним лет, с модной спортивной стрижкой, с длинным носом, который, казалось, вынюхивает добычу, в слишком теплом для такой погоды темно-сером костюме от портного, в белой рубашке, строгом галстуке и в грубых оксфордских башмаках, начищенных до блеска.

— Очень рад видеть вас, Рой, — высокомерно протянул он, подавая вялую влажную руку. Сел на маленький круглый стул за столом в конференц-зале, поставил рядом с собой на пол черный кейс, мельком бросил на него строгий взгляд, как на собаку, которой приказано сидеть на месте. Потом открыл его, вытащил большой блокнот в твердой обложке, а из нагрудного кармана авторучку.

— Спасибо, что так рано пришли, — сказал Грейс, подавляя зевок и стараясь не опускать уставшие веки. — Выпьете чаю, кофе, воды?

— Если можно, чаю. С молоком, без сахара, спасибо.

Грейс поднял трубку, попросил Элинор, пришедшую по его просьбе пораньше, заварить чай и кофе покрепче.

Биннс, проглядев свои пометки, поднял глаза.

— Значит, вы задержали Брайана Десмонда Бишопа в воскресенье в восемь вечера?

— Правильно.

— Готовы предъявить обвинение? Есть какие-то вопросы, на которые мы должны найти ответы?

Грейс обобщил основные улики — анализ ДНК по семенной жидкости во влагалище Кэти Бишоп, страховка ее жизни ровно за полгода до убийства, супружеская неверность. Упомянул, что Бишоп дважды обвинялся в насилии по отношению к женщинам. Потом затронул вопрос об алиби, но предъявил адвокату график, который отпечатал прошлой ночью, вернувшись из Лондона, доказывая, что Бишоп мог приехать в Брайтон, убить жену и вернуться в столицу.

— По-моему, в пятницу утром на поле для гольфа он чувствовал бы себя довольно усталым, — сухо заметил Крис Биннс.

— А играл потрясающе, — вставил Грейс.

Биннс вздернул бровь. Грейс приуныл на минуту, гадая, не собирается ли адвокат придраться к мелочам и потребовать показаний от партнеров Бишопа по гольфу. Но тот, к его облегчению, только добавил:

— Возможно, играл на чистом адреналине. Прилив после убийства.

Грейс улыбнулся. Большая удача — адвокат на его стороне.

Биннс поддернул рукав, продемонстрировав изящную золотую цепочку, и, нахмурившись, посмотрел на часы.

— Ну и что мы теперь будем делать?

Грейс строго следил за временем. Без пяти семь.

— Мы уведомили адвоката Бишопа. Он встречается с клиентом в семь. Сержант Брэнсон и констебль Николл предъявят обвинение.

В семь тридцать Гленн Брэнсон и Николл в сопровождении тюремного сержанта вошли в комнату для допросов, где уже сидел Бишоп со своим солиситором.

Бишоп, в хлопчатобумажном комбинезоне, с темными кругами под глазами, уже приобретал тюремную бледность. Брился явно при плохом освещении или в спешке, причесался не так аккуратно, как прежде. Проведя в предварительном заключе-

411

нии всего тридцать шесть часов, выглядел как тюремный старожил. Вот что делает с людьми пребывание за решеткой, Гленну это хорошо известно. Тюрьма подминает их под себя прежде, чем они это замечают.

Литон Ллойд поднялся им навстречу:

— Доброе утро, джентльмены. Надеюсь, вы пришли освободить моего клиента.

— К сожалению, сэр, в ходе вчерашнего расследования мы получили достаточно доказательств, чтобы предъявить обвинение вашему клиенту.

Бишоп обмяк всем телом, открыл рот, изумленно повернулся к адвокату.

Литон Ллойд вскочил:

— А как же его алиби?

— Все учтено, — сказал Брэнсон.

— Что за абсурд! — запротестовал солиситор. — Мой клиент был с вами абсолютно откровенен. Ответил на все ваши вопросы.

— Суд примет это во внимание, — ответил Брэнсон и, прекращая пререкания, обратился прямо к Бишопу: — Брайан Десмонд Бишоп, вы обвиняетесь в том, что четвертого августа сего года в Брайтоне, графство Суссекс, преступно убили Кэтрин Мэри Бишоп. Вы можете хранить молчание, иначе все сказанное вами может быть использовано против вас в суде. Понятно?

Бишоп снова взглянул на солиситора, потом перевел взгляд на Брэнсона и чуть слышно шепнул:

— Да.

— Мы доставим вашего клиента в магистратный суд Брайтона сегодня в два часа, испросив разрешение оставить его в заключении, — сказал Брэнсон Литону Ллойду.

— А мы потребуем выпустить его под залог, — решительно заявил Ллойд и послал Бишопу утешительную улыбку. — Мой клиент видный член общества. Я уверен, что он готов сдать паспорт и предложить солидную гарантию.

— Это будет решать магистрат, — сказал Брэнсон.

И они с Николлом вернулись в Суссекс-Хаус.

104

После ухода Биннса Грейс позвонил по внутреннему телефону своему коллеге и приятелю Брайану Куку и спросил его, что известно о горевшем «эм-джи», доставленном в полицию вчера вечером.

— Пока еще никого не подключил, Рой, — сказал тот. — Многие в отпусках, а все, кто здесь, заняты по уши двумя убийствами. А что, думаешь, тут есть связь?

— Нет, просто интересуюсь, что произошло. — Несмотря на болтливость Гленна Брэнсона, его отношения с Клио Мори еще не получили публичной огласки, чему Грейс был только рад, опасаясь, что кое-кто по разным причинам сочтет это недопустимым.

— Я так понял, что это машина Клио Мори из морга, — добавил Кук.

Грейс не разобрался, с намеком это было сказано или нет. Однако Кук развеял всякие сомнения, спросив напрямую:

— Она ведь твоя подружка, правда?

— Правда, мы *друзья*.

— Слышал. Везет тебе! Буду держать тебя в курсе. Наш человек в больнице, с тем типом, что лежит на аппаратах, так что у меня будет полный отчет. Только удвой мой бюджет и дай еще человек десять!

Грейс поблагодарил приятеля и стал просматривать напечатанные Элинор заметки для инструктажа. Закончив, проверил дневное расписание. По крайней мере, для утренней пресс-конференции есть несколько хороших новостей. В два часа надо быть на слушаниях в суде по поводу заключения Бишопа под стражу на случай, если возникнут проблемы. Потом инструктаж в шесть тридцать вечера. И если не возникнет новых серьезных поворотов, можно будет пораньше лечь спать. Очень надо поспать, пока от усталости он не начал делать ошибки. А грань уже близка.

Три мировых судьи — две женщины и мужчина — сидели в простом маленьком зале магистратского суда, с рядами деревянных сидений и небольшим пространством для публики и прессы. Если не считать торжественно висевшего на задней стене креста с надписью «Dieu et Mon Droit[1]», помещение больше смахивало на школьный класс, чем на зал инквизиции, о которой напоминают частенько помещения судов в этой части Суссекса.

Брайан Бишоп, переодетый в собственную одежду — пиджак цвета верблюжьей шерсти, рубашку поло, темно-синие брюки, — сидел в загородке и казался совсем убитым.

Перед судейской скамьей стояли Крис Биннс, Литон Ллойд, Грейс и Брэнсон, а в сторонке столпились десятка три журналистов.

К неудовольствию Грейса, председательствовала сегодня крашеная блондинка Гермиона Квентин в дорогом платье, сшитом на заказ. Она была единственным в городе по-настоящему ненавистным ему членом магистратского суда. У них в этом году уже была стычка в этом самом зале из-за подозреваемого, которого он предлагал содержать под стражей, а она абсолютно нелогично, на его взгляд, отказала. Вдруг и сегодня сделает то же самое?

Заседание было коротким. Литон Ллойд привел страстные, вполне связные доводы, по которым Бишопа следует отпустить под залог. Крис Биннс искусно их опроверг. Суд несколько секунд посовещался, и слово взяла Гермиона Квентин.

— В залоге отказано, — высокомерно объявила она, произнося каждое слово с учительской точностью, обращаясь попеременно к Бишопу и к его адвокату. — По причине серьезности преступления. По нашему мнению, есть риск, что мистер Бишоп скроется. Нам известно, что полиция расследует другое тяжкое

---

[1] Бог и мои права (*фр.*).

преступление, и содержание под стражей не позволит мистеру Бишопу общаться со свидетелями. Наш долг — защищать общество. — Потом, словно бросив Бишопу косточку, она добавила: — Поскольку вы местный житель, мы считаем, что для вашей же пользы следует содержать вас до суда в тюрьме Льюиса. Вы останетесь в заключении до следующего понедельника, когда снова предстанете перед судом.

Гермиона Квентин принялась что-то записывать, давая понять, что заседание закончено.

Зал суда стал пустеть. Грейс был полностью удовлетворен, но, когда проходил мимо загородки, его окликнул Бишоп:

— Можно вас на пару слов, суперинтендент?

Ллойд ринулся вперед, встал между ними, бросил своему клиенту:

— Не советую.

— Плохо работаете, — рассерженно заметил Бишоп и обратился к Грейсу: — Поверьте, пожалуйста, я этого не делал. Прошу вас, поверьте, — упрашивал он. — Кто-то другой убил женщин. Мою любимую жену и близкую подругу. Пожалуйста, не прекращайте поиски, посадив меня! Прошу вас!

— Мистер Бишоп! — вмешался Литон Ллойд. — Не говорите больше ни слова!

Грейс вышел из зала суда, а слова Бишопа так и звучали в ушах. Он не раз слышал отчаянные мольбы последних мерзавцев, виновных во всех грехах.

И все-таки в глубине его души поселилось беспокойство.

105

Брендан Дуиган преподнес Рою Грейсу серьезную проблему на плановом совещании перед совместным инструктажем по операциям «Хамелеон» и «Мистраль».

Поэтому сразу после краткого обзора событий дня Грейс уведомил членов следственных бригад, набившихся в конференц-зал Суссекс-Хаус, о возникших сомнениях в расчетах времени, связывавших Брайана Бишопа с убийством Софи Харрингтон. И попросил сделать сообщение констебля Корбин из бригады Дуигана.

Эдриен Корбин, двадцативосьмилетняя маленькая крепышка в джинсах и оранжевой футболке, была сложена как здоровый парнишка. Ее мальчишеская стрижка вкупе с круглой безмятежной физиономией делала ее похожей на мопса, по мнению Грейса. Перед многочисленной аудиторией Корбин держалась агрессивней обычного, потому что сильно нервничала.

— Я рассчитала все передвижения Брайана Бишопа днем и вечером пятого августа по сведениям, предоставленным офицером Линдой Бакли, водителем такси, по съемкам видеокамер брайтонской дорожной полиции и другим источникам, включая данные о звонках Бишопа по мобильному телефону и данные, которые предоставила компания «Бритиш телеком», свидетельствующие о местонахождении его телефона.

Корбин остановилась, переводя дух. Грейс пожалел ее. Хороший детектив не обязательно хороший оратор. Она полистала блокнот, словно что-то проверяя, потом продолжила:

— Относительно операции «Хамелеон» выясняется, что с мобильного телефона Бишопа не было никаких исходящих и входящих звонков с двадцати трех двадцати четверга третьего августа до шести тридцати четырех утра пятницы четвертого августа.

— Из этой информации можно вывести, что Бишоп в тот период оставался на месте, или не брал с собой телефон, или его просто выключил? — спросил Грейс.

— Насколько я понимаю, включенный телефон постоянно подает сигналы на ближайшую базовую станцию, тем самым сообщая о том, где находится. Лондонские мачты получали сигналы с телефона Бишопа, свидетельствовавшие о том, что он возвращается с Пикадилли в Ноттинг-Хилл, приблизительно между двадцатью тремя и двадцатью тремя пятнадцатью. Последний сигнал был принят в двадцать три двадцать базовой станцией в Бейсуотере, в Западном Лондоне, неподалеку от Ноттинг-Хилла. Следующие поступили на базу в шесть тридцать утра, сэр.

Хотя эти данные совпадали с показаниями Фила Тейлора о том, когда Бишоп вышел из ресторана «Уолсли», сами по себе они никакой пользы не принесли. Бишоп вполне мог выключить телефон, чтобы поездку среди ночи в Брайтон и обратно не засекли базовые станции, и с легкостью докажет, что выключил его, чтобы спокойно выспаться без помех. Но дальнейшее сообщение констебля Корбин заинтриговало Грейса.

— Передвижения мобильного телефона Бишопа в пятницу четвертого августа до восемнадцати сорока пяти совпадают с его показаниями, подтверждая, что он отправился прямо из Лондона в гольф-клуб в Северном Брайтоне, а оттуда в Суссекс-Хаус, а позднее в «Отель дю Вен». Он выключил телефон с двенадцати двадцати восьми до четырнадцати семнадцати. Это совпадает по времени с его исчезновением из отеля, о чем сообщила констебль Линда Бакли.

Эдриен Корбин снова замолчала, оглядывая притихший зал. Все внимательно смотрели на нее, делая заметки. Грейс ободрительно ей улыбнулся. Она продолжала:

— В это самое время Бишопа засекли три камеры наблюдения. Одна на пересечении Дьюкс-Лейн и Шип-стрит, чуть выше по дороге от «Отеля дю Вен», другая напротив церкви Святого Петра на Лондон-роуд, третья напротив Брайтонского пирса. Он объяснил, что пошел подышать свежим воздухом.

— По-моему, довольно странно, — вставил Норман Поттинг, — что Бишоп дважды исчез, одновременно выключив телефон.

Грейс кивнул, задумавшись, потом знаком велел продолжать доклад.

— Телефон подавал постоянные сигналы с шести сорока семи утра в пятницу четвертого августа, свидетельствуя, что Бишоп оставался в номере отеля. Это подтверждает свидетельство констебля Линды Бакли, которая сообщает, что Бишоп вернулся в гостиницу около четырнадцати двадцати и постоянно находился в номере, что она регулярно проверяла, звоня по внутреннему телефону. Ее последний звонок сделан в восемнадцать сорок пять. Потом, судя по сведениям о мобильнике, Бишоп очутился за полторы мили к западу, что соответствует данным, полученным констеблем Памелой Бакли от водителя такси Марка Таквелла́, который, по его заявлению, вез в это время Бишопа к отелю «Лансдаун-Плейс». — Корбин оглянулась за подтверждением на констебля Памелу Бакли.

Та кивнула:

— Совершенно верно.

Корбин перевернула страницу блокнота.

— Бишоп зарегистрировался в отеле в девятнадцать ноль пять, через три с лишним часа после того, как администраторам позвонил неизвестный мужчина, попросивший на несколько дней зарезервировать номер на имя Бишопа, — читала она по блокноту.

Грейс быстро просмотрел свои собственные заметки.

— По словам Бишопа, ему позвонил офицер полиции и сообщил, что его переводят в другой отель, а у заднего входа его ждет такси. Так он вышел из отеля, не замеченный журналистами. Он назвал полицейского — сержант Каннинг, — но проверка показала, что в суссекской полиции такого офицера нет.

— Эдриен, точно с мобильника Бишопа не было никаких звонков в отель «Лансдаун-Плейс»? — уточнил инспектор Дуиган.

— Точно, сэр, — ответила Корбин. — И в «Отеле дю Вен» подтвердили, что из номера Бишопа, когда он был там, никто не звонил по стационарному телефону в «Лансдаун-Плейс».

— А когда он исчез? — неожиданно выкрикнул Норман Поттинг. — Прогуливаясь перед обедом, он вполне мог купить дешевый телефон с повременной оплатой, а потом выбросить. Специально для таких звонков и еще для других, о которых нам ничего не известно.

— Интересная мысль, — улыбнулся Грейс. — Молодец, Норман.

— Отель «Лансдаун-Плейс» находится ближе к дому Софи Харрингтон, чем «Дю Вен», — заметил Дуиган. — Может быть, надо это учесть.

— Хочу еще одно добавить, — сказал Грейс. — Возможно, у Бишопа был сообщник, обеспечивший ему алиби в ночь убийства миссис Бишоп. Он же помог ему переселиться из одного отеля в другой.

— Нам всем понятно, Рой, — сказал инспектор Дуиган, — желание видеть сообщника в деле об убийстве миссис Бишоп и оформлении страховки. Но есть ли какие нибудь основания видеть сообщника Бишопа в деле об убийстве мисс Харрингтон?

— Нет. Хотя судить об этом еще рано.

Дуиган кивнул и что-то записал.

Эдриен Корбин продолжила доклад:

— Обслуживающий персонал гостиницы видел, как Бишоп вышел из отеля приблизительно в девятнадцать тридцать. Судя по принятым телефонным сигналам, он направился к западу, что подтверждает камера наблюдения на пересечении Уэст-стрит и Кингс-парад в девятнадцать пятьдесят пять.

Грейс озадаченно уставился на нее, на секунду решив, что ослышался.

— Бишоп направился от отеля «Лансдаун-Плейс» в сторону «Отеля дю Вэн»? — переспросил он. — Совсем в другую сторону от дома Софи Харрингтон?

— Да, сэр, — подтвердила Корбин.

Дуиган встал, включил видеозапись.

— Сейчас все увидим.

Сначала возникло цветное изображение Брайана Бишопа на Кингс-парад среди прохожих. Мимо ехал автобус. Не узнать его было невозможно. Он был в той же самой одежде, в которой в тот самый вечер отвечал на вопросы, — синий блузон поверх белой рубашки и голубые брюки. И пластырь на правой руке.

— В котором часу ваша свидетельница видела его возле дома Софи Харрингтон? — спросил Грейс.

— Почти ровно в восемь, — ответил Дуиган. — Только что началась телевизионная программа, которую она хотела посмотреть.

— И она официально его опознала?

— Да. Сегодня днем присутствовала на процедуре опознания. Абсолютно уверена, что это был он.

— Как, по ее словам, был одет Бишоп? — продолжал Грейс.

— В темный спортивный нейлоновый костюм.

Грейс еще раз посмотрел на изображение Бишопа на экране.

— У кого какие соображения? — спросил он. — Можно спутать вот эту рубашку и синие штаны со спортивным костюмом?

— Она видела Бишопа в восемь часов вечера, — заметил Альфонсо Дзаффероне. — Старики в слабом свете плохо различают темные цвета. По-моему, в такое время легко принять рубашку за спортивную куртку.

— Или Бишоп натянул спортивный костюм сверху, чтоб не пачкать одежду, — предположил Гай Батчелор.

— Ценные замечания, — сказал Грейс. — С Кингс-парад до дома мисс Харрингтон можно за десять минут доехать в такси.

Дуиган перемотал ленту, и снова возникло изображение Бишопа, на сей раз на морском берегу. На фоне отчетливо виднелся фрагмент аркады и несколько каноэ у эстакады.

Констебль Корбин начала читать дальше:

— В двадцать часов четырнадцать минут камера наблюдения зафиксировала Бишопа перед аркадой. По сведениям с телефонной базы, Бишоп пробыл там в течение следующих сорока пяти минут, после чего направился к западу, к своему отелю. Двое официантов приморского бара «Пебблс» удостоверяют, что он заходил к ним и пробыл в баре приблизительно с двадцати двадцати до двадцати пятидесяти. Выпил пиво и кофе эспрессо, будучи глубоко погруженным в себя. Несколько раз вставал и прохаживался, возвращался на место, садился. Они беспокоились, что он уйдет, не расплатившись.

Констебль Корбин помолчала, и тут высказалась Белла Мой:

— Рой, похоже, он нарочно хотел попасться на глаза.

— Да, пожалуй, — согласился Грейс. — Хотя именно так ведет себя всякий взволнованный человек.

Дуиган снова включил перемотку. На потемневшем экране возникло изображение мужской спины, очень похожей на спину Бишопа, проходившего под аркадой в том же самом месте.

— В двадцать пятьдесят четыре, — читала констебль Корбин, — камера наблюдения вновь засекла Бишопа, двигавшегося в противоположном направлении. Данные телефонной базы указывают, что он снова шел к западу, в сторону отеля «Лансдаун-Плейс». Администратор припомнила, что Бишоп вернулся в гостиницу приблизительно в двадцать один двадцать пять, когда она передала ему сообщение, оставленное суперинтендентом Грейсом. — Она взглянула на суперинтендента. — И он перезвонил вам в двадцать один тридцать.

— Правильно.

— Потом поехал в Суссекс-Хаус, где с ним беседовали суперинтендент Грейс и сержант Брэнсон. Собеседование началось в двадцать два часа двадцать две минуты. Согласно данным телефонной базы, Бишоп не выходил из отеля до двадцати одного часа сорока девяти минут.

— По дороге в гостиницу он проехал почти мимо дверей дома Софи Харрингтон, — заметил Гленн Брэнсон.

— Этот путь занимает как минимум пятнадцать минут — я живу всего в десятке улиц от «Лансдауна», — возразил Грейс. — Каждый день езжу этой дорогой днем и ночью и трачу по пятнадцать—двадцать минут. Поэтому у него оставалось бы лишь восемнадцать минут, чтобы убить Софи Харрингтон, а это невозможно, учитывая, что с ней было сделано, со всеми этими просверленными в спине дырками. За такое время он не мог сделать такое, вымыться и отчистить одежду.

— Согласен, — подтвердил Дуиган.

— Значит, у нас проблема, — заключил Грейс. — Либо Бишоп не убивал Софи Харрингтон, либо у него есть сообщник... Либо...

Он замолчал.

106

После инструктажа Грейс направился прямиком к Брайану Куку и с облегчением увидел, что тот еще на работе.

Кук висел на телефоне, разговаривая по личным делам, но приветственно махнул ему рукой, весело сообщил телефонному собеседнику, что хочет с ним встретиться, чтобы выпить, и на том прервал беседу.

— Рой, с тобой связывался Джон Прингл по поводу машины Клио Мори? — спросил он.

— Нет.

— Я дал ему сегодня задание и велел, чтобы он тебе обо всем сообщил.

— Спасибо, Брайан. — Грейс сменил тему: — Расскажи все, что знаешь про ДНК близнецов.

— Что именно тебя интересует?

— Насколько совпадают ДНК близнецов?

— Они идентичны.

— Полностью?

— На сто процентов. Интересно, что отпечатки пальцев разные. А ДНК точно совпадает.

Грейс поблагодарил Кука и пошел к своему кабинету. Закрыл за собой дверь, несколько минут тихонько посидел за письменным столом, старательно обдумывая, что он хочет сказать, прежде чем взяться за лежавший перед ним мобильник.

— Литон Ллойд слушает, — ответил скрипучий голос. По тону было понятно, что адвокат догадывается, кто звонит.

— Это суперинтендент Грейс, мистер Ллойд. Можно не записывать нашу беседу?

Солиситор удивился.

— Хорошо. Разговор не записывается. У вас есть что-то новое?

— У нас возникли некоторые сомнения, — сообщил Грейс, еще не совсем доверяя адвокату. — Вы, случайно, не знаете, не имеется ли близнеца у вашего клиента?

— Он никогда не упоминал ни о каком близнеце. Желаете проверить?

— Пока нет. Но всем нам подтверждение или исключение подобного факта пошло бы на пользу.

— Может быть, спросите самого клиента?

— Время свиданий кончилось. Не испросите ли для меня разрешение в тюрьме переговорить с вашим клиентом по телефону?

— Немедленно позвоню.

— И сразу же перезвоните мне?

— Разумеется, с благодарностью.

Телефон почти сразу опять зазвонил.

— Рой Грейс слушает, — ответил он.

Теперь в трубке раздался грустный и серьезный голос:

— Суперинтендент, это Джон Прингл. Мне поручили заняться сгоревшим «эм-джи», доставленным нынче утром в полицию. Брайан Кук приказал вам докладывать.

— Да, спасибо, он предупреждал, что вы позвоните.

— Я только что закончил обследование, сэр. Внутри все сгорело, провода расплавились, поэтому полного заключения я не смог вывести.

— Понимаю.

— Могу только сказать, сэр, что тут действовал не угонщик.

Грейс крепко прижал к уху трубку, навалившись на письменный стол.

— Так что же это было?

— Машину вывели из строя заранее. Безусловно, целенаправленный саботаж. Установлены дополнительные топливные инжекторы, подключенные прямо к педали газа и срабатывающие в момент включения зажигания. Точно утверждать не могу, потому что много проводов расплавилось, но, по-моему, замок передней дверцы был переделан так, что ее, запертую, уже нельзя было открыть.

По спине побежали ледяные мурашки.

— Поработал большой умник, точно знавший, что делает. Дело вовсе не в том, чтоб вывести из строя машину, суперинтендент. Думаю, он хотел убить водителя.

Грейс сидел на одном из двух красных огромных диванов в нижней комнате Клио, которая свернулась клубочком с ним рядом. На столе стоял полный воды аквариум без рыбки. Грейс обнимал Клио одной рукой, держа в другой высокий стакан с «Гленфиддишем» со льдом. Чувствовал душистый запах свежевымытых волос, и сама она была такая живая, теплая, на редкость прекрасная. И на редкость беззащитная.

Он жутко за нее боялся.

И не мог отделаться от мысли, что было бы, если бы подонок, до сих пор борющийся за свою жизнь, не решил угнать ее машину.

Если б за ним не следила полиция. Никого вокруг не было бы, чтобы вытащить ее из пламени.

Нестерпимая мысль. Какой-то психопат решил ее убить и сам вляпался в тяжелые неприятности.

Кто он?

Зачем, почему?

А если он — или она — совершил одну попытку, то вполне может ее повторить.

Он снова вспомнил воскресенье, когда кто-то распорол откидной верх «эм-джи». Что это — совпадение или прямая связь?

Завтра с Клио будет работать детектив, проверяющий каждого, кого могли возмутить выполняемые ею служебные обязанности. Очень многие родственники возражают против посмертного вскрытия близких, неизменно вымещая раздражение не на коронере, а на Клио, считая, что решение принимает она.

Клио сначала слушала с недоверием и только потом начала понимать. Теперь она по-настоящему испугалась.

Дотянулась до своего стакана с вином, выпила.

— Одного не пойму... — Она помолчала. — Если кто-то хотел взорвать мою машину, то почему не представил это как несчастный случай? Всем известно, что криминалисты потом все проверят. А преступник действовал абсолютно открыто. Зачем ему подставляться?

— Правильно. Кем бы он ни был, он действовал открыто. Хотя вряд ли преступники так уж стремятся маскировать свои действия. Я не автомеханик, но, по-моему, дело намного сложнее, чем пара закороченных проводов. — Грейс не стал говорить, в чем заключается сложность. Не стал говорить, что происшествие квалифицируется как серьезное преступление и им занимается отдельная следственная бригада.

Клио испуганно взглянула на него:

— Даже не представляю, кто мог это сделать, Рой.

— А твой бывший?

— Ричард? — Она тряхнула головой. — Это не в его стиле.

— Он месяцами тебя преследовал. Ты рассказывала, что пришлось пригрозить судом, и только после этого он отстал. Но маньяки никогда не сдаются.

— Не могу представить, что это он.

— Ты же говорила, что он любит разъезжать в машинах.

— Любил, пока выходные не занял Бог.

Зазвонил мобильник. Грейс поставил стакан, вытащил из кармана пиджака трубку, взглянул на дисплей, узнал номер Ллойда.

— Рой Грейс слушает.

— Я говорил с клиентом, — сообщил адвокат. — Он был усыновлен. О собственных родителях ничего не знает.

— Хоть что-нибудь знает о себе?

— Только что его усыновили после смерти родителей. Разбирал после смерти приемной матери бумаги и наткнулся на свое настоящее свидетельство о рождении, пережил потрясение...

— Не пытался отыскать родных?

— Говорит, собирался, да только не успел.

Грейс задумался.

— Случайно, не упомянул, где это самое свидетельство о рождении?

— В картотечном шкафу у него в офисе на Дайк-роуд-авеню. В папке с наклейкой «Личные документы». Есть еще какие-нибудь новости?

— Пока ничего, — ответил Грейс. — Вам большое спасибо. Как только что-нибудь выясню, сразу сообщу.

Он набрал номер оперативного штаба, занимавшегося операцией «Хамелеон».

107

Несмотря на беспредельную усталость, Грейс спал чутко, просыпаясь при малейшем шуме и успокаиваясь только после того, как убеждался, что он доносится снаружи, а не изнутри дома Клио.

В голове путались мрачные мысли. Сгоревший «эм-джи», татуировка, противогаз, изъеденное крабами тело, выброшенное прибоем на брайтонский берег, смеющаяся Дженет Макуиртер...

Расчищай дорогу у себя под ногами.

Совет его собственного наставника, недавно вышедшего в отставку главного суперинтендента Дэйва Гейлора, волной плеснулся в памяти. В момент знакомства Гейлор был инспектором уголовного розыска. Самым молодым в Суссексе. Будучи на двенадцать лет старше Грейса, он научил его почти всему, что он сейчас знает. Разными способами, какими он теперь обучает Гленна Брэнсона, передавая ему свои знания.

Расчищай дорогу у себя под ногами. Старое присловье. Гейлор постоянно внушал ему, как важно сразу видеть все, что находится на месте преступления. Ничего не упускать из виду, каким бы незначительным оно ни казалось на первый взгляд. Учил, если что-нибудь *кажется* неуместным, то оно таковым и *окажется.*

Кажется, будто гибель Дженет Макуиртер совсем ни при чем.

В голове вертелась собственная молитва — мантра: *причина и следствие.* Причина и следствие...

Прослужив пятнадцать лет в полиции, Дженет Макуиртер влюбилась. Отказалась от карьеры, сменила образ жизни, собралась переехать в Австралию. Сменила образ жизни из-за встречи с мужчиной? И вследствие этого умерла?

Это его по-настоящему беспокоило.

За окнами брезжил рассвет. Грейс никогда не боялся темноты, даже в детстве, зная, что папа-полицейский в соседней комнате защитит и спасет. А сейчас в последние часы ночи боялся, думая о человеке, который замыслил что-то против Клио. Кто это? Ричард, бывший полоумный жених?

Ричард Норторп-Тернер.

Он жестоко и гнусно преследовал Клио, пока та не пригрозила обратиться в суд. После чего отстал или сделал вид, что отстал. Ричард Норторп-Тернер, любитель автомобильных гонок и сам автомеханик. Несмотря на все заявления Клио, что она не верит, будто бывший жених собирается ее убить, он первым делом, выйдя отсюда, позвонит компетентному детективу Роджеру Полу, который расследует покушение на убийство, и посоветует считать главным подозреваемым Ричарда Норторп-Тернера.

Клио приподнялась и легонечко чмокнула его в лоб. Он почувствовал на щеке ее легкое дыхание. Хотелось забрать ее отсюда, перевезти к себе на несколько ближайших дней, что было бы идеально, и тем самым сбросить с плеч лишний груз. Вот так он лежал без сна и раздумывал, удастся ли договориться с Клио, чтобы сюда прибыл Гленн Брэнсон для ее охраны.

Но когда, одеваясь, он предложил такой вариант, Клио отнеслась к нему без всякого энтузиазма.

— Здесь безопасно, — сказала она. — Один вход и он же выход в главные ворота. Я чувствую себя абсолютно спокойно.

— Сколько у тебя ночных дежурств на неделе?

— Все семь.

— Если тебе придется опять выезжать среди ночи, я буду тебя провожать.

— Как мило. Спасибо.

— А в морге тебе ничто не грозит?

— Двери всегда заперты, и со мной Даррен.

— Я на ночь расставлю вокруг дополнительные патрульные машины и пошлю наблюдателей к самому моргу. Есть у тебя хорошая фотография Ричарда?

— Полным-полно. В компьютере.

— Перешли мне утром по электронной почте. Самую хорошую. Я ее разошлю полицейским — вдруг они его где-нибудь видели.

— Хорошо.

— Как завтра поедешь на работу?

— Даррен за мной заедет.

— Ну ладно.

Грейс пообещал принести еду из китайского ресторана и бутылку вина. Клио поцеловала его на прощание, одобрив план.

Он вышел в четверть шестого, только успевая заскочить домой, принять душ, побриться и переодеться. Вошел как можно тише, не столько опасаясь разбудить Гленна Брэнсона, сколько во избежание очередных душевных излияний друга рано поутру, на которые сержант охотно менял сладкие часы сна.

Гленн, как обычно, оставил в гостиной следы: компактные и лазерные диски, вытащенные из футляров, запах разогретой в фольге еды — кажется, пирога с рыбой. Упаковка с подносиком валялась на ковре рядом с двумя пустыми банками колы и оберткой от мороженого.

Грейс ко всему был готов и поэтому сунул компакт-диск с записью рэпера, которого никогда раньше не слышал, в музыкальный центр в гостиной и включил его на полную мощность.

Слишком громкая музыка заглушила крики и проклятия Гленна Брэнсона, когда он отъезжал.

108

На письменном столе Рой Грейс, вошедший в кабинет около семи часов, увидел коричневый конверт с приколотой сопроводительной записочкой от Беллы Мой, уведомляющей, что в нем находятся запрошенные суперинтендентом свидетельства о рождении и усыновлении Брайана Бишопа. Кроме того, она записала фамилию и контактные телефоны инспектора по усыновлению, которая, по ее утверждению, и прежде сотрудничала с местной полицией, несмотря на официальное запрещение выдавать информацию о приемных родителях.

В конверте лежали две засаленные бумажки длиной около шести дюймов и в фут шириной. Бумага желтоватая, текст напечатан красными буквами, конкретные сведения вписаны от руки авторучкой с черными чернилами. Грейс развернул первый листок. На нем сверху было написано: «Заверенная копия свидетельства о рождении». Дальше шли графы.

«Время и место рождения: 7 сентября 1964 г., 15.47, Королевская больница графства Суссекс, Брайтон.

Имя: Десмонд Уильям.

Пол: мужской.

Имя и фамилия отца:

Имя и девичья фамилия матери: Элинор Джонс».

Дальше в нижнем правом углу приписано: «Усыновлен». И проставлена подпись: «Альберт Хоул, старший регистратор».

Грейс развернул второй документ — заверенную копию, внесенную в общий регистр. В самом низу значилось: «Заверенная копия, внесенная в регистр приемных детей».

Начал читать записи в графах.

«Дата внесения: 19 сентября 1964 г.

Имя усыновленного ребенка: Брайан Десмонд.

Пол усыновленного ребенка: мужской.

Имя, фамилия, местожительство, род занятий приемных родителей: мистер Родни и миссис Айрин Бишоп, Брайтон, дом 43, Брангвин-роуд. Директор компании.

Дата рождения ребенка: 7 сентября 1964 г.

Выдавший разрешение орган: брайтонский суд.

Подпись инспектора, удостоверившего усыновление: Альберт Хоул».

Грейс еще раз внимательно перечитал, усваивая детали. Потом взглянул на часы. Звонить инспектору слишком рано. Он решил сделать это сразу после брифинга в половине девятого.

— Крисси Франклин слушает, — сказал серьезный теплый женский голос.

Грейс представился и кратко объяснил, что ему нужно.

— Вы хотите выяснить, был ли у Брайана Бишопа брат-близнец?

— Именно.

— Какие у вас имеются на этот счет сведения?

— Свидетельство о рождении и документ об усыновлении.

— Полное свидетельство или краткое?

Грейс описал бумагу.

— Хорошо, — сказала она, — значит, полное. Тем больше информации. Можно точно сказать, что он родился в Англии?

— Да, в Брайтоне.

— Пожалуйста, прочтите графу о дате и месте рождения.

Грейс прочел.

— Седьмого сентября шестьдесят четвертого года, пятнадцать сорок семь? — уточнила она.

— Да.

— А где именно?

— В Брайтоне. В Королевской больнице графства Суссекс.

— У вас есть документальное подтверждение?

— Есть.

— В Англии и Уэльсе точное время рождения указывается только в случае рождения двойни или тройни. Судя по этой информации, суперинтендент, можете быть на сто процентов уверены, что у Брайана Бишопа есть близнец.

109

Через пару минут после открытия в десять часов брайтонской библиотеки Ник Николл прошел мимо сканеров в симпатичный голубенький читальный зал. Запах бумаги, кожи, дерева напоминал о школе, но он так устал после очередной бессонной ночи, благодаря своему сыну Бену, что практически не обращал внимания на окружающую обстановку. Подошел к справочной стойке, предъявил библиотекарше служебное удостоверение, объяснил, что ему нужно.

Еще через пять минут молодой детектив сидел под оштукатуренным сводом перед целой кучей микрофильмов, выложенных прямоугольником, склеенных красной ленточкой, содержащих свидетельства о рождении во всей Великобритании в третьем квартале шестьдесят четвертого года. Ему пришлось порядком повозиться с дурацкими кнопками, просматривая имена и фамилии, набранные мельчайшим шрифтом и расплывавшиеся перед уставшими глазами.

По ценному совету консультанта Крисси Франклин он отыскивал незамужних матерей под фамилией Джонс. Ребенок должен носить девичью фамилию матери. Хотя библиотекарша предупредила, что столь распространенную фамилию иногда носят и оба супруга.

Несмотря на надпись крупными золочеными буквами с просьбой сохранять тишину, какой-то папаша у него за спиной разъяснял что-то большеротому любопытному сыну. Ник сделал мысленную пометку никогда не позволять собственному мальчишке кричать в библиотеке. По правде сказать, он уже запутался в мысленных пометках относительно сына, полностью на нем зациклившись, но родитель и должен быть рабом собственного ребенка. Фактически никто никогда его не предупреждал о подобной зависимости. Была ли у них с Джен когда-нибудь близость? Он уже забыл. Почти вся их прошлая совместная жизнь превратилась в далекое воспоминание.

Вентилятор на секунду взъерошил листы бумаги и крутанулся в сторону. Перед Николлом на темном экране быстро мелькали фамилии. Наконец он дошел до Джонсов.

Беверли, Белинда, Бернар, Бретт…

Неумело вращая железную ручку, на мгновение потерял Джонсов, потом опять нашел.

Даниела, Дафна, Дэвид, Дэвис, Дин, Делия, Дениз, Дэннис. На Десмонде остановился. Десмонд — первое имя Бишопа в свидетельстве о рождении.

Десмонд. Девичья фамилия матери Треворс. Родился в Ромфорде.

Не тот.

Десмонд. Девичья фамилия матери Джонс. Родился в Брайтоне.

Есть!

Больше в списке нет Десмондов Джонсов.

Теперь надо найти имя матери. Впереди маячит серьезная проблема. Двадцать семь имен. Он все их записал, выскочил из библиотечного зала и немедленно позвонил Рою Грейсу.

Решив, что быстрей доберется пешком, оставил машину на стоянке и промчался бегом, срезая путь по узеньким улочкам, по обеим сторонам которых стояли дешевые ювелирные лавки. Впереди виднелось впечатляющее серое здание муниципалитета.

Через пять минут он сидел в маленькой приемной с жесткими серыми стульями, паркетным полом и большим аквариумом с тропическими рыбками. Вскоре к нему присоединился Грейс, которому инспекторша по усыновлению подсказала, что сведения, возможно, придется вытягивать из всех.

В двери показался высокий худощавый мужчина лет пятидесяти, в аккуратном костюме с галстуком, вспотевший от жары и спешки.

— Добрый день, джентльмены, — сказал он. — Я Клайв Равенсбурн, старший регистратор. Вы хотели поговорить со мной?

— Большое спасибо, что так быстро откликнулись на нашу просьбу, — кивнул Грейс.

— Прошу прощения, но могу уделить вам лишь десять минут. — Регистратор взглянул на часы. — Фактически уже девять.

— Я объяснил вашей помощнице, какое у нас к вам дело. Она предупредила?

— Да-да, дело об убийстве.

Николл протянул регистратору список из двадцати семи свидетельств о рождении Джонсов.

— Мы ищем близнецов, — сказал он. — И просим вас сказать, есть ли близнец у ребенка по имени Десмонд Уильям Джонс.

Регистратор пришел в ужас:

— Сколько, говорите, у вас в этом списке фамилий?

— Двадцать семь. Просмотрите, пожалуйста, данные, и найдите того самого близнеца. Он наверняка существует, и нам надо срочно его отыскать.

Регистратор снова взглянул на часы.

— У меня… постойте… можно быстренько разобраться… — Он кивнул самому себе. — У вас есть свидетельство о рождении того самого Десмонда Уильяма Джонса?

— Копии с оригинала и удостоверения об усыновлении, — ответил Николл.

— Покажите свидетельство о рождении. Там должен быть индекс.

Николл вытащил бумагу из конверта и протянул регистратору. Тот развернул и быстро просмотрел листок.

— Вот, видите? — Регистратор указал на верхний левый угол. — Обождите, я сейчас вернусь.

Он выскочил из приемной и уже через пару минут вернулся с большой зеленой регистрационной книгой в кожаной обложке. Открыв ее приблизительно посередине, он быстро перевернул несколько страниц и успокоился.

— Есть. Десмонд Уильям Джонс. Мать — Элинор Джонс. Родился седьмого сентября шестьдесят четвертого года в пятнадцать сорок семь в Королевской больнице. Отдан на усыновление, видите? Это тот, кого ищем?

Грейс и Николл кивнули.

— Очень хорошо. А чуть ниже написано: Фредерик Роджер Джонс. Мать — Элинор Джонс. Родился седьмого сентября шестьдесят четвертого года в шестнадцать ноль пять в Королевской брайтонской больнице. Впоследствии тоже усыновлен. —

Регистратор улыбнулся. — По-моему, все ясно. Это и есть ваш близнец. Фредерик Роджер Джонс. Родился на восемнадцать минут позже.

Грейс разволновался.

— Спасибо. Вы очень нам помогли. Что еще можете к этому добавить?

Регистратор решительно захлопнул книгу:

— Больше, к сожалению, ничего. Сведения об усыновлении хранятся строже драгоценностей короны. Теперь вам придется сражаться со службой социального обеспечения. Желаю удачи.

Через десять минут, потраченных почти полностью на попытки пробиться по мобильнику в муниципальную службу социального обеспечения, где его перекидывали с одного номера на другой, Грейс начал понимать, что имел в виду регистратор. А еще через пять минут, слушая бесконечную музыку в ожидании ответа, был готов на смертоубийство.

110

Через двадцать минут, стоя в огромном вестибюле муниципалитета, Грейс в конце концов дозвонился до директора социальной службы. Изо всех сил стараясь держать себя в руках, изложил обстоятельства дела и объяснил, зачем ему нужен доступ к архивам.

Директор сочувственно его выслушал.

— Вы, суперинтендент, разумеется, понимаете, что мы делаем чрезвычайное исключение из обычной своей практики, — педантично предупредил он. — Я обязан проверить имеющуюся у вас информацию. И должен удостовериться, что информация будет использована только в указанных вами целях. Многие приемные дети не знают, что их усыновили. Узнав об этом, они могут получить тяжелую душевную травму.

— Может быть, не такую тяжелую, какую может вызвать зверское убийство двух женщин, — парировал Грейс. — Или возможное убийство еще одной.

Директор помолчал.

— Вы действительно считаете убийцей близнеца?

— Я уже говорил: есть такая вероятность, и если это он, то он чрезвычайно опасен. По-моему, в данный момент гораздо важней обеспечить безопасность жителей города, чем бояться расстроить мужчину средних лет.

— Если мы предоставим вам сведения, которые помогут его отыскать, как вы ими распорядитесь?

— Я использую их исключительно для того, чтоб как можно скорее найти его, допросить и исключить причастность к расследуемым делам.

— Или арестовать?

— Ничего не могу сказать наперед. Но если в ходе допроса мы удостоверимся в его причастности к жестокому убийству двух женщин, то, конечно, арестуем.

Вновь последовало молчание, на этот раз долгое.

Грейс из последних сил сдерживался, как питбуль на поводке. А поводок был слабенький.

— Это для нас трудный вопрос.

— Понимаю. Но если произойдет третье убийство и окажется, что убийца и есть наш близнец, то как вы себя будете чувствовать, зная, что могли предотвратить трагедию?

— Переговорю сейчас с нашим юристом. Пять минут обождете?

— Я должен вернуться в офис по служебным делам, — ответил Грейс. — Ровно пять минут, не больше!

— Обещаю быстро управиться, суперинтендент, я вам позвоню.

Грейс связался с Роджером Полом, занимавшимся предполагаемым покушением на Клио Мори, и справился, как идут дела. Пол сообщил, что нынче утром два его сотрудника беседовали с бывшим женихом Ричардом Норторп-Тернером у него на квартире в Честере. Похоже, надежное алиби. Разговор еще не закончился, как на мобильнике пискнул входящий звонок. Грейс поблагодарил Пола и переключился. Звонил директор службы социального обеспечения.

— Все в порядке, суперинтендент. Вам ничего не придется объяснять инспектору по усыновлению, я ее попросил предоставить вам необходимые сведения и архивные данные. Достаточно фамилии супружеской пары, которая усыновила Фредерика Роджера Джонса?

— Хорошая отправная точка, — признал Грейс. — Спасибо.

Под окнами маленького, почти пустого конференц-зала на первом этаже муниципалитета прогромыхал автобус. Грейс всматривался сквозь жалюзи в розовый рекламный плакат телевизионного сериала «Сахарный тростник». Он сидел в этом чертовом зале вместе с Ником Николлом почти четверть часа, за которые им не предложили ни кофе, ни даже стакана воды. Утро промелькнуло, но в конце концов они слегка продвинулись. Нервы на последнем пределе. Он старался сосредоточиться на своих делах, только никак не мог отбросить ежеминутное беспокойство за Клио.

— Как там твой парнишка? — спросил Грейс молодого констебля, у которого был измученный вид, несмотря на чудесное летнее утро.

— Замечательно, — ответил тот. — Потрясающий парень. Только спит плоховато.

— Ты уже научился пеленки менять?

— Становлюсь чемпионом мира.

На столе лежал буклет с надписью «Совет Брайтона и Хоува по детским, семейным и школьным проблемам». На стенах висели плакаты с изображением улыбающихся ребятишек разных рас.

Наконец дверь открылась, и вышла молодая женщина сурового вида, лет тридцати пяти, тощая, как палка, востроносая, с круглыми, подведенными ярко-красной помадой губами, вытравленными до белизны агрессивно торчавшими волосами, смазанными гелем; в длинном, почти до пола, муслиновом платье с трафаретным рисунком и в сандалиях. В руках у нее была папка с наклейкой.

— Вы из полиции? — холодно уточнила она с южнолондонским акцентом, глядя сквозь стекла очков в изумрудной оправе в пространство между детективами.

Грейс с Николлом встали.

— Суперинтендент Грейс и констебль Николл из уголовной полиции Суссекса, — подтвердил Грейс.

Женщина не представилась.

— Директор сказал, что вас интересуют усыновители Фредерика Джонса, родившегося седьмого сентября шестьдесят четвертого года. — Она враждебно взглянула на Грейса.

— Да, спасибо, — кивнул он.

Женщина оторвала от папки наклейку, протянула ему. На ней аккуратным почерком было написано: «Трипвелл, Дерек и Джоан».

Грейс показал листок Николлу и посмотрел на папку.

— Что еще можете сообщить?

— Извините. Больше полномочий не имею. — Женщина старалась не смотреть им в глаза.

— Директор объяснил, что речь идет об убийстве?

— Но также и о личной жизни, — парировала она.

— Мне нужен только адрес приемных родителей. — Грейс взглянул на желтую бумажку. — Дерека и Джоан Трипвелл. — Потом кивнул на папку: — Наверняка он у вас есть.

— Мне поручено только назвать фамилию. И больше ничего. Грейс тяжело вздохнул.

— Могу только напомнить, что женщинам в нашем городе грозит опасность, — сказал он.

— Ваш долг, суперинтендент, как и вашего коллеги, — обеспечивать безопасность жителей Брайтона и Хоува. Моя обязанность — обеспечивать безопасность усыновленных детей. Ясно?

— Разрешите и мне кое-что пояснить, — сказал Грейс, оглядываясь на Николла и еще сдерживая гнев. — Если в городе произойдет еще одно убийство, а вы скрыли от нас информацию, которая его могла бы предотвратить, я устрою вам веселую жизнь.

— Буду ждать, — ответила женщина и вышла.

111

Грейс ехал в своей «альфе» в горку мимо книжных магазинов, сворачивая к воротам Суссекс-Хаус, когда позвонила Памела Бакли.

— Не знаю, суперинтендент, хорошо это или плохо, — сказала она, — но я проверила телефонный справочник и список избирателей: в Брайтоне и Хоуве никаких Трипвеллов нет. Расширила поиск: одни живут в Хорэме, две пары в Саутгемптоне, одни в Дувре, одни в Гилдфорде. В Гилдфорде имена совпадают: Дерек и Джоан.

— Давайте адрес.

Грейс записал: Спенсер-авеню, 18.

— Как ехать?

Дорожное движение в центре Гилдфорда организовывала одуревшая обезьяна, объевшаяся мухоморами. Он каждый раз терялся в Гилдфорде, заблудился и теперь, останавливаясь и сверяясь с дорожной картой, обещая себе при первой же возможности купить спутниковый навигатор. Впустую потратив несколько минут и страшно разозлившись, в конце концов отыскал Спенсер-авеню в тупичке за собором, свернул в крутую узкую улочку, заставленную с обеих сторон машинами, застроенную маленькими домишками. Слева за низкой оградкой находился дом под номером 18. Грейс проехал мимо, поставил машину и пошел назад. Поднялся по ступенькам к двери небольшого дома, примыкающего одной стеной к другому, с аккуратным садиком впереди, чуть не споткнувшись о пробежавшую мимо черно-белую кошку, и позвонил.

Открыла невысокая седовласая женщина в полосатой куртке, мешковатых джинсах, резиновых сапогах и садовых перчатках.

— Здравствуйте! — весело воскликнула она.

Он предъявил удостоверение:

— Суперинтендент Грейс из суссекской уголовной полиции.

Женщина побледнела.

— Боже мой, снова Лора?

— Какая Лора?

— Опять что-нибудь натворила? — Вытянувшиеся губки напоминали носик чайника.

— Простите, я, может быть, ошибся адресом. Ищу Дерека и Джоан Трипвелл, которые в сентябре шестьдесят четвертого года усыновили мальчика по имени Фредерик Джонс.

Женщина как-то вдруг расстроилась, глаза забегали.

— Нет… не ошиблись. Входите. — Женщина всплеснула руками. — Извините, что я в таком виде, гостей не ждала…

Грейс прошел за ней следом в узкий коридорчик, где пахло стариками и кошками, а затем в небольшую гостиную и заодно столовую. В комнате стоял гарнитур с диваном и двумя креслами и большой включенный телевизор, где шел матч по крикету. Перед телевизором в кресле сидел сгорбившийся пожилой мужчина с укутанными одеялом ногами, с редкими прядями седых волос, то ли спавший, то ли мертвый, судя по цвету лица.

— Дерек, — сказала женщина, — к нам пришел полицейский.

— А… — Мужчина открыл один глаз и опять закрыл.

— Не желаете ли выпить чаю? — спросила женщина.

— Если вам не доставит труда, с удовольствием выпью, большое спасибо.

Женщина кивнула на диван и вышла из комнаты. Грейс перешагнул через обмякшие неподвижные ноги мужчины, сел. Не обращая внимания на матч по крикету, он разглядывал фотографии в комнате. Их было много. На одной красовалась моложенькая Джоан и Дерек с тремя детьми — двумя мальчиками и довольно мрачной девочкой. Другая в серебряной рамке стояла на верхней полке стеклянного шкафчика с фарфоровыми статуэтками. На ней был запечатлен подросток с длинными темными волосами, в пиджаке с галстуком, несколько неохотно позирующий перед камерой. Решительно похожий на юного Брайана Бишопа.

Из телевизора несся веселый смех и аплодисменты. Грейс взглянул на экран и увидел уходившего от линии ворот отбивающего, за спиной которого стояла сильно покосившаяся средняя крикетная калитка.

— Надо было просто ее перекрыть, — неожиданно объявил как бы спавший мужчина. — А этот идиот решился пробить. Любите крикет?

— Не очень. Больше регби.

Мужчина, всхрапнув, замолчал.

Женщина вернулась с подносом, на котором стоял фарфоровый чайник, кувшинчик с молоком, чашки с блюдцами и ложечками, блюдо с бисквитами. Она сняла садовые перчатки, сменила резиновые сапоги на шлепанцы с помпонами.

— Выпьешь чаю, Дерек? — повысила она голос.

— У нас в доме любитель треклятого регби, — проворчал мужчина и, по-видимому, снова заснул.

— С молоком, с сахаром? — уточнила женщина, ставя поднос. Грейс уставился голодным взглядом на бисквиты, сообразив, что практически не завтракал, а уже время ленча.

— С молоком, без сахара, будьте добры.

Женщина пододвинула к нему блюдо, и он с благодарностью взял бисквит, а потом она налила ему чаю и указала на фотографию в серебряной рамке.

— Нам не нравилось имя Фредерик, правда, Дерек?

Из губ мужчины вырвался легкий недовольный стон.

— Поэтому мы переименовали его в Ричарда.

— В Ричарда, — пробормотал мужчина.

— В честь актера Ричарда Чемберлена. Видели фильм «Доктор Килдэр»?

— Чертовски давно шел, — пробормотал мужчина.

— Смутно помню, — признался Грейс. — Мама моя была его страстной поклонницей. — Он помешал чай, стремясь перейти к делу.

— Мы двоих детей усыновили, — сказала Джоан Трипвелл. — Потом свой родился, Джеффри. Дела у него идут хорошо, занимается исследовательской работой в фармацевтической компании «Пфайзер». Работает над лекарством от рака.

— Отлично, — улыбнулся Грейс.

— А с Лорой проблема. Я подумала, вы из-за нее пришли. С ней вечные проблемы. Наркотики. Странно, правда, что Джеффри успешно работает с наркотиками, а Лора кочует из лечебницы в лечебницу, постоянно имея проблемы с полицией.

— А как дела у Ричарда? — спросил Грейс.

Джоан Трипвелл стиснула губы, взгляд заметался по комнате, и Грейс понял, что задел больной нерв. Она налила себе чаю, положила серебряными щипчиками два куска сахару и с неожиданной подозрительностью уточнила:

— Что именно вас интересует?

— Надеюсь, вы подскажете, где его найти. Мне очень надо с ним поговорить.

— Поговорить?

— Участок четыреста тридцать семь, ряд двенадцатый, — проговорил мужчина.

— Дерек! — умоляюще воскликнула Джоан Трипвелл.

— Именно там он и есть, черт возьми. Что с тобой, женщина?

— Извините моего мужа. — Джоан Трипвелл осторожно поднесла к губам чашку. — Он так и не оправился. Пожалуй, мы все не оправились.

— От чего? — как можно мягче спросил Грейс.

— Мальчик родился недоношенным, как и его брат, бедняжка. С недоразвитыми легкими. Они так и не сформировались. Слабогрудый, понимаете? В детстве без конца подхватывал инфекцию. И страдал сильной астмой.

— А что вам известно о его брате? — спросил Грейс, позабыв о бисквите.

— Бедный крошка умер в инкубаторе. Так нам сказали.

— А их мать?

Женщина покачала головой:

— В социальной службе очень строго насчет информации.

— Да уж можете мне не рассказывать, — кивнул Грейс.

— Мы долго разузнавали и выяснили, что мужа у нее не было, в то время это было очень плохо. Она погибла в автокатастрофе, но никаких подробностей нам не известно.

— Вы уверены, что брат Фредерика… то есть Ричарда, умер?

— Никогда нельзя быть уверенным в том, что сообщает социальная служба. В свое время нам так сказали.

Грейс сочувственно кивнул. Телевизор опять взревел. Он снова взглянул на экран и увидел удачную подачу.

— Не подскажете ли, где найти вашего сына Ричарда?

— Подсказал уже, будь я проклят, — проворчал мужчина. — Участок четыреста тридцать семь, ряд двенадцатый.

— Прошу прощения, не понял.

— Муж имеет в виду, что вы опоздали, — пояснила женщина.

— То есть как — опоздал? — переспросил совсем сбитый с толку Грейс.

— В двадцать один год, — сказала Джоан Трипвелл, — Ричард отправился на вечеринку и позабыл взять с собой ингалятор. У него случился тяжкий приступ астмы. Сердце не выдержало.

Грейс изумленно уставился на нее.

Словно почуяв его сомнения, она подтвердила:

— Бедный малыш умер. Так и не пожил настоящей жизнью.

112

Проделав в течение часа обратный путь, полностью обескураженный Рой Грейс сообщил о результатах бригаде, задействованной в операции «Хамелеон», и принялся просматривать свидетельства по делу Брайана Бишопа.

Веря, что Джоан Трипвелл говорила правду, оставалось разобраться с несколькими несовпадениями. Нечто вроде головоломки, которая вроде бы сложена, но не совсем точно.

Не совсем ясно дело с близнецами, изложенное старшим регистратором. Грейс перечитал заметки, сделанные в муниципалитете, вновь просмотрел свидетельства о рождении и усыновлении Бишопа. Он родился 7 сентября в пятнадцать сорок семь, на восемнадцать минут раньше брата, Фредерика Роджера Джонса, который был переименован в Ричарда и умер в двадцать один год.

Почему социальная служба сообщила Джоан Трипвелл о смерти другого близнеца?

Он позвонил Крисси Франклин, услужливой инспекторше по делам об усыновлении, которая бодро сообщила, что в то время социальная служба так и поступала. Близнецов предпочитали не разлучать, но было слишком много желавших усыновить ребенка. Если слабый младенец лежал в инкубаторе, могли принять решение отдать приемным родителям крепкого близнеца, а если другой выживет, солгать во спасение ради другой супружеской пары, отчаянно мечтавшей о ребенке.

Точно так было и с ней, призналась Франклин. У нее есть двойняшка, о которой ничего не знают приемные родители.

Теперь Грейс, исходя из собственного опыта, понимал, что социальная служба готова на все.

Он поставил запись с камер наблюдения и внимательно просмотрел, сверяясь с подробными данными о сигналах мобильного телефона, предоставленными констеблем Корбин. На экране безоговорочно был Брайан Бишоп. Если только у него не имеется точной копии. Но тот факт, что он выехал из отеля «Лансдаун-Плейс», куда потом вернулся в точно установленное время, почти полностью отрицает двойника.

Грейс нарисовал в блокноте большой, жирный вопросительный знак.

Неужели кто-то пошел на косметическую операцию, чтобы стать похожим на Брайана Бишопа? Умудрился получить его свежую семенную жидкость?

Размышления прервал голос, окликнувший суперинтендента по имени. Оглянувшись, он увидел бородатую физиономию фотографа Джорджа Эрриджа, который всегда выглядел как вернувшийся из экспедиции путешественник и теперь поспешно бросился к Грейсу, держа в руках стопку фотографий.

— Рой, вы мне вчера передали записи с видеокамер в Королевской больнице... Бородатый тип в темных очках, с длинными волосами...

Грейс об этом почти позабыл.

— Ну и что?

— Да кое-что есть. Я просмотрел файл с данными о пропавших без вести. Понятно? Там можно проследить, как меняется личность за пять, десять, двадцать лет. Ясно? С волосами, без волос, с бородой и без бороды и так далее. Уговорил Тони Кейса попробовать...

— Ну и что?

Эрридж выложил фотографию мужчины с густой бородой и усами, с падавшими на лоб длинными взлохмаченными волосами, в больших темных очках, в широкой мешковатой рубашке под полосатым пиджаком, в слаксах и сандалиях.

— На компьютере мы убрали длинные волосы, бороду и очки, ясно?

— Ясно, — кивнул Грейс.

Эрридж выложил на стол второй снимок:

— Узнаете?

Грейс молча смотрел на изображение Брайана Бишопа. Потом сказал:

— Черт возьми… Молодец, Джордж. Глаза-то под очками как вышли?

— Повезло, — усмехнулся Эрридж. — Камеры наблюдения установлены в мужском туалете. Там он очки снял.

— Спасибо. Отличная работа.

— Сообщите Тони Кейсу, тупому сукиному сыну. Нам аппаратура нужна. Если б была, то вчера доложили бы.

— Обязательно сообщу. — Грейс встал, оглядываясь в поисках молодого констебля Эдриен Корбин, которая занималась мобильником Бишопа. — Кто-нибудь знает, где констебль Корбин? — спросил он, ни к кому конкретно не обращаясь.

— У нее перерыв, Рой, — ответила Берта Мой.

— Отыщите, попросите срочно вернуться.

Он снова сел, в раздумье глядя на фотографии. Полное, потрясающее преображение приличного мужчины в субъекта, которого постараешься обойти стороной.

В воскресенье в начале дня, думал Грейс, Бишоп был в больнице. Поэтому он исключается.

В воскресенье в начале дня кто-то распорол крышу машины Клио.

Он пролистал расчет времени, дойдя до утра воскресенья. Согласно заявлению Бишопа, сделанному на первом допросе, он провел то утро в гостиничном номере, просматривая сообщения на электронной почте, а потом отправился на ленч к друзьям. Друзей, Робина и Сью Браун, как было отмечено, расспросили, и те подтвердили, что Бишоп пришел в половине второго и пробыл у них до начала пятого. Живут они в пригороде Глайнд, до которого от Королевской больницы ехать пятнадцать—двадцать минут, по прикидкам.

Первый снимок камер наблюдения сделан в двенадцать пятьдесят восемь. Трудно, но возможно. Очень даже возможно.

Он снова просмотрел время ранних утренних событий. Бывшая на дежурстве Линда Бакли доложила, что Бишоп оставался в номере до полудня, потом уехал в своем «бентли», предупредив, что едет к друзьям, а попозже вернется. Она записала, что он вернулся в шестнадцать сорок пять.

В душе росло беспокойство. Бишоп с легкостью мог свернуть к моргу по пути из больницы. Но зачем? С какой целью, скажите на милость? Какой у него мог быть мотив?

А какой мотив для убийства Софи Харрингтон? Никакого!

Влетела запыхавшаяся Корбин:

— Вы меня вызывали, сэр?

Грейс извинился за вызов во время перерыва, объяснив, что хочет кое-что узнать из показаний телефонных базовых станций и записей видеокамер. Ему надо было проследить за местонахождением Бишопа с воскресного полудня, когда он покинул гостиницу, до момента прибытия в Глайнд к Браунам.

— Эй, старик, — неожиданно окликнул его Брэнсон, молча сидевший за своим столом.

— Что?

— Если Бишопа принимали в больнице в отделении неотложной помощи, его должны были зарегистрировать.

И Грейс сразу понял, насколько устал. Как же можно было это просмотреть?

— Знаешь что? — сказал он.

— Внимательно слушаю.

— Мне иногда кажется, что ты сообразительный.

113

Грейс быстро обнаружил, что заслоны социальной службы — полная ерунда по сравнению с марафоном, который пришлось выдержать в брайтонском управлении здравоохранения. Гленна Брэнсона полтора часа перебрасывали от одного чиновника к другому, заставляли ждать, пока кончится совещание, прежде чем ему удалось связаться с каким-то управляющим, имевшим право санкционировать разглашение конфиденциальной информации. Причем после того, как Грейс лично вмешался и изложил ему дело.

Следующая проблема заключалась в том, что ни один мужчина по фамилии Бишоп не обращался воскресным утром в отделение неотложной помощи, а с ранами руки в тот день приняли семнадцать человек. К счастью, доктор Радж Сингх был на дежурстве, и Грейс отправил Брэнсона в больницу с распечатками видеозаписи в надежде, что врач опознает мужчину.

Где-то в половине пятого он позвонил Клио, спросил, как у нее дела.

— Все тихо и спокойно. — Голос усталый, но вполне веселый. — У меня тут все время сидят два детектива, просматривают бумаги. Я работала с Дарреном, он привез меня домой. А ты как?

Грейс рассказал о своей беседе с инспектором Полом.

— По-моему, это не Ричард, — сказала Клио с облегчением, что его озадачило. Глупо, конечно, но она с таким теплом назвала имя бывшего жениха. А вдруг их отношения хоть и кончены, но не совсем? — Допоздна будешь сегодня работать? — спросила Клио.

— Пока не знаю. В половине седьмого инструктаж, неизвестно, что еще там вскроется.

— Поужинать не хочешь?

— Спрашиваешь.

— А во что мне одеться?

— Прикройся салатным листом.

— Тогда приезжай как можно скорее. Хочу тебя.

— Люблю тебя, — ответил он.

— Я тоже.

Решив воспользоваться первой за весь день свободной минутой, Грейс направился к программистам в дальний конец здания, где работала несчастная Дженет Макуиртер.

В обширном помещении трудились человек сорок, в большинстве своем штатские. Обычно там всегда стоял деловой шум, но сейчас было тихо. Он стукнул в закрытую дверь бывшего кабинета Дженет Макуиртер, где теперь, как указывалось на табличке, располагалась констебль Лорна Бакстер, начальник отдела. Он знал ее так же давно, как Дженет, и она ему тоже нравилась.

Не дожидаясь ответа, Грейс открыл дверь. Лорна, которой перевалило за тридцать, была на последних месяцах беременности. Прежде длинные темные волосы были теперь коротко, по-монашески неуклюже подстрижены, подчеркивая пополневшее лицо.

Лорна разговаривала по телефону, но приветливо ему махнула, пригласив войти и указывая на стул перед письменным столом. Он закрыл за собой дверь и сел.

Маленький квадратный кабинетик был почти полностью занят столом, креслом, двумя стульями для посетителей и высокими картотечными стойками. К правой стене разноцветными булавками пришпилены страницы комикса и листок бумаги с изображением сердца и надписью: «Мама, я тебя люблю!»

Закончив разговор, Лорна поздоровалась. Говорила она с сильным южноафриканским акцентом, хотя уже больше двенадцати лет жила в Англии.

— Привет, Рой! Очень рада вас видеть. В чем дело?

— Хочу спросить о Дженет.

Женщина печально улыбнулась:

— Мы с ней были близкими подругами.

— Что же все-таки произошло? Я слышал, что она в кого-то влюбилась, уехала с ним в Австралию, где они собирались пожениться.

— Да. Она была страшно счастлива. Знаете, до тридцати шести у нее не было серьезного мужчины. По-моему, она уже смирилась с мыслью, что до конца жизни останется одинокой. И вдруг она встретила такого мужчину, и это был просто луч света. За несколько недель она полностью переменилась.

— В каком смысле?

— Совершенно преобразилась. Сменила прическу, одежду, все прочее. И была очень счастлива.

— А потом ее убили?

— Похоже на то.

— Что вам или еще кому-то известно о ее женихе?

— Немного. Она была скрытной. Я, пожалуй, лучше всех ее знала, но и для меня она была закрытой книгой. Она далеко не сразу призналась мне, что встречается с ним. О нем почти ничего не рассказывала, хотя намекала, что человек он богатый. Владелец большого дома в Брайтоне, квартиры в Лондоне. Главная проблема заключалась в том, что он был женат. Но собирался оставить жену.

— Ради Дженет?

— Так он ей говорил.

— Она верила?

— Полностью.

— А чем он занимался, известно?

— Программным обеспечением. Что-то связанное с размещением пассажиров задержанных рейсов. Дело вроде доходное. Он решил открыть фирму в Австралии и начать новую жизнь с Дженет.

Размещение пассажиров, усиленно соображал Грейс. Тем же самым занимается Бишоп.

— Его имени она не упоминала?

— Нет. Не хотела его называть, потому что он был женат и она обещала держать их отношения в тайне.

— Вряд ли она была шантажисткой, — сказал Грейс. — И вряд ли у нее были деньги.

— Не было.

— Зачем тогда было ее убивать, если, конечно, он это сделал?

— Может быть, их обоих убили? — предположила Лорна. — А обнаружили только ее тело?

— Возможно, — согласился Грейс. — Кто-то его преследовал, а она попросту оказалась не в тот момент не в том месте? Это не первый случай. Есть какие-нибудь сообщения от следственной бригады?

— Пока ничего серьезного. Лишь одна любопытная деталь.

— А именно?

— Я сегодня разговаривала с Реем Пэкемом из отдела высоких технологий...

— Знаю его. Хороший человек.

— Он проверял данные с компьютера Дженет и раскрыл электронный дневник, который она уничтожила перед отъездом.

В дверь постучали. Вошел молодой человек, и Лорна сказала:

— Прошу прощения. Дермот, что-нибудь срочное?

— Нет... Я завтра зайду.

И молодой человек вышел, закрыв за собой дверь.

Лорна снова повернулась к Грейсу:

— На чем мы остановились?

— На дневнике Дженет, — напомнил он.

— Да, верно. Там было лишь одно имя, внесенное месяцев девять назад и никому из нас не известное. Запись была сделана вечером в декабре прошлого года. Дженет записала: «Выпьем, Брайан».

— Брайан?

— Да.

Грейса прохватила дрожь. Брайан. Размещение пассажиров задержанных рейсов. Большой дом в Брайтоне. Квартира в Лондоне. Убитая женщина.

Мозг заработал, усталость разом улетучилась. Не потому ли он проснулся среди ночи, думая о Дженет Макуиртер? Подсознание подсказало, что тут есть какая-то связь?

— Кажется, вы что-то увидели, Рой?

— Возможно. Кто расследует дело о смерти Дженет?

— Инспектор Винтер.

Грейс поблагодарил и отправился к Винтеру, излагать свои соображения по расследуемым делам.

На обратном пути он чуть не столкнулся с Гленном Брэнсоном, который с триумфальным видом вывернул из-за угла.

— Нашел! — воскликнул он, выхватив из кармана и развернув листок бумаги. — Есть фамилия и адрес!

Грейс вошел следом за ним в кабинет.

— Его зовут Норман Джекс.

Грейс уставился на смятый клочок бумаги в линейку с неровно оторванным верхом. На нем было написано: «Саквилл-роуд, 262Б, Хоув».

— Это не адрес Бишопа, — сказал он.

— Нет. Это адрес мужчины, который утром в воскресенье обращался в неотложку. Замаскированный Бишоп. Может быть, он живет двойной жизнью?

Грейс с дурным предчувствием разглядывал бумажку. Голову как бы затмила темная туча. Неужели у Брайана Бишопа есть второй, тайный дом? Тайная жизнь?

— Это настоящий адрес?

— Белла проверила по избирательным спискам. По этому адресу проживает Норман Джекс.

Грейс взглянул на часы. В жилах бурлил адреналин. Десять минут седьмого.

— Забудь о вечернем инструктаже, — приказал он. — Узнай, кто в магистрате дежурит, получи ордер на обыск. Надо нанести визит Норману Джексу. И как можно скорее.

Он побежал по лабиринту коридоров в отдел программистов. Лорна Бакстер уже уходила.

— Лорна, — выдохнул он, запыхавшись, — у вас есть минутка?

Она взглянула на часы.

— Старшую надо забрать с занятий по плаванию. Что-то срочное?

— Пару минут, очень важно, простите. Я правильно понял, что одна Дженет Макуиртер имела право вносить сведения в базу данных вашего отдела?

— Да, только она.

— Самостоятельно, без чьего-либо ведома и разрешения?

— Да.

— Вы не можете кое-что отыскать для меня?

— Вижу, что вам потребуется не пара минут, — улыбнулась Лорна, вытаскивая из сумочки мобильник. — Сейчас попрошу кого-нибудь заехать за Клер.

Они вошли в кабинет, сели, Лорна включила компьютер, постучала по клавиатуре.

— Ну вот.

— Мне надо заглянуть в криминальный архив. Что для этого надо?

— Имя, возраст и адрес.

Грейс назвал имя и прочие данные Брайана Бишопа, слушая стук перебираемых клавиш.

— Брайан Десмонд Бишоп, родившийся седьмого сентября шестьдесят четвертого года?

— Он самый.

Лорна наклонилась к монитору:

— В семьдесят девятом по приговору брайтонского суда по делам малолетних отправлен на два года в исправительную колонию за изнасилование четырнадцатилетней девочки. В восемьдесят пятом получил два года условно за нападение на женщину. Милый мальчик, — прокомментировала она.

— Вы не видите тут ничего необычного?

— В каком смысле?

— Не мог кто-то чужой подделать эту запись?

Лорна посмотрела на Грейса:

— Таких старых записей никто, как правило, не трогает, они так и сидят в файлах. Поправки вносятся только в том случае, когда вскрываются новые обстоятельства, отменяются прежние обвинения, обнаруживается орфографическая ошибка и прочее.

— Можно сказать, когда в запись вносились поправки?

— Конечно, — энергично кивнула Лорна. — Дата каждого входа в файл с поправками зафиксирована. Вот она.

— Да? — Грейс выпрямился на стуле.

— У каждого из наших сотрудников личный пароль. При каждой поправке он вместе с датой остается в файле.

— Можно выяснить, кто входил?

— Мне и смотреть не надо. Это пароль Дженет. Она внесла поправки... — Лорна внимательно присмотрелась, — седьмого апреля нынешнего года.

Грейс почувствовал всплеск адреналина.

— Сама?

— Угу. — Лорна нахмурилась, постучала по клавиатуре, вновь вгляделась в экран. — Интересно. Это было в последний день ее работы.

114

Через полтора часа, в восемь с минутами, Нил Николл медленно вел полицейскую машину по Саквилл-роуд. Грейс сидел на переднем сиденье в пуленепробиваемом жилете, а позади него в таком же жилете расположился Гленн Брэнсон. Оба отсчитывали номера мрачных эдвардианских домов. Следом за ними ехали два полицейских фургона с опознавательными знаками, в каждом из которых находилось по полицейской бригаде из местной группы поддержки.

— Двести пятьдесят четыре, — читал Гленн Брэнсон. — Двести пятьдесят восемь. Двести шестьдесят... Двести шестьдесят два... Приехали.

Николл остановил машину возле пыльного «форда-фиеста», фургоны остановились за ним.

Грейс по рации приказал одному свернуть за угол и прикрыть черный ход, доложив, когда будут на месте. Через две минуты он получил обратное сообщение.

Они вышли из машины. Грейс велел бригадам оставаться в машинах, пошел вниз по бетонным ступенькам мимо двух мусорных баков и грязного окна со спущенными жалюзи. Еще было светло, хоть и быстро темнело, поэтому отсутствие в окне света вовсе не означало, что там никого нет.

Облупленная серая дверь с двумя непрозрачными стеклами давно нуждалась в покраске, а пластмассовый звонок знавал лучшие времена. Грейс позвонил. В ответ не раздалось ни звука. Он опять нажал кнопку. Тишина.

Резко постучал:

— Откройте! Полиция!

Никакого ответа.

Постучал еще громче:

— Полиция! Открывайте.

Велел Николлу вызвать бригаду и взломать дверь.

Через несколько минут появились два крепких парня с длинным желтым круглым тараном.

— Прикажете действовать, шеф? — спросил один.

Грейс кивнул.

Парень размахнулся, ударил в стекло. К общему удивлению, таран отлетел без всякого результата. Следующий удар оказался таким же безуспешным.

Брэнсон с Николлом нахмурились.

— В детстве мало каши ел? — пошутил кто-то из коллег по бригаде.

— Пошел в задницу!

За дело взялся напарник, с виду покрепче, но тоже осрамился, не пробив панель.

— Черт побери! Тут бронированное стекло! — Он ударил в замок. Дверь едва дрогнула. Замахнулся снова и снова, но только пот выступил на лбу. — Видно, обезопасился от грабителей. — Парень оглянулся на Грейса.

— Наверняка советовался со знатоками из превентивного отдела, — вставил Нил Николл, демонстрируя редкий проблеск юмора.

Констебль подал всем знак отступить, изо всех сил нанес удар в середину двери. Створка подалась, брызнув щепками.

— Армированная, — угрюмо буркнул он и принялся наносить удар за ударом. Под деревом открылась стальная обшивка. Понадобился еще не один удар, прежде чем она прогнулась настолько, что в щель можно было пролезть.

Первыми внутрь нырнули четверо полицейских из вспомогательной бригады. Через пару минут один из них открыл изнутри искореженную дверь, доложив:

— Пусто, сэр.

Грейс всех поблагодарил и отпустил, объяснив, что на месте останутся только несколько сотрудников для осмотра помещения.

Надев латексные перчатки, он вошел в маленький темный подвал, застеленный потертым ковровым покрытием, заваленный деталями компьютеров, автомобильными журналами и инструкциями. Пахло сыростью.

В дальнем конце стоял стол с компьютером. Вся стена над ним была заклеена вырезками из газет и схематичными изображениями генеалогических древ. Справа была дверь в темный коридор.

Он прошел по нему, осторожно петляя, и оказался у старого вращающегося кресла перед компьютером. Увидев, что пришпилено к стене, замер на месте.

— Черт побери, — пробормотал стоявший за ним Гленн Брэнсон.

На стене висели свежие заметки. Вырезанные или вырванные куски из «Аргуса» и общенациональных газет, связанные с карьерой Брайана Бишопа. Несколько его фотографий, включая снимок, сделанный на свадьбе с Кэти. Рядом была статья на розовой странице из «Файнэншл таймс» о стремительном взлете его компании, сообщение в «Санди таймс» о включении ее в список ста самых быстрорастущих британских фирм.

Грейс почти не замечал Брэнсона и остальных сотрудников, которые открывали и закрывали дверцы шкафов, выдвигали и задвигали ящики. Его внимание привлекла другая вырезка, приклеенная к стене липкой лентой. Первая страница вечернего выпуска «Аргуса» с крупным снимком Брайана Бишопа и его жены и маленьким суперинтендента Грейса. В колонке под фотографиями было красным обведено слово: «Злодей».

Он перечитал отрывок:

«Это особенно гнусное преступление, — заявил суперинтендент Грейс, возглавляющий следственную бригаду… — мы будем работать день и ночь, чтобы совершивший его злодей понес справедливое наказание».

Ник Николл внезапно взмахнул у него перед глазами каким-то документом в пластиковой обложке.

— Только что обнаружил. Он арендует гараж. Собственно, два. В Вестберн-Вилласе.

— Позвони нашим, — велел Грейс. — Пусть кто-нибудь заполнит еще один ордер, заверит в магистрате и доставит сюда. Да побыстрее!

Он снова уставился на обведенное красным слово.

— Эй, босс, лучше сюда взгляни! — окликнул его Гленн Брэнсон.

Грейс прошел по коротенькому коридорчику в спальню без окон, освещенную единственной голой слабенькой лампочкой, висевшей на шнуре над кроватью, аккуратно застеленной кремовым покрывалом.

На покрывале лежал длинный темный парик, усы, борода, черная бейсболка и темные очки.

— Господи Иисусе, — охнул он.

В ответ Гленн Брэнсон ткнул куда-то пальцем. Грейс оглянулся и заледенел.

На стене висели три моментальных снимка, сделанные, насколько он мог судить, телескопическим объективом.

На первом Кэти Бишоп в бикини, прислонившаяся к кокпиту на яхте. Изображение перечеркнуто большим красным крестом. На втором крупным планом лицо Софи Харрингтон на размытом фоне лондонской улицы. И тоже красный крест.

А на третьем Клио, выходящая из дверей брайтонского морга.

Без креста.

Грейс выхватил из кармана телефон, набрал домашний номер. Она ответила после третьего гудка.

— Клио, как ты там?

— Все в порядке. Лучше не бывает.

— Послушай меня, я серьезно.

— Слушаю вас, суперинтендент Рой Грейс. Ловлю каждое слово.

— Закрой входную дверь на замок и цепочку.

— Есть закрыть входную дверь на замок и цепочку, — повторила она.

— Сейчас же, немедленно, ладно? Я жду, не разъединяюсь.

— Иногда вы высказываетесь как большой начальник, суперинтендент. Ладно. Встаю с дивана, иду к двери.

— Пожалуйста, накинь цепочку.

— Слушаюсь.

Грейс услышал звяканье цепочки.

— Никому не открывай. Слышишь? Никого не впускай, пока я не приеду. Понятно?

— Понятно. Никому не открывать, пока ты не приедешь.

— А дверь на террасу? — спросил он.

— Всегда заперта.

— Посмотри и проверь.

— Сию минуту. — Клио насмешливо повторила распоряжение: — Иду к террасе на крыше. Проверяю: дверь заперта.

— Больше нет входных дверей?

— В прошлый раз, когда я смотрела, не было.

— Приеду как можно скорее.

— Да уж, постарайся, — сказала Клио и разъединилась.

— Очень хороший совет тебе дали, — проговорил голос у нее за спиной.

115

У Клио кровь в жилах застыла. Она в ужасе оглянулась.

В нескольких дюймах от нее стояла высокая фигура с большим столярным молотком. С головы до ног в защитном костюме оливкового цвета, от которого несло пластиком, в латексных перчатках и противогазе. Она вглядывалась в круглые затемненные линзы отвратительной маски с черным металлическим дыхательным фильтром. Похоже на мутанта, на злобное ядовитое насекомое.

Глаза едва видны за линзами. Это не глаза Ричарда. Совсем незнакомые.

Босая, абсолютно беззащитная, она отступила на шаг, слабо вскрикнула. Сделала еще шаг, отчаянно стараясь собраться с мыслями, но мозг заклинило. Крепко прижалась спиной к двери, гадая, успеет ли распахнуть ее, позвать кого-нибудь на помощь.

Если б только не набросила проклятую дверную цепочку…

— Не двигайся, и я тебя не трону, — пообещал приглушенный голос робота.

«Ну конечно, — подумала она. — Стоишь с молотком в моем доме и не собираешься меня трогать».

— Кто ты, кто?.. — Слова слетали с губ неразборчивым лепетом, взгляд перебегал со стоявшего перед ней маньяка на пол, на стены, в поисках орудия защиты. Клио сообразила, что по-прежнему держит в руках трубку беспроводного телефона с кнопкой интеркома, которую она раньше несколько раз нажимала, чтобы он не звонил в спальне. Изо всех сил стараясь припомнить, где расположена эта самая кнопка, куда-то нажала, но безрезультатно.

— Удача, что не сгорела в машине, да, сука? — злобно проговорил глухой голос.

— Ты кто... кто... — Клио сильно трясло, нервы сплелись в тугой клубок, горло перехватывало удавкой на каждом слове.

Она нажала другую кнопку, и сразу же сверху раздался резкий звон. Маньяк на секунду поднял голову к потолку, и в ту же секунду Клио метнулась вперед, изо всех сил ударив его в висок телефонной трубкой. Услышала, как он охнул от боли и неожиданности, пошатнулся, и понадеялась на мгновение, что он упадет. Молоток вылетел у него из руки, загромыхал по дубовому полу.

В маске очень плохо видно, понял Обладатель Миллиардного Запаса Времени, преодолевая головокружение. Он допустил ошибку. Периферическое зрение блокировано. Чертова молотка не видно. Видно суку с разбитым телефоном в поднятой руке. Вот она наклонилась, поднялась, перед ним сверкнула сталь.

Ох, нет!

Он нырнул, схватил ее за голую правую щиколотку под джинсами, дернул, чувствуя, как она вырывается, бьется, словно крупная сильная рыба. Мельком разглядел молоток и снова потерял из виду. Потом перед глазами снова блеснула сталь, и левое плечо пронзила жуткая боль.

Проклятье, она его достала.

Он выпустил ее ногу, перекатился вперед, вцепился в длинные светлые волосы, резко рванул к себе. Сука взвыла, споткнулась, потом повернулась, пытаясь освободиться. Он рванул сильнее, так заломив ей голову, что на секунду подумал, будто сломал шею. Она завопила от боли и гнева, развернулась лицом к нему. Он головой боднул ее в висок. Увидел на полу молоток. Попробовал пробраться мимо нее, все еще плохо видя, и тут сумасшедшая боль пронзила левое запястье. Сука его укусила.

Клио отчаянно призывала Роя, впиваясь зубами в запястье все крепче и крепче. *Пожалуйста, приезжай! Ох, боже мой, ты же звонил! Если бы продержался еще хоть секунду... Всего одну секунду!*

Она получила удар в грудь. А потом по щеке. Он добрался до уха и принялся его выкручивать. Господи, как больно. Сейчас он его вообще оторвет!

Она закричала, сбросила его руку, откатилась, отыскивая молоток.

Почувствовала мертвую хватку на щиколотке, задергалась, елозя лицом по полу, перевернулась, сопротивляясь, на лицо легла тень, он держал ее смертельной хваткой, она упала на спину, перед глазами расплывались лампы на потолке.

Потом она снова увидела у него в руке молоток, он стоял на одном колене, стараясь подняться. А она вовсе не собиралась позволить этому мерзавцу расправиться с ней, не собиралась умирать в своем собственном доме. Ополоумевший негодяй не убьет ее. Особенно сейчас, когда ее жизнь наладилась, когда она влюблена...

Орудие защиты.

В комнате должно быть какое-то орудие.

Винная бутылка на полу у дивана.

Он уже встал.

Клио лежала у книжных полок. Выхватила книгу в твердой обложке, швырнула в него, промахнулась. Выхватила другую — толстое тяжелое собрание сочинений Конан Дойля, — поднялась на колени и одним движением бросила. Том попал ему в грудь, он попятился, но молотка не выпустил. И пошел на нее.

Снова сквозь боль и злость прорвался ужас. Безнадежно озираясь, она увидела на столе опустевший аквариум, бросилась к нему, схватила, подняла, выплескивая воду. Очень тяжелый, она его едва удерживала, но размахнулась и выплеснула на подонка содержимое — несколько галлонов воды и руины миниатюрного греческого храма. Он ошеломленно отступил на несколько шагов. Тогда она изо всех сил метнула сосуд. Аквариум попал ему в колени, сбил с ног, а потом разбился на полу.

Но он с молотком в руках снова стал подниматься. Клио лихорадочно оглядывалась, перебирая варианты. На кухне ножи. Но чтобы туда добраться, надо мимо него пробежать.

Наверх, подумала она. Есть несколько секунд. Подняться в спальню, запереть дверь. А там есть телефон!

С трудом поднимаясь, не обращая внимания на боль, на хриплое дыхание, как в подводной камере, он с ненавистью и некоторым удовлетворением смотрел, как голые щиколотки мелькают на лестнице.

И почувствовал сильный прилив страсти.

Нечего тебе там наверху делать, милая.

Он знает каждый дюйм этого дома. В брючном кармане под защитным костюмом позвякивают ключи от двери на крышу, от всех окон с тройным остеклением. Ее мобильник лежит на диване рядом с папкой с какими-то бумагами.

Он уже достаточно возбудился. Боевая девка, вроде Софи Харрингтон, и это замечательно. Он улыбнулся, вспоминая проведенные с Софи Харрингтон ночи, когда она его принимала за Брайана Бишопа.

А теперь самое приятное. Через пару минут он будет заниматься любовью с женщиной суперинтендента Роя Грейса.

Дьявол.

Дважды подумаешь, прежде чем снова кого-нибудь назвать дьяволом, суперинтендент Грейс.

Он захромал вперед, нога сильно болела. Опустился на колени, выдернул из розетки телефонный провод. Встав, увидел прореху на левой штанине, откуда сочилась кровь. Очень плохо, но сейчас ничего не поделаешь. Он осторожно поднялся по первым ступеням. Трудно идти в противогазной маске, почти ничего не видя перед собой.

К тому же в последние дни он совсем разболтался. Несмотря на лекарства, лихорадка не проходит, облегчения не чувствуется. Одеться в такой костюм — хорошее решение. Приятно напугать сучку. А еще приятнее, что обнаружение третьей жертвы в противогазе выставит дураком суперинтендента Грейса, потому что продемонстрирует всему свету, что он обвинил не того, кого надо.

Очень хорошо.

Фактически противогаз — авторская подпись. Спасибо Брайану — он случайно нашел его в тумбочке у кровати в доме Бишопов, разыскивая игрушки, которыми можно было бы потешить Кэти.

Единственное, за что можно быть благодарным брату.

Тяжело дыша, Клио захлопнула дверь, в слепой панике ухватилась за викторианский комод, стоявший у кровати, потащила, забаррикадировала дверь. Потом бросилась к кровати, схватила за ножку, попробовала сдвинуть, та не поддалась.

— Ну, давай же, паскуда!

Она оглядела комнату, ища, чем еще можно загородиться, пододвинула к двери черный лакированный туалетный столик, втиснула кресло между ним и кроватью. Не блестяще, однако можно продержаться до звонка Рою или в службу спасения по номеру 999. Сначала 999, потом Рою.

Она нажала кнопку и помертвела. Телефон молчал.

Стальная дверная ручка шевельнулась. Медленно. Невероятно медленно. Как в замедленном видео.

Потом раздался громкий стук, словно подонок бил в дверь ногой или молотком. Внутренности скрутило. Дверь чуть-чуть поддалась, дерево затрещало, стало ясно, что комод, столик и кресло долго не выдержат.

Клио в отчаянии побежала к окну. Второй этаж, но можно выпрыгнуть. Лучше, чем оставаться здесь.

Но окно было заперто, а ключ пропал.

Она лихорадочно принялась искать что-то тяжелое, оглядывая флаконы, аэрозоли с лаком для волос, туфли... Что? Боже мой, что же?

На тумбочке у кровати металлическая лампа для чтения. Она схватила ее, замахнулась, ударила в стекло. Стекло выдержало.

Внизу сосед, молодой человек, с которым они иногда обменивались любезностями, ехал по двору на велосипеде, увлеченно разговаривая по мобильнику. Он поднял голову, как бы проверяя, откуда доносится стук. Клио изо всех сил ему замахала, он весело помахал в ответ, не прерывая разговор, и выехал в ворота.

За спиной грохотали удары и трещало дерево.

116

Под матрасом Нормана Джекса Брэнсон нашел маленький серебристый телефон «Нокия» с повременной оплатой, протянул шефу, раздраженно поглядывавшему на часы. Было уже почти девять вечера. Грейс все больше тревожился о Клио, сидевшей у себя дома, хотя за охраняемыми воротами она была в относительной безопасности.

— Сунь в мешок, — рассеянно сказал он, подумывая послать к Клио патрульную машину, проверить, что с ней все в порядке.

Прошло уже три с лишним четверти часа после звонка Ника Николла в управление с просьбой выписать ордер на обыск гаражей Нормана Джекса и заверить его в магистрате. На это проклятое дело требовалось максимум десять минут, еще пятнадцать, чтобы доехать до магистрата, десять секунд на получение официальной подписи. Еще пятнадцать на дорогу сюда. Допустим, он в нетерпении не учитывает всевозможные проволочки, дорожные пробки и прочее. Страшно за Клио. Кто-то за ней охотится. А он думал, будто преступник прочно сидит за решетками в льюисской тюрьме.

Маньяк, сотворивший с двумя женщинами нечто ужасное, чего Грейс еще никогда в своей жизни не видел.

Потому что ты ее любишь.

Пока Брэнсон запечатывал пакет с вещественными доказательствами, Грейс вдруг вспомнил рассуждения насчет мобильных телефонов с повременной оплатой.

— Гленн, постой, дай сюда.

По принятым нынче правилам все изъятые трубки должны быть в неприкосновенности переданы в соответствующую службу. Но в данный момент на это нет времени, точно так же как некогда думать о выдумывающих эти новые правила идиотах, никогда не живших в реальном мире.

Взяв телефон рукой в перчатке, Грейс включил его, с облегчением видя, что не требуется вводить ПИН-код. Попробовал разобраться в управлении, сдался и передал трубку Брэнсону.

— Ты у нас разбираешься в технике. Можешь найти список последних звонков?

Брэнсон нажал на кнопки, через несколько секунд предъявил дисплей Грейсу.

— С этого телефона сделано всего три звонка.

— Всего *три*?

— Угу. Один номер я знаю.

— Чей?

— Агентство такси «Хоув стримлайн». Двести два ноль двадцать.

Грейс посмотрел на два других номера, вызвал справочную. Оказалось, что один номер принадлежит «Отелю дю Вен», второй — отелю «Лансдаун-Плейс». Он задумчиво заметил:

— Похоже, Бишоп говорил нам правду.

Его окликнул один из криминалистов:

— Суперинтендент, думаю, на это вам надо взглянуть.

У входа на кухоньку была дверь в чулан. Только там, видно, давно не стояли веники и швабры. Грейс изумился. На стенах чулана висел десяток маленьких телемониторов, все выключенные, перед ними небольшая висячая консоль и нечто вроде записывающего устройства.

— Что это за чертовщина? Часть охранной системы? — спросил он.

— У него из подвала три выхода, не пойму, зачем ему десять мониторов, — сказал офицер. — Ни внутренних, ни наружных камер наблюдения нет, я проверил.

Тут вошел Альфонсо Дзаффероне с ордером на вскрытие и осмотр гаражей Нормана Джекса.

Через десять минут, оставив Ника Николла и еще одного криминалиста осматривать помещение, Грейс с Брэнсоном стояли в бывших конюшнях, приткнувшихся за широким, заросшим деревьями жилым кварталом, застроенным стоявшими отдельно и в ряд викторианскими особняками. Теперь в конюшнях располагались пара авторемонтных мастерских, дизайнерская студия, компания, поставляющая программное обеспечение, дальше шли запертые гаражи. Судя по найденным документам, Норман Джекс арендовал одиннадцатый и двенадцатый. На синих деревянных дверях висели крепкие замки.

Здоровяк из местной бригады поддержки, взломавший дверь квартиры, и еще четверо его коллег ждали в полной готовности. Уже почти стемнело, в конюшнях стояла мертвая тишина. Грейс кратко объяснил, какую дверь выбивать, предупредил, чтоб никто не входил, если в гараже никого не окажется, как, скорее всего, и случится, чтобы не наследить до прибытия криминалистов.

Через несколько минут желтый таран грохнул в дверь и во все стороны полетели щепки, замок упал на пол. Одновременно вспыхнули фонарики, в том числе фонарь Грейса.

В гараже, почти полностью занятом автомобилем в пыльном чехле, было тихо и пусто. Пахло смазочным маслом и кожей. На полу в дальнем конце на миг вспыхнули две красные точки и сразу исчезли. То ли мышь, то ли крыса, подумал Грейс. Он жестом приказал всем ждать, вошел внутрь и быстро огляделся в поисках выключателя. Нашел, щелкнул, под потолком вспыхнули две очень яркие лампочки.

У задней стены стоял верстак с каким-то аппаратом, похожим на те, что бывают в мастерских по нарезке ключей. На стене аккуратно висят изготовленные ключи. На других стенах столь же аккуратно развешаны инструменты в тщательно продуманном порядке. Кругом безупречно чисто. Слишком чисто. Больше похоже не на гараж, а на выставку.

На полу маленький старый портфель. Грейс щелкнул застежками. Портфель был набит старыми желтыми папками с документами и письмами, а на самом дне лежал голубой школьный дневник Джекса за 1976 год. Грейс закрыл портфель — позже криминалисты внимательно исследуют его содержимое.

Он с помощью Брэнсона снял с машины чехол, и перед ними предстал новехонький сверкающий «ягуар МК-2» — 1962 года выпуска, цвета лунного камня, в безупречном состоянии, несмотря на возраст, словно только сошедший с конвейера.

— Потрясающе! — с восхищением воскликнул Брэнсон. — Тебе надо бы тоже такой завести, старик. Будешь тогда похож на инспектора Морса.

— Нет, большое спасибо, — ответил Грейс, открывая багажник, пустой и такой же новенький, как машина. Захлопнув багажник, он прошелся по гаражу, глядя на станок для нарезки ключей. — Зачем это нужно?

— Ключи нарезать, — сказал Брэнсон.

— Какие?

— От чьей-нибудь квартиры и прочего.

Пора было заняться второй дверью. Когда та распахнулась, луч фонаря первым делом высветил у стены пару пластин с автомобильными номерами. Грейс присел возле них. На обеих табличках стоял номер «бентли» Брайана Бишопа.

Может быть, именно этот номер зафиксировала камера наблюдения у аэропорта Гатуик в четверг вечером.

Он включил свет. Такая же чистота, пустота, аккуратность. В центре гидравлическое устройство с домкратом, способным целиком поднять автомобиль. Инструменты на стенах. Грейс прошел в дальний конец гаража и увидел лежавшую на верстаке инструкцию к «эм-джи» — машине Клио.

— Кажется, мы сорвали банк, — бросил он Гленну Брэнсону, вытащил мобильник и настучал домашний номер Клио, надеясь, как обычно, услышать ответ через пару гудков. Но последовал четвертый, шестой, восьмой, десятый...

Странно — автоответчик срабатывает после шестого звонка. Почему нет ответа? Он набрал номер ее мобильника. На восьмом звонке включилась голосовая почта.

Нехорошо. Он выждал пару минут на случай, если Клио в ванной или в туалете, потом вновь позвонил. Посмотрел на инструкцию к «эм-джи». На нескольких страницах пометки желтым маркером, наклеены памятки в главе о запирающем механизме и в главе о запуске двигателя. Грейс опять набрал домашний номер. Бесконечные гудки. Снова позвонил на мобильный, на этот раз оставив сообщение, чтобы Клио немедленно перезвонила.

— Знаешь, что я думаю? — спросил Брэнсон.

— Что?

— Что мы не того посадили.

— Похоже на то.

— Только не понимаю. Мы ж виделись со стариками. Ты сказал, люди честные, правда?

— Симпатичные милые супруги, вполне честные, правда.

— Хоть и заявили, что их приемный сын, близнец Бишопа, умер?

— Да.

— И назвали номер могилы на кладбище?

Грейс кивнул.

— Тогда как же получается, что он умер и одновременно бродит по городу? Он что, привидение, что ли? Ты же у нас специалист в области сверхъестественного. Думаешь, мы имеем дело с неупокоившимся духом?

— Никогда не слышал о духах, которые занимаются сексом, — ответил Грейс, — или водят машину. Или наносят сверлом татуировку. Или являются в неотложную помощь с больной рукой.

— Мертвый ничего подобного сделать не может, — согласился Брэнсон.

— По-моему, нет.

— Как же все это вышло?

Грейс на минуту задумался.

— Значит, он не совсем мертвый.

117

Баррикада пока каким-то чудом держалась, но долго ей не простоять. С каждым ударом дверь приоткрывалась все шире. Кресло упало, поэтому теперь Клио подпирала дверь своим телом, крепко, до смертельной боли прижавшись спиной к спинке кровати, упершись обеими ногами в туалетный столик.

Туалетный столик не такой уж и прочный. Он трещал, ножки не выдерживали. В любой момент он мог рухнуть, подобно креслу. А тогда маньяк откроет дверь на добрых восемнадцать дюймов.

Рой, где ты, черт возьми? Рой, Рой, Рой!..

Снизу слабо слышались звонки мобильника. Телефон прозвонил восемь раз и умолк.

Последовали четыре удара в дверь — бум-бум-бум.

Снизу снова послышался писк — мобильник понапрасну сигнализировал о входящем сообщении.

Бум, бум, бум...

Полетели щепки. Опять навалился страх.

Бум, бум, бум...

Сквозь дверь пробилась головка молотка.

Клио старалась размеренно дышать. Что делать? Господи боже, что делать?

Если у нее не хватит сил упираться, маньяк через несколько секунд ворвется в спальню.

Господи боже мой, где ты, Рой? Услышь меня, пожалуйста!

Раздался очередной удар, в двери образовалось отверстие дюйма в три-четыре. Она увидела в нем линзу противогаза, за которой мелькал глаз.

К горлу подкатил рвотный комок. В памяти мелькали лица сестры Чарли, матери, отца, Роя, которые она больше никогда не увидит.

Я не намерена здесь умирать!

Послышался громкий треск, похожий на пистолетный выстрел. На секунду показалось, что злодей выстрелил в нее. Правый нижний ящик туалетного столика раскололся, босая нога провалилась туда. Клио ее выдернула, уперлась в другой ящик, повыше. Секунду столик выдержал, потом развалился.

Отлично! Он был совершенно доволен собой. Это все равно что открывать банку сардин, которых еще не пробовал. Чуть-чуть приоткрыл крышку, увидел крошечные соблазнительные сардинки — и ждешь, не трогаешь их. Просто знаешь, что через минуту-другую попробуешь.

Лакомый кусочек! Он внимательно ее разглядывал — раскрасневшееся лицо, округлившиеся глаза, разлохмаченные волосы. Просто создана для секса. Но придется ее успокоить, может быть, даже обездвижить. Однако не слишком.

Он отошел на пару шагов, стукнул в дверь тяжелым рабочим ботинком с металлическими подковами. Она подалась еще на добрый дюйм. Максимум, чего можно добиться с первой попытки. Теперь надо поддать газу. Крышка приоткрывается. Еще пара минут, и пташка запоет у него в руках.

Он облизнулся, уже чувствуя ее вкус и запах.

Бросил молоток, снова отошел назад, снова пнул дверь ногой.

И услышал пронзительный звонок в дверь. Выражение лица у сучки изменилось.

Ничего. Открывать не будем. Никто не войдет в наше гнездышко, правда?

Он послал ей воздушный поцелуй. Хотя она, конечно, этого не видела.

118

С обеих сторон от входных дверей Клио располагались окна, но они были закрыты плотными вертикальными жалюзи так, что она могла смотреть сквозь них изнутри, а снаружи ничего не было видно. Встревоженный Грейс третий раз позвонил в звонок. Потом для надежности постучал в стекло.

Почему она не отвечает?

Он снова набрал номер мобильного. Через несколько секунд услышал где-то далеко в квартире звонок телефона. Внизу.

Ушла, дома оставила телефон? Отправилась за продуктами или за выпивкой? Он взглянул на часы. Половина десятого. Отошел назад, глядя в окна. Может, сидит на террасе на крыше, готовит барбекю и не слышит звонка? Он снова отошел на пару шагов и столкнулся с молодым бритоголовым человеком в шортах, широкой рубашке, сидевшем на горном велосипеде.

— Прошу прощения, — извинился Грейс.

— Да ничего.

Юноша показался знакомым.

— Вы здесь живете? — спросил Грейс.

— Да. — Молодой человек указал на подъезд по соседству. — Я вас несколько раз видел, вы ведь приятель Клио, правда?

— Правда. Вы ее, случайно, не видели нынче вечером? Она должна была меня ждать, только, кажется, ее нет дома.

Молодой человек кивнул:

— Видел, только чуть раньше. Она мне помахала из верхнего окна.

— Помахала?

— Ну да. Я услыхал шум, поднял голову и увидел ее в окне. Она махнула мне рукой.

471

— Что за шум вы услышали?

— Какие-то хлопки, вроде выстрелов.

— Вроде выстрелов? — Грейс насторожился.

— На секунду мне так показалось. Хотя это явно была не стрельба.

— А ключ у вас есть? — с тревогой спросил он.

— Нет. Только от девятого подъезда. — Молодой человек взглянул на часы. — К сожалению, я спешу.

Грейс поблагодарил его, и молодой человек уехал. Сверху доносился глухой стук. Беспокойство Грейса мгновенно переросло в панику.

Он огляделся в поисках тяжелого предмета, увидел в другом конце двора прямо напротив дома кучу кирпичей под синим брезентовым навесом, бросился, схватил один, сбросил пиджак и с размаху швырнул кирпич в окно Клио. А вдруг все в порядке и она просто ходит по магазинам? И все-таки лучше не рисковать, решил он, добивая стекло. Он раздвинул жалюзи и увидел разлитую воду, разбитый аквариум, перевернутый столик, разбросанные книги.

— Клио! — завопил Грейс во весь голос. — Клио!.. — Оглянувшись, он вновь увидел молодого человека на велосипеде, остановившегося у своего подъезда и удивленно смотревшего на него. — Вызывай полицию! — крикнул он и, не обращая внимания на торчавшие осколки, прыгнул через подоконник в комнату, перекувырнувшись, вскочил и огляделся.

На полу к лестнице тянулся кровавый след.

Грейс помчался наверх. Пробежав первый пролет, заглянул в открытую дверь кабинета, вновь окликнул Клио и откуда-то сверху услышал придушенный голос:

— Рой, осторожно, он здесь…

Грейс мгновенно оглядел вторую площадку, где справа была комната Клио, слева гостевая спальня и узкая лестница на террасу на крыше. Слава богу, она хоть жива. Он затаил дыхание.

Ни малейшего движения, тишина, только слышен громкий стук его собственного сердца.

Следовало попросить помощи, но надо было вслушиваться в каждый звук, раздававшийся в доме. Он очень медленно, как можно тише, поднимался на второй этаж. Перед самой площадкой остановился, снова вытащил мобильник, набрал три девятки.

— Говорит суперинтендент Грейс. Мне срочно нужна подмога...

Он увидел только тень, а потом на него как будто грузовик налетел.

В следующую секунду он уже летел в воздухе, расшибая голову об окованные железом ступеньки, вверх ногами, чувствуя острую боль в груди, смутно понимая, что ребро сломано, глядя вверх в лицо Брайана Бишопа.

Бишоп спускался по лестнице в зеленом комбинезоне, держа в одной руке молоток, в другой противогаз. Только это был не Бишоп. Не мог быть Бишоп. Тот в тюрьме. В тюрьме Льюиса, думал Грейс сквозь туман.

Лицо Брайана Бишопа. И такая же стрижка. Но выражение лица другое, какого у Бишопа ни разу не было. Искаженное, перекошенное ненавистью. Норман Джекс, решил он. Наверняка. Два абсолютно идентичных человека.

Джекс спустился еще на ступеньку, занес молоток, сверкая глазами.

— Ты назвал меня дьяволом, — выдавил он. — Хотя не имел права так делать. Следует осторожно выбирать слова, отзываясь о людях, суперинтендент Грейс. Нельзя безнаказанно расхаживать по земле, обзывая их всякими словами.

Грейс пристально смотрел на Джекса, гадая, включен ли телефон, не прервалось ли соединение с оператором. И как можно громче выкликнул:

— Пятое подразделение, Гарденерс-Ярд, Брайтон!

И увидел, как метнулись глаза мужчины.

Наверху что-то скрипнуло.

Норман Джекс на секунду настороженно оглянулся.

Грейс воспользовался моментом, приподнялся на локтях и изо всех сил пнул его правой ногой, нацелившись в мошонку.

Джекс хрипло взвизгнул от боли, согнулся напополам, молоток выпал, покатился по лестнице, пролетев мимо головы Грейса. Детектив опять махнул, нацелившись, ногой, но Джексу, несмотря на боль, как-то удалось схватить его за лодыжку и яростно ее выкрутить. Грейс не обращал внимания на боль и ударил другой ногой, попав во что-то твердое. Раздался вопль.

Увидел молоток! Потянулся к нему, однако не успел — Джекс бросился на него и прижал руку к полу. Собрав все силы, Грейс ударил его локтями и освободился из хватки, опять покатившись по лестнице. Джекс катился за ним, нанес ему один удар в щеку, другой в нос. Грейс лежал лицом вниз на полу, вдыхая запах полированного дерева, чувствуя на себе смертоносную тяжесть Джекса, а на горле его железные пальцы.

Он снова попытался отбиться локтями, но уже задыхался, с трудом дыша.

Неожиданно пальцы ослабли. Джекс поднялся. Причина была проста — в окно влезали полицейские.

По лестнице пронеслись шаги.

— Вы целы, сэр? — крикнул констебль.

Грейс кивнул, с трудом поднялся, нога и грудь болели, и захромал вверх. На площадке споткнулся о брошенный противогаз. Джекс исчез. Дотащившись до второго этажа, он увидел Клио в сплошных синяках, с кровоточившей раной на лбу, которая испуганно выглядывала из приоткрытой, разбитой в щепки двери спальни.

— Все в порядке? — прохрипел он.

Она только кивнула, не в силах говорить от шока.

Где-то над головой раздался удар. Не обращая внимания на боль, Грейс рванулся наверх и увидел, как в стену ударилась дверь, ведущая на крышу. Он выскочил на дощатый настил и заметил в гаснувшем свете оливковый комбинезон, через секунду исчезнувший на пожарной лестнице в дальнем конце террасы.

Он обежал вокруг жаровни, стола, кресел, растений в кадках, заспешил по крутым железным ступеням, а Джекс был уже на середине двора и направился к воротам.

Ворота с грохотом закрылись перед самым лицом подбежавшего Грейса. Он нажал скрытую красную кнопку, рывком открыл тяжелые створки, не дожидаясь мчавшихся за ним вдогонку полицейских, задыхаясь и спотыкаясь, выскочил на улицу. Джекс был в доброй сотне ярдов, он бежал, виляя, среди закрытых антикварных магазинчиков, мимо паба, где громыхал джаз, где за столиками, запруживая почти весь тротуар и часть дороги, сидели посетители.

Грейс гнался, твердо решив достать сукиного сына. Все прочее вылетело у него из головы.

Джекс свернул налево на Лондон-роуд. Шустрый, гад. Боже мой, какой шустрый. Боль в груди была адская, легкие перемалывали каменные жернова. Грейс не догонял, но и не отставал. Справа мелькнула церковь Святого Петра, слева супермаркет с бесконечными лавками и павильонами, сейчас уже закрытый, только витрины ярко освещены. Мимо едут автобусы, фургоны, такси, автомобили. Он обежал компанию юнцов, высматривая таявший в темноте оливково-зеленый комбинезон.

Джекс выскочил на пересечение с Престон-Серкус. Перед ним зажегся красный светофор, но он все-таки рванул вверх по Лондон-роуд. Грейсу на миг пришлось притормозить — мимо прогромыхал грузовик, за ним шла бесконечная шеренга автомобилей. Ну, давай же, давай, давай! Оглянувшись через плечо, он увидел за спиной двух полицейских. И безрассудно, почти ничего не видя из-за заливавшего глаза едкого пота, перебежал дорогу во вспыхнувшем свете фар, под сердитый автобусный гудок.

Несмотря на неплохую форму благодаря регулярным пробежкам, неизвестно, долго ли еще удастся продержаться.

Джекс, находившийся уже ярдах в двухстах, замедлил бег, оглянулся на Грейса и снова набрал скорость.

Куда к чертям он направляется?

Справа от дороги теперь шел парк, слева конторские здания, квартал жилых многоквартирных домов.

«Скоро начнешь выдыхаться, Джекс. Не уйдешь. Я тебе не позволю безнаказанно уйти после нападений на любимую Клио», — думал Грейс.

Джекс пробежал мимо гаражей, пересек еще один перекресток, миновал торговые ряды.

Наконец раздался пронзительный вой полицейской сирены. Почти вовремя, язвительно заметил Грейс. Через несколько секунд рядом с ним притормозил патрульный автомобиль, пассажирское стекло начало опускаться, изнутри донесся треск рации и голос инспектора.

Грейс еле-еле выдохнул:

— Прямо впереди… В зеленом защитном костюме… Задержать…

Сирена взвыла, на крыше закрутилась синяя мигалка, машина выскочила на тротуар прямо за спиной у Джекса.

Джекс повернул назад в сторону Грейса, но через несколько ярдов метнулся влево к железнодорожной станции Престон-парк.

Послышалась другая сирена. Еще подмога. Хорошо.

Теперь Грейс преследовал Джекса по крутому подъему, застроенному с обеих сторон домами. Впереди выросла высокая кирпичная стена с входом в туннель, тянувшийся к платформам и на противоположную сторону дороги. Там стояли два такси.

На стоянке перед станцией тоже ждала пара такси, справа вдоль железнодорожного пути тянулась невымощенная протоптанная дорожка.

Джекс свернул на нее.

Первая патрульная машина промчалась за ним, но он вдруг развернулся, нырнул в туннель и выскочил на южную платформу, едва не налетев на молодую женщину с чемоданом и мужчину в деловом костюме.

Грейсу тоже пришлось обегать пассажиров. Джекс бежал по платформе. Задняя дверь вагона была открыта, оттуда высовывался кондуктор, сигналя фонариком. Состав трогался с места.

Джекс спрыгнул с платформы, скрывшись из вида. Где же он, на рельсах?

Поезд набирал скорость, мимо промелькнул кондуктор, Грейс увидел красные хвостовые огни и Джекса, ухватившегося за поручень, одна нога неловко стоит на буфере.

— Полиция! Остановите поезд! У вас человек на буфере висит!.. — завопил Грейс кондуктору.

Кондуктор, тощий молодой человек в плохо пригнанной форме, сначала только удивленно взглянул на него. Поезд шел все быстрее.

— Полиция! Я из полиции! Останавливай!..

Кондуктор, видимо, все-таки услышал его, потому что нырнул в вагон. Послышался резкий звонок, и поезд вдруг замедлил ход, скрежеща тормозами, шумно выпуская пары, а потом совсем остановился ярдах в пятидесяти от заднего края платформы.

Грейс добежал, спрыгнул на рельсы, держась подальше от поднятой кондуктором ступеньки, спотыкаясь на рыхлом, заросшем сорняками балласте.

Кондуктор спрыгнул вниз и бросился к нему, светя фонарем.

— Где он?

Джекс, казавшийся вне досягаемости, наклонился над буфером, соскочил, но не далеко, и задел ногой контактный рельс. Мелькнула голубая вспышка, раздался треск, поднялся клуб дыма, послышался вопль. Джекс упал на балласт между рельсами, сильно ударившись, перевернулся, голова глухо стукнулась о рельс и застыла.

В свете фонарика кондуктора Грейс разглядел его левую ногу, вывернутую под неестественным углом, на секунду решив, что он мертв. В воздухе стоял резкий паленый запах.

— Эй! — панически крикнул кондуктор. — Поезд идет! Который в двадцать один пятьдесят!

Грейс услышал, как тоненько гудят рельсы.

— Скорый! На Викторию! Экспресс... — Его била дрожь, так что ему едва удавалось светить на Джекса, который пытался подняться, схватившись за рельс.

Грейс перешагнул через контактный рельс. Сукин сын ему нужен живой.

Джекс еще раз попробовал встать, но снова со страдальческим воплем упал. Лицо его было залито кровью.

— Нет! — крикнул кондуктор Грейсу. — Тут нельзя переходить!..

Слышался шум подходившего поезда. Не обращая внимания на кондуктора, Грейс перенес другую ногу, встал между путями, оглянувшись налево. Свет огней экспресса распорол темноту прямо перед ним. У него было всего несколько секунд.

Быстро рассчитав, Грей перебрался через второй контактный рельс. Схватил обмякшую сломанную ногу в грязном башмаке, принялся изо всех сил тянуть. Огни совсем приблизились. Сквозь гудок поезда слышались безумные вопли Джекса. Земля задрожала, рельсы решительно взвыли. Грейс снова потащил тело, не обращая внимания на боль, крики кондуктора, на грохот и огни поезда. Попятившись, он перевалил свой груз через другой рельс на твердую землю.

И уже тут, споткнувшись, упал, головой в нескольких дюймах от рельса. Раздался чудовищный крик.

Поезд, оглушая, прогрохотал мимо, воздушные водовороты трепали одежду и волосы Грейса.

Еще раз хлестнул ветер, а потом все стихло.

Он почувствовал что-то теплое и липкое на своем лице.

119

Казалось, тишина длится вечно. Задыхавшегося Грейса на миг ослепил фонарь. Теплая жидкость по-прежнему текла по лицу. Луч фонаря сдвинулся, и он увидел на рельсах нечто вроде куска серого шланга, брызгавшего красной жидкостью.

Он понял, что это не краска, а кровь. И не шланг, а правое предплечье Джекса. Ему отрезало руку.

Грейс с трудом встал на колени. Джекс лежал и стонал, его била дрожь. Надо остановить кровотечение, и немедленно, иначе он за несколько минут истечет кровью, подумал Грейс.

Кондуктор подскочил к ним.

— Господи Иисусе, — бормотал он. — Господи помилуй.

Подбежали и два полицейских.

— Вызывайте «скорую», — бросил им Грейс, глядя на прижавшиеся к стеклам лица пассажиров стоявшего поезда. — Может, в каком-нибудь вагоне найдется врач.

Кондуктор не мог оторвать глаз от лежавшего Джекса.

— Да позвоните же кто-нибудь в «скорую»! — заорал Грейс на полицейских.

Кондуктор бросился к телефону на семафоре.

— Уже вызвали, — сказал один из полицейских. — С вами все в порядке, сэр?

Грейс кивнул, по-прежнему тяжело дыша, сосредоточенно отыскивая что-нибудь пригодное для жгута.

— Направьте кого-нибудь на помощь Клио Мори, Гарденерс-Ярд, пять. — Он потянулся к карману, но вспомнил, что пиджак остался где-то на полу в доме Клио. — Дайте мне свою куртку! — крикнул он вслед кондуктору.

Тот, слишком ошеломленный, чтобы протестовать, вернулся, сорвал с себя куртку, побежал обратно. Грейс оторвал оба рукава. Один как можно туже затянул на предплечье Джекса, чуть повыше обрубка, другой скатал, зажав культю.

Снова прибежал запыхавшийся кондуктор.

— Я велел отключить напряжение, — сообщил он. — На это уйдет всего пара секунд.

Вдруг в темноте грянула какофония гудков, словно разом взвыли все сирены «скорых» в Брайтоне и Хоуве.

Через пять минут Грейс ехал вместе с Джексом в фургоне «скорой», намеренный удостовериться, что сукин сын окажется под охраной в надежной палате, откуда невозможно удрать.

Впрочем, в данный момент особой опасности не было. Джекс был привязан ремнями и лежал под капельницей в полуобморочном состоянии.

Тщательно наблюдавший за мониторами санитар сообщил, что жизнь его вне опасности, несмотря на большую кровопотерю. Машина летела быстро, с включенной сиреной. Грейс чувствовал себя неважно из-за резких поворотов и тряски. На волю случая он ничего не оставил, пустив сзади и спереди полицейский эскорт.

Позаимствовав у санитара мобильный, он набрал оба номера Клио, но не получил ответа. Потом санитар по его просьбе связался по рации с дежурной. Женщина сказала, что «скорая» направлена в Гарденерс-Ярд. Санитары осмотрели и обработали поверхностные раны Клио Мори, которая отказалась ехать в больницу, желая остаться дома.

Грейс сам вызвал по той же рации патрульную машину, стоявшую у дома Клио, и велел находившимся там двум полицейским оставаться на месте до его приезда и как можно скорее застеклить окно.

В тот момент, как он покончил с инструкциями, второй полицейский автомобиль, следовавший за ними, дал сигнал сирены и остановился.

Из нее выбрался позеленевший молодой полицейский и поспешил к ним, держа что-то завернутое в окровавленную тряпку.

— Сэр! — обратился он к Грейсу.

— Что там у вас?

— Его рука, сэр. Может быть, можно еще пришить. Только нескольких пальцев недостает. Наверно, колеса размозжили. Мы их так и не отыскали.

Грейс, подавив желание объяснить, что, когда он покончит с Норманом Джексом, рука ему уже не сильно понадобится, мрачно буркнул:

— Правильное решение.

Джекса вывезли из операционной вскоре после полуночи. Больница не сумела связаться с единственным местным хирургом-ортопедом, несколько раз с успехом пришивавшим члены, а находившийся в больнице главный хирург, который только что закончил штопать мотоциклиста, признал кисть чересчур поврежденной.

Грейс заметил на кисти кусок пластыря и попросил оставить ее в холодильнике для криминалистов. Он убедился, что Джекс находится в отдельной палате на четвертом этаже, с крошечным оконцем и без пожарной лестницы, и к нему приставлена целая рота констеблей для круглосуточной охраны.

Наконец, уже не ощущая усталости, а, напротив, бодрый и взволнованный, он поехал к Клио. Левая щиколотка болела при каждом нажатии на педаль. Он с радостью увидел пустую патрульную машину на улице и застекленное окно, а хромая к парадному, услышал гудение пылесоса.

Клио открыла ему с пластырем на лбу, с подбитым и распухшим глазом. Два констебля сидели на диване и пили кофе, пылесос стоял на полу рядом с ними.

Она слабо ему улыбнулась:

— Рой, милый, ты ранен?

Он сообразил, что до сих пор запачкан кровью Джекса.

— Нет, не ранен, все в порядке. Надо только переодеться.

Констебли ухмыльнулись. Не обращая на них внимания, Грейс обнял Клио, поцеловал в губы, крепко прижал к себе, крепко-крепко, не желая больше отпускать.

— Боже, как я люблю тебя, — шепнул он. — Как я боялся, что может случиться что-нибудь...

— Ты его взял?

— Почти полностью.

120

Норман Джекс смотрел на Грейса угрюмо и злобно со своей койки в маленькой палате. Правое предплечье забинтовано. На левой кисти оранжевая больничная именная бирка. Бледное лицо в синяках и царапинах.

Гленн Брэнсон стоял позади Грейса, два констебля сидели снаружи в коридоре.

— Норман Джекс? — спросил Грейс. Странно было разговаривать с полной копией Брайана Бишопа, вплоть до стрижки. Словно Бишоп разыгрывал с ним дурную шутку, действительно находясь в двух местах одновременно.

— Да, — ответил тот.

— Ваше полное имя?

— Норман Джон Джекс.

Грейс записал в блокноте.

— Норман Джон Джекс, я суперинтендент уголовной полиции Грейс, это сержант Брэнсон. На основании обнаружившихся свидетельств я арестую вас по подозрению в убийстве мисс Софи Харрингтон и миссис Кэтрин Бишоп. Вы можете хранить молчание, иначе все сказанное вами может быть использовано против вас в суде. Понятно?

Джекс с невеселой улыбкой приподнял левую руку:

— Будет непросто надеть на меня наручники, не правда ли, суперинтендент Грейс?

Опешивший от подобной дерзости, Грейс парировал:

— Верное замечание. Зато теперь будет легко отличить вас от вашего брата.

— Весь мир всегда мог отличить меня от брата, — с горечью заметил Джекс. — Чего конкретно вам надо?

— Вы готовы с нами побеседовать или хотите сначала вызвать адвоката? — уточнил Грейс.

Джекс улыбнулся:

— Я с удовольствием с вами поговорю. Почему бы и нет. Все время на свете в моем распоряжении. Сколько вам его уделить?

— Сколько можете себе позволить.

Джекс покачал головой:

— Нет, суперинтендент, по-моему, вам этого не надо. Поверьте, вам вовсе не нужно то время, которое у меня в запасе.

Грейс, хромая, подошел к стоявшему у койки стулу, уселся.

— Что вы имели в виду, сказав, будто весь мир мог отличить вас от брата?

Джекс послал ему ту же кривую холодную усмешку, с какой вчера вечером спускался к нему по лестнице в доме Клио.

— Он родился с серебряной ложкой во рту, а я... знаете с чем? С пластмассовой дыхательной трубкой в горле.

— Каким образом это позволяет отличать вас друг от друга?

— У Брайана с самого начала было все. Крепкое здоровье, состоятельные и благополучные родители, обучение в частной школе. А у меня? Недоразвитые легкие, первые месяцы жизни прошли в инкубаторе, в этой самой больнице. Ирония судьбы, да? У меня всю жизнь слабая грудь. И поганые родители. Понимаете, о чем я говорю?

— Не понимаю, — сказал Грейс. — Мне они показались довольно приятными людьми.

Джекс твердо взглянул на него:

— Вот как? А что вы о них знаете?

— Я сегодня с ними встречался.

Джекс вновь усмехнулся:

— Вряд ли, суперинтендент. Мой отец умер в девяносто восьмом году, прокляни Господь его душу, мать двумя годами позже.

Грейс секунду помолчал.

— Прошу прощения, по-видимому, я чего-то не понимаю.

— Чего тут непонятного? — бросил в ответ Джекс. — У Бишопа прекрасный дом, хорошее образование, все возможности, которые можно иметь в жизни, в этом году еще и компания, идею которой он украл у меня, видите ли, она вошла в список ста самых быстрорастущих британских компаний! Он большой человек! Богач. Вы же детектив, и не видите разницы?

— Какую идею он у вас украл?

Джекс затряс головой:

— Забудьте. Не имеет значения.

— Да? А мне почему-то кажется, что имеет.

Джекс откинулся на подушки, закрыл глаза.

— Пожалуй, больше ничего не скажу. Пока, по крайней мере. Дальнейшее в присутствии адвоката. Видите еще одну разницу? Брайан быстренько раздобыл ловкача, лучшего, какого можно купить за деньги! А мне в конце концов придется довольствоваться второразрядным государственным адвокатом. Так?

— Вы можете бесплатно воспользоваться услугами очень хороших адвокатов, — заверил его Грейс.

— Да-да-да, ну-ну-ну, — пробормотал Джекс, не открывая глаз. — Не стоит обо мне беспокоиться, суперинтендент. Никто никогда не беспокоился. Даже Бог. Притворялся, будто любил меня, а на самом деле всегда любит Брайана. Иди, целуйся со своей Клио Мори. — Тон его вдруг стал ледяным, он открыл глаза, широко улыбнулся Грейсу. — Потому что ты ее любишь.

На утреннем инструктаже в пятницу в забитом до отказа конференц-зале царила атмосфера ожидания.

Грейс начал:

— Сейчас я кратко изложу основные события, произошедшие вчера после ареста Нормана Джона Джекса. — Он взглянул в блокнот. — Очень важный вопрос для расследования убийства Кэти Бишоп заключается в решительном подтверждении одонтологом-криминалистом Кристофером Гентом, что след от укуса, оставшийся на отрезанной кисти Нормана Джекса, нанесен зубами Кэти Бишоп.

Он помолчал, чтобы важность сообщения была усвоена, а потом продолжал:

— Сержант Батчелор установил, что в течение двух лет до марта нынешнего года некий Норман Джекс, отвечающий описанию нашего подозреваемого, работал в качестве компьютерного программиста в отделе разработки программного обеспечения страховой компании «Саутерн стар». В данном случае существенно то, что он уволился приблизительно через месяц после предполагаемой страховки Бишопом жизни своей жены на три миллиона фунтов. Сейчас мы запрашиваем все банковские счета Бишопа, чтобы выяснить, была ли выплачена какая-то премия. Подозреваю, что обнаружится полная неосведомленность этого джентльмена на сей счет.

Он отхлебнул кофе.

— Памела и Альфонсо перепроверили данные о криминальном прошлом Бишопа, но не сумели найти о них никаких упоминаний ни в местной, ни в общенациональной прессе в примерный период их совершения или вынесения обвинений.

Он перевернул страничку.

— Прошлым вечером при обыске гаража, арендованного Джексом, мы нашли набор номерных таблиц, идентичных табличкам «бентли» Брайана Бишопа. В то же время при обыске его квартиры на Саквилл-роуд в Хоуве обнаружились доказательства нездорового интереса Джекса к своему близнецу-брату. Сюда можно добавить и систему видеонаблюдения, подключенную через Интернет к скрытым камерам, установленным в доме Бишопов и лондонской квартире. Наконец, Джекс нынче утром в беседе со мной и сержантом Брэнсоном признался в ненависти к брату.

Грейс перечислил то, что было обнаружено в квартире Джекса, хотя придержал информацию о трех номерах, набранных на мобильном телефоне с повременной оплатой, поскольку они с Брэнсоном не собирались их проверять, а переслали в отделение «Телекома».

Когда он закончил, Норман Поттинг поднял руку:

— Рой, я знаю, что это, строго говоря, не наше дело, но все-таки обзвонил днем транспортные агентства Брайтона и Хоува и поинтересовался, не справлялась ли Дженет Макуиртер в апреле этого года об авиарейсах в Австралию. Дама по имени Лена из компании «Аосса тревел» нашла бланк заказа Дженет Макуиртер, которая вписала имя и фамилию своего спутника... Норман Джекс.

По окончании инструктажа Грейс прошел к себе в кабинет. Сначала позвонил следователю по делу Дженет Макуиртер, рассказав о том, что выяснил Поттинг. Потом Крису Биннсу из Королевской прокуратуры, изложив полученные на данный момент сведения по делу Кэти Бишоп.

Хотя обнаруженные свидетельства и улики, кажется, снимали подозрения с Брайана Бишопа и указывали на его брата, освобождать подозреваемого было еще слишком рискованно. В понедельник Бишоп должен предстать перед судом в связи со своим арестом. Грейс с Биннсом согласовали стратегию. Биннс побеседует с солиситором Бишопа, проинформирует, что у прокуратуры могут возникнуть некоторые затруднения с обвинением в связи с вновь открывшимися обстоятельствами. Он не будет возражать против освобождения под залог, если Бишоп согласится сообщать полиции о своем местонахождении и сдать паспорт.

Завершив разговор, Грейс долго сидел в молчании. Одного кусочка головоломки по-прежнему не хватает. Причем очень крупного. Он вытащил из папки, лежавшей на столе, документы о рождении и усыновлении Брайана Бишопа и его брата.

В открывшуюся дверь просунулась голова Гленна Брэнсона.

— Ну, я пошел, старик, — объявил он.

— Чему радуешься? — спросил Грейс.

— Сегодня она мне разрешила уложить детей!

— Ух ты! Какой прогресс. Значит, я скоро получу обратно свой дом?

— Нет. Одна ласточка весны не делает.

Грейс снова обратился к свидетельствам. Брэнсон прав. Одна ласточка весны не делает. И двое арестованных не решают загадку.

Норман Джекс сказал нынче утром, что первые годы жизни провел в инкубаторе. И что его родители мертвы. А по словам тех родителей, с которыми встречался Грейс, он сам мертв.

Почему они лгут друг о друге?

121

Впервые за очень долгую неделю Грейс лег в постель до полуночи. Но спал лишь урывками, стараясь не ворочаться, когда просыпался, чтобы не потревожить Клио, спавшую, как младенец, в его объятиях.

Возможно, только когда Норман Джекс окажется за решеткой, удастся по-настоящему успокоиться. Из Королевской больницы такому изощренному ловкачу слишком легко сбежать, несмотря на полицейскую охрану. Поэтому каждый незнакомый звук в доме представлялся Грейсу шагами Нормана Джекса.

Сильней всего его и Клио испугала электрическая дрель, которую она обнаружила у себя в чулане. У нее никогда в жизни не было дрели, да и рабочих в доме в последнее время не было. Джекс как будто оставил памятку о своем визите, намек, напоминание.

Потому что ты ее любишь.

Теперь дрель лежит в мешке для вещественных доказательств, прочно запертая в хранилище отдела тяжких преступлений. А еще в его ушах неотступно звучал шепот Джекса с больничной койки.

Он вернулся мыслями к Сэнди. По категорическому убеждению Дика Поупа, они с Лесли видели ее в Мюнхене.

Если так и она от них убежала, о чем это свидетельствует? Значит ли, что она начала новую жизнь и не хочет иметь никаких связей с прежней? Они были очень счастливы вместе, по крайней мере, так ему казалось. Может, она пережила какой-то нервный срыв? Тогда предложение Куллена расспросить в Мюнхене всех врачей из больниц и клиник может дать результат. Но что потом?

Попытаться снова устроить семейную жизнь с ней, зная, что однажды она его бросила и может сделать это снова. И одновременно погубить отношения с Клио?

Есть, конечно, вероятность, что Поупы ошиблись. Заметили другую женщину, похожую на Сэнди, вроде той, с которой он сам столкнулся в Английском саду. Прошло уже девять лет. Люди меняются. Теперь он сам с трудом вспоминает лицо Сэнди.

А в глубине души ясно — сейчас для него почти все в жизни составляет Клио.

Всего один день в Мюнхене чуть не разверз меж ними пропасть. Стоит ли включаться в полномасштабные поиски, которые, кроме всего прочего, потребуют огромных усилий? Он девять лет гоняется за тенью. Может быть, пора остановиться? Пора оставить прошлое позади?

Он провалился в сон, решив хотя бы попытаться.

И проснулся через два часа, весь дрожа от постоянно возвращавшегося кошмара, терзавшего его уже несколько ночей. Голос Сэнди звал его на помощь из темноты.

Прошел почти час, прежде чем он снова заснул.

В шесть утра Грейс приехал домой, надел тренировочный костюм, спустился к морю. Болела почти каждая мышца, поврежденная щиколотка не позволяла бегать, поэтому он проковылял по променаду туда-сюда, чтобы прояснить мысли на свежем утреннем воздухе.

Потом, выйдя из душа и вытираясь, услышал, как открылась дверь спальни Брэнсона, стукнула крышка унитаза. Через несколько секунд, намыливая лицо, он услышал, как друг звучно мочится, словно супертанкер, опустошающий баки. Наконец хлынула сливная струя. Потом Брэнсон крикнул:

— Чай? Кофе?

— Я не ослышался? — переспросил Грейс.

— Да, я решил разыграть для тебя любящую жену.

— Чаю завари. И пусть медовый месяц длится подольше, ладно?

— Сейчас будет готово!

Брэнсон весело мычал, топая вниз по лестнице, — интересно, какие пилюли он принял с утра? Грейс вернулся к бритью и к проблеме, которую никак не мог решить. Хотя, кажется, понял, с чего надо начать.

В десять с небольшим он опять вошел в комнату ожидания регистрационного отдела брайтонского муниципалитета, в руках у него была папка.

Всего через пару минут дверь открылась и появилась высокая элегантная фигура начальника отдела Клайва Равенсбурна. Он пожал Грейсу руку, держась гораздо свободнее, чем во время предыдущей встречи пару дней назад.

— Очень раз снова видеть вас, суперинтендент. Чем могу помочь?

— Большое спасибо, что пришли в воскресенье. Ценю.

— Ничего страшного. Это мой рабочий день.

— Дело связано с тем же расследованием, по поводу которого я приходил к вам в четверг, — сказал Грейс. — Вы любезно предоставили мне информацию о близнецах. Необходимо, чтоб вы ее подтвердили, — это очень срочно и важно для следствия. Кое-что не совпадает.

— Пожалуйста, — кивнул Равенсбурн. — Сделаю все возможное... во всяком случае, постараюсь.

Грейс открыл папку, показал свидетельство о рождении Брайана Бишопа.

— Я назвал вам имя этого ребенка — Десмонд Джонс — и спросил, можно ли установить, был ли у него близнец, и выяснить его имя. Нашлось двадцать семь младенцев с таким именем. Вы предложили просмотреть индексы свидетельств.

— Верно, — энергично кивнул Равенсбурн.

— Можно попросить вас перепроверить?

Равенсбурн взял свидетельство и вышел из приемной, через пару минут он вернулся с большой регистрационной книгой в зеленом кожаном переплете и, положив ее рядом со свидетельством, принялся озабоченно листать. Остановился, снова заглянул в свидетельство.

— Десмонд Уильям Джонс, мать Элинор Джонс, родился в Королевской больнице графства Суссекс седьмого сентября шестьдесят четвертого года в пятнадцать сорок семь. Дальше указано, что он усыновлен. Так? Это тот ребенок?

— Да, — подтвердил Грейс. — Теперь проверьте его близнеца.

Регистратор вернулся к регистрационной книге.

— Фредерик Роджер Джонс, — прочел он. — Мать Элинор Джонс, родился в Королевской больнице графства Суссекс седьмого сентября шестьдесят четвертого года в шестнадцать ноль пять. Тоже впоследствии усыновлен. — Он поднял глаза. — Этого близнеца вы имеете в виду?

— Вы уверены? Ошибки не может быть? — спросил Грейс.

Регистратор перевернул книгу, чтобы Грейс сам увидел. На странице было пять записей.

— У вас просто копии свидетельств о рождении, — объяснил регистратор. — Оригиналами служат эти. Понятно?

— Понятно, — кивнул Грейс.

— Копии точные. Это оригинальные записи. На странице их пять, видите? Две нижние ваши. Десмонд Уильям Джонс и Фредерик Роджер Джонс.

Для подтверждения своей правоты Равенсбурн перевернул страницу.

— Видите, здесь снова пять... — И умолк на полуслове, листанул обратно, снова перевернул и пробормотал: — Ох, боже милостивый! Мне даже в голову не пришло. Помню, я спешил, когда вы приходили. Увидел близнецов — вы искали близнецов... Совсем не подумал...

Верхняя надпись на следующей странице, сделанная аккуратным косым почерком, гласила:

«Норман Джон Джонс, мать Элинор Джонс, родился в Королевской больнице графства Суссекс седьмого сентября шестьдесят четвертого года в шестнадцать двадцать четыре».

Грейс взглянул на него:

— Я все правильно понял?

Регистратор лихорадочно закивал, отчасти от растерянности, отчасти от волнения:

— Да! Родился через девятнадцать минут. Мать та же. Абсолютно!

122

Перед глазами Грейса мелькали страницы «Аргуса» за прошлые годы. Он сидел, сгорбившись, перед аппаратом для просмотра микрофильмов в справочном отделе библиотеки Брайтона и Хоува, просматривая пленку с газетными номерами 1961 года, время от времени притормаживая, сверяя даты. Апрель... июнь... июль... август... Сентябрь.

Остановил аппарат на страницах газеты за 4 сентября и принялся медленно прокручивать вперед. Потом снова остановился, вернувшись к номеру за 7 сентября. Ничего существенного. Внимательно прочел следующие страницы и опять ничего не нашел.

Главной темой выпуска за 8 сентября был местный скандал, но через две страницы в глаза бросился снимок.

Три крошечных ребенка, уложенные в ряд в стеклянном футляре инкубатора. На срезке изображение искореженного автомобиля. Сверху надпись: «Младенцы чудом уцелели в страшной катастрофе». И еще фотография привлекательной женщины двадцати с небольшим лет. Грейс дважды перечитал в заметке каждое слово. Вновь рассмотрел снимки малышей, лицо женщины, автомобиль, снова перечитал статейку, лишенную всяких сенсационных подробностей, одни факты.

Полиция расследовала, почему «форд-англиа» развернулся поперек шоссе А-23 под проливным дождем в начале вечера 6 сентября, оказавшись на пути грузовика... Элинор Джонс, мать-одиночка, преподавательница естественных наук... вынашивая близнецов, проходила лечение от депрессии... восемь с половиной месяцев беременности... После кесарева сечения была подключена к аппаратам жизнеобеспечения в палате интенсивной терапии... скончалась во время операции...

Он остановил микрофильм, вытащил, вставил в футляр, вернул библиотекарше. И почти побежал к выходу.

С трудом сдерживая волнение, Грейс ехал назад в Суссекс-Хаус. Он жаждал всех увидеть на инструктаже, а в первую очередь сообщить Клио, что они взяли именно того, кого нужно.

Только сначала надо поговорить с услужливой консультанткой по усыновлению Крисси Франклин, задать один вопрос, просто для перепроверки. Он собрался набрать ее номер, как телефон зазвонил.

Роджер Пол, возглавлявший следствие по делу о покушении на убийство Клио, поблагодарил его за информацию насчет обнаружения в гараже Джекса руководства по эксплуатации «эмджи ТФ» и сообщил, что теперь они считают его главным подозреваемым.

— Больше никого искать не придется, — ответил Грейс, подъезжая к управлению и останавливаясь. — Из чистого любопытства, как там бедолага, пытавшийся угнать машину?

— По-прежнему в интенсивной терапии в Ист-Гринстеде. Пятьдесят пять процентов ожогов, но надеются, что выживет.

— Может, послать ему цветы за спасение Клио? — предположил Грейс.

— Насколько мне известно, лучше пару упаковок героина.

Грейс усмехнулся:

— А что полицейский, который его вытащил?

— Констебль Пакер? Неплохо. Вышел из больницы, хотя лицо и руки серьезно обожжены.

Грейс поблагодарил за сообщение и позвонил Крисси Франклин. Рассказал о случившемся, она сочувственно рассмеялась:

— Мне бы следовало догадаться.

— Одно только меня беспокоит, — продолжал Грейс. — Его зовут Норман Джон. При нашей первой беседе вы объяснили, что приемные родители сменили имена или первое со вторым поменяли местами. В данном случае сохраняются оба полученных при рождении имени. Это имеет какое-то значение?

— Никакого, — сказала Франклин. — Многие родители меняют, а многие нет. Порой приемные родители берут подросшего ребенка из детского дома и тогда стараются не менять имена.